GLENCOE FRENCH 1

Bienvenue

Conrad J. Schmitt

Katia Brillié Lutz

**GLENCOE**

McGraw-Hill

New York, New York     Columbus, Ohio     Mission Hills, California     Peoria, Illinois

## Photography

Front Cover: ©Fotografia Productions/Westlight
Abad, Charlie/La Photothèque SDP: 328-329, 347/5; Air France: 181, 190; Alan/Option Photo: 241; Alinari/Art Resource, New York: 118BR; Antman, M./Scribner: ivR, v, xML, xiTR, 3, 16T, 19, 26B, 45, 55, 66B, 67, 72, 76, 83/4, 98, 99, 101, 107/3, 113, 132, 134, 140/2, 154, 161, 166/1, 183, 198, 201, 208, 210B, 235, 268/3, 281, 286, 287, 306, 314/1, 314/2, 314/3, 315/5, 316, 338, 347/3, 362T, 377, 385, 416, 423, 468, 470, 470, 478, 483; Arnold, Peter/Peter Arnold: 362B; Bayer, Carol/La Photothèque SDP: 369/6; Bilow, Nathan/Allsport: 368-69/2, 368/3, 368/4; Blatty, Michael: 30, 237; Bohin, Jean-Luc/Explorer: 31B, 60, 418/2, 485; Bureau International des Poids et Mesures: 221R; Cardoche, Christian/Option Photo: 322R; Carle, Eric/Bruce Coleman: 245/4; Chadefaux, A./Agence TOP: 408; Chardon, Philippe/Option Photo: 115BR; Château d'Agneaux Hôtel, Éliophot, Aix-en-Provence: 456BR; Cogan, Michel/Agence TOP: 475; Cogan, Michel/Rapho: 393/4B; Costa, Samuel/Explorer: 242; Couderc, Jean-Pierre/Rapho: 48B; Cuny, Christian/Explorer: 323TL; Cuny, Christian/Rapho: 244/2; Ducasse, François/Rapho: 392/1; Duomo: 292-293/2, 335, 336, 345, 347/4, 360; Dupont, José/Explorer: 323BL; Eshet, Zviki/La Photothèque SDP: 368/1; Fagot, Patrick/Explorer: 292/3; Fischer, Curt: ivL, v, viM, B, viiL, R, viiiT, ixTR, xiiBL, TR, 2, 4, 5, 6, 9, 10, 16B, 20B, 28T, 32-33, 32/1, 2, 33/4,5,6, 34, 35R, 36-37, 40, 48T, 50/1, 3, 5, 54, 59/1, 78, 82-83, 82/1, 83/5, 84T, 102, 105B, 106-107/1, 109, 111, 112, 120-121, 131, 136, 138, 140-141/1, 141/3, 144-145, 156, 157, 159, 162, 164, 165, 166-167/3, 166/2, 166/4, 168T, 170-171, 175, 184, 186T, 190-191, 191/3, 192, 203, 208, 212-13, 212/1, 213/3, 214, 219, 240, 248-249, 257, 261, 263, 264T, 267, 268/2, 269/4, 271, 285, 288T, 305, 317, 340, 380, 394, 396-397, 418-419/1, 418/3, 441, 450T, 467, 486; Francis, Jalain/Explorer: 411; Freed, Leonard/Magnum: 405; Gabriel, D./Explorer: 50/4; Gaveau, Alain: viT, ixML, BR, xTR, xiii, xiv-1, 12-13, 32/3, 62-63, 86-87, 90, 105T, 106/2, 168B, 272-273, 296-297, 308, 310, 312, 313, 320, 342, 364, 372-373, 383, 388, 406, 414, 417, 432-433, 440, 456TR, 458-459, 471, 474, 476, 480-81/1, 481/4; Geiersperger, Walter/Explorer: 323BR; Geopress/Explorer: 413; Gérard/Vandystadt/Allsport: 244/1; Gerometta, Roberto Soncin/Photo 20-20: 50/6, 66T 107/4, 130; Gile, Michel/Rapho: 455/3; Giraudon/Art Resource, New York: 58/2, 119M, B, 428, 429T; Godard/Option Photo: 115TR; Gschiedle, Gerhard/Scribner: 70, 230, 268-269/1, 280; Guichaoua, Yann/Allsport-Vandystadt: viii; Hazat-Iconos, V./Explorer: 20T, 35L, 50/3; Hinous, P./Agence TOP: 213/4; Holmes, Robert/Photo 20-20: 365, 369/5; Horwitz, Ted/The Stock Market: 17R; Hôtel de Paris, Cannes: 456L; Hôtel Idéal Mont Blanc: 456M; Index Stock International: 116; Institut Pasteur: 426, 427M, R; IPC Magazines, Ltd.: 58-59; Iundt, Dimitri/ATS: 292/1; Jones, Spencer/Bruce Coleman: 210T; Kenny, Gill C./Image Bank: 59/3; Lausat Collection/Explorer: 430L; Lefeuvre, Eric/Allsport: 293/5; Lenfant, J.P./Allsport: 243; Library of Congress: 431; Louvet, Anne Marie/Explorer: 31T; Lucas/Option Photo: 194-195; M., Joana/La Photothèque SDP: 245/5; 346-47, 367; Machatshek, Charles/Photothèque: 370; Madison, David/Duomo: 339; Mahieu, Ted/Photo 20-20: 28B; Manceau, Monique/Rapho: 141/4; Mannering, Cynthia/Glencoe: 97, Martel, Olivier/Rapho: 291; McCurry, Steve/Magnum Photos: 322L;

Menzel, Peter: 26T, 27, 31M, 80, 83/3, 84B, 266, 419/4, 454/2; Meyer, Carl F.: 108; Moatti/Kleinefenn/Opéra de Paris-Bastille: 119T; Musée de la Poste, Paris: 225; Neyrat, Alain-Patrick/Rapho: 207; Nouvel, Daniel/Option Photo: 115BL; Petit, Christian/Allsport: 290; Planchenault, Gérard/Allsport-Vandystadt: x; Rega/Rapho: 314-315; Renard, Eric/Agence Temp Sport: 293/4, 346/2; Romanelli, Marc/Image Bank: 216, 415; Rossiaud, Alain/La Photothèque SDP: 226-227; Sallaz, William R./Duomo: 422; Sanson, Nanette/Superstock: 350-351, 366; Scala/Art Resource, New York: 59/4, 118BL, 409, 429B; Schafer, Horst/Peter Arnold: 327R; SNCF: 211; Stock, Dennis/Magnum Photos: 193; Streshinsky, Ted/Photo 20-20: 247, 442; Talby, Israel/Rapho: 82/2; Testelin, Xavier/Rapho: 392-393/2; Têtefolle, François/Explorer: 117L; Thom, Robert/Institut Pasteur: 427R; Thomas, Marc: xiML, BL, 110, 139, 143, 179, 186B, 246, 264B, 283, 288B, 332, 348, 358, 376, 382, 391, 447, 450B, 473; Toulorge, D./Air France: 189; Tovy, Adina/Photo 20-20: 29, 244-245/3; TPH/La Photothèque SDP: 270; Truchot, René/Explorer: 115TL; Vanni/Art Resource, New York: 118TR, 407; Vielcanet, Patrick/Allsport: 50/T; Viollet Collection/Roger-Viollet: 221L, 224, 325, 430R; Walter/Rapho: 390; Watts, Ron/Westlight: 444; Weiss/Rapho: 269/5L; Wolf, Alfred/Explorer: 188, 392/3L, R, 427L; Wood, Kent/Peter Arnold: 327T; Wysocki, Pawell/Explorer: 393/4T, 315/4, 323TR.

Special thanks to the following for their assistance in photography arrangements: Philippe Boulze, Air France; Guy Martin, Le Grand Véfour Restaurant; Lycée Henri IV, Paris; Groupe Scolaire Sainte-Anne, Paris

## Illustration

Abadie, Stéphane: 100, 148, 149, 448, 462; Accardo, Anthony: 150, 151, 361, 445, 464, 465, 469; Allaire, Michele: 88, 89; Collin, Marie Marthe: 38, 39, 74, 124, 204, 301, 302, 330, 331, 352, 353, 434, 435, 438, 439, 446, 472; Daylight, Heather: 146, 147; Gorde, Monique: 92, 93, 94T, 282, 356, 357, 436; Gregory, Lane: 46, 47, 49, 77, 228, 229, 234, 252, 254, 255, 333, 334, 349, 355, 376; ©Hergé-Casterman: 417; Kieffer, Christa: 7, 10, 152, 325, Lao, Ralph/Lotus Art: 220B; Locoste-Laplace, Nathalie: 41, 218; Metivet, Henry: 70, 71, 133, 176, 177, 199, 200, 298, 299, 300, 316; Miller, Lyle: 122, 123, 172, 173, 196, 197, 206, 374, 375; Miyamoto, Masami: 52, 53, 91, 94B, 104, 381, 410, 456; Nicholson, Norman: 337, 398, 399; Parra, Claudine: 22; Preston, Heather: 116, 117, 220T; Spellman, Susan: 24, 25, 64, 65, 274, 275, 378, 379, 404; Taber, Ed: 42, 54, 79, 103, 136, 163, 187, 209, 240, 256, 265, 281, 289, 294, 308, 310, 341, 343, 364, 379, 389, 414, 451, 466, 477, 482; Thewlis, Diana: 8, 44, 51, 68, 69, 95, 96, 125, 126, 127, 174, 222, 223, 231, 232, 233, 278, 279, 402, 403; Watorek, Kena: 14, 15, 17, 18, 250, 251, 258, 262, 276, 460, 461.

## Realia

Realia courtesy of the following: A.N. Rafting, Le Grand Liou: 238; Air France: 185, 190, 191; Air Inter: 175, 178; Air Orient, © ARS, New York/ADAGP, Paris; illustration Paul Colin: 191; Allô Pizza: 142; Banque Industrielle et Mobilière Privée: 481; Banque Nationale de Paris: 463; Caisse d'Épargne Écureuil: 480; Cartotec, illustration Yannick Intesse: 295; Collections de la Comédie-Française: 401; Collège Eugène Delacroix: 85; Crédit Agricole: 480; Christian Dior: 269; © LES ÉDITIONS ALBERT RENÉ/GOSCINNY-UDERZO, Carte postale éditée par ADMIRA: 91; Éditions Gallimard: 225; Elle Magazine: 252, 318; L'Équipe: 354; Espace Soleil: 236; France Télécom: 449; Galeries Lafayette, illustration, Mats Gutafson: 259; Hachette-Gautier Languereau, illustration M. Boutet de Monvel: 14; © Hallmark Cards: 384; Jazz Magazine: 135; Laboratoire Conseil Oberlin: 385, 386, 391; Ligue Française Pour Les Auberges de la Jeunesse: 453; Locapark: 303; Michelin Red Guide France, 1992 Edition, Pneu Michelin, Services de Tourisme: 455; Ministère de l'Éducation Nationale: 81; Monoprix: 263; Okapi Magazine: 43; Pages Jaunes: 128; Pariscope Magazine: Backdraft, © by Universal City Studios, Inc. courtesy of MCA Publishing Rights, a Division of MCA Inc.: 412; La Poste: 463, 476; La Redoute Catalogue: 359; Restaurant Marty: 129; Rev'Vacances: 424; SNCF: 202, 212; Société IAG: 456; ©Télérama: 60, 342; Théâtres Privés Paris: 401; Le Train Bleu Restaurant, Gare de Lyon: 215; Vélo Sprint 2000 Magazine: 336.

Fabric designs by Les Olivades.

## Maps

Eureka Cartography, Berkeley, CA.

Send all inquiries to:
GLENCOE/McGraw-Hill
15319 Chatsworth Street
P.O. Box 9609
Mission Hills, CA 91346-9609

ISBN 0-02-636556-1 (Student Edition)
ISBN 0-02-636557-X (Teacher's Wraparound Edition)

4 5 6 7 8   AGH   98 97 96 95

# Acknowledgments

*We wish to express our deep appreciation to the numerous individuals throughout the United States and France who have advised us in the development of these teaching materials. Special thanks are extended to the people whose names appear below.*

Baud Family
Nice, France

Esther Bennett
Notre Dame High School
Sherman Oaks, California

Brillié Family
Paris, France

Kathryn Bryers
French Teacher
Berlin, Connecticut

Donnatella Carta
French Teacher
Berkeley Public High School
Berkeley, California

G. Gail Castaldo
The Pingry School
Martinsville, New Jersey

Myriam Chapman
Bank Street School for Children
New York, New York

Susan Coleman
Northridge, California

Veronica Dewey
Brother Rice High School
Birmingham, Michigan

École Sainte-Anne
Paris, France

Lyne Flaherty
Hingham High School
Hingham, Massachusetts

Julie High
North Monterey County School District
Moss Landing, California

Marie-Jo Hofmann
Poudre School District
Fort Collins, Colorado

Marcia Brown Karper
Fayetteville-Manlius Central Schools
Manlius, New York

Jacques Lefèbvre
Lycée du Parc Impérial
Nice, France

Annette Lowry
Ft. Worth Independent School District
Ft. Worth, Texas

Fabienne Raab
Paris, France

Sally Schneider
Plano Independent School District
Plano, Texas

Alex P. Sena
Horace Mann Junior High School
Colorado Springs, Colorado

Robbie Trombetta
Culver City, California

Alain Weber
Headmaster
French American International School
San Francisco, California

Faith Weldon
Schalmont Central School District
Schenectady, New York

Bennett Williams
Department Head/French Teacher
Berkeley Public High School
Berkeley, California

# TABLE DES MATIÈRES

## BIENVENUE

CHAPITRE 1

## UNE AMIE ET UN AMI

## CHAPITRE 2

# LES COPAINS ET LES COURS

## CHAPITRE 3

# EN CLASSE ET APRÈS LES COURS

CHAPITRE 6

# ON FAIT LES COURSES

CHAPITRE 7

# L'AÉROPORT ET L'AVION

## CHAPITRE 8

# À LA GARE

## CHAPITRE 9

# LES SPORTS ET LES ACTIVITÉS D'ÉTÉ

# LES BOUTIQUES ET LES VÊTEMENTS

# LA ROUTINE ET LA FORME PHYSIQUE

CHAPITRE 12

# LA VOITURE ET LA ROUTE

CHAPITRE 13

# LES SPORTS

## CHAPITRE 18

# L'ARGENT ET LA BANQUE

## APPENDICES

# BIENVENUE

# A

## BONJOUR!

—Salut, Daniel!
—Salut, Stéphanie!

—Bonjour, Jean-Paul!
—Bonjour, Pierre!

When greeting a friend in French, you say *Salut* or *Bonjour.*
*Salut* is a less formal way of saying hello.

### Activité

 **Salut!**   Choose a partner. Greet each other. Be sure to shake hands.

—Bonjour, Monsieur.          —Bonjour, Madame.          —Bonjour, Mademoiselle.

1. When greeting an adult in French, you say *Bonjour* with the person's title.
   You do not use the person's name with the title.

2. The following are abbreviations for these titles.

     **M.**  **Monsieur**       **Mme**  **Madame**     **Mlle**  **Mademoiselle**

## Activités

**A** **Bonjour.** Greet your French teacher.

**B** **Monsieur, Madame, Mademoiselle.** Choose a partner. Greet the following people. Your partner will answer for the other person.

1. the principal of your school
2. your English teacher
3. a young saleswoman at the record store
4. your neighbor, Mr. Smith
5. your parents' friend, Mrs. Jones

---

# B
## ÇA VA?

—Salut, Marc.
—Salut, Valérie. Ça va?
—Ça va bien, merci. Et toi?
—Pas mal!

1. When you want to find out from a friend how things are going, you ask:

    Ça va?

2. Responses to *Ça va?* include:

    Ça va, merci.
    Bien, merci.
    Pas mal! Et toi?

## Activités

**A** **Salut!** Greet a classmate using the following expressions. Then reverse roles.

1. Salut!
2. Ça va?

**B** **Ça va?** You are walking down a street in Arles in southern France when you run into one of your French friends.

1. Greet each other.
2. Ask each other how things are going.

## C

## AU REVOIR

—Au revoir, Didier.
—Au revoir, Martine.

—Ciao, Gérard.
—Ciao. À tout à l'heure.

1. A common expression to use when saying goodbye is:

   **Au revoir!**

2. If you plan to see someone later in the day you say:

   **À tout à l'heure!**

3. An informal expression that you will hear frequently is:

   **Ciao!**

—**Au revoir, tout le monde! À demain.**
—**Au revoir, Madame.**

**4.** If you plan to see someone the next day, you say:

> **À demain.**

## Conversation

—Salut, Christian.          —Ça va bien, et toi?          —Ciao, Christian.
—Salut, Francine. Ça va?    —Pas mal, merci.              —Ciao. À tout à l'heure!

## Activités

**A**  **Salut!**  Say the following to a classmate. Your classmate will answer.

1. Salut!        3. Au revoir.
2. Ça va?        4. Ciao!

**B**  **Au revoir!**

1. Say goodbye to your French teacher. Indicate that you will see him or her tomorrow.
2. Say goodbye to a friend. Indicate that you will see him or her later in the day.

# D

# QUI EST-CE?

## Conversation

GARÇON 1: Qui est-ce?
GARÇON 2: Qui ça?
GARÇON 1: La fille là-bas.
GARÇON 2: C'est Mireille Claudel.

*(She comes up to them.)*
GARÇON 2: Mireille, c'est Guillaume.
FILLE: Salut, Guillaume.
GARÇON 1: Salut, Mireille.

1. When you want to know who someone is, you ask:

   **Qui est-ce?**

2. When you want to identify a person or introduce a person to someone else, you use *c'est* + the person's name.

   **C'est Mireille Claudel.**

## Activités

**A** **Qui est-ce?** Ask a classmate who someone else in the class is.

**B** **C'est...** Introduce someone you know to another person in the class.

**C** **Qui ça?** Prepare the following conversation with two classmates.

1. Greet your classmate.
2. Ask him or her who someone else in the class is.
3. Say hello to the new person.
4. Ask him or her how things are going.
5. Say goodbye to one another.

# QU'EST-CE QUE C'EST?

un cahier

un crayon

une chaise

un stylo

une table

un ordinateur

un livre

un autre livre

une calculatrice

un sac à dos

une feuille de papier

une autre feuille de papier

un bureau

un tableau

un morceau de craie

un devoir

1. When you want to know what something is, you ask:

   **Qu'est-ce que c'est?**

2. When you want to identify the object, you use *C'est* + the name of the object.

   **C'est un cahier.**

## Activité

**C'est un (une)...** Work with a classmate. Your classmate will hold up or point out five classroom objects and ask you what each one is.

# F

## OÙ EST...?

**Où est le livre?**

sur le bureau

dans le bureau

**Où est Pierre?**

devant Paul

derrière Monique

Paul    Pierre       Monique

## Exercices

**A** **Où est...?** Répondez d'après le dessin.
*(Answer according to the illustration.)*

1. Où est le livre?
2. Où est le crayon?
3. Où est le cahier?
4. Où est l'ordinateur?
5. Où est la calculatrice?

**B** **Qui est devant ou derrière?**
Répondez d'après le dessin. (*Answer according to the illustration.*)

1. Qui est devant Marie?
2. Qui est derrière Paul?
3. Qui est devant Marc?
4. Qui est derrière Suzanne?

A

Suzanne   Marie   Paul   Marc

B

## Activités

**A** **Où est...?** A classmate will place a classroom object somewhere in the room. You will tell where the item is located using *sur, dans, devant,* or *derrière.*

**B** **Devant ou derrière?** Choose a row of students and tell where each person is seated in relation to another classmate in the row.

# G

## C'EST COMBIEN?

—C'est combien, Madame?
—Six francs, Mademoiselle.
—Merci, Madame.

1. When you want to find out how much something is, you ask:

   **C'est combien?**

2. In order to understand the answer, you must know some numbers. On the right are the numbers in French from zero to sixty.

| LES NOMBRES DE ZÉRO À SOIXANTE | | |
|---|---|---|
| 0 | zéro | |
| 1 | un | 21 vingt et un |
| 2 | deux | 22 vingt-deux |
| 3 | trois | 23 vingt-trois |
| 4 | quatre | 24 vingt-quatre |
| 5 | cinq | 25 vingt-cinq |
| 6 | six | 26 vingt-six |
| 7 | sept | 27 vingt-sept |
| 8 | huit | 28 vingt-huit |
| 9 | neuf | 29 vingt-neuf |
| 10 | dix | 30 trente |
| 11 | onze | 31 trente et un |
| 12 | douze | 40 quarante |
| 13 | treize | 41 quarante et un |
| 14 | quatorze | 50 cinquante |
| 15 | quinze | 51 cinquante et un |
| 16 | seize | 60 soixante |
| 17 | dix-sept | |
| 18 | dix-huit | |
| 19 | dix-neuf | |
| 20 | vingt | |

## Activités

**A** **C'est combien?** How much French money is in each picture?

**Dix francs.**

1.

2.

3.

4.

**B**  **À la papeterie.**  You are spending the school year in France and are buying the following supplies at the stationery store. A classmate will play the role of the salesperson. Find out how much each item costs.

# H

## UN CAFÉ, S'IL VOUS PLAÎT

—Bonjour.
—Un café, s'il vous plaît.

—Merci.
—Je vous en prie.

—C'est combien, le café, s'il vous plaît?
—Dix francs, Monsieur.

1. Expressions of politeness are always appreciated. Below are the French expressions for "please," "thank you," and "you're welcome."

| FORMAL | INFORMAL |
|---|---|
| S'il vous plaît. | S'il te plaît. |
| Merci. | Merci. |
| Je vous en prie. | Je t'en prie. |

2. Other formal ways to say "you're welcome" are:

    **Ce n'est rien.**            **Il n'y a pas de quoi.**

Other informal ways to say "you're welcome" are:

    **De rien.**             **Pas de quoi.**

## Activités

**A** **Un coca, s'il vous plaît.** You are at a café in Dinard, a lovely resort in Bretagne. Politely order the following items. Your classmate will play the role of the waiter or waitress.

1. un coca
2. un café
3. un sandwich
4. une limonade
5. un thé
6. une soupe à l'oignon
7. une salade
8. une omelette
9. une tarte aux fruits

**B** **C'est combien, la limonade?** You are ready to leave the café after having had the following items. Find out how much you owe. Your classmate will play the role of the waiter or waitress, checking the prices on the menu to the right.

1. le café
2. le sandwich
3. la limonade
4. le dessert
5. la soupe
6. la salade

### Café de Dinard

| | |
|---|---|
| Sandwich | 18,00 |
| Salade | 20,00 |
| Omelette | 24,00 |
| Soupe à l'oignon | 25,00 |
| Tarte aux fruits | 15,00 |
| Coca | 10,00 |
| Café | 6,00 |
| Limonade | 11,00 |
| Thé | 6,00 |

## Vocabulaire

NOMS

un tableau
un morceau de craie
un bureau
un ordinateur
une calculatrice
une table
une chaise
un crayon
un stylo
une feuille de papier
un devoir
un cahier
un livre
un sac à dos

une fille

un garçon
Madame (Mme)
Mademoiselle (Mlle)
Monsieur (M.)

PRÉPOSITIONS

derrière
devant
dans
sur

AUTRES MOTS ET EXPRESSIONS

bonjour
salut
ça va
bien
pas mal

au revoir
ciao
à tout à l'heure
à demain

s'il vous plaît
s'il te plaît
merci
je vous en prie
je t'en prie
ce n'est rien
de rien
il n'y a (pas de quoi)
autre
c'est
là-bas

oui
tout le monde

combien
où
Qu'est-ce que c'est?
Qui est-ce?

NOMBRES

zéro–soixante (0–60)

# UNE AMIE ET UN AMI

## OBJECTIFS

In this chapter you will learn to do the following:

1. ask or tell where someone is from
2. ask what someone is like
3. describe yourself or someone else
4. name people and things
5. tell some differences between French and American schools

# VOCABULAIRE

## MOTS 1

Voici Yvonne Delacroix.
Yvonne Delacroix est française.
Salut, Yvonne!

D'où est Yvonne?
Elle est de Paris.

Comment est
la fille?

petite     grande

brune

contente     amusante

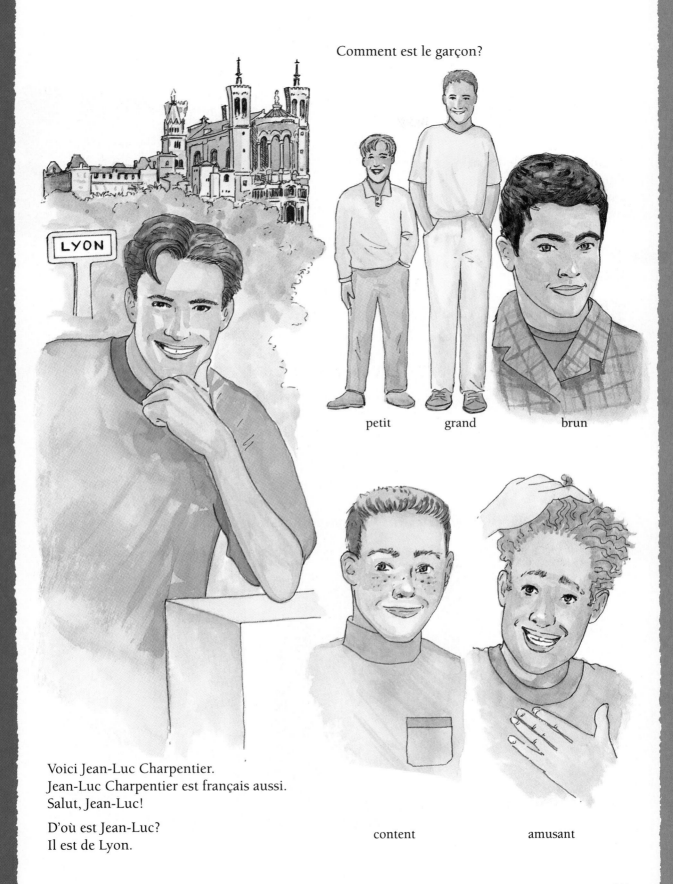

Comment est le garçon?

petit  grand  brun

content  amusant

Voici Jean-Luc Charpentier.
Jean-Luc Charpentier est français aussi.
Salut, Jean-Luc!

D'où est Jean-Luc?
Il est de Lyon.

**Note:** You have already seen that many words in French and English look alike even though they are pronounced quite differently. Such words are called cognates. The following are some cognates used to describe people.

| | |
|---|---|
| américaine | américain |
| blonde | blond |
| impatiente | impatient |
| intelligente | intelligent |
| intéressante | intéressant |
| patiente | patient |
| confiante | confiant |

## Exercices

**A** **Une Française, Yvonne Delacroix.** Répondez. (*Answer.*)

1. Yvonne Delacroix est française?
2. Elle est grande ou petite?
3. Elle est amusante?
4. Elle est contente?
5. Yvonne est brune?
6. Elle est de Paris?

**B** **Salut, Jean-Luc!** Répondez. (*Answer.*)

1. Jean-Luc Charpentier est français ou américain?
2. Il est brun ou blond?
3. Il est intelligent?
4. Il est amusant aussi?
5. Il est content?
6. Jean-Luc est intéressant?
7. Il est de Lyon?

**C** **Un Français et un Américain.** Répondez d'après les photos. (*Answer according to the photos.*)

1. Qui est américain, Marc ou Paul?
2. Qui est français?
3. Qui est de Paris?
4. Qui est de New York?
5. Qui est brun?
6. Qui est blond?
7. Qui est content?
8. Qui est impatient?

*Marc Hugot*

*Paul Green*

# VOCABULAIRE

## MOTS 2

une amie                    un ami

une école américaine

un lycée français

une élève                    un élève

Yvonne Delacroix
la sœur

Paul Delacroix
le frère

Claude Gautier
un ami

Yvonne Delacroix est française.
Yvonne est élève dans un lycée.
Yvonne est la sœur de Paul Delacroix.
Yvonne est une amie de Claude Gautier.
Paul est un ami de Claude aussi.

Bonjour, tout le monde.
Je suis Richard, Richard Williams.
Moi, je suis américain.
Je ne suis pas français.
Je suis de Miami.
Je suis élève dans une école secondaire américaine.
Je suis très populaire, n'est-ce pas?

**Note:** The following are other cognates used to describe people.

aimable          énergique
désagréable    célèbre
timide
comique
sincère
populaire
fantastique

There are many French words for which there is no exact English equivalent. Such a word is *sympathique*. It has the meanings "nice," "pleasant," and "friendly." In informal French *sympathique* is often shortened to *sympa*. Its opposite is *antipathique*.

## Exercices

**A** **Une élève française.** Choisissez. *(Choose the best answer.)*

1. ___ est française.
   **a.** Yvonne Delacroix     **b.** Claude Gautier

2. Yvonne est élève dans ___.
   **a.** une école américaine
   **b.** un lycée français

3. Yvonne est ___.
   **a.** de Paris.     **b.** de Miami

4. Yvonne est ___ de Paul Delacroix.
   **a.** une amie   **b.** la sœur

5. Yvonne est ___ de Claude Gautier.
   **a.** une amie     **b.** la sœur

6. Paul Delacroix est ___ d'Yvonne.
   **a.** un ami     **b.** le frère

7. Et Claude Gautier est ___ d'Yvonne.
   **a.** un ami     **b.** le frère

**B** **Comment est Richard Williams?** Répondez. *(Answer.)*

1. Richard est français ou américain?
2. D'où est Richard?
3. Il est élève dans une école secondaire américaine ou dans un lycée français?
4. Comment est Richard? Il est brun ou blond?
5. Il est petit ou grand?
6. Il est aimable ou désagréable?
7. Richard est sympathique ou antipathique?

**C** **Élisabeth Gautier.** Complétez. *(Complete.)*

1. Élisabeth Gautier est la sœur de Claude Gautier. Elle est de quelle ville? Elle est de Paris. Elle est ___. Elle n'est pas ___.
2. Élisabeth est élève dans un ___. Elle n'est pas élève dans une école secondaire américaine.
3. Élisabeth est ___. Elle n'est pas blonde.
4. Elle est aimable. Elle n'est pas ___.
5. Élisabeth est une amie ___. Elle n'est pas antipathique.

## Activités de communication
*Mots 1 et 2*

**A** **Gilles Baud.** Here is a photo of Gilles Baud. He is a student from Strasbourg. Say at least a few things about Gilles.

**B** **Caroline Baud.** The blond girl in the photo is Caroline Baud. She is Gilles' sister. She is also a student in Strasbourg. Say at least a few things about Caroline.

**C** **Qui est-ce?** Describe a classmate without saying his or her name. Have the class guess whom you are describing.

**B** **À Paris et à Èze.** Répondez. *(Answer.)*

1. Jacques est élève dans quel lycée?
2. Comment est le Lycée Henri IV?
3. Qui est d'Èze?
4. Où est Èze?
5. Èze est grand ou petit?
6. Qui est un ami de Chantal?
7. Où est Jacques maintenant?
8. Il est en vacances à Èze?

**C** **Des faits.** Trouvez les renseignements suivants dans la lecture. *(Find the following information in the reading.)*

1. the capital of France
2. a famous *lycée* in Paris
3. a small town on the French Riviera

**D** **Un peu de géographie.** Trouvez les lieux suivants. *(Locate the following places on the map of France in the back of your textbook.)*

1. Paris
2. la Seine
3. la Côte d'Azur
4. Nice
5. la mer Méditerranée

# DÉCOUVERTE CULTURELLE

| AUX ÉTATS-UNIS | EN FRANCE |
|---|---|
| L'éducation est obligatoire. | L'éducation est obligatoire. |
| l'école primaire ou «élémentaire» | l'école primaire |
| l'école «intermédiaire» | le collège |
| l'école secondaire | le lycée |
| l'université | l'université |

Point essentiel! En France le collège et le lycée sont des écoles secondaires. Un collège en France n'est pas une université.

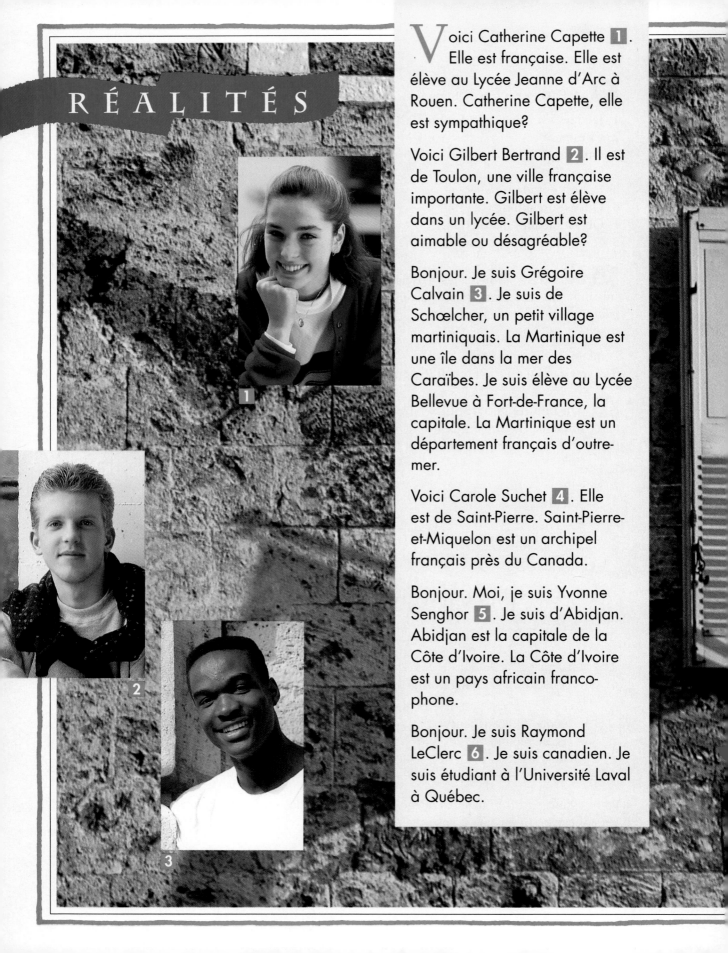

# RÉALITÉS

$V$oici Catherine Capette **1**. Elle est française. Elle est élève au Lycée Jeanne d'Arc à Rouen. Catherine Capette, elle est sympathique?

Voici Gilbert Bertrand **2**. Il est de Toulon, une ville française importante. Gilbert est élève dans un lycée. Gilbert est aimable ou désagréable?

Bonjour. Je suis Grégoire Calvain **3**. Je suis de Schœlcher, un petit village martiniquais. La Martinique est une île dans la mer des Caraïbes. Je suis élève au Lycée Bellevue à Fort-de-France, la capitale. La Martinique est un département français d'outre-mer.

Voici Carole Suchet **4**. Elle est de Saint-Pierre. Saint-Pierre-et-Miquelon est un archipel français près du Canada.

Bonjour. Moi, je suis Yvonne Senghor **5**. Je suis d'Abidjan. Abidjan est la capitale de la Côte d'Ivoire. La Côte d'Ivoire est un pays africain franco-phone.

Bonjour. Je suis Raymond LeClerc **6**. Je suis canadien. Je suis étudiant à l'Université Laval à Québec.

# CULMINATION

## Activités de communication orale

**A** **Roissy-Charles de Gaulle.** You are going through Immigration at the Roissy-Charles de Gaulle Airport on the outskirts of Paris. Give the immigration officer the following information.

1. your nationality
2. your occupation
3. where you are from in the U.S.

**B** **Mireille Gaudin.** Here is a photo of Mireille Gaudin. She is a French student from Cannes, which is near Nice. Describe her as completely as possible.

**C** **Un(e) élève français(e).** You have just met a French student (your partner) who is visiting the U.S. Ask him or her some questions using the following words.

> d'où
> grande ville ou petite ville
> élève
> lycée

*Nice, Côte d'Azur*

## Activités de communication écrite

**A  Qui est-ce?**  On a piece of paper write down four things about yourself. Your teacher will collect the descriptions and choose students to read the sentences to the class. Try to guess who is being described.

> **Je suis blond. Je ne suis pas brun.**
> **Je suis très amusant et très populaire.**
>
> **Qui est-ce? C'est _____.**

**B  Une lettre.**  You have just received this photo from your new pen pal in France. On a separate sheet of paper, write her a letter in French. Tell her who you are, your nationality, where you are from, and where you are a student. Give her a short description of yourself. Be sure to include a photo of yourself, if you have one.

Le – septembre, 199–

Chère Sophie,

Je suis...

Bien amicalement,

## Vocabulaire

NOM
le frère
la sœur
l'ami (m.)
l'amie (f.)
l'élève (m. et f.)
l'école (f.)
le lycée

ADJECTIFS
aimable
amusant(e)
comique
célèbre
confiant(e)

content(e)
désagréable
énergique
fantastique
patient(e)
impatient(e)
intelligent(e)
intéressant(e)
populaire
sincère
sympathique
antipathique
timide
grand(e)
petit(e)

brun(e)
blond(e)
français(e)
américain(e)

AUTRES MOTS ET EXPRESSIONS
aussi
moi
n'est-ce pas
ou
voici

# LES COPAINS ET LES COURS

## OBJECTIFS

In this chapter you will learn to do the following:

1. describe people and things
2. talk to people formally or informally
3. tell what subjects you take and indicate whether you find them difficult or easy
4. tell what classes you have on different days of the week
5. ask yes and no questions
6. tell time
7. tell time using the 24-hour system

# VOCABULAIRE

## MOTS 1

les professeurs (les profs)

un homme     une femme

les élèves

brunes

françaises

Anne    Lise

les amies = les copines

bruns

français

Guy    Alain

les amis = les copains

Sylvie et Catherine sont françaises.
Jean-Paul et Philippe sont français.
Les quatre copains sont de Giverny.
Ils sont élèves dans le même lycée.

Bonjour! Nous sommes élèves dans la classe de Monsieur Bétancourt.
M. Bétancourt est le prof de français.
Maintenant, nous sommes dans la salle de classe 21.

Le cours de français est très facile.
Mais le cours d'anglais est vraiment difficile.
Tu es d'accord ou pas?

# Exercices

**A** **Sylvie et Catherine.** Répondez. (*Answer.*)

1. Qui sont les deux amies?
2. Elles sont françaises ou américaines?
3. Elles sont de Paris?
4. Elles sont élèves dans un lycée ou étudiantes à l'université?
5. Elles sont élèves dans le même lycée à Giverny?

**B** **Jean-Paul et Philippe.** Répondez. (*Answer.*)

1. Jean-Paul et Philippe sont copains?
2. Les deux copains sont contents?
3. Jean-Paul et Philippe sont lycéens (élèves dans un lycée)?
4. Ils sont élèves dans le même lycée?
5. Le lycée est à Paris?
6. Le lycée est à Giverny?

**C** **Le cours de français.** Donnez des réponses personnelles. (*Give your own answers.*)

1. Qui est le prof ou la prof de français?
2. Le professeur est un homme ou une femme?
3. Il (Elle) est sympa?
4. Le cours de français est difficile ou facile?
5. Les élèves sont en classe maintenant?
6. Le cours de français est intéressant?

**D** **Des mots.** Trouvez les mots qui correspondent. (*Find the corresponding word or phrase.*)

1. français
2. l'amie
3. l'élève
4. brun
5. l'ami
6. le prof

a. la copine
b. l'étudiant, l'écolier
c. de France
d. le copain
e. le professeur
f. le contraire de blond

# VOCABULAIRE

## MOTS 2

LES MATIÈRES (f.)

Les sciences (f.)

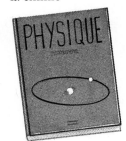
la chimie

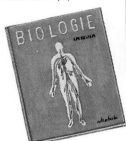
la biologie

la physique

Les maths (f.)

l'algèbre (f.)

la géométrie

la trigonométrie

l'art (m.)

Les langues (f.)

l'anglais (m.)

l'espagnol (m.)

le latin

le français

D'autres cours (m.)

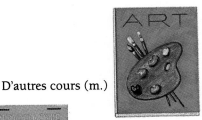
la géographie

la gymnastique

la musique

la littérature

l'histoire (f.)

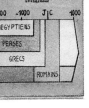
l'informatique (f.)

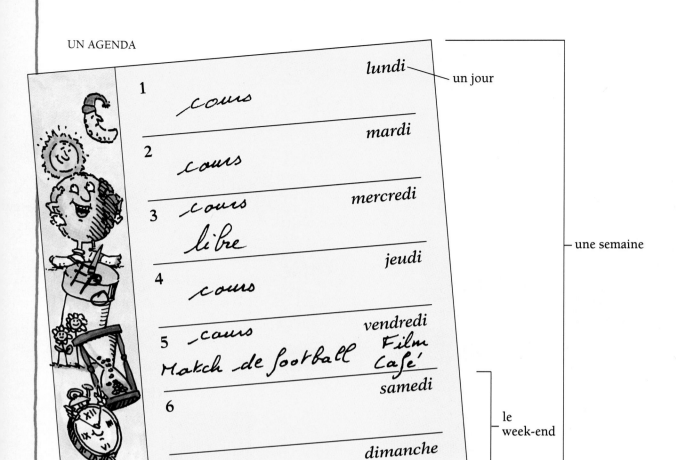

C'est quel jour, aujourd'hui? C'est lundi.
Et demain? Demain, c'est mardi.

Voilà l'agenda de Jean-Paul.
Il est très occupé vendredi, n'est-ce pas?
Mais samedi et dimanche, il n'est pas
occupé. Il est libre.

**Note:** *Vendredi* means "on Friday." *Le vendredi* means
"every Friday" or "on Fridays."

On the right are some informal words
in French which you may use to describe
people and things.

Note that *terrible* can have either a positive
or a negative meaning, depending on the
tone of voice or intonation.

| POSITIF | NÉGATIF |
|---|---|
| chouette<br>super-chouette<br>terrible<br>extra<br>super | moche<br><br>terrible |

# Exercices

**A** **C'est quel cours?** Identifiez le cours. *(Identify the course.)*

> Un problème, une solution, une équation—c'est
> quel cours?
> C'est le cours d'algèbre.

1. la littérature, la composition, la grammaire
2. la conversation, la culture française
3. un poème, une pièce de théâtre, une fable
4. un microbe, un animal, une plante, un microscope
5. un cercle, un rectangle, un triangle, un parallèlogramme
6. un piano, un violon, un concert, un opéra
7. les montagnes, les villes, les villages, les capitales,
   les océans, les produits agricoles
8. le gouvernement, les partis politiques, l'État, la communauté
9. la peinture, la statue, la sculpture, les artistes célèbres
10. une disquette, un moniteur, un bit, un microprocesseur

**B** **C'est quel jour?** Répondez. *(Answer.)*

> Aujourd'hui, c'est lundi. Et demain?
> Demain, c'est mardi.

1. Aujourd'hui, c'est mercredi. Et demain?
2. Aujourd'hui, c'est vendredi. Et demain?
3. Aujourd'hui, c'est samedi. Et demain?
4. Aujourd'hui, c'est mardi. Et demain?
5. Aujourd'hui, c'est dimanche. Et demain?
6. Aujourd'hui, c'est jeudi. Et demain?
7. Aujourd'hui, c'est lundi. Et demain?

**C** **L'emploi du temps de David.** Répondez d'après l'emploi du temps
de David. *(Answer according to David's schedule.)*

> le cours de maths
> Le cours de maths est le lundi,
> le mercredi et le vendredi.

1. le cours d'anglais
2. le cours de physique
3. le cours de latin
4. le cours de musique
5. le cours de français
6. le cours d'éducation civique

|  | Lundi | Mardi | Mercredi | Jeudi | Vendredi |
|---|---|---|---|---|---|
| 8h - 8h30 | | Sc. Nat | MATH | PHYSIQUE | MATH |
| 8h30 - 9h30 | HIST/GÉO | | ED. CIVIQUE | ANGLAIS | HIST/GÉO |
| 9h30 - 10h30 | MATH | ALLEMAND | 1er / 2e SEMESTRE SEMESTRE | MUSIQUE | |
| 10h30 - 11h30 | INFOR- | ANGLAIS | E.P.S. / DESSIN | ALLEMAND | E.P.S. |
| 11h30 - 12h30 | MATIQUE | LATIN | | | |
| 12h30 - 13h | | | | | |
| 13h30 - 14h | FRANÇAIS | HIST/GÉO | | FRANÇAIS | LATIN |
| 14h - 15h | | | | LATIN | |
| 15h - 16h | ALLEMAND | FRANÇAIS | | FRANÇAIS | |
| 16h - 17h | ANGLAIS | | | | |
| 17h - 18h | | | | | |

# Activités de communication

*Mots 1 et 2*

**A** **La classe de Mme Martin.** Make up four true or false statements about the illustration. Your partner will agree with your statement or correct it.

> Élève 1: Les élèves sont dans la classe de Monsieur Laurent.
> Élève 2: Non, ils sont dans la classe de Madame Martin.
>   (Oui, je suis d'accord).

**B** **Mon prof favori.** Describe your favorite teacher to a classmate. Say at least three things about him or her.

> M. Jones est le prof de biologie. Il est...

| COURS | Pas difficile | Assez difficile | Très difficile |
|---|---|---|---|
| le cours d'anglais | | x | |
| le cours de français | x | | |

**C** **À ton avis.**

1. On a separate sheet of paper make a chart like the one above. List all your classes and rate them according to the scale.
2. Compare results with a classmate and see if you agree or not.

> Élève 1: Pour moi, le cours de français n'est pas difficile. Tu es d'accord?
> Élève 2: Oui, je suis d'accord. (Non, je ne suis pas d'accord. Pour moi, le cours de français est très difficile).

# STRUCTURE

## Le pluriel: Articles et noms

*Talking about More than One Person or Thing*

1. Plural means more than one. To make most nouns plural in French, you add *s*, as you do in English. You do not pronounce this final *s*. If the noun ends in *s* in the singular, you do not add another *s* in the plural.

2. The plural form of the definite articles *le, la, l'* is *les*. You do not pronounce the *s* of *les* when it is followed by a consonant. When *les* is followed by a vowel or silent *h*, you pronounce the *s* like a *z*, connecting the sound to the next word. This is called "liaison."

| SINGULIER | PLURIEL |
|-----------|---------|
| le garçon | les garçons |
| le cours | les cours |
| la fille | les filles |
| la classe | les classes |
| l'amie | les amies |
| l'élève | les élèves |

 **Exercice**

**Tous les deux.** Mettez au pluriel. *(Give the plural.)*

**Le garçon est blond.**
*Les garçons* **sont blonds.**

1. La fille est blonde.
   ___ sont blondes.
2. Le garçon est brun.
   ___ sont bruns.
3. Le professeur est intelligent.
   ___ sont intelligents.
4. Le cours est difficile.
   ___ sont difficiles.
5. Le livre est intéressant.
   ___ sont intéressants.
6. La classe de M. Dupont est petite.
   ___ de M. Dupont sont petites.
7. L'ami de Paul est sympathique?
   ___ de Paul sont sympathiques?
8. La copine de Marie est très amusante.
   ___ de Marie sont très amusantes.
9. L'élève de M. Bétancourt est vraiment intelligent.
   ___ de M. Bétancourt sont vraiment intelligents.
10. L'amie de Sophie est très populaire.
    ___ de Sophie sont très populaires.

# Le verbe *être* au pluriel

*Talking about More than One Person or Thing; Asking Yes or No Questions*

You have already learned the singular forms of the verb *être*, "to be." Now study the plural forms of *être*.

| SINGULIER | PLURIEL |
|---|---|
| je suis | nous sommes |
| tu es | vous êtes |
| il/elle est | ils/elles sont |

**1.** You use *nous* when referring to yourself and other people.

Nous sommes français.

**2.** You use *vous* when talking to two or more people.

Vous êtes américains?

Non, nous sommes français.

**3.** You use *elles* when referring to two or more females.

Elles sont très amusantes.

4. You use *ils* when referring to two or more males or when referring to a group of males and females.

5. You also use *ils* and *elles* when referring to things.

Les stylos sont sur la table.          Ils sont sur la table.
Les chaises sont dans la salle 21.     Elles sont dans la salle 21.

6. Note that in order to form a yes or no question, you can raise the tone of your voice at the end of the statement or put *est-ce que* in front of the statement. *Est-ce que* becomes *est-ce qu'* in front of a vowel.

Vous êtes français?                    Est-ce que vous êtes français?
Le garçon est américain?               Est-ce qu'il est américain?

## Exercices

**A** **Le cours d'histoire.** Répondez d'après le modèle en utilisant «il(s)» ou «elle(s)». (*Answer with* il(s) *or* elle(s) *according to the model.*)

Est-ce que les garçons sont derrière les filles?
*Oui, ils sont derrière les filles.*

1. Est-ce que la prof est devant la classe?
2. Est-ce que Paul est devant Monique?
3. Les élèves sont intelligents?
4. Les filles sont sympathiques?
5. Est-ce que Paul et Pierre sont copains?
6. Est-ce que Monique et Paul sont amis?
7. Monique et Marie sont brunes?
8. Est-ce que les quatre copains sont dans le même cours?

**B** **Vous êtes d'où?** Répétez la conversation. (*Practice the conversation.*)

LES FILLES: Vous êtes d'où?
LES GARÇONS: Nous? Nous sommes de New York.
LES FILLES: Ah, alors vous êtes américains?
LES GARÇONS: Oui, nous sommes américains. Et vous?
LES FILLES: Nous sommes françaises. Nous sommes de Grenoble.

Complétez d'après la conversation. (*Complete according to the conversation.*)

1. Les deux garçons ___ américains.
2. Ils ne ___ pas de Chicago.
3. Ils ___ de New York.
4. New York ___ une très grande ville américaine.
5. Les deux filles ne ___ pas américaines.
6. Elles ___ françaises.
7. Elles ___ de Grenoble.
8. Grenoble ___ une grande ville française.

**C** **À votre tour.** Répondez en utilisant «nous». (*Answer with* nous.)

1. Vous êtes américains?
2. Vous êtes de quelle ville?
3. Vous êtes élèves?
4. Vous êtes élèves dans une école secondaire?
5. Vous êtes très intelligents?
6. Vous êtes maintenant dans la classe de quel professeur?

**D** **L'ami de Christophe.** Complétez avec «être». (*Complete with* être.)

Je ___ un ami de Christophe. Christophe ___
1                                              2
très sympa et très amusant. Nous ___ français,
                                    3
Christophe et moi. Nous ___ de Cancale, un petit
                         4
village breton (en Bretagne). Cancale ___ vraiment
                                        5
très pittoresque.

Nous ___ élèves dans un lycée. Où ___ le
     6                              7
lycée? À Dinard. Nous ___ élèves d'anglais.
                       8
Mademoiselle Fielding ___ la prof d'anglais. Elle ___
                      9                              10
anglaise. Elle ___ de Liverpool. Le cours
           11
d'anglais ___ assez difficile. Mais les élèves dans la
         12
classe de Mademoiselle Fielding ___ très intelligents.
                                13

**E** **Et vous?** Complétez avec «être». (*Complete with* être.)

1. Et vous? Vous ___ américains, n'est-ce pas?
2. Vous ___ élèves dans une école secondaire?
3. Vous ___ maintenant dans quel cours?
4. Qui ___ le professeur?
5. Les élèves ___ intelligents?
6. Pour vous, le cours ___ facile ou difficile?

## Vous et tu

### Talking to People Formally or Informally

As you already know, in French there are two ways to say "you": *tu* and *vous*.

**1.** You use *tu* when talking to one friend, one person your own age, or to a family member.

**2.** You use *vous* when talking to two or more people.

**3.** You also use *vous* when talking to an older person, a person whom you do not know well, or to anyone to whom you wish to show respect.

## Exercices

**A** **Ils sont français?** Regardez les photos et posez la question. (*Ask the people in each of the pictures if they are French.*)

**Tu es français?**

1.

2.

3.

4.

5.

6.

**B** **Tu ou vous?** Posez la même question. (*Ask the following people in your class if they are French.*)

un élève
**Tu es français?**

1. le professeur
2. la personne devant vous
3. la personne derrière vous
4. une fille
5. deux garçons

## L'accord des adjectifs au pluriel     *Describing More than One Person or Thing*

1. When a noun is in the plural, any adjective that describes or modifies the noun must also be in the plural. Study the following sentences.

**Les deux filles sont américaine<u>s</u>.**     **Les garçons aussi sont américain<u>s</u>.**
**Les deux filles sont sympathique<u>s</u>.**     **Les garçons aussi sont très sympathique<u>s</u>.**
**Les classes sont petite<u>s</u>.**     **Les livres sont intéressant<u>s</u>.**

**2.** To form the plural of most French adjectives, you add *s* to the singular masculine or feminine form of the adjective. This *s* is not pronounced.

**3.** If a singular adjective ends in *s*, you do not add another *s* to the plural form.

> **Le garçon est français.**
> **Les garçons sont français.**

# Exercices

**A** **Érica et Brigitte.** Décrivez les deux filles. *(Describe the two girls.)*

> populaire
> **Érica et Brigitte sont populaires.**

1. français
2. timide
3. brun
4. énergique
5. américain

**B** **Jean-François et Yann.** Décrivez les deux garçons. *(Describe the two boys.)*

> intéressant
> **Jean-François et Yann sont intéressants.**

1. français
2. américain
3. brun
4. musclé
5. content

**C** **Luc et Anne.** Récrivez le paragraphe d'après le modèle. *(Rewrite the paragraph according to the model.)*

> **Sophie et Marie sont françaises.**
> **Luc et Anne sont français.**

Sophie et Marie sont élèves dans un lycée à Paris. Les deux amies sont très amusantes. Elles sont aussi très énergiques. Maintenant elles sont en vacances. Elles sont à Nice. C'est chouette ça, des vacances à Nice. Vous n'êtes pas d'accord?

# L'heure                  *Telling Time*

**1.** Observe the following examples of how to tell time.

**Il est une heure.**

**Il est deux heures.**

**Il est trois heures.**

**Il est sept heures dix.**

**Il est huit heures vingt-cinq.**

**Il est neuf heures moins dix.**

**Il est dix heures moins cinq.**

**Il est quatre heures et quart.**

**Il est cinq heures moins le quart.**

**Il est six heures et demie.**

**Il est midi.**

**Il est minuit.**

**2.** To indicate A.M. and P.M. in French, you use the following expressions.

**Il est cinq heures du matin.**

**Il est trois heures de l'après-midi.**

**Il est onze heures du soir.**

3. Note the way times are abbreviated in French.

| 9h30 | **neuf heures et demie** |
| 11h15 | **onze heures et quart** |
| 3h45 | **quatre heures moins le quart** |

4. To ask what time it is, you say: **Il est quelle heure?**
   A more formal way to ask the time is: **Quelle heure est-il?**

5. Note how to ask and tell what time something (such as French class) takes place.

**Le cours de français est *à* quelle heure?**
**Le cours de français est *à* neuf heures.**

6. Note how to give the duration of an event (to indicate from when until when).

**Le cours de français est *de*
neuf heures *à* dix heures.**

## Exercices

**A** **Il est quelle heure?** Répondez d'après le modèle. (*Answer according to the model.*)

> 2h
> Élève 1: Il est quelle heure?
> Élève 2: Il est deux heures.

| 1. 9h | 4. 8h15 | 7. 10h25 | 10. 2h05 |
| 2. 3h35 | 5. 7h55 | 8. 9h45 | 11. 1h30 |
| 3. 5h10 | 6. 12h ☀ | 9. 6h40 | 12. 12h30 ☽ |

**B** **Quand?** Posez les questions suivantes à un copain ou une copine. (*Ask a classmate the following questions. Then reverse roles.*)

1. Il est quelle heure maintenant?
2. Le cours de français est à quelle heure?
3. Le cours de maths est à quelle heure?
4. Le cours d'anglais est le matin ou l'après-midi?
5. Le cours d'histoire est le matin ou l'après-midi?

**C** **À quelle heure sont les cours?** Répondez. (*Tell when four of your classes begin and end.*)

> **Le cours d'anglais est de dix heures et quart à onze heures.**

# CONVERSATION

## Scènes de la vie    *Vous êtes de quelle nationalité?*

SYLVIE: Vous êtes américains?
MARK: Oui, nous sommes américains. Et vous, vous êtes françaises, n'est-ce pas?
CATHERINE: Oui, nous sommes de Nice.

DAVID: Nice? C'est où ça?
SYLVIE: Sur la mer Méditerranée.
MARK: Nice est une grande ville ou une petite ville?
CATHERINE: C'est une assez grande ville sur la Côte d'Azur.

SYLVIE: Et vous, vous êtes d'où?
DAVID: Nous sommes de Los Angeles.
CATHERINE: Los Angeles! C'est chouette, ça!

**Nice et Los Angeles.** Répondez d'après la conversation. (*Answer according to the conversation.*)

1. D'où sont les Américains?
2. Et les Françaises?
3. Où est Nice?
4. Nice est une grande ville ou une petite ville?
5. Et Los Angeles?

## Prononciation    *Les consonnes finales*

1. In French, you do not usually pronounce the final consonant you see at the end of words. Repeat the following.

   salu~~t~~    devan~~t~~    maintenan~~t~~    un restauran~~t~~    l'anglai~~s~~

2. In the same way, you do not pronounce the final s you add to a word to make it plural. This is why a singular noun and its plural sound alike. Repeat the following.

   le copain    les copain~~s~~    le livre    les livre~~s~~    la fille    les fille~~s~~

   **Les garçons et les filles sont devant le restaurant.**
   **Ils sont impatients.**

l'ar~~t~~

# Activités de communication

**A**  **Aux États-Unis.**   You and your partner are French students visiting the U.S. Ask two other students for the following information, then reverse roles.

1. their nationality
2. where they are from
3. if it's a large city or a small town
4. if they are high school students
5. if classes are easy or difficult
6. what the teachers are like
7. what the students are like

**B**  **«Mieux vaut tard que jamais».**   Anne's philosophy is "Better late than never." She's been making an effort to be more punctual, however. With a partner compare her arrival times with her schedule and tell if she's on time (*à l'heure*), late (*en retard*), or early (*en avance*).

> **dentiste  4h15**
> **Anne arrive à: 4h**
>
> **Élève 1: Il est quelle heure?**
> **Élève 2: Il est quatre heures. Ça va?**
> **Élève 1: Oui, elle est en avance.**

Anne arrive à:

| | | | |
|---|---|---|---|
| 1. 8h05 | 6. 3h20 |
| 2. 9h13 | 7. 4h30 |
| 3. 10h10 | 8. 6h30 |
| 4. 12h | 9. 9h |
| 5. 12h47 | |

| | |
|---|---|
| 1. le cours de français | 8h |
| 2. le cours de maths | 9h15 |
| 3. la récréation | 10h10 |
| 4. la cantine/cafétéria | 12h |
| 5. le cours de biologie | 12h45 |
| 6. le tennis | 3h15 |
| 7. le dentiste | 4h15 |
| 8. le dîner | 6h30 |
| 9. un programme à la télé | 8h55 |

# LECTURE ET CULTURE

## UNE LETTRE

Antibes, le 15 juillet

Chers amis,

Salut! Je suis Christian Capet. Je suis de Saint-Germain-en-Laye. Saint-Germain-en-Laye est une petite ville près de[1] Paris, dans la banlieue.[2] Je suis élève dans un lycée. Mais maintenant je ne suis pas à Saint-Germain. Je suis à Antibes avec la famille de Gilbert Berthollet. Gilbert et moi, nous sommes copains. Nous sommes élèves dans le même lycée. Et nous sommes dans le même cours d'anglais. Le prof d'anglais est très sympa, mais l'anglais, ce n'est pas très facile. Mais maintenant, pas de profs, pas de classes! Nous sommes libres! Nous sommes en vacances à Antibes. Antibes est une petite ville très pittoresque sur la Côte d'Azur. Pour moi les vacances, c'est toujours extra. Vous êtes d'accord?

Affectueusement,

Christian

[1] près de   *near*
[2] dans la banlieue   *in the suburbs*

## Étude de mots

**Quel est le mot?**  Trouvez les mots qui correspondent. *(Find the corresponding word or phrase.)*

1. Bonjour!
2. super
3. pas difficile
4. une langue
5. pas différent
6. période de temps libre
7. une petite ville près d'une grande ville

a. l'anglais
b. la banlieue
c. extra
d. facile
e. le même
f. Salut!
g. les vacances

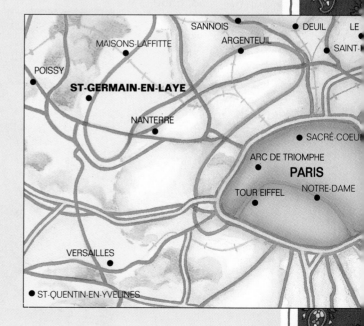

## Compréhension

**A** **Vous avez compris?** Répondez d'après la lecture. (*Answer according to the reading.*)

1. D'où est Christian?
2. Où est Saint-Germain-en-Laye?
3. Où est Christian maintenant?
4. Il est à Antibes avec qui?
5. Les deux garçons sont copains?
6. Ils sont dans le même cours d'anglais?
7. Comment est le prof d'anglais?
8. Le cours d'anglais est facile ou difficile?
9. Les deux copains sont en vacances? Où?

**B** **Un peu de géographie.** Oui ou non? (*Answer "yes" or "no".*)

1. Saint-Germain-en-Laye est dans la banlieue parisienne.
2. Antibes est aussi dans la banlieue parisienne.
3. Les villages et les villes de la Côte d'Azur sont très agréables pour les vacances.

# DÉCOUVERTE CULTURELLE

## LES 24 HEURES ET LE DÉCALAGE HORAIRE

| DANS LA CONVERSATION | SUR LES HORAIRES |
|---|---|
| huit heures du matin | 8h (huit heures) |
| deux heures de l'après-midi | 14h (quatorze heures) |
| quatre heures et demie de l'après-midi | 16h30 (seize heures trente) |
| dix heures et quart du soir | 22h15 (vingt-deux heures quinze) |

L'heure n'est pas la même partout. À New York il est midi. À Paris il est dix-huit heures. La différence entre l'heure de New York et l'heure de Paris (le décalage horaire) est de six heures. Il est midi à Paris. Quelle heure est-il à New York? Il est neuf heures à San Francisco. Quelle heure est-il à New York?

# RÉALITÉS

Bonjour **1**. Nous sommes Béatrice, Nathalie, Gilles et Christian. Nous sommes tous français. Nous sommes de Giverny. Giverny n'est pas très loin de Paris, mais ce n'est pas dans la banlieue parisienne comme Saint-Germain-en-Laye. Giverny est un village très pittoresque.

Voici des jardins à Giverny **2**. Le tableau est de quel artiste? C'est un tableau de Claude Monet.

Bonjour **3**. Je suis Maeva. Je suis de Papeete, une ville sur l'île de Tahiti. Tahiti est une île de la Polynésie française, un territoire français d'outre-mer.

Voici un tableau de Paul Gauguin **4**. Gauguin est un peintre célèbre. C'est une scène de la Polynésie française. Gauguin est considéré comme un des initiateurs de la peinture moderne.

2

# CULMINATION

## Activités de communication orale

**A** **À la douane.** You and your friend have just arrived at Orly Airport in Paris. The immigration officer, played by a third classmate, needs the following information from you.

1. your nationality
2. where the two of you are from
3. if you are students
4. if you are on vacation (*en vacances*)

**B** **Mes programmes favoris.**

1. List five TV shows that you watch.
2. Give the time and day each program is on.
3. Give your opinion of the show.
4. Ask your classmate if he or she agrees with you.

### Samedi 16 Novembre

**9.50** La5 10.20
**Les animaux du soleil**
Documentaire français. Rediffusion. Rives de Cunene.

**10.00**

**10.00** M6 10.05 **Infoprix**
**10.05** M6 10.30
**M6 Boutique**
Présentation : Pierre Dhostel et Julie.

**10.20** La5 10.55
**Chevaux et casaques**
Magazine de Patrice Dominguez et Jean-Louis Burgat. Présentation : Caroline Avon.
Sauts d'obstacles à Auteuil.

**10.30** FR3 12.00
**Espace 3 entreprises**
11.50 L'homme du jour.

**10.30** M6 12.00 **Multitop**
Présentation : Laurent Petitguillaume.

**10.35** C+ 10.40
**Journal du cinéma**

**10.40** C+ 12.30
**T Susie et les Baker Boys**
Film américain de Steve Kloves (1989). 110 mn.
Voir Tra 2182 page 111.
La «vie d'artiste», calamiteuse, remarquablement décrite par un cinéaste doué et chaleureux. Les acteurs sont parfaits, l'actrice, une révélation : Michelle Pfeiffer, éclatante. Rediffusions.

à la recherche d'un mode de garde pour son enfant. La crèche modèle de Lille. L'adaptation et les problèmes d'infection dans les crèches. Les livres et les objets transitionnels des enfants. Question aux enfants : «Est-ce que tu es content que tes parents travaillent ?»

**10.55** La5 11.50
**Mille et une pattes**
Magazine animalier. Présentation : Pierre Rousselet-Blanc et Pétra. Réalisation : P. Lumbroso.
Invités : André Pittion-Rossillon, de la Société Centrale Canine, et Claude Fargeon, spécialiste du comportement animal. Gros plan : le dogue argentin. Reportages.

**11.00**

**11.15** TF1 11.50
**Auto moto**
Magazine de Jacques Bonnecarrère.
Supercross à Bercy. L'essai de la Mazda MX3. Salon de Tokyo.

**11.20** A2 11.45
**Motus**
Jeu. Présentation : Patrice Laffont.

**11.45** A2 11.55
**Flash infos**

**11.50** TF1 12.25
**Tournez manège**
Jeu de Noël Coutisson et Claude Savarit. Présentation : Evelyne Leclercq, Simone Garnier et Charly Oleg.

**11.50** La5 11.55

**12.25** A2 12.50
**T Le français tel qu'on le parle**
Documentaire français de Pierre Nivollet.
A Antananarivo, capitale de l'île de Madagascar, on parle un français très coloré, un peu créole et souvent remarquable. Jean et sa femme Laura nous font visiter la ville, de l'école française au «zoma», le plus grand marché de «Tana». Ou quand la langue française facilite les rapports entre les gens et permet à certains de s'ouvrir sur le monde.

**12.30** C++ 12.35
**Flash infos**

**12.30** M6 13.00
**Cosby show**
Série américaine. Redif.

**12.35** C++ 13.30
**T 24 heures**
Magazine d'Hervé Chabalier, Erik Gilbert, Claude Chelli.
Programme non communiqué.

**12.45** La5 13.20
**Journal**

**12.50** A2 13.00
**1, 2, 3, théâtre**
Reprise.

**13.00**

**13.00** TF1 13.15
**Journal**

**13.00** A2 13.25
**Journal**

**13.00** M6 13.55
**O'Hara**

**13.30** C++ 13.35
**Journal du cinéma**

**13.35** C+ 15.10
**Désastre à la centrale 7**
Téléfilm américain de Larry Elikann (1988).
Michael O'Keefe : Le sergent Fitzgerald. Perry King : Le commandant Hicks. Peter Boyle : Le général Sanger. Patricia Charbonneau : Kathy Fitzgerald.
Deux soldats maladroits endommagent un missile dans une base militaire du Texas. Adulé par les siens, le sergent Fitzgerald arrive sans se presser pour constater les dégats. Stupeur et terreur : le missile fuit et vrombit. Il risque d'exploser...

**13.45** A2 14.15
**T Objectif jeunes**
Magazine de Raymond Tortora et du service éducation de la rédaction. Présentation : Dominique Laury et Philippe Lefait. Réalisation : Roger Gomez.
**Etudier en Europe** (Patrick Redslob). Grâce au programme «Erasmus», soixante mille étudiants, dont dix mille Français, fréquentent les universités d'Europe. Reportage à Grenoble II, qui accueille Anglais, Allemands, Hollandais... Louvain-la-Neuve (Marc Maisonneuve). L'université de Louvain, en Belgique, qui

# Activité de communication écrite

**Mon emploi du temps.** On a separate sheet of paper, make a chart like the one below and fill it out in French based on your weekly schedule. For each of your classes give the time, the teacher, and your opinion of both the teacher and the class.

| Cours | Jours | Heure | Prof | Opinion: Prof | Opinion: Cours |
|---|---|---|---|---|---|
| anglais | le lundi le mardi le mercredi le vendredi | de 9h à 9h45 | Mlle Shaw | assez intéressante | difficile |

# Vocabulaire

NOMS
le copain
la copine
le prof
la prof
le professeur
l'homme (m.)
la femme
la classe
la salle de classe
le cours
l'agenda (m.)
la matière
les maths (f.)
l'algèbre (f.)
la géométrie
la trigonométrie
l'informatique (f.)
les sciences (f.)
la biologie
la chimie

la physique
la littérature
la langue
le français
l'anglais (m.)
l'espagnol (m.)
le latin
l'histoire (f.)
la géographie
la musique
l'art (m.)
la gymnastique

le jour
lundi
mardi
mercredi
jeudi
vendredi
samedi
dimanche

aujourd'hui
demain
le week-end
la semaine
l'heure (f.)
midi
minuit
le matin
l'après-midi
le soir

ADJECTIFS
difficile
facile
chouette
extra
super

terrible
moche
libre
occupé(e)
même

VERBE
être

AUTRES MOTS ET EXPRESSIONS
être d'accord
maintenant
vraiment

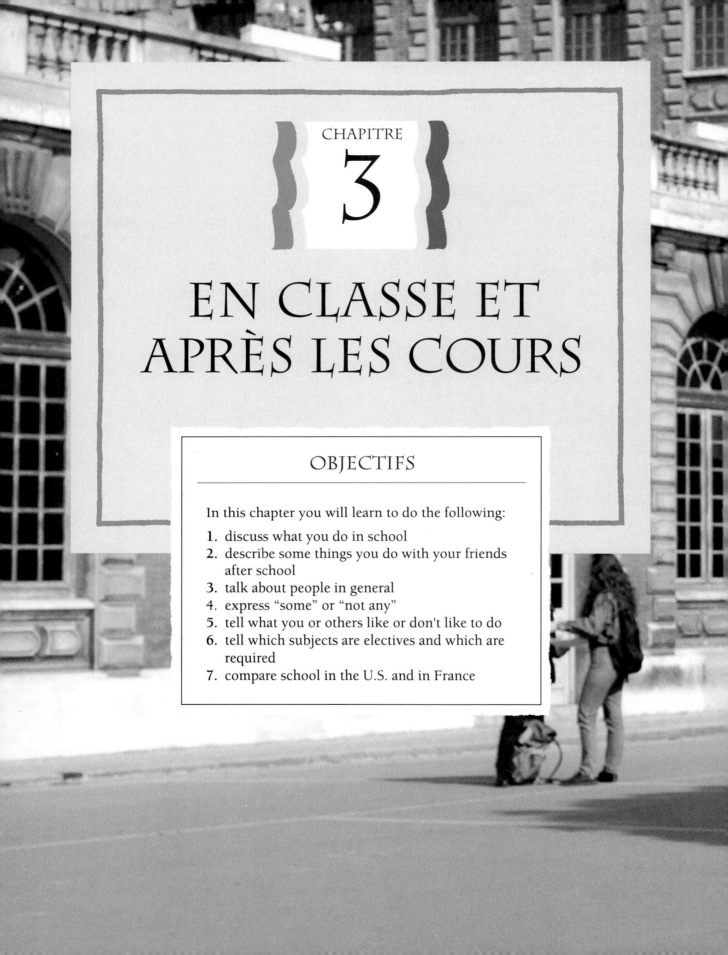

# CHAPITRE
# 3

# EN CLASSE ET APRÈS LES COURS

## OBJECTIFS

In this chapter you will learn to do the following:

1. discuss what you do in school
2. describe some things you do with your friends after school
3. talk about people in general
4. express "some" or "not any"
5. tell what you or others like or don't like to do
6. tell which subjects are electives and which are required
7. compare school in the U.S. and in France

# VOCABULAIRE

## MOTS 1

une maison

habiter à Paris

une rue

quitter la maison

arriver

entrer

parler

écouter

travailler

étudier

regarder le tableau noir

poser une question

passer un examen

Voici Paul Lafontaine.
Paul habite à Paris.
Il habite rue Saint-Dominique.

Paul quitte la maison à sept heures et demie.

Il arrive à l'école à huit heures.

À huit heures et quart, il entre dans la salle de classe.

Il quitte l'école à cinq heures et il rentre à la maison.

Note: The expression *passer un examen* is a false cognate. A false cognate is a word that looks like an English word but means something different. *Passer un examen* means to "take an exam," not "to pass an exam."

Quand est-ce que Paul étudie?
Paul étudie beaucoup le soir.

# Exercices

**A** **À l'école le matin.** Répondez. (*Answer.*)

1. Est-ce que Paul habite à Paris?
2. Il habite rue Saint-Dominique?
3. Le matin il quitte la maison à quelle heure?
4. Il arrive à l'école à quelle heure?
5. Il entre dans la salle de classe?
6. Le professeur est là?
7. Le professeur parle?
8. Paul écoute le professeur?
9. Paul regarde le tableau noir?
10. Il pose une question?
11. Il étudie le français?
12. Il passe un examen?
13. L'après-midi, il quitte l'école à quelle heure?
14. Il travaille beaucoup le soir?

*L'Arc de Triomphe*

**B** **Des expressions.** Trouvez les mots qui correspondent aux verbes. (*Find the words or phrases that correspond to the verbs.*)

1. parler
2. arriver
3. quitter
4. habiter
5. écouter
6. regarder
7. passer
8. entrer
9. poser
10. rentrer

a. avenue des Champs-Élysées
b. à l'école
c. français
d. le prof
e. anglais
f. la maison
g. à Paris
h. le tableau noir
i. quand le prof parle
j. dans la salle de classe
k. une question
l. un examen
m. à la maison

**C** **Le lycéen, Paul.** Choisissez la bonne réponse. (*Choose the correct answer.*)

1. Où habite Paul?
   **a.** À Paris.     **b.** Le matin.     **c.** À l'école.

2. Quand est-ce que Paul quitte la maison?
   **a.** Rue Saint-Dominique.     **b.** Le matin.     **c.** Avec un copain.

3. Où est-ce qu'il arrive?
   **a.** À huit heures.     **b.** À l'école.     **c.** Le matin.

4. Qui parle?
   **a.** Le prof.     **b.** La salle de classe.     **c.** Français.

5. Qui écoute quand le prof parle?
   **a.** Le prof.     **b.** La salle de classe.     **c.** La classe.

6. Quand est-ce que Paul arrive à l'école?
   **a.** Le matin.     **b.** L'après-midi.     c. Le soir.

7. Quand est-ce qu'il quitte l'école?
   **a.** Le matin.     **b.** L'après-midi.     **c.** Le soir.

**D** **Qu'est-ce que...?** Répondez d'après les indications. (*Answer according to the cues.*)

1. Qu'est-ce que Paul regarde? (le livre)
2. Qu'est-ce qu'il étudie? (le vocabulaire)
3. Qu'est-ce qu'il passe? (un examen)
4. Qu'est-ce qu'il parle? (français)
5. Qu'est-ce qu'il pose? (une question)

# VOCABULAIRE

## MOTS 2

APRÈS LES COURS

un magasin de disques
une cassette
des cassettes
un magazine
des magazines
un walkman
une vidéo (cassette)
un compact disc
l'argent

Voici Pauline.
Pauline travaille après les cours.
Elle travaille dans un magasin de disques à
Montréal.

Pauline

| lundi | |
| mardi | de 16h à 20h |
| mercredi | |
| jeudi | de 16h à 20h |
| vendredi | |
| samedi | de 10h à 17h |
| dimanche | |

Elle travaille quinze heures par semaine.
Elle travaille à mi-temps.
Elle ne travaille pas à plein temps.

Elle gagne cinquante dollars par semaine.

Les copains parlent.
Ils parlent au téléphone.

la télé

Ils regardent la télé.
Ils n'écoutent pas la radio.

la radio

une fête

Vendredi soir Caroline donne une fête.
Caroline aime (adore) les fêtes.
Elle invite des amis.

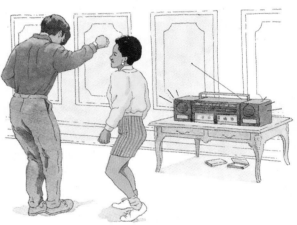

Pendant la fête les amis dansent.
Ils écoutent des cassettes.

Ils rigolent.

**Note:** The verb *rigoler* is an informal word which means "to joke around," "to have a good time."

Ils chantent.

# Exercices

**A** **Qu'est-ce que c'est?** Identifiez. *(Identify each item.)*

**B** **Après les cours.** Répondez. *(Answer.)*

1. Après les cours les copains écoutent des compacts discs ou des cassettes?
2. Ils aiment la musique classique ou populaire?
3. Les copains regardent la télé?
4. Qui donne une fête?
5. Elle invite des amis?
6. Quand est-ce qu'elle donne la fête?

**C** **Pauline travaille!**
Répondez. *(Answer.)*

1. Pauline est française ou canadienne?
2. Après les cours elle est libre?
3. Elle travaille?
4. Où est-ce qu'elle travaille?
5. Elle travaille à mi-temps ou à plein temps?
6. Elle gagne combien d'argent par semaine?

*Armand et Justine travaillent au Chalet Suisse.*

## Activités de communication

*Mots 1 et 2*

**A** **Au magasin de disques.** You are in a record store in Quebec. Ask the salesperson (your partner) the price of each of the following items.

> un disque ($5)
>
> Élève 1: S'il vous plaît, Mademoiselle (Monsieur). C'est combien, le disque?
> Élève 2: C'est cinq dollars.

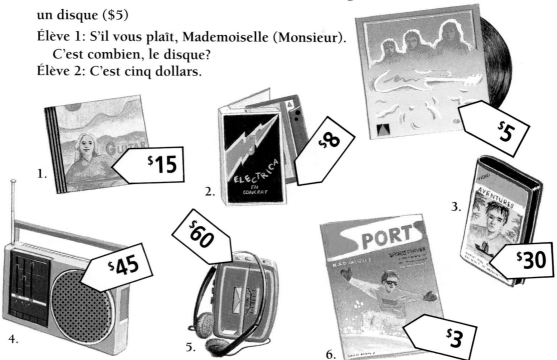

**B** **En classe ou après les cours?** Tell five daily activities of one of your friends. Your partner will decide whether your friend does these things in class or after school.

> Élève 1: Il (Elle) regarde la télé.
> Élève 2: Il (Elle) regarde la télé après les cours.
>
> Élève 1: Il (Elle) passe un examen.
> Élève 2: Il (Elle) passe un examen en classe.

**C** **Une fête en classe.** The French Club is giving a party in class. Tell three activities that the students normally do. Your partner will tell three that they are doing today.

> Élève 1: Normalement, les élèves regardent le tableau noir.
> Élève 2: Aujourd'hui, ils regardent une vidéo.

# STRUCTURE

## Le pronom *on*

**Talking about People in General:**
*"We," "People," "They"*

1. You will use the word *on* a great deal in French. It can have many different meanings. One of its most common meanings is "we." Its other equivalents in English are words such as "people" and "they."

> **On parle français en France.**   *They (People) speak French in France.*

2. You can also use *on* to make suggestions about doing something.

> **On regarde la télé?**   *Let's watch TV. (Are we going to watch TV?)*
>
> **On écoute la cassette?**   *Shall we listen to the cassette?*

3. With *on* you use the same form of the verb as you do with *il* and *elle.*

> **Il parle français en classe.**
> **On parle français en Belgique.**

## Exercice

**Aux États-Unis.**   Un(e) élève français(e) pose des questions à un(e) élève américain(e). *(You are a French student. Ask a classmate about life in the U.S.)*

> **On arrive à l'école à quelle heure?**
> *On arrive à l'école à huit heures.*

1. On entre dans la salle de classe à quelle heure?
2. On quitte l'école à quelle heure?
3. On déteste les examens?
4. On travaille beaucoup à l'école?
5. On aime le cinéma?
6. On travaille après les cours?
7. On écoute des disques rock?
8. On regarde la télé?
9. On parle au téléphone?

# Les verbes réguliers en -er au présent

1. A verb is a word that expresses an action or a state of being. Words such as *parler, travailler,* and *aimer* are verbs. These are called regular verbs because they all follow the same pattern and have the same endings.

2. The infinitive form of these verbs ends in -er. The infinitive is the basic form of the verb that you find in the dictionary.

    | parler | *to speak, to talk* |
    |---|---|
    | travailler | *to work* |
    | aimer | *to like* |

3. You drop the -er of the infinitive to form the stem.

    | parler | parl- |
    |---|---|
    | aimer | aim- |

4. You add the endings for each subject to this stem. Study the following chart.

| INFINITIVE | PARLER | AIMER | |
|---|---|---|---|
| STEM | PARL- | AIM- | ENDINGS |
| | je parle | j'aime | -e |
| | tu parles | tu aimes | -es |
| | il parle | il aime | |
| | elle parle | elle aime | -e |
| | on parle | on aime | |
| | nous parlons | nous aimons | -ons |
| | vous parlez | vous aimez | -ez |
| | ils parlent | ils aiment | |
| | elles parlent | elles aiment | -ent |

5. You pronounce the *je, tu, il, elle, on, ils,* and *elles* forms of the verb the same even though they are spelled differently.

6. When a verb begins with a vowel or a silent *h, je* is shortened to *j'*.

    **J'aime Paris.**
    **J'habite à Lyon.**

7. In the negative, you shorten the *ne* to *n'* before a vowel or a silent *h*.

    **Je n'aime pas les maths.**
    **Je n'habite pas à Paris.**

8. With all verbs beginning with a vowel or a silent *h* there is a liaison between the subject and the verb with the plural forms *nous, vous, ils,* and *elles.* The *s* is pronounced like a *z.*

> nous̬ étudions      vous̬ aimez      ils̬ habitent

# Exercices

**A**  **Thérèse parle français.**   Répondez d'après les dessins. (*Answer according to the illustrations.*)

1. Thérèse est américaine ou française?
2. Elle habite à Chicago ou à Paris?
3. Elle habite avenue Gambetta ou avenue Saint-Pierre?

4. Elle parle anglais ou français?
5. Elle quitte la maison le matin ou l'après-midi?
6. Elle arrive à l'école à quelle heure?

**B**  **Les élèves ou les profs?**   Dites si ce sont les professeurs, les élèves ou les deux. (*Tell who is doing the following activities—the students, the teachers, or both.*)

> **Qui arrive à l'école le matin?**
> *Les profs et les élèves arrivent à l'école le matin.*

1. Qui entre dans la salle de classe?
2. Qui parle en classe?
3. Qui écoute en classe?
4. Qui regarde le tableau noir?
5. Qui donne les examens?
6. Qui passe les examens?
7. Qui corrige les examens?
8. Qui étudie beaucoup?
9. Qui pose des questions?

## C Tu parles français? Repétez la conversation. (*Practice the conversation.*)

BARBARA: René, tu n'es pas français, n'est-ce pas?
RENÉ: Non, je ne suis pas français.
BARBARA: Mais tu parles français.
RENÉ: Bien sûr, je parle français.
BARBARA: Mais comment ça, si tu n'es pas français?
RENÉ: Mais je suis belge.
BARBARA: Ah, c'est vrai. On parle français en Belgique.

## D À votre tour. Donnez des réponses personnelles. (*Give your own answers.*)

1. Tu habites quelle ville?
2. Tu quittes la maison à quelle heure le matin?
3. Tu arrives à l'école à quelle heure?
4. Est-ce que tu parles français avec les copains?
5. Tu parles quelle langue dans la classe de maths?
6. Tu aimes quels cours? quels profs?
7. Tu détestes quels cours?
8. Est-ce que tu travailles après les cours?
9. Est-ce que tu chantes quand tu écoutes la radio?
10. Quand est-ce que tu regardes la télé?

## E Pardon? Posez des questions d'après le modèle.

Nous écoutons des disques compacts.
*Pardon? Qu'est-ce que vous écoutez?*

1. Nous détestons la musique classique.
2. Nous regardons la télé.
3. Nous regardons les magazines.
4. Nous écoutons la radio.
5. Nous aimons les fêtes.
6. Nous donnons une fête.

## F Vous donnez une fête? Donnez des réponses personnelles avec «nous». (*Give your own answers with* nous.)

1. Vous donnez une fête?
2. Pendant la fête, vous dansez?
3. Vous chantez?
4. Vous écoutez des disques?
5. Vous regardez la télé?

**G** **Notre fête.** Complétez. (*Complete.*)

1. Nous ___ une fête. (donner)
2. Nous ___ la fête pour célébrer l'anniversaire (*birthday*) de Claude. (donner)
3. Nous ___ les amis de Claude. (inviter)
4. Claude ___ à l'heure. (arriver)
5. Les amis ___ à la fête. (arriver)
6. Pendant la fête les amis ___. (rigoler)
7. On ___ et on ___. (danser, chanter)
8. Et vous, vous ___ les fêtes? (aimer)
9. Vous ___ danser? (aimer)
10. Vous ___ à quelle heure? (rentrer)

## L'article indéfini au pluriel;       *Expressing "Some" and "Not Any"*
## La négation des articles indéfinis

1. You have already learned the singular indefinite articles *une* and *un*. The plural of *une* and *un* is *des,* which means "some" or "any" in English.

    Il regarde un magazine.          Il regarde *des* magazines.
    Elle écoute une cassette.        Elle écoute *des* cassettes.
    Il invite un(e) ami(e).          Il invite *des* ami(e)s.

2. In the negative all the indefinite articles change to *de*. Note that *de* is shortened to *d'* before a vowel or silent *h*.

    J'écoute un disque.              Je *n'*écoute *pas de* disque.
    Tu regardes une vidéo.           Tu *ne* regardes *pas de* vidéo.
    Nous invitons des copains.       Nous *n'*invitons *pas de* copains.
    Les élèves passent des examens.  Mais ils *ne* passent *pas*
                                       *d'*examens aujourd'hui.

## Exercices

**A** **Le temps libre.** Donnez des réponses personnelles. (*Give your own answers.*)

1. Quand tu es libre, est-ce que tu regardes des livres scolaires ou des magazines?
2. Tu écoutes des cassettes ou des disques après les cours?
3. Pendant le week-end, tu regardes des livres ou des vidéos?
4. Quand tu donnes une fête, tu invites des amis?
5. Pendant une fête tu regardes des vidéos?

**B** **En classe.** Répondez négativement. (*Answer in the negative.*)

1. Tu écoutes des disques compacts?
2. Tu regardes une vidéo?
3. Tu chantes une chanson populaire?
4. Tu regardes un magazine?
5. Le professeur passe des examens?
6. Il donne des devoirs amusants?

## Le verbe + infinitif

### *Talking about What You Like or Don't Like to Do*

1. In French when the verbs *aimer, adorer,* and *détester* are followed by another verb, the second verb is in the infinitive form.

> **J'aime chanter.**    **J'adore danser.**    **Je déteste étudier.**

2. In a negative sentence the *ne... pas* goes around the first verb.

> **Il *n*'aime *pas* chanter.**

## Exercices

**A** **Tu aimes danser?** Posez les questions suivantes à un copain ou à une copine. (*Ask a classmate the following questions.*)

> **Élève 1: Tu aimes danser?**
> **Élève 2: Bien sûr. J'aime beaucoup danser. (Mais non! Pas du tout. Je déteste danser.)**

1. Tu aimes écouter la radio?
2. Tu aimes regarder la télé?
3. Tu aimes étudier?
4. Tu aimes parler au téléphone?
5. Tu aimes rigoler?
6. Tu aimes chanter?

**B** **Ils aiment danser?** Décidez si ces personnes aiment ces activités. (*Decide if these people like the following activities.*)

> **Elle aime (adore) chanter.**

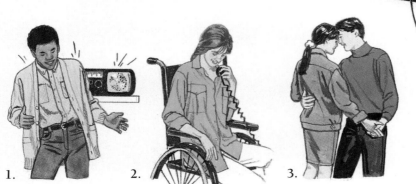

1.　　2.　　3.　　4.

## Scènes de la vie  *Après le cours de français*

JEANNE: Charles, tu aimes le
  français?
CHARLES: Beaucoup. C'est extra,
  vraiment.

JEANNE: Pourquoi ça?
CHARLES: Le prof est très
  intéressant.
JEANNE: Et tu aimes parler?
CHARLES: Beaucoup.

JEANNE: Et tu parles très, très bien
  le français, Charles.
CHARLES: Merci, Jeanne.

**A** **Charles et Jeanne.** Répondez d'après la conversation. (*Answer according to the conversation.*)

1. Charles aime quels cours? Pourquoi?
2. Comment est le prof?
3 Charles aime parler français?
4. Charles parle bien ou pas?
5. Jeanne est française ou pas?
6. Et Charles, il est français ou pas?

**B** **À votre tour.** Donnez des réponses personnelles. (*Give your own answers.*)

1. Tu aimes le français? Pourquoi?
2. Comment est le professeur?
3. Tu aimes parler français?
4. Tu parles bien ou pas?

## Prononciation   *Les sons /é/ et /è/*

There is an important difference in the way French and English vowels are pronounced. When you say the French word *des*, your mouth is tense, in one position. You can actually repeat the vowel sound /é/ as many times as you want without moving your mouth at all. But when you pronounce the English word "day," your mouth is relaxed and you actually say two vowel sounds.

Now listen to the word *élève*. There are two distinct vowel sounds. The sound /é/ is a "closed" sound and /è/ an "open" sound. This describes the positions of the mouth for each of these sounds. Repeat the following.

| Le son /é/ | la télé | le café | l'école | écoutez |
|---|---|---|---|---|
| Le son /è/ | après | la fête | vous êtes | la cassette |

Après l'école, les élèves aiment écouter des cassettes.

*élève*

## Activités de communication

**A**   **Des préférences.**   Ask a classmate which courses he or she likes or dislikes and why. Report to the class.

**B**   **Un copain français ou une copine française.**   You are spending the summer in France and you have just met a French student who would like to know more about you. Give him or her the following information.

1. where you are from
2. if you are a high school student
3. what time you leave home in the morning
4. if you study French
5. if the teacher is French or American
6. what the teacher is like
7. if you like your French class or not
8. what time you leave school
9. if you like to listen to tapes after school

**C**   **Vous aimez ou vous n'aimez pas...?**   Divide into small groups and choose a leader. He or she will ask the others if they like the following activities. The leader will take notes  and report to the class.

> étudier
> Élève 1: Vous aimez étudier?
> Élèves 2 et 3: Non, nous détestons étudier. (Je déteste étudier. J'aime étudier).
> Élève 1 (*à la classe*):  Ils détestent étudier. (Elle déteste étudier mais il adore étudier).

1. danser
2. chanter
3. passer des examens
4. regarder la télé
5. écouter la musique classique
6. donner des fêtes

# LECTURE ET CULTURE

## UNE ÉLÈVE PARISIENNE

Geneviève habite rue Saint-Julien-le-Pauvre à Paris. La rue Saint-Julien-le-Pauvre est près de la Sorbonne. La Sorbonne est une université célèbre à Paris. Geneviève quitte la maison à huit heures moins le quart. Elle est élève au Lycée Saint-Louis. Les cours commencent à huit heures et demie. Geneviève arrive au lycée à huit heures. Elle aime arriver de bonne heure[1]! Avant[2] les cours elle parle avec les copains dans la cour[3]. Elle aime ça. Elle quitte le lycée à cinq heures.

Les lycéens français passent à peu près[4] trente heures par semaine à l'école. En France la plupart[5] des matières sont obligatoires et très peu de[6] matières sont facultatives. On est libre le mercredi après-midi.

En France les élèves passent un examen difficile, le baccalauréat (le bachot ou le bac) avant d'être diplômés.

[1]de bonne heure  *early*  [4]à peu près  *about*
[2]avant  *before*  [5]la plupart  *most*
[3]la cour  *the courtyard*  [6]peu de  *few*

## Étude de mots

**A** **Des mots apparentés.** Choisissez le bon mot. (*Choose the correct word.*)

arrive     commencent
cours     obligatoire

1. J'___ à l'école à sept heures et demie du matin.
2. Les cours ___ à huit heures.
3. Le ___ de Madame Benoît est très intéressant.
4. L'anglais est un cours ___.

**B** **En France.** Trouvez les mots qui correspondent. (*Find the corresponding word or phrase.*)

1. célèbre
2. le lycée
3. la matière
4. une matière facultative
5. le baccalauréat
6. les vacances

a. le bachot, le bac
b. la discipline, le cours
c. fameux, illustre
d. une école secondaire française
e. le contraire d'une matière obligatoire
f. la période de temps où on est libre

## Compréhension

**A** **Vous avez compris?** Répondez. *(Answer.)*

1. Où est-ce que Geneviève habite?
2. Elle habite quelle rue?
3. Où est la rue?
4. Geneviève quitte la maison à quelle heure?
5. Les cours commencent à quelle heure?

**B** **Les écoles en France.** Trouvez les renseignements suivants dans la lecture. *(Find the following information in the reading.)*

1. the name of a university in Paris
2. a test taken by French students
3. the number of hours spent weekly by French students in school
4. when French students are free
5. the time school begins in France

**C** **Aux États-Unis.** Répondez. *(Answer.)*

1. Les cours commencent à quelle heure?
2. Les élèves américains passent combien d'heures par semaine à l'école?
3. On est libre quels jours aux États-Unis?

# DÉCOUVERTE CULTURELLE

Aux États-Unis beaucoup d'élèves travaillent après les cours. Ils travaillent à mi-temps. Ils travaillent, par exemple, dans un magasin, dans un supermarché ou dans un restaurant. Ils gagnent de l'argent—quarante ou cinquante dollars par semaine. Ils dépensent[1] l'argent pour aller au cinéma, pour acheter[2] des cassettes ou des blue jeans.

En France, au contraire, relativement peu de lycéens travaillent après les cours. Les élèves ne travaillent pas à mi-temps. C'est assez rare.

[1]dépensent *spend*
[2]acheter *to buy*

---

**LE DIPLÔME NATIONAL DU BREVET**
SÉRIE : COLLÈGE

**RÉPUBLIQUE FRANÇAISE**

MINISTÈRE DE L'ÉDUCATION NATIONALE

ACADÉMIE DE PARIS
DÉPARTEMENT DE PARIS

VU les textes en vigueur     VU le procès verbal du jury

**EST DELIVRÉ**

à     **MADEMOISELLE BRILLIÉ**     **MARINA DIANE AVIVA**
à 075 PARIS 14

né(e)     le 01 AVRIL 1972     le 22 OCTOBRE 1987

fait à     **ARCUEIL**
Signature du Titulaire,
Le Directeur du Service Interacadémique des examens et concours

**J. KOOIJMAN**

No. 7506094

Vous êtes priés de faire des photocopies certifiées conformes a l'original: il ne sera pas délivré de duplicata

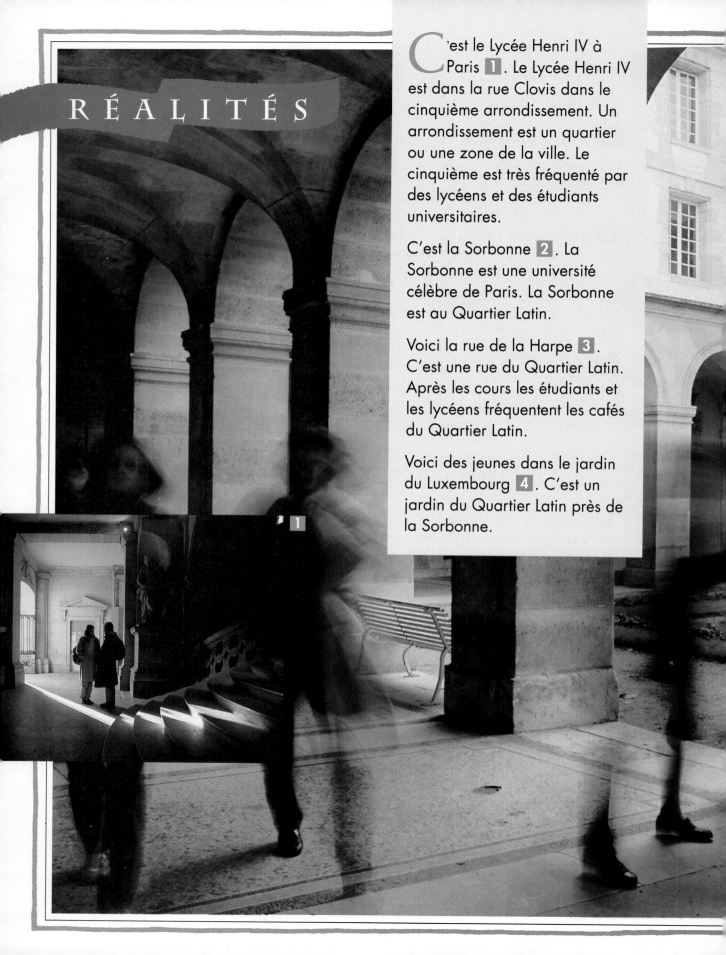

# RÉALITÉS

C'est le Lycée Henri IV à Paris **1**. Le Lycée Henri IV est dans la rue Clovis dans le cinquième arrondissement. Un arrondissement est un quartier ou une zone de la ville. Le cinquième est très fréquenté par des lycéens et des étudiants universitaires.

C'est la Sorbonne **2**. La Sorbonne est une université célèbre de Paris. La Sorbonne est au Quartier Latin.

Voici la rue de la Harpe **3**. C'est une rue du Quartier Latin. Après les cours les étudiants et les lycéens fréquentent les cafés du Quartier Latin.

Voici des jeunes dans le jardin du Luxembourg **4**. C'est un jardin du Quartier Latin près de la Sorbonne.

# CULMINATION

## Activités de communication orale

**A** **Au café.** You are seated at a café in Aix-en-Provence. You are chatting with a French student who wants to know about life in the U.S. Give him or her the following information.

1. how many hours you spend in school a week
2. at what time classes begin (*commencer*)
3. what day you have off
4. what subjects are required in your school
5. what subjects are electives
6. if American students work part-time after class
7. if you work

**B** **Tous les jours.** Divide into small groups and choose a leader. The leader will ask the others how much time they spend on different activities each day. The leader will take notes and report to the class.

> Élève 1: **Tu écoutes la radio combien de temps par jour** (*a day*)?
> Élève 2: **J'écoute la radio trois heures par jour.**
> Élève 3: **Moi, j'écoute la radio une heure par jour.**
> Élève 1 (*à la classe*): **Il écoute la radio trois heures par jour, mais elle écoute la radio une heure par jour.**

**C** **La fête.** You are showing your French friend Alain Dumont a photo of a party at your house. Tell him what an American party is like.

## Activité de communication écrite

**Et toi?** Write a paragraph about yourself by answering the following questions.

1. Où est-ce que tu habites?
2. Où est-ce que tu es élève?
3. Tu arrives à l'école à quelle heure?
4. Les cours commencent à quelle heure?
5. Tu aimes le cours de français?
6. Qui est le prof?
7. Tu aimes quelle autre matière?
8. Tu quittes l'école à quelle heure?
9. Tu travailles à mi-temps après les cours?
10. Tu aimes donner des fêtes pendant le week-end?

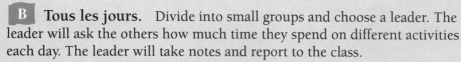

# Réintroduction et recombinaison

**A** **À l'école.** Donnez des réponses personnelles. (*Give your own answers.*)

1. Tu es de quelle ville?
2. Où est-ce que tu es élève?
3. Tu étudies quelles matières?
4. Tu aimes quels cours?
5. Tu n'aimes pas quels cours?
6. Tu passes des examens?
7. Les examens sont faciles ou difficiles? Et les devoirs?
8. Qui donne les examens?
9. Qui est le prof de français?

**B** **Un autoportrait.** Complétez. (*Complete.*)

1. Bonjour! Je suis ___.
2. Je ___ de ___. (ville)
3. Je parle ___ et ___.
4. J'habite ___.
5. J'arrive à l'école ___.
6. À l'école j'étudie ___ , ___ et ___.
7. Je quitte l'école ___.
8. Avec les copains j'aime ___ et ___.

# Vocabulaire

| NOMS | VERBES |
|---|---|
| la maison | aimer |
| la rue | adorer |
| la fête | détester |
| la télé | arriver |
| la radio | chanter |
| le Walkman | danser |
| le magazine | donner |
| le disque | écouter |
| le compact disc | entrer |
| la cassette | étudier |
| la vidéo (cassette) | gagner |
| le magasin | habiter |
| l'argent (m.) | inviter |
| l'examen (m.) | parler |
| | quitter |
| | regarder |
| | rentrer |

rigoler
travailler
à mi-temps
à plein temps

AUTRES MOTS ET EXPRESSIONS

parler au téléphone
poser une question
passer un examen
par jour
par semaine
pendant
après
beaucoup
quand

CHAPITRE

# 4

# LA FAMILLE ET LA MAISON

## OBJECTIFS

In this chapter you will learn to do the following:

1. talk about your family
2. describe your home
3. give today's date
4. give the date of your birthday and that of others
5. give your age and find out someone else's age
6. tell what belongs to you and others
7. use certain adjectives to describe people and things
8. talk about housing in France and the U.S.

# VOCABULAIRE

## MOTS 1

les grands-parents

M. Girard

Mme Girard

le grand-père

la grand-mère

les parents

M. Revel

Mme Revel

Mme Debussy

M. Debussy

l'oncle

la tante

la mère   la femme

le père   le mari

Guy

Anne

les enfants

Philippe

Monique

le neveu   le cousin   la nièce   la cousine

le fils   le petit-fils

la fille   la petite-fille

Minou

le chat

Médor

le chien

Monique est la fille de M. et Mme Debussy.
Elle a quatorze ans.
C'est quand, l'anniversaire de Monique?
L'anniversaire de Monique est
    le 4 novembre.
C'est aujourd'hui!
Monique et Philippe sont jeunes.
Ils ne sont pas vieux.

Voici la famille Debussy.
M. et Mme Debussy ont deux enfants,
    un fils et une fille.
La famille Debussy a un appartement à Paris.
Les Debussy ont un chien, Médor.
Ils n'ont pas de chat.
Philippe Debussy est le fils de M. et Mme Debussy.
Il a quel âge?
Il a seize ans.

Les mois de l'année sont:

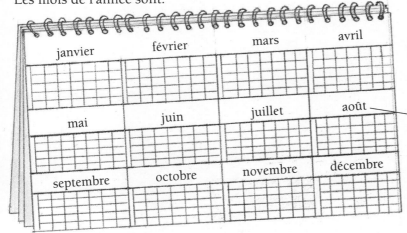

| janvier | février | mars | avril |
|---------|---------|------|-------|
| mai | juin | juillet | août |
| septembre | octobre | novembre | décembre |

un mois

Quelle est la date aujourd'hui?
C'est le 4 novembre.

**Note:** For the first day of the month, you say *le premier.*

le 1$^{\text{er}}$ avril      le premier avril

# Exercices

**A** **La famille Debussy.** Répondez. *(Answer.)*

1. La famille Debussy a un appartement à Paris?
2. M. et Mme Debussy ont deux enfants?
3. La famille Debussy est grande ou petite?
4. Le fils a quel âge?
5. La fille a quel âge?
6. Les Debussy ont un chien ou un chat?
7. Les enfants de M. et Mme Debussy ont des cousins?
8. Ils ont des oncles et des tantes?
9. Ils ont des grands-parents?

**B** **Ma famille et moi.** Complétez. *(Complete.)*

1. Le frère de mon père est mon ___.
2. La sœur de mon père est ma ___.
3. Le frère de ma mère est mon ___.
4. La sœur de ma mère est ma ___.
5. Le fils de mon oncle et de ma tante est mon ___.
6. Et la fille de mon oncle et de ma tante est ma ___.
7. Les enfants de mes oncles et de mes tantes sont mes ___.
8. Et moi, je suis ___ de mon oncle et de ma tante.
9. Le père de ma mère est mon ___.
10. La mère de mon père est ma ___.
11. Je suis ___ de mes grands-parents et ___ de mes parents.

**C** **Les anniversaires.** Indiquez l'anniversaire de chaque personne d'après le carnet d'anniversaires. *(Give the date of each person's birthday according to the birthday book.)*

**Maman**
*L'anniversaire de Maman est le 4 mars.*

1. Papa
2. Philippe
3. Oncle Pierre
4. Tante Marie
5. Céline
6. Grégoire
7. Marie-France
8. Grand-mère

*mars*
4 Maman

*janvier*
10 Papa

*octobre*
20 Philippe

*avril*
12 Céline

*mai*
17 Grégoire

*juin*
22 Marie-France

*juillet*
31 Grand-mère

*décembre*
15
Tante Marie

*février*
1
Oncle Pierre

JOYEUX ANNIVERSAIRE!

# VOCABULAIRE

## MOTS 2

une vieille maison

un jardin

un garage

une voiture

une terrasse

un immeuble

un quartier

un appartement

le troisième étage

le deuxième étage

un balcon

le premier étage

le rez-de-chaussée

une entrée

une station
de métro

Les Debussy ont un joli appartement près de la station de métro.
L'appartement n'est pas loin de la station de métro.
Il y a dix appartements dans l'immeuble.

un ascenseur

bavarder

une cour

un voisin

une voisine

Il y a un ascenseur dans l'immeuble.
Il n'y a pas de garage dans l'immeuble.
M. Debussy bavarde avec les voisins.

Il y a six pièces dans l'appartement.

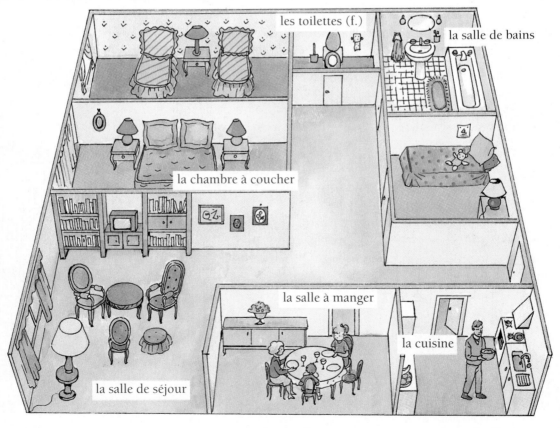

les toilettes (f.)

la salle de bains

la chambre à coucher

la salle à manger

la cuisine

la salle de séjour

dîner

préparer le dîner

# Exercices

**A** **Un très bel immeuble.**
Identifiez. *(Identify.)*

1. C'est le premier étage ou le rez-de-chaussée?
2. C'est le balcon ou la cour?
3. C'est l'entrée ou le rez-de-chaussée?
4. C'est le premier étage ou le deuxième étage?
5. C'est le balcon ou l'ascenseur?

**B** **La vieille maison.** Répondez d'après le dessin. *(Answer according to the illustration.)*

1. La maison a combien de pièces?
2. Les pièces sont grandes?
3. Il y a combien d'étages?
4. Il y a une grande cuisine?
5. Il y a combien de chambres à coucher?
6. Il y a combien de salles de bains?
7. Il y a combien de toilettes?
8. Il y a un balcon?

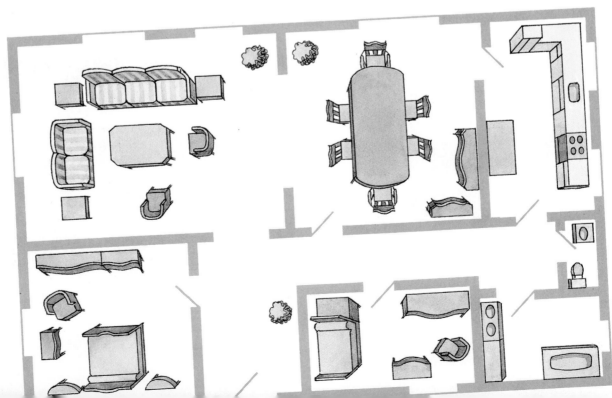

## C Quelle pièce? Choisissez la bonne réponse. (*Choose the correct answer.*)

1. On regarde la télé dans ___.
   **a.** la salle à manger   **b.** la salle de bains   **c.** la salle de séjour

2. On prépare le dîner dans ___.
   **a.** la salle à manger   **b.** la cuisine   **c.** la chambre à coucher

3. On bavarde avec les voisins dans ___.
   **a.** la chambre à coucher   **b.** la cour   **c.** la salle de bains

4. On dîne dans ___.
   **a.** la salle de séjour   **b.** la cuisine ou la salle à manger
   **c.** la chambre à coucher

5. On dîne sur ___ de la maison en juillet et en août.
   **a.** la terrasse   **b.** l'étage   **c.** la pièce

## D Ma maison. Donnez des réponses personnelles. (*Give your own answers.*)

1. Où habites-tu?
2. Tu habites quelle rue?
3. Tu habites un appartement ou une maison?
4. Il y a combien de pièces dans l'appartement ou la maison?
5. Il y a combien de chambres à coucher?
6. Il y a une terrasse ou un balcon?
7. Il y a un ascenseur dans l'immeuble?
8. La maison ou l'immeuble a un garage?
9. La voiture est dans le garage le soir?
10. Tu bavardes avec les voisins?

# Activités de communication
*Mots 1 et 2*

## A La famille Lapeyre. Here is a picture of the Lapeyre family. Give the following information about them.

1. how many people are in the family
2. how they are related to one another
3. what they look like
4. whether they have a dog or a cat

## B Une rencontre. On the ferry from Dover, England, to Boulogne-sur-Mer, France, you meet a French student (your partner). He or she will ask you for the following information.

1. where you live
2. if you live in a house or an apartment
3. if most Americans (*la plupart des Américains*) live in houses or apartments
4. if most American families are large or small

**Le verbe *avoir* au présent**   *Telling What You and Others Have; Telling People's Ages*

1. The verb *avoir*, "to have," is an irregular verb. Study the present tense forms of this verb. Note that there is a liaison in the plural. The *s* is pronounced like a *z*.

| AVOIR | |
|---|---|
| j'ai | nous avons |
| tu as | vous avez |
| il a | ils ont |
| elle a | elles ont |

2. You also use the verb *avoir* to express age in French.

> **Tu as quel âge?**
> **Moi, j'ai seize ans.**

## Exercices

**A  Les Lefèvre.**   Répondez d'après le dessin. *(Answer according to the illustration.)*

1. Catherine Lefèvre a un frère?
2. Jacques a une sœur?
3. Monsieur et Madame Lefèvre ont deux enfants?
4. Ils ont un appartement à Paris?
5. L'appartement a un balcon?
6. Les Lefèvre ont un chat?

**B  Qu'est-ce qu'il a, Robert?**   Répondez d'après le modèle. *(Answer according to the  model.)*

> **Robert a une cassette?**
> *Non, il n'a pas de cassette.*

1. Il a un stylo?
2. Il a une voiture?
3. Il a un chat?
4. Il a un chien?
5. Il a un éléphant?
6. Il a des livres?

**C** **Tu as un frère?** Répétez la conversation. (*Practice the conversation.*)

THÉRÈSE: René, tu as un frère?
RENÉ: Non, je n'ai pas de frère, mais j'ai une sœur.
THÉRÈSE: Tu as une sœur? Elle a quel âge?
RENÉ: Elle a quatorze ans.
THÉRÈSE: Et toi, tu as quel âge?
RENÉ: Moi, j'ai seize ans.
THÉRÈSE: Ta sœur et toi, vous avez un chien?
RENÉ: Non, nous n'avons pas de chien. Mais nous avons un petit chat.

Complétez d'après la conversation. (*Complete according to the conversation.*)

1. René n' ___ pas ___ frère.
2. Mais il ___ une sœur.
3. Sa sœur ___ quatorze ans.
4. René ___ seize ans.
5. René et sa sœur n' ___ pas ___ chien.
6. Mais ils ___ un petit chat.

**D** **J'ai.** Donnez des réponses personnelles. (*Give your own answers.*)

1. Tu as des frères? Tu as combien de frères?
2. Tu as des sœurs? Tu as combien de sœurs?
3. Tu as un chien?
4. Tu as un chat?
5. Tu as des amis?
6. Tu as des cousins?
7. Tu as combien de cousins?
8. Tu as combien d'oncles?
9. Tu as combien de tantes?
10. Tu as une petite ou une grande famille?
11. Tu as quel âge?

**E** **Dans ton sac à dos.** Posez des questions à un copain ou à une copine d'après le modèle. (*Ask a classmate questions according to the model.*)

un crayon

Élève 1: Tu as un crayon dans ton sac à dos?
Élève 2: Oui, j'ai un crayon. (Non, je n'ai pas de crayon).

1. un stylo
2. une calculatrice
3. un livre d'espagnol
4. des cassettes
5. un chien
6. un cahier
7. des devoirs
8. un ordinateur

**F** **Qu'est-ce que vous avez?** Posez des questions d'après le modèle. (*Ask questions according to the model.*)

une maison ou un appartement
*Maurice et Pauline, vous avez une maison ou un appartement?*

1. un chien ou un chat
2. un frère ou une sœur
3. un neveu ou une nièce
4. des disques ou des cassettes
5. une voiture ou une bicyclette

**G** **Ma famille et moi.** Donnez des réponses personnelles en utilisant «nous». (*Give your own answers about you and your family using* nous.)

1. Vous avez une maison?
2. Vous avez un appartement?
3. Vous avez un chien?
4. Vous avez un chat?
5. Vous avez une voiture?
6. Vous avez un jardin?

**H** **La famille Duhamel.** Complétez avec «avoir». (*Complete with* avoir.)

Voici la famille Duhamel. La famille Duhamel __1__ un très joli appartement à Paris dans le cinquième arrondissement. L'appartement __2__ six pièces. Les Duhamel __3__ aussi une maison à Juan-les-Pins. La maison à Juan-les-Pins est une petite villa ou un bungalow où la famille Duhamel passe les vacances. La villa __4__ cinq pièces.

Il y a quatre personnes dans la famille Duhamel. Olivier est le fils. Olivier __5__ une sœur, Gabrielle. Gabrielle __6__ dix-sept ans et son frère __7__ quinze ans. Olivier et Gabrielle __8__ un petit chien, Milou. Ils adorent Milou.

Tu __9__ un chien? Si tu n'__10__ pas de chien, tu __11__ un chat? Ta famille __12__ un appartement ou une maison? Ta famille et toi, vous __13__ une petite villa ou un bungalow où vous passez les vacances?

## Les adjectifs possessifs

### Telling What Belongs to You and Others

1. You use possessive adjectives to show possession or ownership. Like other adjectives, the possessive adjectives must agree with the nouns they modify. For example, if the noun is feminine the adjective is feminine. If the noun is plural, the adjective is plural.

2. Study the following forms of the possessive adjectives: *mon, ma, mes* (my); *ton, ta, tes* (your); *son, sa, ses* (his *or* her).

| MASCULIN SINGULIER | FÉMININ SINGULIER | PLURIEL |
|---|---|---|
| mon père | ma mère | mes parents |
| ton père | ta mère | tes parents |
| son père | sa mère | ses parents |

3. You use *mon, ton, son* before a masculine singular noun.
   You use *ma, ta, sa* before a feminine singular noun.
   You use *mes, tes, ses* before a plural noun.

4. Note that *son, sa, ses* can mean either "his" or "her." The agreement is with the item owned, not the owner.

   > le chien de Charles → son chien
   > la maison de Charles → sa maison

5. Before a masculine or feminine singular noun that begins with a vowel or silent *h*, you use *mon, ton,* or *son.*

| MASCULIN | FÉMININ |
|----------|---------|
| mon ami | *mon* amie |
| ton ami | *ton* amie |
| son ami | *son* amie |

## Exercices

**A** **À votre tour.** Donnez des réponses personnelles. (*Give your own answers.*)

1. Où est ta maison ou ton appartement?
2. Ta maison (ton appartement) a combien de pièces?
3. Ta maison est grande ou petite? (Ton appartement est grand ou petit?)
4. C'est quand ton anniversaire? Tu as quel âge?
5. Quel âge a ton frère, si tu as un frère?
6. Quel âge a ta sœur, si tu as une sœur?
7. Il y a combien de personnes dans ta famille?
8. Tes oncles et tes tantes habitent près ou loin de ta ville (ton village)?

**B** **J'ai une question pour toi.** Complétez avec «ton», «ta» ou «tes» et posez les questions à un copain ou à une copine d'après le modèle. (*Complete with ton, ta, or tes and then ask a classmate the questions according to the model.*)

> Où est ___ maison?
>
> Élève 1: Où est ta maison?
> Élève 2: Ma maison est près de l'école.

1. Qui est ___ amie?
2. Qui est ___ ami?
3. Où habitent ___ grands-parents?
4. ___ frère a quel âge?
5. ___ sœur a quel âge?
6. Où est ___ maison ou ___ appartement?
7. Tu aimes ___ cours de français?
8. ___ prof de français est sympa?

**C** **Le frère de Suzanne ou de Jacques.** Changez d'après le modèle.
*(Change according to the model.)*

> **le frère de Suzanne**
> *son frère*

1. le père de Suzanne
2. la sœur de Suzanne
3. la sœur de Jacques
4. la maison de Jacques
5. l'appartement de Suzanne

6. les cousins de Jacques
7. les grands-parents de Jacques
8. les oncles de Jacques
9. l'amie de Suzanne

## Adjectifs qui précèdent le nom    *Describing People and Things*

### ADJECTIFS RÉGULIERS

In French most adjectives follow the noun they modify. However, some
frequently used adjectives come before the noun. You already know a few of
them: *joli, jeune, petit, grand.*

> **Ils ont un petit appartement à Paris.**
> **L'appartement est près d'une grande station de métro.**
> **Marlène est une jeune fille.**
> **Elle a un joli petit chien.**

## Exercice

**Marie-France.** Répondez d'après le
dessin. *(Answer according to the illustration.)*

1. Marie-France est une jeune fille ou une jeune
   femme?
2. Elle a une grande famille ou une petite famille?
3. Elle a un petit chien adorable ou un grand chat?
4. Marie-France a un joli appartement à Paris?
5. Il y a un petit restaurant près de l'appartement?

## ADJECTIFS IRRÉGULIERS

1. The adjectives *beau* (beautiful), *nouveau* (new), and *vieux* (old) also come before the noun. These adjectives have several forms.

| FÉMININ SINGULIER | MASCULIN SINGULIER + VOYELLE | MASCULIN SINGULIER + CONSONNE |
|---|---|---|
| une belle maison une nouvelle maison une vieille maison | un bel appartement un nouvel appartement un vieil appartement | un beau quartier un nouveau quartier un vieux quartier |

| FÉMININ PLURIEL | MASCULIN PLURIEL | |
|---|---|---|
| de belles maisons de nouvelles maisons de vieilles maisons | de beaux appartements de nouveaux appartements de vieux appartements | de beaux quartiers de nouveaux quartiers de vieux quartiers |

2. Note the special singular forms *bel, nouvel,* and *vieil* that come before masculine singular nouns beginning with a vowel or silent *h*.

3. In the masculine plural form, you pronounce the *x* like a *z* when it is followed by a vowel or silent *h*.

4. When an adjective comes before a plural noun, *des* becomes *de*.

> Il y a *de* petites et *de* grandes stations de métro dans la ville.
> Il y a *de* nouveaux et *de* vieux immeubles dans la ville.

## Exercice

**Le bel appartement des Dubois.** Complétez. *(Complete.)*

1. Les Dubois ont un ___ appartement dans un ___ immeuble dans un ___ quartier. (beau, vieux, beau)
2. Il y a de ___ et de ___ quartiers à Paris. (nouveau, vieux)
3. L'appartement des Dubois est près d'une ___ ou d'une ___ station de métro? (vieux, nouveau)
4. L'appartement des Dubois a de ___ pièces. (beau)
5. Il a de ___ pièces et un très ___ balcon. (grand, beau)
6. De l'appartement il y a une ___ vue sur la ville. (beau)
7. Les Dubois ont une ___ voiture. (nouveau)
8. La ___ voiture est ___. (nouveau, beau)

# CONVERSATION

## Scènes de la vie  *Danielle, la nouvelle voisine*

MICHEL: Bonjour, Madame. Il y a une nouvelle famille dans le quartier?
LA VOISINE: Oui, les Smith. Ils sont américains.
MICHEL: Ils sont d'où?
LA VOISINE: De Dallas.

MICHEL: Il y a des enfants?
LA VOISINE: Oui, il y a deux enfants. David, le fils, a sept ans. Danielle, la fille, a qunize ans.
MICHEL: Ah, juste comme moi! Et… comment est Danielle?
LA VOISINE: Elle est très jolie et très sympathique. Le petit David est adorable. Mais ils ont un vieux chien et moi je n'aime pas beaucoup les chiens, surtout les vieux chiens.

MICHEL: Mais Danielle, elle aime les chiens?
LA VOISINE: Oui, elle est comme toi, mon petit Michel! Vous les jeunes, vous aimez beaucoup les chiens et les chats.

**Les voisins.** Corrigez les phrases. *(Correct the sentences.)*

1. Michel habite à Dallas.
2. La vieille voisine est la mère de Danielle.
3. Les nouveaux voisins sont français.
4. Michel a sept ans.
5. Le frère de Danielle est désagréable.
6. Les Smith sont de New York.
7. Ils ont un vieux chat.
8. La vieille voisine adore les chiens.

## Prononciation   *Le son /ã/*

There are three nasal vowel sounds in French: /ã/ as in *cent*, /õ/ as in *sont* et /ẽ/ as in *cinq*. They are called "nasal" because some air passes through the nose when they are pronounced. In this chapter, you will practice only the sound /ã/ as in *cent*.

Repeat the following. Notice that there is no /n/ sound after the nasal vowel.

> **Jean**     **cent**     **grand**     **amusant**
> **français**     **parent**     **fantastique**
>
> **Voilà les grands-parents, les parents et les enfants.**
> **Jean-François est fantastique. Il est français, grand, amusant.**

**grand**

## Activités de communication

**A**   **Les nouveaux voisins.**   Imagine that your family is living in Paris when a new family, the Lamberts, moves into your apartment building. Make up several questions that you would ask one of your neighbors to find out about the Lambert family.

**B**   **Ma maison.**   During a visit to Nîmes in southern France you meet a French student (your partner). He or she will ask you for the following information.

1. whether you live in a house or an apartment
2. what your house or apartment is like (size, age)
3. whether there is a yard (or garden) and what it's like

**C**   **Ton quartier.**   Ask your partner if his or her neighborhood has the following. Then reverse roles.

> **des maisons privées**
>
> Élève 1: **Il y a des maisons privées dans ton quartier?**
> Élève 2: **Non, dans mon quartier il n'y a pas de maisons privées.**

1. un cinéma
2. un parc
3. des immeubles
4. une discothèque
5. un lycée
6. des restaurants
7. des cafés
8. une banque

**D**   **Un appartement à Paris.**   Imagine that your family has just arrived to spend the summer in a Paris apartment. Ask the concierge of your building (your partner) what the following are like.

1. the building (number of floors, apartments, elevator)
2. the neighbors (their ages, pets, family members)
3. the neighborhood

## UNE FAMILLE FRANÇAISE

*L*es Debussy habitent à Paris. Comme[1] beaucoup de familles à Paris, ils habitent dans un appartement. Ils ont un très bel appartement dans un vieil immeuble dans le septième. Le septième arrondissement[2] à Paris est un très beau quartier. Le septième est un quartier assez résidentiel.

Dans l'immeuble il y a six étages. Les Debussy habitent au quatrième. Il y a six pièces dans l'appartement. Le salon donne sur[3] la rue mais les chambres à coucher donnent sur la cour. L'appartement a un balcon. Du balcon il y a une très belle vue sur la tour Eiffel.

[1] comme  *like*    [2] un arrondissement  *district in Paris*
[3] donne sur  *faces*

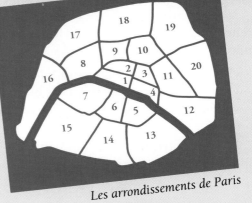

Les arrondissements de Paris

## Étude de mots

**Quel est le mot?**  Choisissez la bonne réponse. (*Choose the correct answer.*)

1. Une partie (une zone) d'une ville est ___.
   **a.** un village      **b.** une banlieue      **c.** un quartier

2. Un bâtiment (un building) qui a des appartements est ___.
   **a.** une école      **b.** un immeuble      **c.** un arrondissement

3. Il y a des maisons ou des appartements privés dans un quartier ___.
   **a.** résidentiel      **b.** industriel      **c.** universitaire

4. Le père, la mère et les enfants sont ___.
   **a.** une famille      **b.** une classe      **c.** un groupe de copains

5. La ville de Paris est divisée en vingt ___ .
   **a.** étages      **b.** arrondissements      **c.** pièces

## Compréhension

 **La famille Debussy.** Corrigez les phrases. *(Correct the statements.)*

1. Les Debussy habitent dans la banlieue de Paris.
2. Ils ont une grande maison.
3. L'appartement est dans un nouvel immeuble.
4. Ils habitent dans le sixième arrondissement.
5. Le septième arrondissement est commercial et industriel.
6. Il y a huit pièces dans l'appartement de la famille Debussy.
7. Les chambres à coucher donnent sur la rue.
8. L'appartement est au rez-de-chaussée.

# DÉCOUVERTE CULTURELLE

*B*eaucoup de Français habitent dans un appartement, surtout[1] les habitants des grandes villes. Il y a des appartements de grand standing pour les gens[2] riches et il y a des H.L.M. (Habitations à Loyer Modéré)[3] pour les gens qui n'ont pas beaucoup d'argent. Les H.L.M. sont généralement à l'extérieur des villes, à la périphérie ou en banlieue.

Il y a aussi des catégories de maisons privées. Pour les très riches il y a de grands châteaux à la campagne et pour les gens plus modestes il y a des pavillons, de petites maisons confortables en banlieue.

En France, comme aux États-Unis, dans beaucoup de familles la mère et le père travaillent. Il y a des crèches municipales[4] où les petits enfants passent la journée[5] quand les deux parents travaillent. Comme aux États-Unis le taux de divorces[6] augmente en France. Beaucoup d'enfants habitent avec un seul parent, la mère ou le père. Il y a beaucoup de familles à parent unique.

[1] surtout *especially*
[2] les gens *people*
[3] H.L.M. *low-income housing*
[4] crèches municipales *day-care centers*
[5] la journée *day*
[6] le taux de divorces *divorce rate*

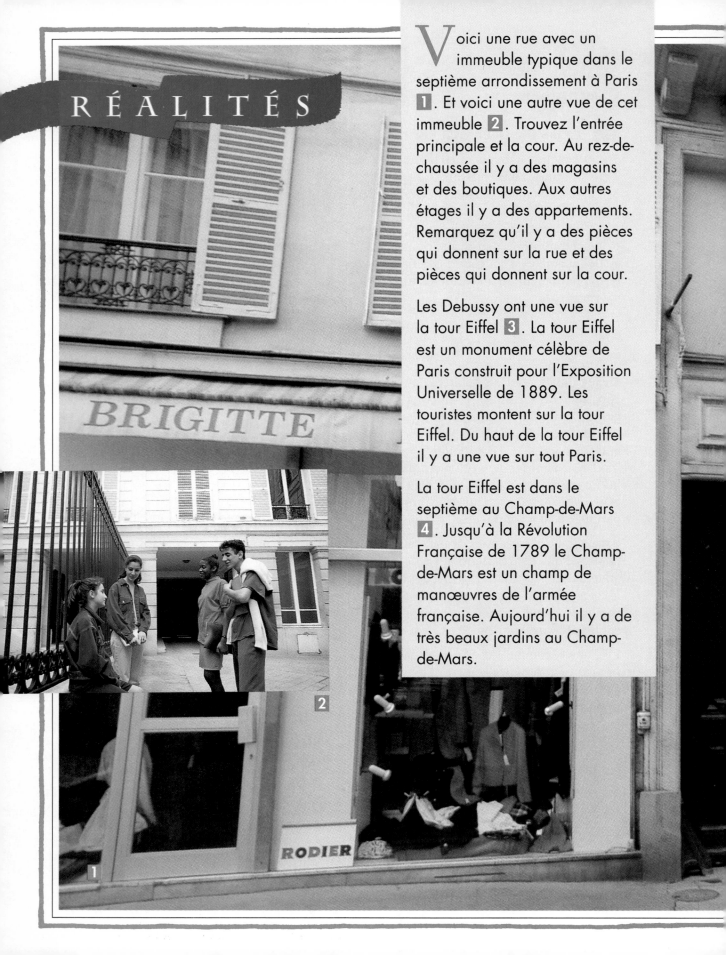

BRIGITTE

RODIER

**1**

**2**

Voici une rue avec un immeuble typique dans le septième arrondissement à Paris **1**. Et voici une autre vue de cet immeuble **2**. Trouvez l'entrée principale et la cour. Au rez-de-chaussée il y a des magasins et des boutiques. Aux autres étages il y a des appartements. Remarquez qu'il y a des pièces qui donnent sur la rue et des pièces qui donnent sur la cour.

Les Debussy ont une vue sur la tour Eiffel **3**. La tour Eiffel est un monument célèbre de Paris construit pour l'Exposition Universelle de 1889. Les touristes montent sur la tour Eiffel. Du haut de la tour Eiffel il y a une vue sur tout Paris.

La tour Eiffel est dans le septième au Champ-de-Mars **4**. Jusqu'à la Révolution Française de 1789 le Champ-de-Mars est un champ de manœuvres de l'armée française. Aujourd'hui il y a de très beaux jardins au Champ-de-Mars.

# CULMINATION

## Activités de communication orale

**A** **Quelle maison?** You and your family are planning to spend a month in France. Which of the following houses, as described in the newspaper ads below, would suit your family best? Explain why, using the model as a guide.

> **J'ai une grande famille. Nous sommes six. Nous aimons la jolie villa avec quatre chambres. Nous aimons aussi les chats et les chiens.**

### Appartement
dans bel immeuble, cinq pièces (deux chambres à coucher), avec grande cuisine moderne, bien situé au centre de la ville, près d'une banque et d'un cinéma.

### PETIT BUNGALOW
dans un vieux quartier, beaucoup de charme. Trois pièces (une chambre à coucher), salle à manger avec belle table et chaises anciennes. Vingt minutes de la ville.

### Jolie villa
avec jardin et balcon avec vue sur la mer. Huit pièces (quatre chambres à coucher), garage pour deux voitures, chien et chat inclus. Située dans une rue très calme, assez loin de la ville.

*Une maison de campagne dans la Creuse*

**B** **Une nouvelle identité.** Imagine that you are someone else. Describe your new family members and their personalities, your house or apartment, and yourself.

## Activités de communication écrite

**A** **Mon arbre généalogique.** Draw your own family tree. Give the names of all your relatives and their relationship to you.

**B** **Mon parent favori.** On your family tree, circle the name of your favorite relative and write a short paragraph about him or her. Be sure to include the following information.

1. name
2. relationship to you
3. age
4. physical description
5. personality
6. what he or she likes to do and doesn't like to do

## Réintroduction et recombinaison

**A** **À votre tour.** Donnez des réponses personnelles. (*Give your own answers.*)

1. Tu es élève dans une école primaire?
2. Les élèves dans ton cours de français sont intelligents?
3. Tu as des cours le samedi?
4. Tes copains et toi, vous étudiez quelles matiéres?
5. Tes parents adorent écouter de la musique rock? Et toi?
6. Où est-ce que tu regardes la télé?
7. Tu invites des copains pendant le weekend?

**B** **Ma famille et ma maison.** Complétez. (*Complete with your own answers.*)

1. Il y a ___ personnes dans ma famille.
2. Je ressemble à ___.
3. J'ai ___ ans.
4. Nous habitons à ___.
5. Notre maison (appartement) a ___ pièces.
6. Ma pièce favorite est ___.
7. Dans ma chambre, il y a ____ et ___.

## Vocabulaire

NOMS
la famille
le père
la mère
les parents (m.)
la femme
le mari
l'enfant (m.)
le fils
la fille
la grand-mère
le grand-père
les grands-parents
le petit-fils
la petite-fille
l'oncle (m.)
la tante
le cousin
la cousine
le neveu
la nièce
le chat
le chien

la maison
l'appartement (m.)
l'immeuble (m.)
l'ascenseur (m.)
le balcon
la cour
l'entrée (f.)
l'étage (m.)
le rez-de-chaussée
la pièce
les toilettes (f.)
la salle de bains
la chambre à coucher
la cuisine
le dîner
la salle à manger
la salle de séjour
le garage
la voiture
le jardin
la terrasse
le voisin
la voisine

le métro
la station de métro
le quartier

l'âge (m.)
l'année (f.)
la date
l'anniversaire (m.)

le mois
janvier
février
mars
avril
mai
juin
juillet
août
septembre
octobre
novembre
décembre

ADJECTIFS
beau (bel), belle
nouveau (nouvel),
    nouvelle
vieux (vieil), vieille
joli(e)
jeune
premier, première
deuxième
troisième

VERBES
avoir
bavarder
dîner
préparer

AUTRES MOTS ET EXPRESSIONS
avoir...ans
il y a
loin de
près de

# RÉVISION

## CHAPITRES 1-4

## Conversation   *Paul est français.*

ANNICK:  Paul, tu es canadien ou français?
PAUL:      Moi, je suis français.
ANNICK:  Tu habites à Paris?
PAUL:      Non, je n'habite pas à Paris. J'habite à Toulouse.
ANNICK:  Tu as une grande famille?
PAUL:      Oui, ma famille est grande. Nous sommes six.
ANNICK:  Ta famille habite une maison ou un appartement?
PAUL:      Nous avons une maison.

**Paul et sa famille.**   Complétez d'après la conversation. (*Complete according to the conversation.*)

1. Paul ___ français.
2. Il n'est pas ___.
3. Il habite à ___.
4. Il ___ à Paris.
5. Il n'a pas une petite famille. Il a une ___ famille.
6. Il y a six personnes dans ___ famille.
7. Paul et sa famille n'ont pas d' ___. Ils ___ une maison.

## Structure

## Les verbes en *-er*

Review the following forms of regular *-er* verbs.

| ÉTUDIER | |
|---|---|
| j' étudie | nous étudions |
| tu étudies | vous étudiez |
| il / elle / on étudie | ils / elles étudient |

**A** **À la fête.** Choisissez un verbe pour compléter les phrases. *(Choose a verb to complete the sentences.)*

| | | |
|---|---|---|
| aimer | étudier | parler |
| chanter | gagner | regarder |
| danser | inviter | travailler |

1. Alain et Catherine ___ vraiment bien ensemble.
2. Du courage! J'___ Marie-Claire à danser.
3. J'aime beaucoup cette cassette. Qui ___?
4. Nous ___ beaucoup la musique classique.
5. Vous ___ la télé?
6. Où est Véronique? Elle ___ au téléphone?
7. Olivier et Philippe ne sont pas là. Olivier a un examen, alors il ___. Philippe ___ au magasin de disques.
8. Il ___ beaucoup d'argent.
9. Tu ___ à mi-temps? Tu ___ beaucoup d'argent?

## Les verbes *avoir* et *être*

Review the following forms of the irregular verbs *avoir* and *être*.

| AVOIR | |
|---|---|
| j'ai | nous avons |
| tu as | vous avez |
| il / elle / on a | ils / elles ont |

| ÊTRE | |
|---|---|
| je suis | nous sommes |
| tu es | vous êtes |
| il / elle / on est | ils / elles sont |

**B** **Ma famille.** Complétez avec *avoir* ou *être*. *(Complete with* avoir *or* être.)

Dans ma famille nous ___ cinq. Il y ___ mon père, ma mère, mon frère
            1                    2
Christophe, ma sœur Stéphanie et moi. Moi, j' ___ quatorze ans, mon frère
                                               3
___ dix-sept ans et ma sœur ___ dix-huit ans. Mon frère ___ sympa.
 4                           5                           6
Ma sœur aussi, et elle ___ beaucoup d'amis, alors elle n' ___ pas souvent à la
                       7                                  8
maison. Nous ___ des parents sympathiques. Je ___ content. J' ___ une
             9                                10              11
famille très chouette. Tu ___ content(e) aussi?
                        12

## Les articles et les adjectifs

**1.** Review the following forms of the indefinite and definite articles.

| | | | |
|---|---|---|---|
| **un garçon** | **une fille** | **un(e) ami(e)** | **des enfants** |
| **le garçon** | **la fille** | **l'ami(e)** | **les enfants** |

**2.** Adjectives that end in a consonant have four forms.

**Le garçon est blond.**         **La fille est blonde.**
**Les garçons sont blonds.**     **Les filles sont blondes.**

**3.** Adjectives that end in *e* have only two forms, singular and plural.

**un ami sympathique**          **une amie sympathique**
**des amis sympathiques**       **des amies sympathiques**

**C**  **La famille de Christian.**  Complétez avec *un, une* ou *des*. (*Complete with* un, une, *or* des.)

1. Christian a une grande famille. Il a ___ père et ___ mère.
2. ___ frères et ___ sœurs? Oui, il a trois frères et quatre sœurs.
3. Il a aussi sept cousins, mais ___ seule cousine.
4. Il a ___ chien, Médor, et ___ chat, Minouche.
5. Christian et sa famille habitent dans ___ petite maison à Pontchartrain.
6. Pontchartrain est ___ village, ou ___ petite ville, près de Paris.
7. Christian est élève dans ___ lycée de la région.
8. C'est ___ élève excellent.

**D**  **Sa sœur aussi.**  Répondez d'après le modèle. (*Answer according to the model.*)

> **Il est très intelligent.**
> *Sa sœur est très intelligente aussi!*

1. Il est content.
2. Il est amusant.
3. Il est sympathique.
4. Il est énergique.
5. Il est très intéressant.
6. Il est brun.

## Les adjectifs possessifs

1. Review the following forms of the possessive adjectives.

| mon | livre | mes | livres | ma | cassette | mes | cassettes |
|-----|-------|-----|--------|-----|----------|-----|-----------|
| ton | cousin | tes | cousins | ta | cousine | tes | cousines |
| son | appartement | ses | appartements | sa | maison | ses | maisons |

2. Remember that you use *mon, ton,* and *son* before a masculine or feminine noun beginning with a vowel or a silent *h*: *mon ami, mon amie.*

**E** **La famille de Marc.** Complétez. *(Complete.)*

ANNE: Marc, qui est ___ sœur?

MARC: ___ sœur? Je n'ai pas de sœur.

ANNE: Qui est ___ frère alors?

MARC: ___ frère? Je n'ai pas de frère. Je suis enfant unique. ___ parents n'ont pas d'autres enfants.

Marc n'a pas de sœur et il n'a pas de frère. ___ famille est très petite. Ils sont trois. ___ parents ont un seul fils, c'est Marc. ___ mère et ___ père adorent Marc.

## Activités de communication

**A** **Tu ou vous?** Using the cues below, ask a friend, your teacher, or two friends questions with either *tu* or *vous.*

1. aimer danser
2. quitter le lycée à quelle heure
3. travailler beaucoup
4. regarder la télé après les cours
5. avoir une nouvelle voiture
6. avoir un chien ou un chat
7. parler français

**B** **Imaginez des jeunes.**

1. Imagine a French teenager. Describe him or her and his or her family and house or apartment.
2. Describe one of your friends and his or her family and house or apartment.
3. Imagine that your friend and the French teenager meet. Write the conversation that they might have.

You have seen that French teenagers, like you, study many subjects. In this part of the textbook, we will introduce you to topics related to the subjects you are now studying or may study in the future. Who knows, you may soon have the opportunity to discuss them with some new French-speaking friends.

# LES SCIENCES HUMAINES

## Avant la lecture

The social sciences are fields that deal with history, human behavior, and social customs and interactions. One important social science is geography, which is the study of the surface of the earth. For a moment, think about the geography of your own state—its rivers, mountains, size, etc.

## Lecture

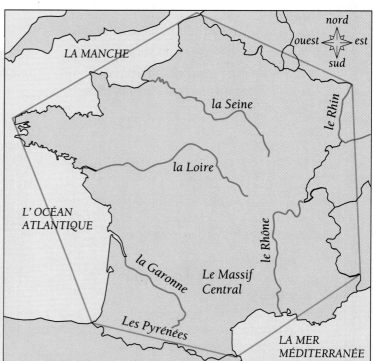

Les sciences humaines étudient l'homme, son histoire, ses institutions et son comportement[1]. La sociologie étudie l'homme et ses rapports avec les autres membres de la société: la famille, le mariage, le divorce. L'anthropologie étudie l'homme, ses coutumes, son travail, ses cérémonies. L'histoire étudie le passé[2]. La géographie étudie la surface de la terre[3], des États-Unis ou de la France, par exemple.

Quand on parle de la France on utilise le mot «hexagone». Un hexagone est une forme géométrique qui a six côtés. La France est très bien située, en pleine zone tempérée (latitude entre[4] le 42e et le 51e parallèle Nord, longitude entre le 5e méridien Ouest et le 8e méridien Est).

La France n'est pas un grand pays; elle a une superficie de 551 695 km[2], mais elle a des paysages[5] très variés. Au sud-est et au sud il y a de très hautes montagnes, les Alpes et les Pyrénées. À l'ouest et au nord il y a des plaines. Au centre on trouve des plateaux et des montagnes pas très hautes, le Massif Central.

La France a cinq fleuves[6]. Le Rhin est la frontière entre l'Allemagne et la France. La Seine est un fleuve calme qui passe par Paris; la Loire est un fleuve très long; la Garonne est un fleuve «violent» et le Rhône est une grande source d'énergie électrique. Trouvez ces fleuves sur la carte. La France a des mers[7] sur trois des six côtés de l'hexagone. Trouvez les mers sur la carte—la Manche, l'océan Atlantique et la mer Méditerranée.

Un paysage d'hiver en Haute-Savoie

La ville de Nice sur la Côte d'Azur

La France est un vieux pays, mais c'est aussi un pays très moderne qui occupe une place importante dans le monde.

[1] comportement *behavior*
[2] le passé *the past*
[3] la terre *the earth*
[4] entre *between*
[5] des paysages *landscapes*
[6] fleuves *rivers*
[7] des mers *seas*

Un port de pêche en Bretagne

Des vignobles en Bourgogne

## Après la lecture

**A** **La géographie.** Vrai ou faux?

1. La France est un pays très grand.
2. Il y a cinq fleuves en France.
3. La France a des paysages très variés.
4. La France est un vieux pays.
5. La France n'est pas un pays moderne.

**B** **En Amérique du Nord.** Répondez.

1. Nommez deux ou trois fleuves américains.
2. Quelles sont les montagnes qui séparent l'est de l'ouest?
3. En quoi sont divisés les États-Unis?
4. Nommez des grandes villes.
5. Quels sont les océans?

**C** **Votre état.** Vous décrivez votre état à des amis français. Dites où sont les montagnes, les plaines, les grandes villes, les fleuves, les lacs, etc.

# LES SCIENCES NATURELLES

## Avant la lecture

The natural sciences are divided into three major categories—physics, chemistry, and biology. Each of these can be divided into subcategories. List as many subcategories and subspecialties as you can.

## Lecture

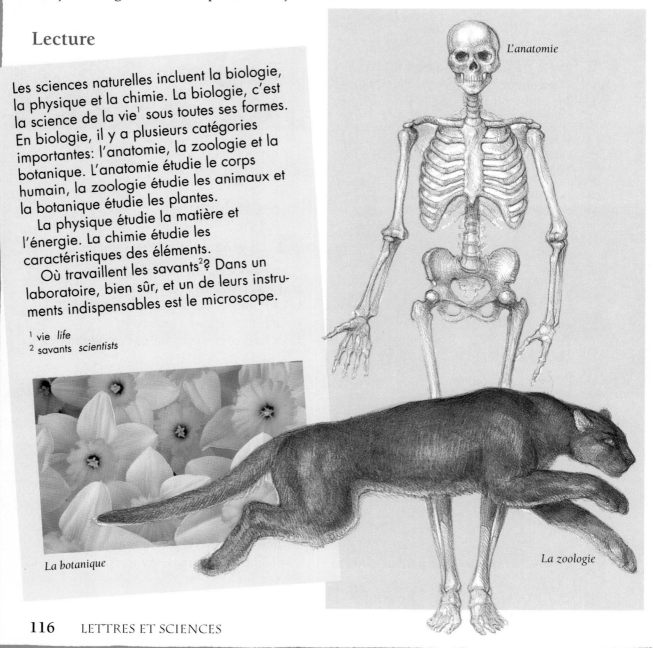

Les sciences naturelles incluent la biologie, la physique et la chimie. La biologie, c'est la science de la vie[1] sous toutes ses formes. En biologie, il y a plusieurs catégories importantes: l'anatomie, la zoologie et la botanique. L'anatomie étudie le corps humain, la zoologie étudie les animaux et la botanique étudie les plantes.

La physique étudie la matière et l'énergie. La chimie étudie les caractéristiques des éléments.

Où travaillent les savants[2]? Dans un laboratoire, bien sûr, et un de leurs instruments indispensables est le microscope.

[1] vie  *life*
[2] savants  *scientists*

*L'anatomie*

*La botanique*

*La zoologie*

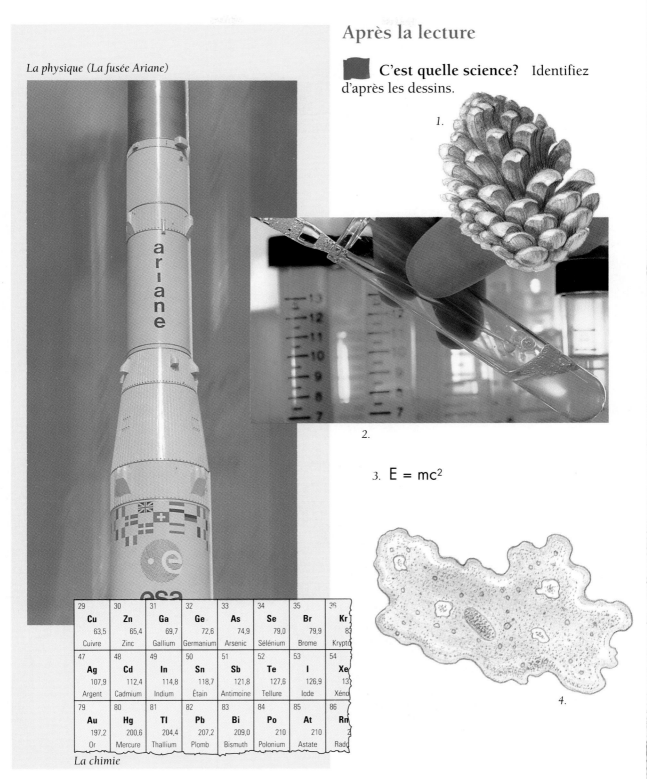

La physique (La fusée Ariane)

La chimie

## Après la lecture

**C'est quelle science?** Identifiez d'après les dessins.

1.

2.

3. $E = mc^2$

4.

## LES BEAUX-ARTS

### Avant la lecture

**1.** In your opinion, who are the best American painters and writers?
**2.** Do you know any French artists or writers? Which ones?

### Lecture

Les Beaux-arts, c'est le nom donné aux arts plastiques, c'est-à-dire, la peinture, la sculpture et l'architecture. Mais on inclut aussi souvent la musique, la danse et le théâtre. Les Beaux-arts et les activités culturelles intéressent beaucoup les Français. Et il y a beaucoup de Français célèbres dans tous les domaines artistiques. En voici quelques exemples.

**LA SCULPTURE**
*Auguste Rodin: «Le Penseur»*

**LA PEINTURE**
*Marc Chagall: «La Promenade»*

**L'ARCHITECTURE**
*Pierre Lescot: La Cour Carrée du Louvre*

LA MUSIQUE *Jacques Offenbach: «Les Contes d'Hoffmann»*

LE THÉÂTRE
*«Une première à la Comédie-Française en 1855» par Dantan*

## Après la lecture

**D'autres Américains et Français célèbres.** Faites des recherches.

1. Trouvez un Américain ou une Américaine célèbre pour chacune des catégories ci-dessus (*above*).

2. Trouvez un autre Français ou une autre Française pour ces mêmes catégories.

LA POÉSIE
*«Victor Hugo» par Bonnat*

CHAPITRE

# 5

# AU CAFÉ ET AU RESTAURANT

## OBJECTIFS

In this chapter you will learn to do the following:

1. order food or a beverage at a café or restaurant
2. give your phone number
3. tell or ask where people go
4. ask someone how he or she is
5. give locations
6. tell what belongs to you and others
7. tell what you or others are going to do
8. compare some American and French dining habits

# VOCABULAIRE

## MOTS 1

À LA TERRASSE D'UN CAFÉ

une table prise

trouver une table

une table libre

chercher une table

Guillaume va au café.
Il va au café avec Marie-France.
Les deux copains vont au café ensemble.

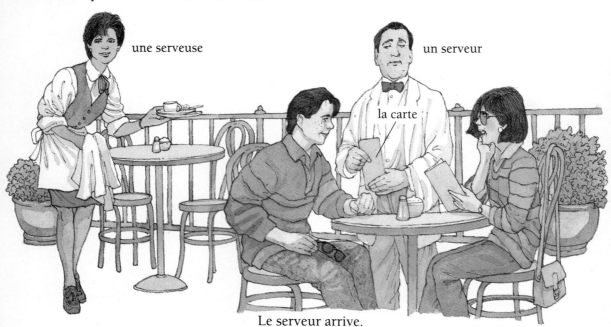

une serveuse

un serveur

la carte

Le serveur arrive.
Il donne la carte à Guillaume et à Marie-France.

Vous désirez?

Un coca, s'il vous plaît.

Guillaume commande une boisson.

Marie-France regarde la carte.

J'ai soif. Je voudrais un coca.

un café (un express) — un crème — un Orangina

un citron pressé — un thé citron

J'ai faim. Je voudrais quelque chose à manger.

un sandwich au jambon — un sandwich au fromage — un sandwich au pâté — un croque-monsieur

une soupe à l'oignon — une omelette nature — une omelette aux fines herbes

une salade — une saucisse de Francfort — une glace au chocolat — une glace à la vanille

des frites — une crêpe au chocolat

# Exercices

**A** **Tu as faim ou soif?** Choisissez d'après le modèle. (*Choose according to the model.*)

> **une salade**
> *J'ai faim.*
> **un coca**
> *J'ai soif.*

1. un citron pressé
2. un thé citron
3. un sandwich au jambon
4. une soupe à l'oignon
5. un croque-monsieur
6. un Orangina

7. un crème
8. une saucisse de Francfort
9. une omelette nature
10. une glace à la vanille
11. une crêpe au chocolat

**B** **Au café.** Répondez. (*Answer.*)

1. Guillaume et Marie-France sont copains?
2. Après les cours Guillaume va au café?
3. Marie-France va au café aussi?
4. Ils vont au café ensemble?
5. Ils cherchent une table?

6. Ils trouvent une table libre?
7. Le serveur arrive?
8. Il a la carte?
9. Marie-France regarde la carte?
10. Guillaume, qu'est-ce qu'il commande?

**C** **Un café typique.** Répondez d'après le dessin. (*Answer according to the illustration.*)

1. Les tables sont à la terrasse ou à l'intérieur du café?
2. La table est prise ou libre?
3. Le serveur ou les clients commandent?
4. La jeune fille commande un citron pressé ou un express?
5. Elle commande une boisson et quelque chose à manger?
6. Son copain commande une omelette ou un sandwich au jambon?
7. Il a faim ou soif?
8. Il commande une boisson ou quelque chose à manger?
9. Elle préfère la glace au chocolat, pas la glace à la vanille. Elle commande quel parfum?

# VOCABULAIRE

## MOTS 2

AU RESTAURANT

Charles va au restaurant.
Il ne va pas au restaurant tout seul.
Il y va avec ses copains.
Ils y vont à pied.

Vous avez notre table?

Ah oui, Monsieur. J'ai votre table.

LE COUVERT

une tasse
un verre
une serviette
une nappe
une fourchette    une assiette    une cuillère
un couteau

Ils arrivent au restaurant.
Charles parle au maître d'hôtel.

Vous aimez le steak comment?

Charles déjeune à midi.

saignant

à point

bien cuit

un steak frites

Le service est compris.

*Aux Lyonnais*

2 crêpes 48.00
1 café 10.00
1 thé 10.00
Service 15% 10.00
Total 78.00

C'est le soir.
On dîne.

L'addition,
s'il vous plaît.

laisser un pourboire

LES NOMBRES DE SOIXANTE ET UN À CENT (61–100)

| | | | | | |
|---|---|---|---|---|---|
| 61 | soixante et un | 80 | quatre-vingts | 90 | quatre-vingt-dix |
| 62 | soixante-deux... | 81 | quatre-vingt-un | 91 | quatre-vingt-onze |
| 69 | soixante-neuf | 82 | quatre-vingt-deux | 92 | quatre-vingt-douze |
| 70 | soixante-dix | 83 | quatre-vingt-trois | 93 | quatre-vingt-treize |
| 71 | soixante et onze | 84 | quatre-vingt-quatre | 94 | quatre-vingt-quatorze |
| 72 | soixante-douze | 85 | quatre-vingt-cinq | 95 | quatre-vingt-quinze |
| 73 | soixante-treize | 86 | quatre-vingt-six | 96 | quatre-vingt-seize |
| 74 | soixante-quatorze | 87 | quatre-vingt-sept | 97 | quatre-vingt-dix-sept |
| 75 | soixante-quinze | 88 | quatre-vingt-huit | 98 | quatre-vingt-dix-huit |
| 76 | soixante-seize | 89 | quatre-vingt-neuf | 99 | quatre-vingt-dix-neuf |
| 77 | soixante-dix-sept | | | 100 | cent |
| 78 | soixante-dix-huit | | | | |
| 79 | soixante-dix-neuf | | | | |

## Exercices

### A Qu'est-ce que c'est? Identifiez. (*Identify.*)

### B On arrive au restaurant. Choisissez la bonne réponse. (*Choose the correct answer.*)

1. Charles ne va pas au restaurant tout seul. Il y va ___.
   **a.** avec ses copains      **b.** avec le serveur      **c.** avec son prof

2. Ils arrivent au restaurant. Charles parle ___.
   **a.** au serveur      **b.** au chef de cuisine      **c.** au maître d'hôtel

3. Charles et ses copains vont ___.
   **a.** à une table      **b.** à la salle à manger      **c.** à la cuisine

4. Les copains de Charles regardent ___.
   **a.** le pourboire      **b.** le café      **c.** la carte

5. Le service est compris. Mais Charles laisse ___ pour le serveur.
   **a.** une addition      **b.** un pourboire      **c.** un verre

### C Personnellement. Donnez des réponses personnelles. (*Give your own answers.*)

1. Tu as faim maintenant?
2. Tu aimes manger?
3. Tu aimes aller au restaurant?
4. En général, tu déjeunes à quelle heure?
5. Tu regardes la carte au restaurant?
6. Qu'est-ce que tu commandes?
7. Tu aimes le steak comment?
8. Tu demandes l'addition?
9. Le service est compris aux États-Unis?
10. Tu laisses un pourboire?

### D En bus ou à pied? Dites comment les élèves vont à l'école. (*Tell how the students go to school.*)

1. en bus      2. en voiture      3. à pied      4. en métro

**E** **Renseignements, bonjour.** Demandez le numéro de téléphone du restaurant d'après le modèle. *(Ask for the phone number of each restaurant according to the model.)*

«Chez Pauline»

Élève 1: Quel est le numéro de téléphone de «Chez Pauline», s'il vous plaît?

Élève 2: C'est le 78.84.65.91.

1. L' Éléphant
2. Le Lion
3. Le Loft
4. Le Mange Tout
5. Le Manoir de Paris

**2504 restaurants**

Restaurants (suite)

LE LAUMIÈRE

*voir annonce même page*

4 r Petit
75019 Paris --------- (1) 42 02 46 71

LE LAZARE 68 r Quincampoix 3ᵉ (1)48 87 99 34
L'ÉLÉPHANT 10 r Trésor 4ᵉ --- (1)42 76 08 06
LE LIBAN A LA MOUFFETARD
16 r Mouffetard 5ᵉ ------- (1)47 07 30 72
LE LIBERTE 35 r Sibuet 12ᵉ --- (1)43 44 80 79
LE LIMOURS
RESTAURANT-LEFEVRE
7 pl Denfert Rochereau 14ᵉ - *(1)43 27 20 66
LE LION (Sté Le Barbecue de la Tour)
23 r Duvivier 7ᵉ -------- (1)45 51 41 77
LE LITEAU 14 r Washington 8ᵉ (1)42 89 90 43
LE LOFT 95 bd St Michel 5ᵉ --- (1)46 34 29 95
L'ELOGE DE LA FOLIE
37 bis r Montpensier 1ᵉʳ -- (1)42 96 08 42
L'ELOGE DE LA FOLIE
37 B r Montpensier 1ᵉʳ --- (1)42 96 25 49
LE LONGCHAMP
5 r Serg Bauchat 12ᵉ ----- (1)43 43 49 39

LE MANDARIN DE RAMBUTEAU
11 r Rambuteau 4ᵉ ------ (1)42 72
LE MANDARIN DE LA
TOUR MAUBOURG
SPECIALITES CHINOISES
CUISINE RAFFINEE SALLE CLIMAT
23 bd Latour Maubourg
75007 Paris --------- (1) 45 51
LE MANDARIN DE LA TOUR
MAUBOURG
23 bd Latour Maubourg 7ᵉ --(1)45 5
LE MANGE TARD
17 r Jouffroy 17ᵉ ------- (1)46 2
LE MANGE TOUT
24 bd Bastille 12ᵉ ------ (1)43 4
LE MANGUIER
67 av Parmentier 11ᵉ ----- (1)48 6
LE MANOIR DE PARIS
6 r Pierre Demours 17ᵉ ---- (1)45
6 r Pierre Demours 17ᵉ ---- (1)45
LE MARAICHER
5 r Beautreillis 4ᵉ ------- (1)42
Télécopieur
LE MARAICHER

---

## Activités de communication

*Mots 1 et 2*

**A** **À mon avis....** On a separate sheet of paper make a chart like the one below. Put an *x* under the heading that best describes your opinion of each of the foods listed.

|  | *J'adore* | *J'aime assez* | *Je déteste* |
|---|---|---|---|
| 1. le pâté |  |  | x |
| 2. la pizza | x |  |  |
| 3. la glace au chocolat |  |  |  |
| 4. la soupe à l'oignon |  |  |  |
| 5. le café |  |  |  |
| 6. l'omelette nature |  |  |  |
| 7. les frites |  |  |  |
| 8. le fromage |  |  |  |
| 9. les saucisses de Francfort |  |  |  |

Now compare your chart with a classmate's and see if they are similar. Follow the model below.

Élève 1: Moi, j'adore le pâté. Et toi?

Élève 2: Moi, je déteste le pâté.

**B** **Au restaurant.** You are at a restaurant in Lyon, the culinary capital of France. Your partner will play the role of the waiter or waitress.

1. Ask the waiter or waitress for a table.
2. Ask for the menu.
3. Order what you want.
4. Ask for the check.
5. Find out if the tip is included.

# STRUCTURE

## Le verbe *aller* au présent

*Telling and Asking Where People Go; Asking How Someone Is*

1. All verbs that end in *-er* are regular verbs, with one exception. That exception is the verb *aller*, "to go."

| ALLER | |
|---|---|
| je vais | nous allons |
| tu vas | vous allez |
| il | |
| elle } va | ils |
| on | elles } vont |

Je vais au café et mon petit frère va à l'école.
Tu vas à la fête de ta copine?
Nous n'allons pas à Paris pendant les vacances.
Vous allez au café après les cours mais elles
   vont à la maison.

2. You also use *aller* to ask how someone is. You have already learned *Ça va*. Here are other ways to ask how a person is and some possible responses.

   Comment vas-tu?
   Pas mal, merci. Et toi?

   Comment allez-vous?
   Je vais très bien, merci. Et vous?

3. You will often use the word *y* (referring to a place already mentioned) with the verb *aller*. If you use the verb *aller* without mentioning the place you are going to, you must put *y* in front of the verb. *Aller* cannot stand alone.

   Tu vas au restaurant?
   Oui, j'y vais.
   Et Robert y va aussi.
   Mais il n'y va pas avec ses copains. Il y va tout seul.

4. *On y va* is a very useful expression. It can mean "Let's get going," "Let's go," or, as a question, "Do you want to go?"

5. Question words such as *où*, *quand*, *comment*, *avec qui* can be used with *est-ce que* or with the subject and verb inverted.

| | |
|---|---|
| Où *est-ce que* tu vas? | Je vais au café. |
| Où vas-tu? | Je vais au café. |
| | |
| Quand *est-ce que* tu vas au café? | J'y vais demain. |
| Quand vas-tu au café? | J'y vais demain. |

6. The words *toujours* (always), *souvent* (often), *quelquefois* (sometimes), and *maintenant* (now) are frequently used with the verb *aller*.

Je vais toujours au café le mardi.
Ton copain y va souvent aussi?
Non, pas souvent. Mais il y va quelquefois.
Et nous y allons maintenant.

## Exercices

**A** **Au restaurant!** Répétez la conversation avec un copain ou une copine. (*Practice the conversation with a classmate.*)

SIMONE: Salut, Paul. Comment vas-tu?
PAUL: Pas mal, et toi?
SIMONE: Très bien, merci. Où vas-tu maintenant?
PAUL: Je vais au Café de Flore.
SIMONE: Tu y vas tout seul?
PAUL: Oui. On y va ensemble?
SIMONE: Pourquoi pas?

Complétez d'après la conversation. (*Complete according to the conversation.*)

1. Simone ___ très bien.
2. Où ___ Paul?
3. Il ___ au Café de Flore.
4. Il n'y ___ pas tout seul.
5. Son amie Simone y ___ aussi.
6. Les deux copains y ___ ensemble.
7. Ils y ___ à pied, pas en métro.

**B** **Tu vas au restaurant?** Donnez des réponses personnelles. (*Give your own answers.*)

1. Tu vas souvent au restaurant?
2. Avec qui est-ce que tu vas au restaurant? Avec ta famille?
3. Tu vas quelquefois dans un restaurant français, italien ou chinois?
4. Tu vas toujours au même restaurant?
5. Quand est-ce que tu vas au restaurant?

**C** **Tes copains et toi.** Donnez des réponses personnelles. *(Give your own answers.)*

1. Tes copains et toi, vous allez à l'école?
2. Vous allez à quelle école?
3. Vous allez à l'école à quelle heure?
4. Vous allez à l'école comment? À pied, en bus, en voiture ou en métro?
5. Après les cours vous allez au café?

**D** **On va dîner au restaurant.** Complétez la conversation. *(Complete the conversation.)*

ANNE: Ce soir je ___ dîner au restaurant «La Bonne Fourchette». J'y ___ toute seule.

PATRICK: Tu ___ à «La Bonne Fourchette»? C'est une excellente idée. On y ___ ensemble?

ANNE: Pourquoi pas? Mais on y ___ à pied ou en bus?

PATRICK: En bus? Tu rigoles! On y ___ en voiture! J'ai une nouvelle voiture.

ANNE: Elle est super, ta nouvelle voiture. Mais tu ne ___ pas trouver de place libre dans le parking.

## Les contractions avec *à* et *de*

*Giving Locations; Telling What Belongs to Others*

1. The preposition *à* can mean "to," "in," or "at." *À* is contracted with *le* and *les* to form one word. *À + le* becomes *au*. *À + les* becomes *aux*. The preposition *à* does not change when used with the articles *la* and *l'*.

| | |
|---|---|
| à + la = à la | Je vais *à la* salle à manger. |
| à + l' = à l' | J'étudie le français *à l'*école. |
| à + le = au | Je suis *au* café. |
| à + les = aux | Je parle *aux* élèves. |

You make a liaison with *aux* and any word beginning with a vowel or silent *h*. The *x* is pronounced *z*.

2. You also use the preposition *à* with many food expressions.

une glace à la vanille et une glace au chocolat
une soupe à l'oignon
un sandwich au jambon et au fromage
une omelette aux fines herbes

3. The following expressions denote place but do not take the preposition *à*.

> **Je vais chez René. (à la maison de René)**
> **Nous allons en ville.**
> **Les élèves vont en classe.**

4. In French the word *de* can mean "of" or "from." Like *à*, the preposition *de* is contracted with *le* and *les* to form one word. *De + le* becomes *du*. *De + les* becomes *des*. The preposition *de* does not change when used with the articles *la* and *l'*.

| | |
|---|---|
| de + la = de la | *De la* terrasse on a une belle vue. |
| de + l' = de l' | On va *de l'*école à la maison en bus. |
| de + le = du | Quelle est votre opinion *du* film? |
| de + les = des | Ils rentrent *des* magasins à midi. |

5. The following expressions of location with *de* contract in the same way: *près de, loin de, à côté de* (next to), *à gauche de* (to the left of), *à droite de* (to the right of).

> **Le café est près *du* cinéma.**
> **L'immeuble est loin *des* magasins.**

6. You also use the preposition *de* to indicate possession.

> **C'est la moto *de* Marc.**
> **Voici la voiture *du* professeur.**
> **Minou est le chat *des* voisins.**

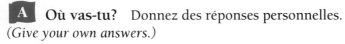

## Exercices

**A** **Où vas-tu?** Donnez des réponses personnelles.
(*Give your own answers.*)

1. Tu vas au collège, au lycée ou à l'université?
2. Tu vas au cours de français le matin ou l'après-midi?
3. Tu vas à l'école à quelle heure?
4. Tu vas au cours d'anglais à quelle heure?
5. Après les cours tu vas chez un copain ou une copine?
6. Tu aimes aller au restaurant?

**B** **Je ne vais pas à la fête.** Complétez avec «à». (*Complete with* à.)

Ce soir je ne vais pas ___ (le concert). Je ne vais pas ___ (le parc), je ne vais
pas ___ (le lycée), je ne vais pas ___ (le restaurant). Je ne vais pas parler ___
(les copains). Je ne vais pas ___ (la fête) de Suzanne. Je vais aller où alors? Je
vais rentrer ___ (la maison). Pourquoi? Je suis fatigué.

**C** **Qu'est-ce que tu préfères?** Donnez des réponses personnelles. (*Give your own answers.*)

1. Tu préfères les sandwichs au jambon ou les sandwichs au fromage?
2. Tu préfères les omelettes au fromage ou les omelettes aux fines herbes?
3. Tu préfères la soupe à la tomate ou la soupe à l'oignon?
4. Tu préfères le café ou le thé?
5. Tu préfères la glace au chocolat ou la glace à la vanille?
6. Tu préfères les crêpes au chocolat ou les crêpes nature?

**D** **Où est...?** Regardez le plan du quartier. Posez des questions à un copain ou à une copine d'après le modèle. (*Look at the map and ask a friend questions according to the model.*)

> Élève 1: **Où est le théâtre?**
> Élève 2: **Le théâtre est à gauche du café.**

1. le parc
2. l'école
3. la banque
4. le café
5. le restaurant
6. la discothèque

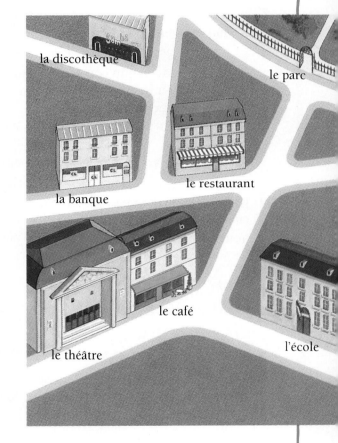

la discothèque
le parc
le restaurant
la banque
le café
l'école
le théâtre

**E** **Le dîner des élèves.** Combinez d'après le modèle. (*Combine according to the model.*)

> c'est la voiture / les parents de Vincent
> *C'est la voiture des parents de Vincent.*

1. je vais à la table / les amis de Marc
2. ils sont à la terrasse / le café
3. nous regardons la carte / le restaurant
4. le sac à dos / l'élève est sur la chaise
5. c'est le pourboire / la serveuse

## Le futur proche

### Telling What You or Others Are Going to Do

1. You use the verb *aller* followed by an infinitive to tell what you or others are going to do in the near future.

> **Demain Claude va donner une fête.**
> **Samedi soir il va inviter ses amis à la maison.**
> **Pendant le weekend je vais aller au cinéma.**
> **En décembre on va avoir des vacances.**

2. Note that in negative sentences *ne... pas* goes around the verb *aller.*

> Je *ne* vais *pas* travailler après les cours.
> Ce soir tu *ne* vas *pas* regarder la télé.
> Nous *n'*allons *pas* danser ensemble à la fête.

# Exercices

**A** **Ce soir!** Donnez des réponses personnelles. (*Give your own answers.*)

1. Ce soir tu vas regarder la télé?
2. Tu vas téléphoner à un copain ou à une copine?
3. Tu vas préparer le dîner?
4. Tu vas aller en classe?
5. Tu vas inviter tes professeurs au restaurant?

**B** **Absurdités.** Mettez à la forme négative. (*Change to the negative.*)

1. Nous allons au cours de français pendant le weekend.
2. Les chiens et les chats vont au cinéma.
3. Demain le (la) prof de maths va chanter en français.
4. Vous allez manger pendant le cours d'algèbre.
5. Ce soir je vais parler au téléphone avec Elvis Presley.

## Les adjectifs possessifs
*notre, votre, leur*

## Telling What Belongs to You and Others

1. You have already learned the possessive adjectives *mon, ton,* and *son.* Study the following forms of the possessive adjectives *notre* (our), *votre* (your), and *leur* (their).

| MASCULIN SINGULIER | FÉMININ SINGULIER | PLURIEL |
|---|---|---|
| notre ami | notre amie | nos ami(e)s |
| votre ami | votre amie | vos ami(e)s |
| leur ami | leur amie | leurs ami(e)s |

2. The adjectives *notre, votre,* and *leur* are used with both masculine and feminine singular nouns. With plural nouns you use *nos, vos,* and *leurs.*

3. With the plural forms, you make a liaison before a vowel or silent *h.*

## Exercices

**A** **Notre maison.** Donnez des réponses personnelles d'après le modèle. *(Give your own answers according to the model.)*

> **Votre voiture est nouvelle ou vieille?**
> *Notre voiture est vieille. (Notre voiture est nouvelle.)*

1. Votre maison ou appartement est grand(e) ou petit(e)?
2. Votre maison ou appartement a combien de pièces?
3. Votre maison ou appartement est en ville?
4. Votre maison ou appartement est près de l'école?
5. Vous avez un chien ou un chat? Votre chien ou chat est adorable?

**B** **Nos cours.** Donnez des réponses personnelles avec «nos». *(Give your own answers with* nos.*)*

1. Vos profs sont sympa?
2. Vos amis sont sincères?
3. Vos cours sont intéressants?
4. Vos cassettes de musique rock sont fantastiques?
5. Vos devoirs sont longs?
6. Vos examens sont difficiles?

**C** **Leur maison.** Complétez avec «leur» ou «leurs». *(Complete with* leur *or* leurs.*)*

Georges et Paul sont frères. Ils sont dans ___ chambre. Ils écoutent ___ cassettes. ___ collection de cassettes est surtout de jazz. ___ amies Catherine et Véronique aiment aussi le jazz. Mais elles préfèrent la musique classique. Elles ont ___ musiciens favoris. ___ copains n'écoutent pas de musique classique. Samedi soir Georges et Paul vont aller au concert de jazz avec ___ parents parce que ___ mère et ___ père adorent le jazz aussi.

Chaque mois dans Jazz Magazine

des interviews en profondeur (Pat Metheny, Charlie Haden, Herbie Hancock, Miles Davis, etc., etc.)

des signatures prestigieuses (Ben Sidran, Jacques Réda, Francis Marmande, Giuseppe Pino, Aldo Romano...)

des études sur l'histoire et l'actualité du jazz et des musiques périphériques une encyclopédie permanente en fiches à découper

et le bilan-panorama des événements et des productions phonographiques dans le monde

jazz magazine
Pour ceux qui aiment le jazz vraiment

# CONVERSATION

## Scènes de la vie  *Au restaurant*

DIDIER: Tu es prête à commander, Marie-Claire?

MARIE-CLAIRE: Non, je vais regarder la carte encore un moment.

SERVEUR: Vous désirez?

DIDIER: Pour moi, le steak frites et une petite salade.

SERVEUR: Et vous aimez le steak comment?

DIDIER: Entre saignant et à point.

SERVEUR: Et pour Madame?

MARIE-CLAIRE: Le menu touristique, s'il vous plaît.

(Après le dîner)

DIDIER: L'addition, s'il vous plaît.

SERVEUR: Oui, Monsieur. J'arrive.

MARIE-CLAIRE: Tu as ta Carte Bleue, Didier?

SERVEUR: Ah Madame, je regrette. La maison n'accepte pas les cartes de crédit.

**Marie-Claire et Didier.**   Répondez d'après la conversation. (*Answer according to the conversation.*)

1. Où sont Marie-Claire et Didier?
2. Marie-Claire va commander immédiatement?
3. Qu'est-ce qu'elle va regarder?
4. Qu'est-ce que Didier commande?
5. Il aime le steak comment?
6. Qu'est-ce que Marie-Claire commande?
7. Qui arrive avec l'addition?
8. La maison accepte les cartes de crédit?

## Prononciation  *Le son /r/*

The French /r/ sound is very different from the American /r/. When you say /r/, the back of your tongue should almost completely block the air going through the back of your throat. Repeat the following words and sentences.

| | | | | |
|---|---|---|---|---|
| le verre | la nature | la cour | la mère | l'art |
| la terrasse | le garage | adorer | arriver | terrible |

J'adore la littérature, l'art, l'histoire et l'informatique.
Le serveur arrive avec un verre d'Orangina.

verre

## Activités de communication

**A  Le menu touristique.** You are having dinner in a small restaurant off the Boulevard Saint-Michel in Paris. A classmate will play the role of the waiter or waitress.

1. Ask for a menu.
2. Order the *menu touristique* (the tourist menu) choosing one dish from each category.
3. After dinner order coffee or tea.
4. Ask for the check.
5. Find out if the tip is included.

**B  Pendant le week-end.** Tell a classmate several things you like to do in your free time. Your classmate will ask you if you are going to do these things during the weekend. Reverse roles.

**C  Les projets.** You and a classmate are making plans for this evening. Choose a place from the list below and see what your friend thinks. Use the model as a guide.

> la fête
>
> Élève 1: On va à la fête ce soir?
> Élève 2: D'accord, on y va. J'adore danser. (Non, merci. Je déteste danser).

> le café  la discothèque
> le cinéma  chez _____
> le concert  le restaurant français

**D  Où est ton restaurant favori?** Name your favorite restaurant. Describe its location using at least three of the following expressions. Follow the model.

> Mon restaurant favori est Burger City dans la rue Ventura à Newton. Le restaurant est à côté de la banque First National, à gauche du cinéma...

> à côté de  à gauche de
> à droite de  derrière
> devant  loin de
> il y a  près de

### Chez Albert

**Menu Touristique à 85 francs**

SOUPE À L'OIGNON
SALADE NIÇOISE

STEAK FRITES
COQ AU VIN
BŒUF BOURGUIGNON

GLACE À LA VANILLE (AU CHOCOLAT)
TARTE AUX FRUITS
ASSIETTE DE FROMAGE

✳

SERVICE COMPRIS 15%

## ON A SOIF ET ON A FAIM

*A*près les cours Paul va au café. Il y va avec ses copains. Au café ils aiment bien regarder les gens[1] qui passent. Les filles regardent les garçons et les garçons regardent les filles. C'est comme ça partout[2].

Paul n'a pas faim mais il a soif. Il commande un Orangina. Sa copine, Françoise, a très, très faim. Elle a une faim de loup. Elle commande une omelette au fromage avec des frites.

Paul arrive à la maison. Ce soir ses parents ne vont pas préparer le dîner. Ils sont fatigués, vraiment crevés. Ils vont dîner au restaurant. Ils vont aller au petit restaurant du coin[3]. Mais voilà le pauvre chien, Tango. Il est adorable. Il va rester[4] à la maison tout seul?

Absolument pas! Il va aller au restaurant avec la famille. Il n'y a pas de problème. Il est très bien élevé[5], Tango.

[1] gens *people*
[2] partout *everywhere*
[3] le petit restaurant du coin *neighborhood restaurant*
[4] rester *to stay*
[5] bien élevé *well-mannered*

### Étude de mots

**Synonymes.** Récrivez les phrases avec des synonymes. (*Rewrite the sentences using synonyms.*)

1. Il va au café avec *ses amis*.
2. Françoise a *une faim de loup*.
3. *Maman et Papa* ne vont pas préparer le dîner ce soir.
4. Ils sont *crevés*.
5. Le chien *a de bonnes manières*.
6. Ils vont *dans un bon petit restaurant modeste*.

## Compréhension

**A** **Paul et Françoise.** Répondez. *(Answer.)*

1. Quand est-ce que Paul va au café?
2. Il y va avec qui?
3. Qui regarde les garçons?
4. Qui regarde les filles?
5. Ça arrive *(happens)* aux États-Unis ou uniquement en France?
6. Paul a faim ou soif?
7. Qu'est-ce qu'il commande?
8. Françoise a soif ou faim?
9. Qu'est-ce qu'elle commande?

**B** **Pas vrai.** Corrigez les phrases. *(Correct the statements.)*

1. Un Orangina est quelque chose à manger.
2. Une omelette est une boisson.
3. Ce soir Papa va préparer le dîner.
4. Paul et ses parents vont dîner à la maison.
5. Ils vont dîner dans un grand restaurant.
6. Tango est un chat.
7. Tango va rester à la maison tout seul.
8. Le chien n'est pas bien élevé.

**C** **Au restaurant en France.** Trouvez le renseignement suivant. *(Find the following information.)*

In this reading selection, you learned a cultural difference between the United States and France. What is that difference?

# DÉCOUVERTE CULTURELLE

*E*n France on dîne vers[1] sept heures et demie ou huit heures. Si on va dîner au restaurant, on arrive au restaurant entre huit heures et dix heures.

En France, le lait c'est pour les enfants, pas pour les adultes. On sert le café après le dessert, pas avec le repas. On sert du vin avec le repas—du vin rouge ou du vin blanc[2]. On place le pain sur la nappe à côté de l'assiette, pas sur une assiette spéciale.

En général au déjeuner ou au dîner on ne mange pas de beurre[3] avec le pain.

[1] vers    *around*
[2] du vin rouge ou du vin blanc
   *red or white wine*
[3] beurre    *butter*

La France est vraiment un pays gastronomique. Les Français aiment bien déjeuner ou dîner dans un bon restaurant. Et il y a beaucoup de genres différents de restaurants en France. Voilà des exemples de quelques restaurants en France.

1 un restaurant italien
2 une crêperie
3 un restaurant fast-food
4 un petit restaurant du coin

Quel genre de restaurant est-ce que tu préfères? Généralement tu vas dans quel genre de restaurant? Si tu vas en France, tu vas dîner dans quel genre de restaurant?

# CULMINATION

## Activités de communication orale

**A** **Où vas-tu?** Tell how you are going to get to the following places, when you are going to go there, and with whom.

> **l'école**
> *Demain je vais aller à l'école en voiture avec ma mère.*

1. le concert
2. le cinéma
3. le parc
4. le restaurant
5. le restaurant fast-food
6. le café

**B** **Au café.** With a partner make up a conversation that takes place in a café.

## Activités de communication écrite

**A** **R.S.V.P.** The French Club (*le Cercle français*) is giving a party after school. Design an invitation to send to your classmates. On your invitation include the following information.

1. the date of your party
2. the time of your party
3. the place
4. the French menu

**B** **Test: La nourriture et toi.** Take the following test to see what it reveals about your interest in food. Compare results with a classmate.

1. En général je préfère manger dans ___.
   a. les restaurants fast-food    b. les restaurants gastronomiques
2. Quand j'ai faim, l'essentiel c'est ___.
   a. la quantité    b. la qualité
3. Je préfère ___.
   a. les saucisses de Francfort    b. le pâté
4. Je préfère manger mon steak ___.
   a. sur une assiette en plastique    b. sur une belle assiette
5. Je préfère dîner ___.
   a. dans la cuisine    b. dans la salle à manger
6. Préparer le dîner, c'est ___.
   a. nécessaire, mais pas agréable    b. un art

If you answered *b* most of the time, you are a *gourmet,* a person who appreciates good food in a nice setting. If you answered *a* most of the time, you are a *gourmand(e),* someone who just likes to eat a lot.

## Réintroduction et recombinaison

 **Faim ou soif?** Complétez. (*Complete.*)

1. J'___ soif. Je ___ commander un Orangina.
2. J'___ faim. Je ___ commander quelque chose à manger.
3. Si tu ___ soif, je propose un citron pressé.
4. Si tu ___ faim, je propose un sandwich au jambon ou une omelette au fromage.
5. On ___ faim. On ___ dîner.

## Vocabulaire

**NOMS**

le restaurant
le café (*café*)
le maître d'hôtel
le serveur
la serveuse
la carte
l'addition (f.)
le service
   compris
le pourboire
la terrasse

le couvert
l'assiette (f.)
le couteau
la cuillère
la fourchette
la serviette
la nappe
la tasse
le verre

la boisson
le café (*coffee*)
le crème
l'express (m.)

le citron pressé
le thé citron
le coca
l'Orangina (m.)

la crêpe
le croque-monsieur
les frites (f.)
le fromage
le jambon
le steak frites
   saignant
   à point
   bien cuit
l'omelette (f.)
   aux fines herbes
   nature
le pâté
la salade
le sandwich
la saucisse de Francfort
la soupe à l'oignon
la glace
   à la vanille
   au chocolat

**ADJECTIFS**

pris(e)

**ADVERBES**

ensemble
maintenant
quelquefois
souvent
toujours

**VERBES**

aller
chercher
commander
déjeuner
laisser
manger
trouver

**AUTRES MOTS ET EXPRESSIONS**

avoir faim
avoir soif
je voudrais
quelque chose
à côté de
à droite de
à gauche de
chez
tout(e) seul(e)
à pied
en bus
en métro
en voiture

**NOMBRES**

soixante et un à cent (61–100)

# CHAPITRE
# 6

# ON FAIT LES COURSES

## OBJECTIFS

In this chapter you will learn to do the following:

1. shop for food in a French-speaking country
2. ask for the quantity you want
3. find out prices
4. express what people don't have or don't do
5. talk or ask about activities you or others do
6. tell things you are able to do
7. tell what you want to do and invite someone to do something
8. contrast some French and U.S. food shopping customs

# VOCABULAIRE

## MOTS 1

À LA BOULANGERIE-PATISSERIE

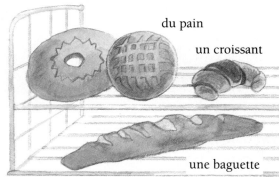

du pain

un croissant

une tarte

un gâteau

une baguette

À LA CRÉMERIE

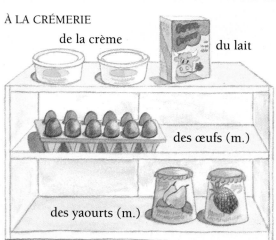

de la crème

du lait

des œufs (m.)

des yaourts (m.)

À LA BOUCHERIE

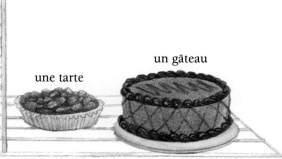

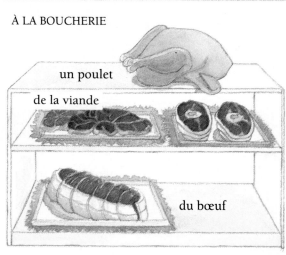

un poulet

de la viande

du bœuf

À LA CHARCUTERIE

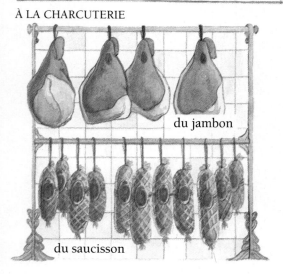

du jambon

du saucisson

À LA POISSONNERIE

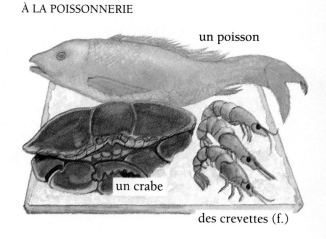

un poisson

un crabe

des crevettes (f.)

Jean fait les courses.
Il fait les courses le matin.
Il ne fait pas ses courses au supermarché.
Il va à la boucherie, à la crémerie et à la
    boulangerie-pâtisserie.

un sac

la caisse

un filet

payer

Jean est à la boulangerie.
Il veut du pain.
Il achète une baguette et des croissants.
Il paie à la caisse.

## Exercices

**A** **Jean fait les courses.** Répondez. (*Answer.*)

1. Jean fait les courses?
2. Il fait les courses le matin?
3. Il va au supermarché?
4. Il a un filet?
5. Il va à la boulangerie-pâtisserie?

6. Il veut du pain?
7. Il achète une baguette?
8. Il paie à la caisse?
9. Il paie avec de l'argent?

**B** **À la crémerie.** Répondez d'après le dessin. (*Answer according to the illustration.*)

1. C'est la crémerie ou la boucherie?
2. Carole a un filet ou un sac?
3. Elle achète du lait ou du thé?
4. Carole achète des yaourts ou du fromage?
5. Elle paie à la caisse ou au café?

**C** **Madame Dion fait ses courses.** Complétez d'après le dessin.
*(Answer according to the illustration.)*

1. Madame Dion achète du ___.
2. Madame Dion achète du ___.
3. Madame Dion achète des ___.
4. Madame Dion achète des ___.
5. Madame Dion achète du ___.
6. Madame Dion achète de la ___.

**D** **On va où pour acheter ça?**
Complétez. *(Complete.)*

1. On veut du bœuf. On va ___.
2. On veut du lait. On va ___.
3. On veut des croissants et un gâteau.
   On va ___.
4. On veut de la viande. On va ___.
5. On veut du saucisson et du jambon.
   On va ___.
6. On veut de la crème et des œufs.
   On va ___.
7. On veut du poisson et du crabe.
   On va ___.
8. On veut une baguette. On va ___.

CRÉMERIE A LA COUPE

le kilo
**29**<sup>F</sup> 90

RACL
48% M

le kilo
**49**<sup>F</sup> 90

TOURRÉE
DE L'AUBIER
60% M.G.

le kilo
**39**<sup>F</sup> 90

BRIE DE MEAUX
45% M.G.

le kilo
**47**<sup>F</sup> 95

FRO
50%

BOUCHERIE

le kilo

# VOCABULAIRE

## MOTS 2

AU MARCHÉ

le marchand de fruits et légumes

les fruits (m.)

des bananes (f.)

des pommes (f.)

des oranges (f.)

la marchande

une laitue

des tomates (f.)

des oignons (m.)

des haricots verts (m.)

des carottes (f.)

des pommes de terre (f.)

les légumes (m.)

Carole veut des légumes. Elle est au marché.
Elle va chez le marchand de fruits et légumes.
Elle achète un kilo de carottes et une livre de tomates.
Elle paie la marchande.

| |
|---|
| un kilo = 1.000 (mille) grammes |
| une livre = 500 (cinq cents) grammes |

À L'ÉPICERIE

un paquet de
légumes surgelés

un pot de moutarde

500 grammes de beurre

un litre de lait

une douzaine d'œufs

une boîte de conserve

une bouteille
d'eau minérale

Richard est à l'épicerie.
Il veut de l'eau minérale et du lait.
Il achète une bouteille d'eau minérale
     et un litre de lait.

| LES NOMBRES DE CENT UN À MILLE (101– 1.000) | |
| --- | --- |
| 101 | cent un |
| 102 | cent deux |
| 103 | cent trois |
| 200 | deux cents |
| 201 | deux cent un |
| 300 | trois cents |
| 301 | trois cent un |
| 400 | quatre cents |
| 500 | cinq cents |
| 600 | six cents |
| 700 | sept cents |
| 800 | huit cents |
| 900 | neuf cents |
| 1.000 | mille |

Note:
1. To ask the price (*le prix*), you use the following expressions.

   **C'est combien le bœuf?**      **Vingt francs le kilo.**
   **C'est combien le beurre?**    **Huit francs la livre.**

2. To find out how much you owe when you have purchased several items, you ask:

   **Ça fait combien?**

3. The vendor often asks if you want something else. If you don't, you may use one of the expressions below.

   MARCHAND(E)            CLIENT(E)
   **Autre chose?**       **Rien d'autre, merci.**
   **Et avec ça?**        **C'est tout.**
   **C'est tout?**

## Exercices

**A** **Un fruit ou un légume?** Identifiez d'après le modèle. (*Identify according to the model.*)

**C'est une carotte. C'est un légume.**

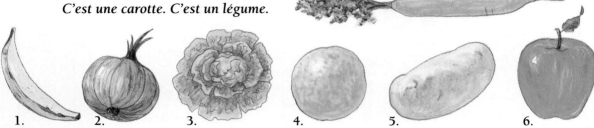

1.      2.      3.      4.      5.      6.

**B** **Nicole va au marché.** Complétez. (*Complete.*)

Nicole veut préparer une grande salade. Elle va au marché. Elle va chez la ___.
1

Elle achète une ___, des ___ et des ___. La marchande demande, «Pas
2    3    4

d'oignons aujourd'hui?» Nicole répond, «Non merci, ___ ___». Elle donne
5   6

de l'argent à la ___.
7

**C** **Louis va à l'épicerie.** Complétez. (*Complete.*)

Louis veut de la moutarde, de l'eau minérale, des boîtes de conserve et un

paquet de légumes surgelés. Pour acheter tout ça il va à une épicerie. À

l'épicerie Louis achète deux ___ d'eau minérale, un ___ de carottes surgelées
1    2

et trois ___ de sardines. Et quelque chose d'autre—un ___ de moutarde.
3    4

Louis va à la ___ où il paie. Ça ___ combien, les bouteilles d'eau minérale, le
5    6

paquet de carottes, les ___ de sardines et le ___ de moutarde? Ça fait trente
7    8

francs.

**D** **C'est combien, s'il vous plaît?**
Demandez le prix à un copain ou à une
copine. (*Ask a classmate how much the
following items are.*)

1. la boîte de conserve
2. la douzaine d'œufs
3. la bouteille d'eau minérale
4. le litre de lait
5. le pot de moutarde

## Activités de communication

*Mots 1 et 2*

**A** **À la boulangerie.** You are in a *boulangerie-pâtisserie* in the village of Allevard-les-Bains. You need several items. A classmate will play the role of the baker *(le boulanger ou la boulangère)*.

1. Ask for several items.
2. The baker asks if you want something else. Say that will be all.
3. Ask how much you owe.

**B** **Au marché.** You are at a vegetable stand at the open-air market in Nice. Make a list of items that you want to buy. Use the list of expressions below to converse with the *marchand(e)* (your partner).

| | |
|---|---|
| Bonjour. | Et avec ça? |
| Vous désirez, (Monsieur, Mademoiselle)? | C'est tout? |
| Je voudrais... | Ça fait ___ francs. |

**C** **Je fais les courses.** You are living with a French family in Tours and have offered to do the shopping. Look at the grocery list below and ask your French host (your partner) where each of the items can be purchased.

   des crevettes

   Élève 1: Je vais où pour acheter des crevettes?
   Élève 2: Tu vas à la poissonnerie.

**D** **À l'épicerie.** You're in a French *épicerie*. Ask the clerk (your partner) for several items on the list below, indicating the quantity you want. Then reverse roles.

   jambon
   Élève 1: Je voudrais 500 grammes de jambon, s'il vous plaît.
   Élève 2: Voilà 500 grammes de jambon.

1. eau minérale
2. œufs
3. pommes
4. frites surgelées
5. pommes de terre
6. beurre
7. oranges
8. Orangina
9. fromage
10. crème
11. lait
12. bananes

*crevettes*
*saucisson*
*tarte aux fruits*
*poulet*
*fromage*
*baguette*
*haricots verts*
*pommes de terre*

# STRUCTURE

Le partitif et l'article défini

*Talking about an Indefinite Quantity or Things in General*

1. You use the definite article (*le, la, l', les*) to refer to a specific item or items.

| | |
|---|---|
| **Le poisson est au réfrigérateur dans la cuisine.** | *The fish is in the refrigerator in the kitchen.* |
| **Voilà le dessert.** | *Here's the dessert.* |

2. You also use the definite article when talking about something in a general sense.

| | |
|---|---|
| **Le thé est délicieux.** | *Tea is delicious.* |
| **Les enfants aiment le lait.** | *Children like milk.* |
| **Je déteste les haricots verts.** | *I hate green beans.* |
| **Ils n'aiment pas la viande.** | *They don't like meat.* |

Note that the definite article is often used with verbs that express likes and dislikes—*aimer, détester, préférer, adorer.*

3. You use the partitive construction to express an unspecified amount or part of the whole. In English we often say "some" or "any" to express the partitive. We may omit those words in English, but in French the partitive construction must be used to express indefinite quantity. Study the following examples.

| | |
|---|---|
| **Vous avez du thé?** | *Do you have (any) tea?* |
| **Tu voudrais du lait?** | *Would you like (some) milk?* |
| **Il achète des haricots verts.** | *He's buying (some) green beans.* |
| **Je commande de la viande.** | *I'm ordering (some) meat.* |

4. You express the partitive in French by using *de* + the definite article. *De* combines with *le* to form *du*. *De* + *les* becomes *des*. *De la* and *de l'* remain unchanged. Study the following chart.

| | |
|---|---|
| de + la = de la | J'ai *de la* crème. |
| de + l' = de l' | Je voudrais *de l'*eau. |
| de + le = du | Tu manges *du* pain? |
| de + les = des | Il achète *des* fruits et *des* légumes. |

## Exercices

**A** **Qu'est-ce que je vais acheter?**   Répondez d'après le modèle.
*(Answer according to the model.)*

> **Tu vas acheter des fruits?**
> *Oui, je vais acheter des fruits. J'aime les fruits.*

1. Tu vas acheter du pain?
2. Tu vas acheter du fromage?
3. Tu vas acheter des bananes?
4. Tu vas acheter de la glace?

**B** **Au marché.**   Complétez. *(Complete.)*

Je vais acheter ____ légumes et ____ fruits chez le marchand de fruits et
                    1                2
légumes. Ensuite je vais aller à la boucherie où je vais acheter ____ bœuf et
                                                                   3
____ poulet. Et comme la famille aime bien manger ____ fromage après le
 4                                                 5
dîner, je vais aller à la crémerie pour acheter ____ fromage.
                                                 6

**C** **Des provisions.**   Complétez. *(Complete.)*

Au marché Robert achète ____ pain, ____ jambon, ____ fromage, ____ bananes
                         1          2            3             4
et ____ crème.   Il va préparer ____ sandwichs au jambon et au fromage.
    5                            6
Pour le dessert il va préparer ____ bananes avec ____ crème.
                                7                 8

**D** **Des différences.**   Complétez. *(Complete.)*

Janine Dupont a une sœur, Colette. Quand les deux sœurs vont au restaurant,
Colette commande toujours ____ poisson. Elle aime bien ____ poisson. Mais
                           1                            2
Janine n'aime pas du tout ____ poisson. Elle aime ____ viande et elle
                           3                       4
commande toujours ____ viande. Elle commande toujours ____ bœuf.
                   5                                   6

## Le partitif à la forme négative

*Expressing What People Don't Have or Don't Do*

**1.** You have already seen that *un, une,* and *des* change to *de (d')* in the negative.

| AFFIRMATIF | NÉGATIF |
|---|---|
| J'ai un livre. | Je *n'*ai *pas de* livre. |
| Nous avons une voiture. | Nous *n'*avons *pas de* voiture. |
| Ils ont des frères. | Ils *n'*ont *pas de* frères. |

**2.** Note that in the negative, all forms of the partitive (*du, de la, de l', and des*) also change to *de* or *d'*.

| AFFIRMATIF | NÉGATIF |
|---|---|
| J'achète du pain. | Je *n*'achète *pas de* pain. |
| J'ai de la crème. | Je *n*'ai *pas de* crème. |
| Je prépare des carottes. | Je *ne* prépare *pas de* carottes. |
| Il a des amis. | Il *n*'a *pas d*'amis. |

## Exercices

**A** **Qu'est-ce que tu as?** Posez une question d'après le modèle. (*Ask a question according to the model.*)

> **des crayons**
> Élève 1: **Tu as des crayons?**
> Élève 2: **Non, je n'ai pas de crayons. (Oui, j'ai des crayons).**

1. un(e) ami(e)
2. de l'argent
3. des cassettes
4. un chat
5. un chien
6. des cousins
7. des cousines
8. des disques
9. des frères
10. des grands-parents
11. des livres
12. des magazines

**B** **Juliette fait ses courses.** Répondez d'après le modèle. (*Answer according to the model.*)

> **Elle achète du poisson à la boucherie?**
> *Non, elle n'achète pas de poisson à la boucherie. Elle achète du poisson à la poissonnerie.*

1. Elle achète du pain à la boucherie?
2. Elle achète du fromage à la boulangerie-pâtisserie?
3. Elle achète des légumes à la charcuterie?
4. Elle achète de la viande à la crémerie?
5. Elle achète des œufs chez le marchand de fruits et légumes?

**C** **Au supermarché.** Complétez. *(Complete.)*

Quand Jacqueline va au supermarché elle n'achète pas ___ fruits. Elle n'aime pas ___ fruits au supermarché. Elle achète ___ fruits au marché, chez le marchand de fruits et légumes. Elle n'achète pas ___ café au supermarché. Elle n'achète pas ___ viande. Elle n'achète pas ___ haricots verts. Elle n'achète pas ___ oignons. Qu'est-ce qu'elle achète au supermarché alors? Elle achète seulement ___ boîtes de conserve et ___ bouteilles d'eau.

## Le verbe *faire* au présent

*Telling and Asking What You or Others Do*

1. The verb *faire,* "to do" or "to make," is irregular. Study the following forms.

| FAIRE | | | |
|---|---|---|---|
| je | fais | nous | faisons |
| tu | fais | vous | faites |
| il elle on | fait | ils elles | font |

2. *Qu'est-ce que tu fais?* or *Qu'est-ce que vous faites?* means "What are you doing?" Note that you can use verbs other than *faire* in your answer.

   **Qu'est-ce que tu fais?** **Je regarde la télé.**
   **Qu'est-ce que vous faites?** **Nous préparons le dîner.**

3. You also use the verb *faire* in many idiomatic expressions. An idiomatic expression is one that does not translate directly from one language to another. *Faire les courses* is an example of such an expression. In English we say "to go grocery shopping," while in French the verb *faire* is used.

4. You also use *faire* to tell what subjects you are taking.

   **Je fais du français et mon frère fait de l'espagnol.**
   **Mon frère et moi faisons des maths.**

5. Here some other expressions using *faire*. You can probably guess their meaning.

> **Il fait ses études secondaires au lycée du Parc Impérial.**
> **Tu ne fais pas attention en classe.**
> **Nous n'aimons pas faire nos devoirs devant la télé.**
> **Maman prépare un bon dîner. Elle aime faire la cuisine.**
> **Nous aimons faire un pique-nique au parc.**

6. Note that *de la, du, de l'*, and *des* following *faire* change to *de (d')* in the negative.

> **Elle fait du français mais elle ne fait pas de maths.**
> **Nous ne faisons pas d'anglais.**

# Exercices

**A** **On fait les courses.** Répétez la conversation. (*Practice the conversation.*)

LUC: Salut, Robert. Qu'est-ce que tu fais?
ROBERT: Moi, je fais les courses.
LUC: Tiens! Quelle surprise! Moi aussi. Je vais au marché de la rue Cler. Tu veux y aller avec moi?
ROBERT: Pourquoi pas? Mais Annette va aussi faire les courses avec moi aujourd'hui.
LUC: Pas de problème! On fait les courses ensemble.

Complétez d'après la conversation. (*Complete according to the conversation.*)

1. Luc ___ ses courses.
2. Robert ___ ses courses aussi.
3. Et Annette ___ ses courses.
4. Luc, Robert et Annette ___ leurs courses ensemble.
5. Ils ___ leurs courses au marché de la rue Cler.

**B** **Quels cours?** Posez des questions à un copain ou à une copine d'après le modèle. (*Ask a classmate questions according to the model.*)

> de la gymnastique
>
> Élève 1: Tu fais de la gymnastique?
> Élève 2: Oui, je fais de la gymnastique. (Non, je ne fais pas de gymnastique.)

1. du français
2. de la géométrie
3. de l'anglais
4. des sciences naturelles
5. de l'histoire
6. de la géographie

**C** **Tes copains et toi.** Donnez des réponses personnelles. (*Give your own answers.*)

1. Vous faites des études au lycée ou au collège?
2. Vous faites vos devoirs devant la télé?
3. Vous faites attention en classe?
4. Vous faites la cuisine française en classe?

**D** **Qu'est-ce que vous faites, Monsieur?** Posez des questions d'après le modèle. (*Ask questions according to the model.*)

> **Madame fait les courses au marché.**
> *Et vous, Monsieur? Vous faites aussi les courses au marché?*

1. Madame fait la cuisine le soir.
2. Madame fait un gâteau d'anniversaire.
3. Madame fait un sandwich à midi.
4. Madame fait les courses au supermarché.

**E** **Mon copain Yves.** Complétez. (*Complete.*)

Voilà Yves, mon copain du lycée. Il est très intelligent. Nous sommes dans le même cours d'anglais. Yves ___ toujours attention en classe. Moi, je ne ___
                                            1                                              2
pas très attention. Yves et moi ___ nos devoirs ensemble après les cours. Yves
                                  3
ne ___ pas de fautes (erreurs). Mais moi, je ___ beaucoup de fautes.
    4                                           5

Yves et son amie Monique ___ du français avec Madame Delacourt. Ils
                            6
aiment beaucoup le cours de français. Qu'est-ce qu'ils ___ au cours de
                                                         7
français? Ils parlent beaucoup et ils chantent des chansons françaises.

Vous ___ du français aussi, n'est-ce pas? Vous ___ du français avec qui?
      8                                          9
Qui est votre prof? Qu'est-ce que vous ___ au cours de français?
                                         10

# Les verbes *pouvoir* et *vouloir*
## *Describing What You or Others Can Do or Want to Do*

1. Study the following forms of the verb *pouvoir*, "to be able to," and *vouloir*, "to want."

| POUVOIR | | | |
|---|---|---|---|
| je | peux | nous | pouvons |
| tu | peux | vous | pouvez |
| il elle on | peut | ils elles | peuvent |

| VOULOIR | | | |
|---|---|---|---|
| je | veux | nous | voulons |
| tu | veux | vous | voulez |
| il elle on | veut | ils elles | veulent |

2. You use *pouvoir* and *vouloir* with an infinitive of another verb to express what one can do or wants to do.

> **Michelle peut dîner au restaurant ce soir.**
> **Je veux inviter mes copains à la fête.**
> **Vous pouvez commander un steak frites pour moi?**

3. As with other verbs that come before an infinitive, *ne...pas* goes around the verbs *pouvoir* and *vouloir* to form the negative.

> **Je ne veux pas manger de frites avec mon steak.**
> **Nous ne pouvons pas aller à la discothèque.**

4. To ask for something politely you use *je voudrais*, "I'd like," instead of *je veux*, "I want."

> **Je voudrais une livre de haricots verts, s'il vous plaît.**

## Exercices

**A** **Je veux bien, mais je ne peux pas.** Répondez d'après le modèle. *(Answer according to the model.)*

> **Tu veux aller au restaurant?**
> *Je veux bien, mais je ne peux pas.*

1. Tu veux aller au café?
2. Tu veux dîner avec Claude?
3. Tu veux travailler à plein temps?
4. Tu veux gagner de l'argent?
5. Ton frère veut faire les courses?
6. Il veut aller au marché?
7. Il veut préparer le dîner?
8. Il veut inviter ses amis?

**B** **Si vous voulez, vous pouvez.** Répondez d'après le modèle. *(Answer according to the model.)*

>**Nous voulons travailler.**
>*Si vous voulez, vous pouvez travailler.*

1. Nous voulons travailler à mi-temps.
2. Nous voulons gagner de l'argent.
3. Nous voulons avoir des succès.
4. Nous voulons être riches.

**C** **Les garçons n'ont pas beaucoup d'argent.** Complétez avec «pouvoir» ou «vouloir». *(Complete with* vouloir *or* pouvoir.*)*

Pierre et son frère Jacques ont faim. Ils ___ aller dans un restaurant où ils ___ dîner rapidement. Ils ___ commander deux hamburgers chacun *(each)* mais ils ne ___ pas. Pierre insiste, mais Jacques crie, «Pas question! On n'a pas beaucoup d'argent! Tu ___ commander seulement un hamburger aujourd'hui».

**D** **Qui peut préparer le dîner?** Complétez. *(Complete.)*

ANNE: Je ___ (vouloir) préparer le dîner ce soir, mais franchement je ne ___ (pouvoir) pas.

JEAN: Tu ne ___ (pouvoir) pas? Pourquoi?

ANNE: Parce que je ___ (être) très fatiguée. Je ___ (être) vraiment crevée.

JEAN: On ___ (pouvoir) aller dîner au restaurant alors.

ANNE: Je ne ___ pas y aller ce soir. (vouloir)

JEAN: Si tu ne ___ (vouloir) pas, je ne ___ (vouloir) pas.

ANNE: J' ___ (avoir) une idée. Tu ___ (pouvoir) aller faire les courses et tu ___ (pouvoir) faire la cuisine. C'est une bonne idée, n'est-ce pas?

JEAN: Euh... d'accord. Je ___ (vouloir) bien. Qu'est-ce que tu ___ (vouloir) manger alors?

# CONVERSATION

## Scènes de la vie   *Chez la marchande de fruits*

LA MARCHANDE: Bonjour, Madame. Comment allez-vous aujourd'hui?
MADAME GARNIER: Très bien, merci. Et vous?
LA MARCHANDE: Très bien. Et qu'est-ce que Madame désire aujourd'hui?

MADAME GARNIER: Je voudrais des oranges. C'est combien, les oranges?
LA MARCHANDE: Les oranges d'Espagne? Elles sont exquises. Dix francs le kilo.
MADAME GARNIER: Une livre, s'il vous plaît.

LA MARCHANDE: Et avec ça?
MADAME GARNIER: Rien d'autre, merci.
LA MARCHANDE: Bien, Madame.
MADAME GARNIER: Ça fait combien?
LA MARCHANDE: Cinq francs. Merci, Madame. Et au revoir!

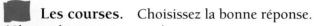

**Les courses.**   Choisissez la bonne réponse.
*(Choose the correct answer.)*

1. Madame Garnier est ___.
   a. à la boucherie       b. à la crémerie
   c. chez la marchande de fruits

2. Madame Garnier veut ___.
   a. des oranges       b. des légumes
   c. une baguette

3. Les oranges sont ___.
   a. des légumes       b. d'Espagne
   c. dix francs la boîte

4. Madame Garnier achète ___ d'oranges.
   a. un kilo       b. un paquet
   c. cinq cents grammes

5. Les oranges sont ___.
   a. de France       b. la boîte
   c. dix francs le kilo

## Prononciation   *Les sons /œ/ and /œ̃/*

Listen to the difference in the vowel sounds in *peut* and *peuvent*. The sound /œ/ in *peut* is a closed vowel sound and the sound /œ/ in *peuvent* is an open vowel sound. Repeat the following words with the sound /œ/.

**il peut      il veut      des œufs      deux**

Repeat the following words with the sound /œ/.

**ils peuvent      ils veulent      un œuf      leur sœur      du beurre**

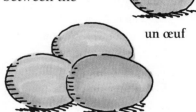

un œuf

des œufs

Now repeat the following pairs of words. Be sure to distinguish between the two vowel sounds.

**il peut / ils peuvent      il veut / ils veulent**

Now repeat the following sentences.

**Elle veut faire les courses, mais ils ne veulent pas.**
**Elle veut du beurre et des œufs.**
**Leur sœur est sérieuse.**

## Activités de communication orale

**A**   **Je veux...**   Tell a classmate some things you want to do. Then ask your classmate if he or she wants to do the same things.

**B**   **Je veux... mais je ne peux pas.**   Tell several things you want to do but can't do. Your classmate will find out why you can't do these activities. Reverse roles.

> Élève 1: **Je veux aller au cinéma ce soir, mais je ne peux pas.**
> Élève 2: **Pourquoi pas?**
> Élève 1: **J'ai un examen demain.**

**C**   **On est moderne chez toi?**   Divide into small groups and choose a leader. The leader will ask the others the following questions and report to the class.

1. Qui fait les courses dans ta famille?
2. Qui fait la cuisine généralement?
3. Qui fait la cuisine quand il y a une occasion spéciale?

**D**   **Je fais la cuisine.**   You've invited your friend over for a birthday dinner. Make up the menu including as many items as possible. Then tell your friend what you are going to prepare to make sure that he or she likes the menu you have planned.

> Élève 1: **Je vais préparer une salade et du poulet.**
> Élève 2: **Très bien! J'adore la salade et le poulet.**
>    (**Euh... je déteste la salade et le poulet.**)

# LECTURE ET CULTURE

## LES COURSES EN FRANCE

Il y a des supermarchés en France? Bien sûr qu'il y a des supermarchés, surtout en dehors des[1] villes. Mais les Français ne vont pas toujours au supermarché pour faire leurs courses. Beaucoup de Français font leurs courses tous les jours—le lundi, le mardi, le mercredi, etc—dans de petits magasins. En France, on n'achète pas tout[2] dans le même magasin. On achète de la viande à la boucherie et du pain à la boulangerie. On veut des boîtes de conserve, du détergent ou de l'eau minérale? On peut aller à l'épicerie du coin.

[1] surtout en dehors des *especially outside of*
[2] tout *everything*
[3] presque *almost*
[4] un peu *a little*

Les Français préfèrent aller d'un petit magasin à l'autre. Pourquoi? Premièrement, parce que la qualité est presque[3] toujours excellente dans les petits magasins. Et deuxièmement, les Français aiment bavarder un peu[4] avec le marchand ou la marchande. Ils trouvent ça sympathique.

## Étude de mots

**Le contraire.** Trouvez le contraire. (*Find the opposite.*)

1. en dehors de la ville
2. tous les jours
3. petit
4. même
5. l'épicerie du coin
6. un peu

a. un jour par semaine
b. différent
c. le supermarché
d. en ville
e. beaucoup
f. grand

## Compréhension

**A** **En France.** Répondez. (*Answer.*)

1. Où sont la plupart des supermarchés en France?
2. Les Français vont toujours au supermarché pour faire leurs courses?
3. Où est-ce qu'on achète du pain?
4. Où est-ce qu'on achète de la viande?
5. Qu'est-ce qu'on achète à l'épicerie?
6. Comment est la qualité des produits dans les petits magasins?
7. On peut bavarder avec qui?

**B** **Un peu de culture.** En France ou aux États-Unis? (*In France or in the U.S.?*)

1. On fait presque toujours les courses au supermarché.
2. On fait les courses tous les jours.
3. On fait les courses une ou deux fois par semaine, pas tous les jours.
4. Il y a des supermarchés surtout en dehors des villes.

# DÉCOUVERTE CULTURELLE

Aujourd'hui les marchands français donnent des sacs à leurs clients. Les sacs sont en plastique ou en papier. Mais beaucoup de gens ont leur propre[1] sac ou filet pour leurs achats[2]. Tu as un filet? Tu vas au supermarché avec ton propre sac?

Quand les Français vont au marché, ils ne parlent pas de *pounds*. En France on utilise le système métrique. On parle de «kilos» dans le système métrique. Un kilo (un kilogramme) est l'équivalent de 2,2 *pounds*. Dans un kilo il y a mille grammes. Un demi-kilo (1/2 kg) est une livre. Une livre fait cinq cents grammes.

Le pain français est très célèbre. Tout le monde adore une baguette bien croustillante[3] avec son odeur délicieuse. Les Français mangent du pain à tous

les repas[4]. Dans chaque[5] quartier il y a une ou deux boulangeries où on achète du pain tous les matins. En France, il y a beaucoup de variétés de pain. Dans certaines boulangeries, faire du pain, c'est un art.

[1] propre *own*
[2] achats *purchases*
[3] croustillante *crusty*
[4] tous les repas *every meal*
[5] chaque *each*

# RÉALITÉS

Voici le marché dans le Vieux Nice **1**. C'est un marché typique avec beaucoup d'étals.

C'est une boulangerie-pâtisserie à Paris **2**. Les petits magasins en France sont très jolis. Ils ressemblent souvent à un tableau.

Voici une poissonnerie dans la rue Mouffetard à Paris **3**. C'est une rue très animée où il y a un marché et beaucoup de petits magasins.

Voici un supermarché en France **4**. Il est en dehors de Nice sur la Côte d'Azur. Il y a beaucoup de supermarchés dans les centres commerciaux en France. Au Carrefour, on peut acheter des provisions et aussi toutes sortes d'autres produits pour la maison et le jardin.

## Activités de communication orale

**A** **Une invitation.** Your French friend (your partner) invites you to dinner. Find out the following information from him or her about the dinner.

1. what day the dinner is
2. what time
3. where your friend lives
4. what he or she is going to prepare
5. if you can do or buy something
6. what he or she prefers for dessert

**B** **Un pique-nique.** You are shopping for a picnic lunch you're going to eat along the banks of the Seine. Like a typical French person, you go from store to store buying fresh products. A classmate will play the role of the various shopkeepers.

1. Go to the *charcuterie* and ask for 250 grams of ham.
2. Now go to the vegetable seller. Ask how much the tomatoes are before buying them.
3. Go to the grocery store and ask for a bottle of mineral water. Ask how much it is.
4. Go to the *boulangerie* and ask for a *baguette*.

## Activité de communication écrite

**Un déjeuner français.** You are living in France and want to get some things for lunch but you don't have time.

1. Leave a note for your roommate asking if he or she can do the shopping for you.
2. Make a list of at least six items.
3. Indicate where your friend can purchase each item.
4. Ask your friend if he or she would like to have lunch with you.
5. Tell your friend what time you are going to eat.

## Réintroduction et recombinaison

**A** **La rue Cler.** Complétez avec la forme convenable de à. (*Complete with the correct form of* à.)

1. Madame Dion va ___ marché de la rue Cler.
2. Elle ne va pas ___ supermarché.
3. Madame Dion va ___ boulangerie pour acheter du pain et elle va ___ épicerie pour acheter des boîtes de conserve.
4. ___ marché Madame Dion aime parler ___ marchands.
5. Aujourd'hui les marchands donnent des sacs ___ clients.

**B** **Des différences.** Complétez. (*Complete.*)

Eric a ___ sœurs mais il n'a pas ___ frères. Les sœurs
       1                          2

d'Eric font ___ études universitaires à l'Université de Grenoble. Catherine fait
            3

___ anglais mais Michèle ne fait pas ___ anglais. Elle fait ___ espagnol.
4                                      5                      6

Catherine fait toujours ___ gymnastique mais Michèle ne fait pas ___
                        7                                         8

gymnastique. Elle n'aime pas du tout ___ gymnastique.
                                     9

## Vocabulaire

NOMS
le marché
le supermarché
l'épicerie
le marchand
la marchande
chez le marchand de
    fruits et légumes
la boucherie
la charcuterie
la boulangerie-pâtisserie
la crémerie
la poissonnerie
la caisse

le fruit
la banane
l'orange (f.)
la pomme
la tomate

le légume
la carotte
la laitue
l'oignon (m.)

la pomme de terre
les haricots verts (m.)

la viande
le bœuf
le poulet
le saucisson

le poisson
le crabe
la crevette

le lait
la crème
le beurre
le yaourt

le pain
la baguette
le croissant
le gâteau
la tarte

les légumes surgelés (m.)
l'eau minérale (f.)
la moutarde
l'œuf (m.)

le paquet
le filet
le sac
la boîte
la bouteille
la douzaine
le pot
le gramme
le kilo
le litre
la livre

VERBES
acheter
faire
payer
pouvoir
vouloir

AUTRES MOTS ET
EXPRESSIONS
faire attention
faire des études
faire la cuisine
faire les courses
faire un pique-nique
C'est tout.
C'est combien?
Rien d'autre.
Avec ça?
Ça fait combien?

NOMBRES
cent un à mille
    (101–1.000)

# L'AÉROPORT ET L'AVION

## OBJECTIFS

In this chapter you will learn to do the following:

1. check in for a flight
2. talk about some services on board
3. get through the airport after deplaning
4. describe people's activities
5. express "which" and "all"
6. describe people and things
7. tell a few things about air travel in France

# VOCABULAIRE

## MOTS 1

Marc fait un voyage à
Pointe-à-Pitre.
Avant le voyage il fait
ses valises.

un agent

un écran

À L'AÉROPORT

un passeport

le comptoir de la
compagnie aérienne

des bagages (m.)

des valises (f.)

des bagages à main

un billet

une carte
d'embarquement

vérifier le billet

Marc choisit sa place.
Il choisit une place côté couloir.
Il choisit le siège 16C.

faire enregistrer les bagages

décoller

le départ

atterrir

la porte

le contrôle de sécurité

L'avion part de la porte 14.

DANS L'AVION

la cabine

la sortie

(une zone) non fumeurs

côté fenêtre

une passagère

un siège

un passager

côté couloir

un vol à destination de Paris      *un vol qui va à Paris*
un vol en provenance de Lyon      *un vol qui arrive de Lyon*

un vol intérieur                          *un vol dans le même pays*
un vol international                     *un vol d'un pays à un autre*

# Exercices

**A** **Un voyage à Pointe-à-Pitre.** Répondez. (*Answer.*)

1. Le passager est au comptoir de la compagnie aérienne?
2. Le comptoir est à l'aéroport?
3. C'est le comptoir de quelle compagnie aérienne?
4. Le passager a son billet et son passeport?
5. L'agent de la compagnie aérienne vérifie le billet?
6. Il vérifie le passeport aussi?
7. Le passager choisit sa place dans l'avion?
8. Il choisit quel siège? Son siège est dans la zone non fumeurs?
9. Il veut une place côté couloir ou côté fenêtre?
10. L'agent donne une carte d'embarquement au passager?
11. Le passager fait enregistrer ses bagages?
12. Il passe par le contrôle de sécurité?

**B** **À l'aéroport.** Répondez d'après les dessins. (*Answer according to the illustrations.*)

1. Le passager a de grandes valises ou des bagages à main?
2. Il regarde son billet ou son passeport?
3. L'agent vérifie son billet ou sa carte d'embarquement?
4. Le passager est au comptoir de la compagnie aérienne ou il passe par le contrôle de sécurité?
5. Le passager va au contrôle de sécurité ou à la porte d'embarquement?
6. L'avion décolle ou atterrit?

**C Les arrivées et les départs.** Répondez d'après les écrans. (*Answer according to the arrival and departure screens.*)

| ARRIVEES | | AEROGARE TERMINAL **2** | | |
|---|---|---|---|---|
| INFORMATIONS GENERALES | | | | |
| HORS | PROVENANCES | VOL | OBSERVATIONS | GARE |
| 0920 | NAIROBI | MD 052 | ARRIVE 1009 | 2A |
| 0920 | GENEVE | SR 722 | ARRIVE 0952 | 2B |
| 0925 | ZURICH | AF 987 | ARRIVE 0942 | 2B |
| 0930 | LON-HEATHROW | AF 807 | ARRIVE 0939 | 2D |
| 0940 | LUGANO | LXAF 750 | PREVU 1050 | 2B |
| 0949 | BERNE | LXAF 772 | PREVU 1106 | 2C |
| 0950 | ROME | AF 639 | ARRIVE 0945 | 2D |
| 1000 | MANCHESTER | AF 909 | ARRIVE 0954 | 2D |
| 1005 | BRUXELLES | AF 1221 | ARRIVE 1004 | 2B |

| DEPARTS | | AEROGARE TERMINAL **2** | | |
|---|---|---|---|---|
| INFORMATIONS GENERALES | | | | |
| HORS | DESTINATION | VOL | OBSERVATIONS | GARE |
| 0940 | VENISE | AZ 297 | TERMINE B33 | 2B |
| 0955 | OSLO | AF 1132 | TERMINE | 2B |
| 1005 | MILAN | AZ 345 | TERMINE B33 | 2B |
| 1010 | ROME | AZ 283 | TERMINE B33 | 2B |
| 1015 | VENISE | AF 670 | TERMINE | 2D |
| 1020 | PRAGUE | AF 2968 | EMBARQT | 2C |
| 1020 | BERNE | AFLX 972 | B30 | 2D |
| 1030 | LON-HEATHROW | AF 810 | EMBARQT D63 | 2D |
| 1035 | BRISTOL | BC 602 | EMBARQT D69 | 2D |

1. Le vol 987, c'est un vol de quelle compagnie aérienne?
2. Où va le vol 297?
3. Le vol 345 est à destination de quelle ville?
4. Le vol 810 part à quelle heure?
5. Le vol 772 est en provenance de quelle ville?
6. Il va arriver à quelle heure?
7. Quel vol est en provenance de Rome?

SUPER TARIFS JEUNES  AIR INTER

CALENDRIER JEUNE/ÉTUDIANT

# VOCABULAIRE

## MOTS 2

PENDANT LE VOL OU À BORD DE L'AVION

un steward    une hôtesse de l'air

le personnel de bord

On sert le dîner.

Un passager sort ses bagages du compartiment.

Un passager dort.

Une passagère remplit sa carte de débarquement.

L'ARRIVÉE À PARIS

On passe à l'immigration.

On récupère ses bagages.

DOUANE

On passe à la douane.

une aérogare en ville

un autocar

un taxi

# Exercices

**A** **Un lexique aérien.** Trouvez le contraire. *(Find the opposite.)*

1. le steward
2. l'aérogare en ville
3. l'embarquement
4. décoller
5. intérieur
6. en provenance de

   a. l'aéroport
   b. international
   c. l'hôtesse de l'air
   d. à destination de
   e. le débarquement
   f. atterrir

**B** **Un autre lexique aérien.** Trouvez le nom qui correspond au verbe.
*(Find the noun that corresponds to the verb.)*

1. arriver
2. partir
3. atterrir
4. décoller
5. servir
6. sortir
7. embarquer
8. débarquer

   a. le départ
   b. l'embarquement
   c. l'arrivée
   d. le débarquement
   e. la sortie
   f. le service
   g. le décollage
   h. l'atterrissage

**C** **À bord.** Répondez. *(Answer.)*

1. Le vol de New York à Paris est un vol intérieur ou un vol international?
2. On sert le dîner à bord?
3. Le steward sert le dîner?
4. L'hôtesse de l'air sert le dîner?
5. Un passager dort pendant le vol?
6. Avant l'arrivée ou l'atterrissage à Paris, le passager remplit une carte de débarquement?
7. À Paris, on passe à l'immigration?
8. On passe à la douane?

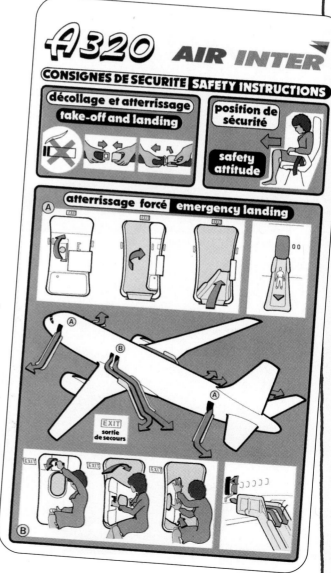

## Activités de communication
*Mots 1 et 2*

**A** **Au comptoir d'Air France.** You are speaking with an airline agent at the Air France counter at the Charles de Gaulle Airport. The agent (your partner) asks you for the following information.

1. where you are going
2. if you're French or American
3. if you have your passport
4. if you want to check your luggage
5. how many bags you have
6. if you have any carry-on luggage
7. if you would like an aisle or window seat
8. if you want the smoking or non-smoking section

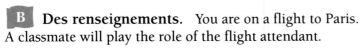

**B** **Des renseignements.** You are on a flight to Paris. A classmate will play the role of the flight attendant.

1. Find out if they serve dinner on board.
2. Ask what time the plane arrives in Paris.
3. Ask if you go through customs in Paris.
4. Ask if there are taxis to go into town (*pour aller en ville*).
5. Ask if there's a bus.
6. The flight attendant says that there is a bus for *le Terminal des Invalides* in Paris.
7. Ask where *le Terminal des Invalides* is.
8. The attendant tells you that it is near *la tour Eiffel*.

**C** **Vive les vacances!** You have just won two plane tickets to an exciting foreign city. Using the cues below, write to a friend inviting him or her to join you.

1. Tell your friend you have two tickets for (*pour*) ___ (*name of the city*).
2. Find out if your friend would like to take the trip with you.
3. Tell your friend when you can leave and find out when he or she can leave.
4. Tell what airport you would like to leave from.
5. Tell how much time you are going to spend (*passer*) in ___ (*the city*).
6. Find out if your friend has a passport.

le ___ Février 199___

cher (chère) ___,

Téléphone-moi demain
s'il te plaît.

Amitiés,

# STRUCTURE

## Les verbes en *-ir* au présent    *Describing People's Activities*

1. Another group of regular verbs in French end in *-ir*. The two most commonly used verbs in this group are *choisir*, "to choose," and *finir*, "to finish." Study the following forms.

| INFINITIVE | CHOISIR | FINIR | |
|---|---|---|---|
| STEM | **chois-** | **fin-** | ENDINGS |
| | **je choisis** | **je finis** | -is |
| | **tu choisis** | **tu finis** | -is |
| | **il elle } choisit on** | **il elle } finit on** | -it |
| | **nous choisissons** | **nous finissons** | -issons |
| | **vous choisissez** | **vous finissez** | -issez |
| | **ils elles } choisissent** | **ils elles } finissent** | -issent |

Note that the final consonant sound of all singular forms is silent.

2. The following are some other common *-ir* verbs.

| | | | |
|---|---|---|---|
| **atterrir** | to land | **réussir à** | to succeed, to pass (a test) |
| **punir** | to punish | **remplir** | to fill, to fill out (a form) |
| **obéir à** | to obey | | |

## Exercices

**A**  **Un vol à Paris.**  Répondez d'après les indications. (*Answer according to the cues.*)

1. Madame Lauzier choisit quelle compagnie? (Air France)
2. Elle choisit quelle classe de service? (classe économie)
3. Elle choisit une place dans la zone fumeurs ou non fumeurs? (non fumeurs)
4. Elle choisit un siège côté couloir ou côté fenêtre? (côté couloir)
5. Son avion atterrit à quelle heure? (à huit heures du matin)
6. Il atterrit à quel aéroport? (Charles-de-Gaulle)
7. Qu'est-ce qu'elle remplit avant l'arrivée? (une carte de débarquement)

**B** **Au restaurant.** Donnez des réponses personnelles. (*Give your own answers.*)

1. Tu choisis un restaurant bon marché ou élégant?
2. Tu choisis le menu touristique ou le menu à la carte?
3. Tu choisis la viande ou le poisson?
4. Tu finis le dîner par un dessert ou un fromage?
5. Tu choisis un gâteau ou une glace?
6. Quand tu finis le dîner, tu laisses un pourboire pour le serveur?

**C** **Un bon dîner.** Mettez au pluriel d'après le modèle. (*Change to the plural according to the model.*)

> **Je choisis un express et tu choisis un thé citron.**
> *Nous choisissons un express et vous choisissez un thé citron.*

1. Je choisis un restaurant bon marché et tu choisis un restaurant gastronomique.
2. Je choisis le menu à prix fixe et tu choisis un dîner à la carte.
3. Je choisis un coca et tu choisis une bouteille d'eau minérale.
4. Je finis mon dîner par une tarte et tu finis ton dîner par des crêpes Suzette flambées.
5. Je finis mon dîner par un crème et tu finis ton dîner par un express.

**D** **Un autre vol.** Complétez avec «choisir» ou «remplir». (*Complete with choisir or remplir.*)

1. Les passagers ___ un vol direct?
2. Ils ___ un siège côté couloir ou côté fenêtre?
3. Ils ___ un siège dans la zone fumeurs ou non fumeurs?
4. Ils ___ leur carte de débarquement à l'aéroport ou pendant le vol?

**E** **Qui obéit?** Complétez. (*Complete.*)

J' ___ (obéir) toujours à mes parents et
     1
j' ___ (obéir) toujours à mes profs. Les
    2
profs ___ (punir) les élèves qui n' ___
        3                              4
(obéir) pas. Et vous, vous ___ (obéir) à
                             5
vos parents? Vous ___ (obéir) à vos profs?
                    6
Vous ___ (finir) toujours vos examens?
     7
Vous ___ (réussir) à tous les examens que
     8
vous passez?

# Les adjectifs *quel* et *tout*     *Expressing "Which" and "All"*

1. You use the interrogative adjective *quel* + a noun when you want to ask "what?" or "which?". All forms of *quel* sound the same even though they are spelled differently.

|  | SINGULIER | PLURIEL |
|---|---|---|
| FÉMININ<br>MASCULIN | **Quelle compagnie?**<br>**Quel vol?** | **Quelles compagnies?**<br>**Quels vols?** |

2. You make a liaison with the plural forms when they are followed by a vowel or silent *h*.

   **Quelles̮ amies?**
   **Quels̮ hôtels?**

3. You use *tout(e)* with the definite article (*le, la, l', les*) to express "the entire" or "the whole."

|  | SINGULIER |
|---|---|
| FÉMININ<br>MASCULIN | **Toute la classe regarde le tableau noir.**<br>**Tout le livre est comique.** |

4. You use *tous* and *toutes* to express "all" or "every."

|  | PLURIEL |
|---|---|
| FÉMININ<br>MASCULIN | **Toutes les classes de M. Lapeyre sont amusantes.**<br>**Tous les livres sont intéressants.** |

## Exercices

**A** **Quel cours?**   Répondez d'après le modèle. (*Answer according to the model.*)

> **Tu aimes quels cours?**
> *Moi? J'aime tous les cours.*

1. Tu aimes quelles matières?
2. Tu aimes quelles langues?
3. Tu aimes quelles sciences?
4. Tu aimes quels livres?
5. Tu aimes quels disques?
6. Tu aimes quels profs?

**B** **Quel vol?**   Complétez avec «quel». (*Complete with* quel.)

1. Tu fais un voyage? Ton vol est ___ jour?
2. Ton avion part à ___ heure?
3. Ton avion part de ___ porte?
4. Pendant le vol tu vas regarder ___ film?
5. Tu vas écouter ___ cassettes?
6. Tu aimes ___ magazines?

**C** **Toute la classe.**   Complétez avec la forme convenable des adjectifs. (*Complete with the correct form of the adjectives.*)

1. ___ la classe passe ___ examen? (tout, quel)
2. ___ les élèves réussissent à l'examen. (tout)
3. ___ les élèves de ___ classe réussissent à ___ examen? (tout, quel, quel)
4. ___ cours sont difficiles? (quel)
5. ___ les cours de ___ professeur sont difficiles? (tout, quel)

**D** **Tous les vols pour quelle ville?**   Complétez avec «tout». (*Complete with* tout.)

1. ___ les places sont occupées.
2. ___ l'avion est classe économique. Il n'y a pas de première classe.
3. ___ les cabines sont non fumeurs.
4. Ce n'est pas vrai ça. ___ les vols internationaux ont une zone fumeurs.

## Les noms et les adjectifs en *-al*    *Describing People and Things*

1. To form the plural of all feminine words ending in *-ale* you add *-s* to the singular.

|  |  |
|---|---|
| **une île tropicale** | **des îles tropicales** |
| **la ville principale** | **les villes principales** |
| **la capitale** | **les capitales** |

2. Note, however, that the plural form of most masculine words ending in *-al* is *-aux*.

|  |  |
|---|---|
| **un vol international** | **des vols internationaux** |
| **un parc national** | **des parcs nationaux** |
| **un animal** | **des animaux** |

3. Many adjectives that end in *-al* are cognates.

| | | | | |
|---|---|---|---|---|
| **général** | **local** | **national** | **principal** | **spécial** |
| **international** | **municipal** | **original** | **social** | **tropical** |

4. The following are some common nouns that end in *-al*.

| | | |
|---|---|---|
| **le terminal** | **le général** | **le journal** (*newspaper*) |

# Exercices

**A** **La Martinique, une île tropicale.** Complétez. (*Complete.*)

La Martinique est une île ___ (tropical) dans la Mer des Caraïbes. Sa ville ___
<br>                          1                                       2

(principal) est Fort-de-France. Fort-de-France est la capitale. Dans la capitale

il y a plusieurs petits parcs ___ (municipal). L'aéroport ___ (international) est
<br>                                   3                         4

près de la ville. Tous les jours il y a des vols ___ (international)
<br>                                                        5

qui arrivent et partent de l'aéroport ___ (municipal). Il y a des
<br>                                               6

vols ___ (international) à destination de Paris et de beaucoup
<br>      7

de villes des États-Unis comme Miami et New York.

**B** **Quel est le mot que je veux?** Complétez avec un mot
en *-al*. (*Complete with a word ending in -al.*)

1. Le *New York Times* et le *Washington Post* sont des ___
   américains.
2. *France-Soir*, *Paris Presse* et le *Figaro* sont des ___ français.
3. Il y a des ___ au Bronx Zoo à New York et il y a des ___
   au jardin zoologique à Paris.
4. Il y a deux grands ___ d'autocars dans la ville.
5. Les ___ sont dans l'armée. Les ___ sont des militaires.

# Les verbes *sortir, partir,* dormir et servir au présent      *Describing People's Activities*

1. The verbs *sortir*, "to go out," *partir*, "to leave," *dormir*, "to sleep," and *servir*,
   "to serve," are irregular. Study the forms below.

| SORTIR | PARTIR | DORMIR | SERVIR |
|--------|--------|--------|--------|
| je sors | je pars | je dors | je sers |
| tu sors | tu pars | tu dors | tu sers |
| il / elle / on sort | il / elle / on part | il / elle / on dort | il / elle / on sert |
| nous sortons | nous partons | nous dormons | nous servons |
| vous sortez | vous partez | vous dormez | vous servez |
| ils / elles sortent | ils / elles partent | ils / elles dorment | ils / elles servent |

**2.** The verb *sortir* has more than one meaning. Used alone it means "to go out." *Sortir de* means "to leave" in the sense of "to go out of a place, to exit." When followed by a noun, *sortir* means "to take out."

> **Après les cours j'aime sortir avec mes copains.**
> **Il sort de l'école.**
> **Le passager sort ses bagages du compartiment.**

**3.** The verb *partir* means "to leave." *Partir de* means "to leave from a place." "To leave for a place" is *partir pour*.

> **L'avion part ce soir.**
> **Il part de la porte trois.**
> **L'avion part pour Paris.**

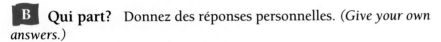

## Exercices

**A** **Un vol Montréal-Paris.** Répondez par «oui». (*Answer "yes."*)

1. L'avion pour Paris part de la porte 10?
2. Il part à vingt heures?
3. On sert le dîner à bord?
4. Le passager sort ses bagages à main du compartiment?
5. Il dort pendant le long vol?

**B** **Qui part?** Donnez des réponses personnelles. (*Give your own answers.*)

1. Tu pars pour l'école à quelle heure?
2. Tu sors de la maison à quelle heure le matin?
3. Quand tu arrives à l'école, qu'est-ce que tu sors de ton sac à dos?
4. Tu dors en classe?
5. Pendant le weekend, tu sors avec tes copains? Où allez-vous?

**C** **On part demain.** Répétez la conversation. (*Practice the conversation.*)

JACQUES: Vous partez à quelle heure demain?
CHANTAL: Solange et moi, nous partons à onze heures.
JACQUES: L'avion part de quel aéroport?
CHANTAL: Il part du Bourget.
JACQUES: Vous partez pour Tunis, n'est-ce pas?
CHANTAL: Oui, et nous allons immédiatement après à Monastir.

Complétez d'après la conversation. (*Answer according to the conversation.*)

1. Chantal et sa copine ___ pour Tunis.
2. Elles ___ en avion.
3. Leur vol ___ à onze heures.
4. Il ___ du Bourget.

# CONVERSATION

## Scènes de la vie   *Au comptoir de la compagnie aérienne*

L'AGENT:  Votre billet, s'il vous
plaît.
ALICE:  Oui, Madame.
L'AGENT:  Vous partez pour Paris ce
soir? Votre passeport, s'il vous
plaît.
ALICE:  Voilà mon passeport.
L'AGENT:  Merci.
ALICE:  Je vous en prie.

L'AGENT:  Vous avez combien de
valises?
ALICE:  Deux petites valises.
L'AGENT:  Bien. Vous préférez une
place fumeurs ou non fumeurs?
ALICE:  Non fumeurs, s'il vous plaît.
Je ne fume pas.

L'AGENT:  J'ai une place côté
couloir non fumeurs.
ALICE:  Très bien.
L'AGENT:  Voilà votre carte
d'embarquement. Vous avez le
siège 20C. Embarquement 20
heures 10, porte 15.

**Le départ.**   Répondez d'après la conversation.
(*Answer according to the conversation.*)

1. Où est Alice?
2. Elle parle à qui?
3. Où est-ce qu'elle va?
4. Qu'est-ce que l'agent vérifie?
5. Alice a combien de valises?
6. Elles sont grandes ou petites?
7. Elle veut une place fumeurs ou non fumeurs?
8. Elle a quel siège?
9. L'avion part à quelle heure?
10. Il part de quelle porte?

## Prononciation   *Le son /l/ final*

The names Michelle and Nicole are originally French names, but today many American girls have these names. When you hear French people say the names Nicole and Michelle, the final /l/ sound is much softer that in English. Say "Michelle" and "Nicole" in French. Repeat the following words.

l'île

| île | vol | général | elle |
|------|---------|---------|------|
| ville | décolle | journal | quel |

Now repeat the following sentences.

> **C'est un vol international spécial.**
> **Quelle est la ville principale de l'île?**
> **C'est Mademoiselle Michelle. Elle est belle.**

## Activités de communication

**A**   **Où vas-tu?**   You are at the airport waiting for your flight. The student next to you asks you for the following information. Answer, then reverse roles.

1. what city you're going to
2. what your flight number is
3. what time your plane leaves
4. what gate your plane leaves from
5. why you are going to ___ *(the city)*
6. if you are alone or with your family

**B**   **Toutes ces questions**!   You are on your first flight to France. Find out the following information from the flight attendant (your partner).

1. Do they serve dinner? What is it? When?
2. Is there a movie? When?
3. When do you arrive in Paris?

**C**   **Une enquête.**   Divide into groups and choose a leader. The leader will interview the others, take notes, then report to the class. Each person will be asked if he or she:

1. likes to travel by plane *(en avion)*.
2. is nervous *(nerveux, nerveuse)* during the flight.
3. prefers a window or an aisle seat.
4. would like to go to Paris or another city.
5. likes to listen to music on board the plane.
6. prefers to sleep during the flight or watch the movie.

# LECTURE ET CULTURE

## TOUTE LA CLASSE VA À PARIS

*T*ous les élèves de la classe de français de Madame Bardot vont à Paris. Ils sont au comptoir d'Air France à l'aéroport JFK. L'agent vérifie tous leurs billets et tous leurs passeports. Il enregistre tous leurs bagages. Il donne toutes les cartes d'embarquement à Madame Bardot.

Les élèves passent par le contrôle de sécurité. Leur avion à destination de Paris part de la porte cinquante-deux à vingt heures dix. À vingt heures moins le quart on fait l'annonce du départ. Les élèves embarquent et trouvent leurs places à bord de l'avion. Ils placent leurs bagages à main dans le compartiment au-dessus de leur tête[1] ou sous[2] leur siège.

Quelle chance[3]! Leur avion décolle à l'heure[4]. Il n'a pas de retard. Pendant le vol les copains bavardent et regardent un film. Les hôtesses de l'air et les stewards passent dans la cabine et servent des boissons et un dîner. Avant l'arrivée à Paris les élèves remplissent une carte de débarquement.

On arrive à Paris à huit heures du matin. L'avion atterrit à l'aéroport Charles-de-Gaulle à Roissy. Charles-de-Gaulle est un des trois aéroports internationaux de Paris. La plupart des vols internationaux arrivent à Roissy ou partent de Roissy.

Les élèves de Madame Bardot débarquent et récupèrent leurs bagages. Ils passent à l'immigration et à la douane. Les formalités de douane sont très simples à Charles-de-Gaulle.

Quarante minutes après l'atterrissage les élèves sont dans l'autocar qui fait la navette[5] entre l'aéroport et le Terminal des Invalides, au centre de la ville de Paris. Tout le monde est crevé après le long voyage en avion et un décalage horaire de six heures. On va dormir, n'est-ce pas? Absolument pas! Le premier jour à Paris on ne dort pas. On flâne[6] dans les rues de Paris. On flâne le long de la Seine.

[1] le compartiment au-dessus de leur tête   *overhead compartment*
[2] sous   *under*
[3] chance   *luck*
[4] à l'heure   *on time*
[5] fait la navette   *goes back and forth*
[6] flâne   *strolls*

*La Pyramide du Louvre*

## Étude de mots

 **À l'aéroport.** Trouvez le contraire. (*Find the opposite.*)

1. international
2. l'atterrissage
3. au-dessus de
4. faire enregistrer les bagages
5. à destination de
6. le départ
7. embarquer
8. décoller
9. au centre
10. simple

a. en provenance de
b. intérieur
c. atterrir
d. débarquer
e. l'arrivée
f. le décollage
g. sous
h. compliqué
i. récupérer les bagages
j. à la périphérie

## Compréhension

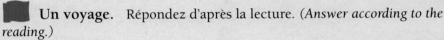 **Un voyage.** Répondez d'après la lecture. (*Answer according to the reading.*)

1. Qui va à Paris?
2. Où sont-ils maintenant?
3. Qu'est-ce que l'agent d'Air France fait?
4. À qui est-ce qu'il donne les cartes d'embarquement?
5. Par où passent les élèves?
6. Leur avion part de quelle porte?
7. Il part à quelle heure?
8. Leur avion décolle à l'heure ou avec un retard d'une heure?
9. Qui travaille à bord de l'avion?
10. Qu'est-ce qu'on sert à bord?
11. On regarde un film pendant le vol?

## DÉCOUVERTE CULTURELLE

Air Inter est une des principales compagnies aériennes françaises. Air Inter dessert[1] à peu près cinquante villes françaises et quelques villes étrangères[2].

Les tarifs aériens[3] en France et dans les autres pays d'Europe sont très chers[4].

Il y a une grande industrie aérospatiale en France. Toulouse est le centre de l'industrie aérospatiale française. À Toulouse on assemble les Airbus.

Le Concorde est un avion français et anglais. Le Concorde est un avion supersonique. Il fait New York-Paris en trois heures et demie.

[1] dessert  *serves*
[2] étrangères  *foreign*
[3] les tarifs aériens  *airfares*
[4] chers  *expensive*

# RÉALITÉS

Voici le Concorde **1**. En combien d'heures fait-il New York-Paris? Tu veux prendre cet avion?

Voici une carte d'embarquement **2**. Quel est le numéro du vol? Quel est le numéro du siège? Quel est le nom du passager? L'avion part de quel aéroport?

Voici l'écran des arrivées de l'aérogare des Invalides à Paris **3**. Ce sont des vols intérieurs ou des vols internationaux? Tu veux visiter quelles villes?

Voici une carte d'une compagnie aérienne **4**. On sert combien de repas pendant le vol? Pourquoi?

**1**

**2**

CARTE D'ACCÈS A BORD

068  KARPER

NO SMOK

**AIR FRANCE**

EMBARQUEMENT
BOARDING

17 AUG  JFK  Y

AF  055

VOL / FLIGHT

14 H

SIEGE / SEAT

83

PORTE / GATE

12H15

HEURE / TIME

068

14H

055

BOARDING PASS

AIR FRANCE

AIR FRANCE

# CULMINATION

## Activités de communication orale

**A** **Pardon, Monsieur (Madame), où est...?** You are waiting for your flight in a French airport and would like to get something to eat. Greet the agent (your partner) at *Renseignements*, the information booth, and ask for the following information.

1. Find out where there is a little restaurant.
2. Find out what they serve.
3. Ask if they accept American money or credit cards.
4. Ask if you go through security to get to the restaurant (*pour aller au restaurant*).
5. Thank the agent.

**B** **Avant, pendant ou après le vol?** Make a list of various things that a ticket agent, a passenger, and a flight attendant do. Your partner will guess who is doing the activity and when—before, during, or after the flight. Then reverse roles.

> Élève 1: On récupère les bagages.
> Élève 2: Les passagers récupèrent les bagages après le vol.

**C** **Tu aimes sortir?** Divide into groups and choose a leader. The leader will find out the following information from the others and report to the class.

1. what night(s) everyone goes out
2. if they go out during the week
3. whom they like to go out with
4. where they go and how they get there
5. who pays
6. what time they come home

## Activités de communication écrite

**A** **Quand on arrive à l'aéroport...** Your friend is taking a trip to Paris and will be going to the airport for the first time. Explain what people do prior to departure, listing several activities.

> **Quand on arrive à l'aéroport, on va au comptoir de la compagnie aérienne...**

**B** **Un vol horrible!** Imagine you are taking a trip and everything goes wrong before, during, and after the flight. Refer to the list below for some possible topics to include and write a brief paragraph describing your experience.

l'agent        le film        le personnel de bord
le déjeuner (le dîner)        la personne à côté de vous        la place

## Réintroduction et recombinaison

**A** **À Paris.** Complétez. (*Complete.*)

1. Je ___ à Paris. (aller)
2. J'y ___ avec ma classe de français. (aller)
3. Notre prof de français ___ Madame Bardot. (être)
4. Nous ___ très contents. (être)
5. Nous ___ à Paris en avion. (aller)
6. Madame Bardot ___ le voyage avec nous. (faire)

**B** **À vous.** Écrivez des phrases originales. (*Write original sentences.*)

1. américain, français
2. joli
3. nouveau
4. beau
5. tout
6. quel

## Vocabulaire

NOMS
l'aéroport (m.)
l'agent (m.)
l'arrivée (f.)
le départ
le comptoir
la compagnie aérienne
le billet
la carte d'embarquement
l'écran (m.)
le vol
le pays
le passager
la passagère
les bagages (m.)
les bagages à main (m.)
la valise
la porte

le contrôle de sécurité
l'immigration (f.)
le passeport
la douane
l'aérogare (f.)
le taxi
l'autocar (m.)

l'avion (m.)
la cabine
la sortie
le siège
la place
le côté couloir
le côté fenêtre
le compartiment
le personnel de bord
l'hôtesse de l'air (f.)
le steward

la zone non fumeurs
(fumeurs)
la carte de débarquement

ADJECTIFS
intérieur(e)
international(e)
quel(le)
tout(e), tous, toutes

VERBES
débarquer
embarquer
décoller
passer
récupérer
vérifier

atterrir
choisir

finir
remplir
réussir (à)
obéir (à)
punir

sortir
partir
dormir
servir

AUTRES MOTS
ET EXPRESSIONS

faire enregistrer
faire les valises
faire un voyage
à bord de
à destination de
en provenance de
avant

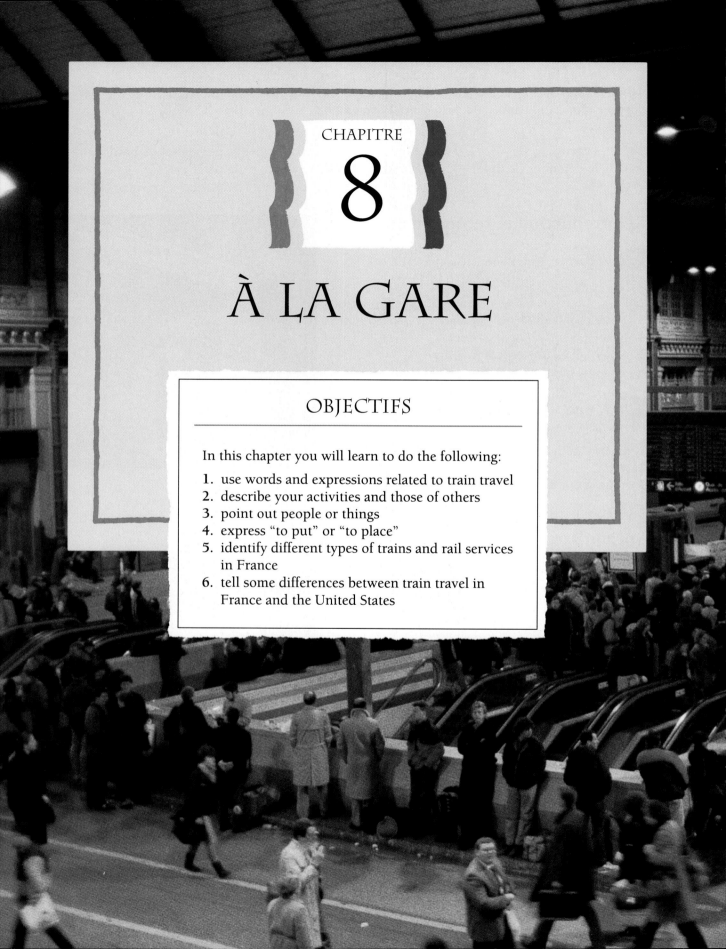

CHAPITRE

8

À LA GARE

## OBJECTIFS

In this chapter you will learn to do the following:

1. use words and expressions related to train travel
2. describe your activities and those of others
3. point out people or things
4. express "to put" or "to place"
5. identify different types of trains and rail services in France
6. tell some differences between train travel in France and the United States

# VOCABULAIRE

## MOTS 1

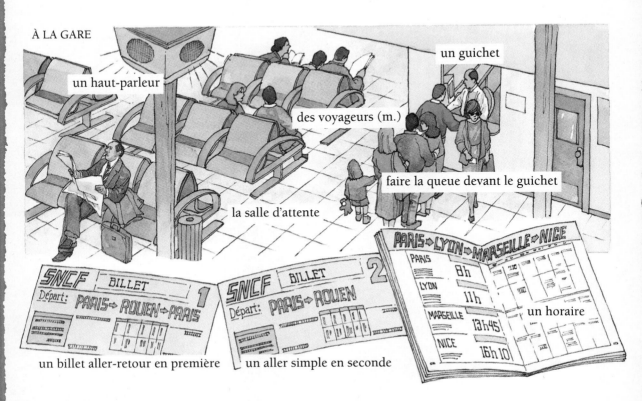

À LA GARE

un haut-parleur

des voyageurs (m.)

un guichet

faire la queue devant le guichet

la salle d'attente

SNCF BILLET 1
Départ: PARIS → ROUEN → PARIS

un billet aller-retour en première

SNCF BILLET 2
Départ: PARIS → ROUEN

un aller simple en seconde

PARIS → LYON → MARSEILLE → NICE

| PARIS | 8h |
| LYON | 11h |
| MARSEILLE | 13h45 |
| NICE | 16h10 |

un horaire

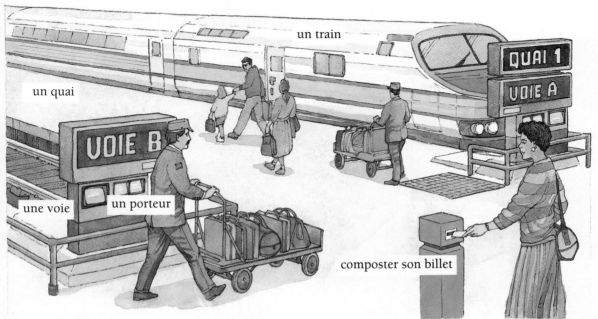

un train

QUAI 1
VOIE A

un quai

VOIE B

une voie    un porteur

composter son billet

le kiosque

la consigne

la consigne automatique

On vend les billets.
On vend les billets au guichet.
On vend des journaux au kiosque.

Jean met ses bagages à la consigne
automatique.
Marie-Claire laisse ses bagages à la
consigne.

NICE
Départ 8h

Les voyageurs attendent.
Ils sont en avance.
Ils attendent le train dans la salle d'attente.

On annonce le départ du train.
On entend l'annonce au haut-parleur.

Le train part à l'heure.

# Exercices

**A** **Un voyage en train.** Répondez. *(Answer.)*

1. Les porteurs ou les voyageurs voyagent?
2. On vend les billets au guichet ou à la consigne?
3. On fait la queue devant le guichet ou sur le quai?
4. Les voyageurs achètent ou compostent les billets au guichet?
5. On met ses bagages à la consigne automatique ou au kiosque?
6. On entend l'annonce du départ du train dans la salle d'attente?
7. On fait l'annonce au haut-parleur?
8. Quand on entend l'annonce du départ de son train, on sort ses bagages de la consigne automatique?
9. Les voyageurs vont sur le quai ou au guichet?

**B** **À la gare.** Donnez des réponses personnelles. *(Give your own answers.)*

1. Tu fais un voyage en train. Où vas-tu?
2. Tu arrives à la gare en avance?
3. Tu achètes ton billet?
4. Tu veux un billet aller-retour ou un aller simple?
5. Tu vas voyager en première ou en seconde?
6. Ton train part à quelle heure?
7. Tu regardes l'horaire?
8. Ton train part de quel quai? De quelle voie?
9. Tu achètes un journal? Où?
10. Ton train part à l'heure ou en avance?

**C** **Je cherche quel mot?** Répondez. *(Answer.)*

1. Qu'est-ce que c'est un billet Paris-Avignon?
2. Qu'est-ce que c'est un billet Paris-Avignon-Paris?
3. Où est-ce qu'on vend les billets?
4. Où est-ce qu'on vend des journaux?
5. Où est-ce qu'on met ses bagages?
6. Qui aide les voyageurs avec leurs bagages?
7. Où est-ce que les voyageurs attendent le train?
8. Qu'est-ce qu'on consulte pour vérifier l'heure du départ du train?
9. D'où part le train?

# VOCABULAIRE

## MOTS 2

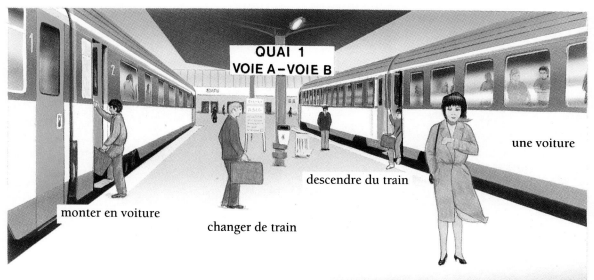

QUAI 1
VOIE A – VOIE B

une voiture

descendre du train

monter en voiture

changer de train

assis

vérifier le billet

un contrôleur

debout

Les voyageurs attendent le prochain train.

La plupart des voyageurs sont assis.
Quelques voyageurs sont debout dans le couloir.

une voiture-lit

une couchette

Devant la gare Jean attend son ami.
Il attend son ami depuis quarante minutes.
Son ami est en retard.
Jean perd patience!

# Exercices

**A** **De Paris à La Baule.** Répondez d'après les indications. (*Answer according to the cues.*)

1. Pour aller de Paris à La Baule, on change de train? (oui)
2. Où est-ce qu'on change? (à Nantes)
3. Qui crie, «En voiture! En voiture!»? (le contrôleur)
4. Qui aide les voyageurs à descendre leurs bagages sur le quai? (le porteur)
5. Quand le contrôleur crie, «En voiture!», qui monte en voiture? (les voyageurs)
6. Où est-ce que les voyageurs qui vont à La Baule descendent? (à Nantes)
7. Toutes les places sont occupées? (oui)
8. Il y a quelques voyageurs debout? (oui)
9. Où sont-ils debout? (dans le couloir)
10. La plupart des voyageurs sont assis? (oui)
11. Où peut-on dormir dans le train? (dans une voiture-lit ou dans une couchette)

**B** **Pour aller à La Baule, s'il vous plaît?** Choisissez la bonne réponse. (*Choose the correct answer.*)

1. On change de train pour aller où?
   **a.** À Nantes.    **b.** À La Baule.    **c.** À la gare.

2. Qui aide les voyageurs avec leurs bagages à la gare?
   **a.** L'agent.    **b.** Le porteur.    **c.** Le contrôleur.

3. Qui travaille dans le train?
   **a.** L'agent.    **b.** Le porteur.
   **c.** Le contrôleur.

4. Qui crie, «En voiture!» avant le départ du train?
   **a.** L'agent.    **b.** Le porteur.
   **c.** Le contrôleur.

5. Qu'est-ce que les voyageurs font?
   **a.** Ils vendent leurs billets.    **b.** Ils crient.
   **c.** Ils montent en voiture.

6. Qu'est-ce que le contrôleur fait?
   **a.** Il vend les billets.    **b.** Il vérifie les billets.
   **c.** Il fait les valises.

# Activités de communication

*Mots 1 et 2*

**A** **Dans le train ou à la gare?** You are traveling through France by train. Choose one of the places below and without mentioning the place, tell your partner what you are doing there. Your partner will then guess where you are.

> Élève 1: J'achète mon billet.
> Élève 2: Tu es au guichet.

| | |
|---|---|
| la consigne automatique | la salle d'attente |
| le guichet | la voiture-lit |
| le kiosque | la voiture-restaurant |
| le quai | |

**B** **Au guichet.** You want to buy a ticket for Versailles. Go to the ticket window and converse with the agent (your partner) using the following cues.

1. You ask how much a ticket for Versailles is.
2. The agent tells you the price.
3. You ask when the next train to Versailles leaves.
4. The agent gives you the departure time.
5. You ask where the train leaves from.
6. The agent tells you.

**C** **À la gare.** Working with a partner, use the list below to make up a conversation between two students who have just met at a train station in France.

> le prochain train pour. . .
> à quelle heure
> quelle voie
> quel quai
> en avance (en retard)
> la consigne
> voyager en première (en seconde)
> changer de train

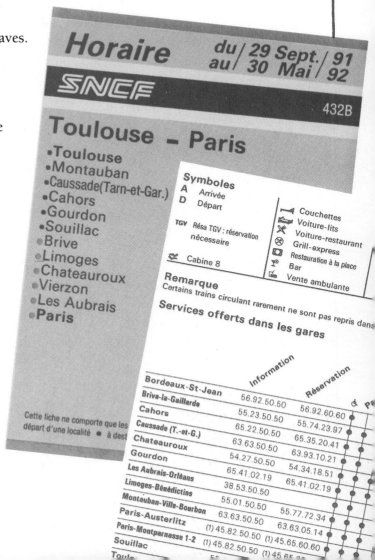

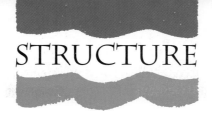

# STRUCTURE

## Les verbes en *-re* au présent                *Describing People's Activities*

1.  Another group of regular verbs in French ends in *-re*. Study the following forms.

| INFINITIVE | ATTENDRE | VENDRE | |
|---|---|---|---|
| STEM | **attend-** | **vend-** | ENDINGS |
| | j' **attends** <br> tu **attends** <br> il <br> elle ⎱ **attend** <br> on ⎰ <br> nous **attendons** <br> vous **attendez** <br> ils **attendent** <br> elles **attendent** | je **vends** <br> tu **vends** <br> il <br> elle ⎱ **vend** <br> on ⎰ <br> nous **vendons** <br> vous **vendez** <br> ils **vendent** <br> elles **vendent** | -s <br> -s <br><br> — <br><br> -ons <br> -ez <br><br> -ent |

2.  Other regular verbs that end in *-re* are *entendre*, "to hear," *répondre*, "to answer," *perdre*, "to lose," and *descendre*, "to go down" or "to get off." Note that the verb *répondre* takes the preposition *à* when followed by a noun.

    **Les voyageurs répondent à la question du contrôleur.**

3.  To increase your vocabulary, study the noun forms of these verbs.

    | | |
    |---|---|
    | attendre | l'attente |
    | descendre | la descente |
    | perdre | la perte |
    | répondre | la réponse |
    | vendre | la vente |

## Exercices

**A** **Les voyageurs.** Répondez d'après les dessins. (*Answer according to the illustrations.*)

1. Les voyageurs attendent le train sur le quai?
2. Ils attendent le train dans la salle d'attente?
3. Ils perdent leurs billets?
4. Ils entendent l'annonce du départ de leur train?
5. Ils descendent du train?

**B** **De petites conversations dans la gare.** Complétez. (*Complete.*)

1. attendre

MARTIN: Vous ___ depuis combien de temps?

PIERRE: Nous ___ depuis cinq minutes. C'est tout.

2. perdre

CLAUDE: Le train pour Washington est en retard et nous ___ patience.

MARIE: Vous ___ patience? Pourquoi?

CLAUDE: Mais il a un retard de deux heures!

3. descendre

GEORGES: Le porteur ___ vos bagages du train?

ANNE: Absolument pas! Nous ___ nos bagages nous-mêmes.

GEORGES: Vous ne voulez pas d'aide?

**C** **Je vais à Nice en train.** Répondez par «oui». (*Answer "yes."*)

1. Tu attends le train pour Nice?
2. Tu attends depuis quarante minutes?
3. Tu perds patience?
4. Tu entends l'annonce du départ?
5. Tu réponds à la question du contrôleur?
6. Quand tu descends à Nice, tu es fatigué(e)?

**D** **Dans la salle d'attente.** Complétez. *(Complete.)*

Les voyageurs ___ (attendre) le train dans la salle d'attente. Marc ___
<sub>1</sub>                                                                  <sub>2</sub>
(attendre) le train pour Saint-Malo. Ah, voilà son ami, Luc.

MARC: Bonjour, Luc. Quelle surprise! Tu ___ (attendre) quel train?
<sub>3</sub>

LUC: J' ___ (attendre) le train pour Saint-Malo.
<sub>4</sub>

MARC: Sans blague! Tu vas à Saint-Malo? Pas vrai. Moi aussi, j'y vais.

Les deux garçons ___ (entendre) l'annonce du départ de leur train. Leur train
<sub>5</sub>
part du quai cinq. Ils vont au quai. Les voyageurs qui arrivent ___ (descendre)
<sub>6</sub>
leurs bagages du train. Ils ___ (descendre) leurs bagages sur le quai.
<sub>7</sub>

Le contrôleur crie, «En voiture! En voiture!». Tout le monde monte dans le
train. Le contrôleur demande aux garçons où ils vont. Luc ___ (répondre) à la
<sub>8</sub>
question du contrôleur. Il ___ (répondre), «À Saint-Malo».
<sub>9</sub>

## Les adjectifs démonstratifs          *Pointing Out People or Things*

1. You use the demonstrative adjectives to point out people or things. In
   English the demonstrative adjectives are "this," "that," "these," and "those."
   Study the following forms of the demonstrative adjectives in French.

|          | SINGULIER | PLURIEL |
|----------|-----------|---------|
| FÉMININ | cette voiture<br>cette amie | ces voitures<br>ces amies |
| MASCULIN | cet ordinateur<br>cet horaire<br>ce train<br>ce billet | ces ordinateurs<br>ces horaires<br>ces trains<br>ces billets |

2. Note that you use *cet* before a masculine noun beginning with a vowel or
   silent *h*.

   cet élève     cet horaire     cet hôtel

3. There is only one plural form, *ces*. Note the liaison with words that begin
   with a vowel or silent *h*.

   ces élèves     ces horaires     ces hôtels

# Exercices

**A** **Cette personne ou cet individu.** Répondez d'après les dessins. *(Answer according to the illustrations.)*

**1.** Cette fille est intelligente?

**2.** Cette amie est sympa?

**3.** Cet élève est sérieux?

**4.** Cet ami est amusant?

**5.** Ce copain est aimable?

**6.** Ce prof est intéressant?

**7.** Ces filles sont françaises?

**8.** Ces garçons sont américains?

**9.** Ces copains vont au même lycée?

**B** **Tu parles de qui?** Répondez d'après le modèle. *(Answer according to the model.)*

> **Tu parles de quelle fille?**
> *Je parle de cette fille.*

**1.** Tu parles de quel garçon?
**2.** Tu parles de quelle amie?
**3.** Tu parles de quel ami?
**4.** Tu parles de quels élèves?
**5.** Tu parles de quels profs?
**6.** Tu parles de quelle maison?
**7.** Tu parles de quelles voitures?
**8.** Tu parles de quel livre?
**9.** Tu parles de quelles cassettes?
**10.** Tu parles de quels journaux?

## Le verbe *mettre* au présent          *Describing People's Activities*

1. The verb *mettre,* "to put" or "to place," is irregular. Study the following forms.

| METTRE | | | |
|---|---|---|---|
| je | mets | nous | mettons |
| tu | mets | vous | mettez |
| il elle on | met | ils elles | mettent |

**Je mets les billets dans mon sac à dos.**

2. The verb *mettre* has several additional meanings.

   a. **Il met le couvert.** *He sets the table.*
   b. **Il met la télé.** *He turns on the TV.*

## Exercices

**A   On met le couvert.**   Répondez. (*Answer.*)

1. Tu mets le couvert pour le dîner?
2. Tu mets le couteau à gauche ou à droite de l'assiette?
3. Tu mets la cuillère à côté du couteau ou à côté de la fourchette?
4. Tu mets une nappe et des serviettes?

**B   La consigne automatique.**   Complétez avec «mettre». (*Complete with mettre.*)

Le garçon est à la gare. Il ___ son billet dans son sac à dos. Il veut laisser son
                                    1
sac à dos à la consigne automatique. Il ___ son sac à la consigne. Il ___ une
                                           2                              3
pièce de cinq francs dans la consigne automatique.

**C   Pas le garçon—les garçons!**   Dans l'exercice B, remplacez *le garçon*
par *les garçons* et faites les changements nécessaires. (*Change* le garçon *to* les
garçons *in Exercise B and make the necessary changes.*)

**D   Vous mettez. . .**   Répondez en utilisant «nous». (*Answer with* nous.)

1. Vous mettez la radio le soir?
2. Vous mettez la télé après les cours?
3. Vous mettez la chaîne 2 à la télé?
4. Vous mettez les magazines dans le sac à dos?

## Scènes de la vie  *Au guichet*

MARIE: Un billet pour Avignon, s'il vous plaît.
L'EMPLOYÉE: Un aller simple ou un aller-retour?
MARIE: Un aller-retour en seconde, s'il vous plaît.

L'EMPLOYÉE: Bien, mademoiselle.
MARIE: C'est combien, le billet?
L'EMPLOYÉE: Cent vingt francs, s'il vous plaît.
MARIE: Voilà. Le prochain train part à quelle heure?

L'EMPLOYÉE: À quatorze heures huit, quai numéro sept.
MARIE: Merci, Madame.

---

**A**  **Un billet pour Avignon.**  Répondez d'après la conversation. (*Answer according to the conversation.*)

1. Où va Marie?
2. Elle veut un aller simple ou un aller-retour?
3. Elle voyage en quelle classe?
4. C'est combien, le billet?
5. Le prochain train part à quelle heure?
6. Il part de quel quai?

**B**  **À la gare.**  Corrigez les phrases. (*Correct the sentences.*)

1. Marie va à Perpignan.
2. Elle prend un aller simple.
3. Elle voyage en première classe.
4. Le billet coûte vingt dollars.
5. Le prochain train part à deux heures du matin.
6. Il part du quai numéro huit.

## Prononciation  *Les sons /õ/ et /ẽ/*

Listen to the difference between the nasal sound /ã/ as in *cent* and the two other nasal sounds, /õ/ as in *sont*, and /ẽ/ as in *cinq*: cent/sont/cinq. Repeat the following words with the sounds /õ/ and /ẽ/.

| annonce | consigne | non | cinq | copain | train |

Now repeat the following sentences that combine all three nasal sounds.

> **On annonce le train dans combien de temps?**
> **Nous attendons des copains.**

son train

## Activités de communication

**A**  **Le contrôleur.**  You are in the Gare d'Austerlitz in Paris about to board the train for Madrid. You are a bit confused. Use the cues below to converse with the conductor (your partner).

1. Ask if the train for Madrid leaves from the platform you are on.
2. The conductor says yes.
3. Ask if your ticket is a one-way ticket or a round-trip ticket.
4. The conductor tells you.
5. Ask the conductor if you change trains at Port-Bou (on the French-Spanish border).
6. The conductor says that you do.
7. Ask if you go through customs at Port-Bou.
8. The conductor says no, but that he is going to check your passport.
9. Ask if the car you are about to board is smoking or non-smoking.

**B**  **Une enquête: Faire la queue.**  Divide into groups and choose a group leader. Each group will be assigned one of the places listed below. The leader will ask each person in the group the following questions about waiting in line at that place. He or she will take notes and report to the class.

| au cinéma | au magasin | au concert de rock | au supermarché |

1. Tu perds patience après combien de minutes (heures!) dans la queue?
2. Qu'est-ce que tu fais quand tu perds patience? Tu rentres à la maison ou tu continues à faire la queue?
3. Tu passes la nuit dans la queue?
4. Tu parles aux autres personnes?
5. Tu regardes un magazine ou écoutes des cassettes?
6. Tu es une personne patiente ou impatiente?

> **au cinéma**
> **Dans mon groupe il y a trois personnes très impatientes. Marc, Michel et Marie perdent patience après cinq minutes et ils rentrent à la maison. Ils vont au cinéma un autre jour.**

# LECTURE ET CULTURE

## LES TRAINS EN FRANCE

Monique Lutz est une élève américaine qui voyage en France. En ce moment elle est à la Gare de Lyon à Paris. Monique part pour Marseille. Sa tante Hélène habite à Marseille. Tous les trains qui partent pour le sud-est partent de cette gare.

Monique va au guichet où elle achète un billet aller-retour en seconde classe. Elle a de la chance[1]. Il n'y a pas de queue devant le guichet. Monique va passer toute la nuit[2] dans le train. Elle va dormir dans le train. Elle réserve (loue) une couchette.

Monique entend l'annonce du départ du train. Elle va sur le quai et monte dans le train. C'est un vieux train à compartiments. En seconde il y a huit places dans chaque compartiment. Monique trouve sa place et met son sac à dos dans le filet au-dessus de sa tête[3].

Le train part à l'heure précise comme toujours en France. Les trains sont excellents. Le train commence à rouler vite[4]. Le contrôleur arrive. Il vérifie les billets. Il parle un peu à Monique. Il est sympa, le contrôleur. Il explique: Si elle a faim et veut manger quelque chose, il y a une voiture-restaurant et un grill-express dans le train. À la voiture-restaurant on sert un dîner complet à prix fixe. Le grill-express offre de la restauration rapide: un petit sandwich, une pizza ou une boisson, par exemple.

[1] a de la chance  *is lucky*
[2] toute la nuit  *the whole night*
[3] le filet au-dessus de sa tête  *the overhead rack*
[4] commence à rouler vite  *begins to speed up*

## Étude de mots

**Quel est le nom?** Trouvez le nom qui correspond au verbe. *(Find the noun that corresponds to the verb.)*

1. réserver      a. la location
2. louer      b. l'explication
3. annoncer      c. la réservation
4. partir      d. l'annonce
5. commencer      e. le service
6. arriver      f. le départ
7. expliquer      g. le commencement
8. servir      h. l'arrivée

## Compréhension

**Le voyage de Monique.** Choisissez la bonne réponse. *(Choose the correct answer.)*

1. Monique est (française, américaine).
2. Elle voyage (avec ses copains, seule).
3. Elle est à (la Gare de Lyon, la Gare Montparnasse).
4. Elle va à (Nice, Marseille).
5. Elle achète un (aller simple en première, aller-retour en seconde).
6. Monique (est debout, a une place dans un compartiment).
7. C'est un (vieux, nouveau) train.
8. Monique met son sac à dos (sous son siège, dans le filet au-dessus de sa tête).
9. Le train part (en retard, à l'heure précise).
10. On sert un dîner à prix fixe (au grill-express, à la voiture-restaurant).

# DÉCOUVERTE CULTURELLE

À Paris il y a cinq grandes gares. Les trains qui partent de chaque gare vont dans des directions différentes. Il y a combien de gares dans votre ville (ou une ville près de chez vous)? Qu'est-ce que vous pensez[1]: Le train est un moyen de transport important en France ou aux États-Unis?

Les trains en France partent presque toujours à l'heure. Ils ne partent pas en retard. Les retards ne sont pas du tout fréquents. Et les trains en France sont très propres[2]. Il y a des différences entre les trains en France et les trains en Amérique?

[1] pensez *think*      [2] propres *clean*

# RÉALITÉS

Voici le tableau des arrivéés et des départs à la Gare Montparnasse **1**. Où vont les trains?

Voici un billet de train **2**. C'est pour une ligne de banlieue ou une grande ligne? C'est pour quelle ville? C'est un billet de quelle classe? Pour combien de personnes?

C'est le TGV—le train à grande vitesse **3**. Il est très, très rapide. Il roule très vite. Il roule à 300 kilomètres à l'heure. C'est un train avec supplément. Pour voyager dans le TGV on paie un supplément.

Voici la voiture-restaurant de l'Orient-Express **4**. C'est un train de grand luxe. Il va de Paris à Vienne. Tu veux dîner dans cette voiture-restaurant?

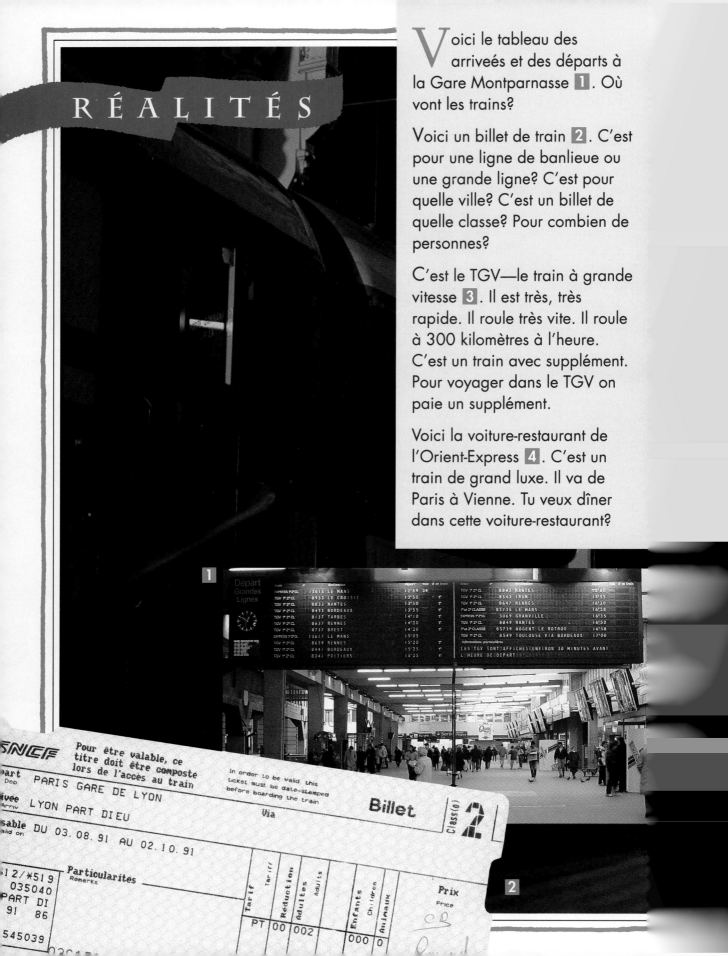

## Activités de communication orale

**A** **Le train de nuit.** You are at the French rail information office in Paris and would like to take the night train to Nice. Use the cues below to converse with the reservations agent (your partner).

1. Tell the agent where you want to go and find out what station the train for Nice leaves from.
2. The agent says the train leaves from the Gare de Lyon and asks what day you want to leave.
3. Give your departure date and say that you would like to take the night train (*le train de nuit*).
4. The agent asks if you want to reserve a *couchette*.
5. The agent also wants to know if you want first or second class.
6. Find out what time the train leaves Paris.
7. The agent tells you the departure time and the track or platform.

**B** **En train ou en avion.** With a classmate compare air and train travel. For each fact that you state about train travel, your partner will state the corresponding fact about air travel.

> Élève 1: Le train part de la gare.
> Élève 2: L'avion part de l'aéroport.

## Activités de communication écrite

**A** **Un voyage en train horrible.** Imagine you are taking a train trip and everything goes wrong in the station and on the train. Write a paragraph about your experience.

**B** **Un voyage extraordinaire.** Your parents have given you a train trip to the U.S. city of your choice. Write a paragraph telling what city you would like to visit, when you would like to go and with whom. Tell why you want to go to this city and how much time you are going to spend there. Indicate what you will do at the train station on your day of departure.

## Réintroduction et recombinaison

**Elle choisit sa place dans le train.** Complétez. *(Complete.)*

1. Madame Lacoste réserve (loue) une place à l'avance. Elle ___ sa place dans le train. (choisir)
2. Elle ___ une place dans un compartiment de première classe. (choisir)
3. Elle ___ à réserver la place qu'elle veut. (réussir)
4. Elle ___ aux règlements. Elle ne fume pas. (obéir)
5. Le train ___ de la gare à l'heure précise. (sortir)
6. Il ___ pour Marseille. (partir)
7. On ___ le dîner à la voiture-restaurant. (servir)
8. Il y a des serveurs qui ___ le dîner. (servir)
9. Les voyageurs ___ dans les couchettes. (dormir)
10. Le voyageur qui ___ dans une voiture-lit paie un supplément. (dormir)

## Vocabulaire

**NOMS**

la gare
le guichet
le billet
l'aller simple (m.)
le billet aller-retour
l'horaire (m.)
le voyageur
la consigne
la consigne automatique
la salle d'attente
le haut-parleur
l'annonce (f.)
le kiosque
le journal
le porteur
le quai
la voie

le train
la voiture
la couchette
la voiture-lit
le lit
le couloir
le contrôleur

**VERBES**

changer (de)
composter

laisser
monter
attendre
descendre
entendre
mettre
perdre
répondre
vendre

**ADJECTIFS**

assis(e)
prochain(e)
quelques

**AUTRES MOTS ET EXPRESSIONS**

être à l'heure
être en avance
être en retard
faire la queue
mettre le couvert
perdre patience
debout
depuis
en première
en seconde
la plupart

*Le Train Bleu*

*Buffet de la Gare de Paris-Lyon*

Décor classé
Monument Historique

## Conversation   *Mireille va à New York.*

CHRISTIAN:  Tu vas à New York, Mireille?

MIREILLE:   Oui, j'y vais la semaine prochaine.

CHRISTIAN:  Tu y vas en train ou en avion?

MIREILLE:   Je préfère l'avion mais je n'ai pas beaucoup d'argent.

CHRISTIAN:  Mais il y a un bon train qui fait Montréal-New York.

MIREILLE:   Il part de Montréal à quelle heure?

CHRISTIAN:  Il part à 10 heures et arrive à New York à 19 heures.

**Montréal-New York.**   Répondez d'après la conversation. (*Answer according to the conversation.*)

1. Mireille est canadienne ou américaine?
2. Où est-ce qu'elle va?
3. Quand est-ce qu'elle y va?
4. Comment est-ce qu'elle y va?
5. Elle préfère le train ou l'avion?
6. Il y a un bon train qui fait Montréal-New York?
7. Il part de Montréal à quelle heure?
8. Et il arrive à New York à quelle heure?

## Structure

## Les verbes en -*ir* et -*re*

1. Review the following forms of regular -*ir* and -*re* verbs.

| FINIR | |
|---|---|
| je fin*is* | nous fin*issons* |
| tu fin*is* | vous fin*issez* |
| il / elle /on fin*it* | ils / elles fin*issent* |

| ATTENDRE | |
|---|---|
| j' attend*s* | nous attend*ons* |
| tu attend*s* | vous attend*ez* |
| il / elle /on attend | ils / elles attend*ent* |

La ville de Montréal

**2.** Review the following forms of the verbs *sortir, partir, servir,* and *dormir.*

| | |
|---|---|
| **sortir** | je sors, tu sors, il / elle / on sort<br>nous sortons, vous sortez, ils / elles sortent |
| **partir** | je pars, tu pars, il / elle / on part<br>nous partons, vous partez, ils / elles partent |
| **servir** | je sers, tu sers, il / elle / on sert<br>nous servons, vous servez, ils / elles servent |
| **dormir** | je dors, tu dors, il / elle / on dort<br>nous dormons, vous dormez, ils / elles dorment |

**A** **Un voyage en train.** Complétez. (*Complete.*)

Nous ___ (partir) en voyage. Maman ___ (attendre) devant le guichet.
     1                            2

Elle ___ (choisir) deux places en seconde. Maman ___ (sortir) de l'argent
    3                                       4

et achète les billets. Nous ___ (attendre) le train sur le quai. Le train
                                  5

___ (partir) à l'heure. Je ___ (sortir) les billets de mon sac à dos. Je ___
 6                    7                             8

(donner) les billets au contrôleur. Nous ___ (aller) à la voiture-restaurant.
                                         9

Je ___ (choisir) le menu à prix fixe et Maman aussi ___ (choisir) le menu à
   10                                 11

prix fixe. Le serveur ___ (servir) le dîner. Nous ___ (finir) notre dîner.
                     12               13

Après le dîner nous ___ (dormir) un peu. Les voyageurs ___ (descendre) du
                   14                            15

train à Nice, leur destination.

## Les verbes *aller, faire, mettre, pouvoir* et *vouloir*

Review the following forms of the irregular verbs below.

| | |
|---|---|
| **aller** | je vais, tu vas, il / elle / on va<br>nous allons, vous allez, ils / elles vont |
| **faire** | je fais, tu fais, il / elle / on fait<br>nous faisons, vous faites, ils / elles font |
| **mettre** | je mets, tu mets, il / elle / on met<br>nous mettons, vous mettez, ils / elles mettent |
| **pouvoir** | je peux, tu peux, il / elle / on peut<br>nous pouvons, vous pouvez, ils / elles peuvent |
| **vouloir** | je veux, tu veux, il / elle / on veut<br>nous voulons, vous voulez, ils / elles veulent |

**B** **On ne peut pas.** Remplacez le mot en italique par le mot indiqué et faites tous les changements nécessaires. (*Replace the italicized word with the cue and make all necessary changes.*)

> *Tu* **veux faire du latin?** (vous)   **Je ne peux pas.**
> *Vous voulez faire du latin?*   *Nous ne pouvons pas.*

1. *Vous* allez au cinéma? (elles)   Non, nous ne pouvons pas.
2. *François* fait les courses? (tu)   Non, il ne peut pas.
3. *Vous* faites le dîner? (il)   Nous voulons bien.
4. *Ils* veulent faire un voyage. (je)   Mais ils ne peuvent pas.
5. *Tu* mets tes bagages à la consigne? (vous)   D'accord. Je veux bien.
6. *Il* va prendre l'avion? (ils)   Non, il ne veut pas.

## Le partitif

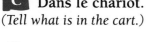

1. Remember that the partitive, "some," "any," is expressed in French by *de* + the definite article. *De* contracts with *le* to form *du* and with *les* to form *des*. In the negative *du, de la, de l',* and *des* all become *de* or *d'*.

> **Je veux** *de* **l'argent.**   **Je** *ne* **veux** *pas d'***argent.**
> **J'ai** *des* **croissants.**   **je** *n'***ai** *pas de* **croissants.**

2. Remember that *un* and *une* also become *de* or *d'* after a negative expression.

> **Ils ont** *une* **maison à Nice.**   **Ils** *n'***ont** *pas de* **maison à Nice.**
> **Nous avons** *une* **orange.**   **Nous** *n'***avons** *pas d'***orange.**

**C** **Dans le chariot.** Dites ce qu'il y a dans le chariot. (*Tell what is in the cart.*)

**D** **J'ai faim.** Répondez d'après le modèle. (*Answer according to the model.*)

> **Tu veux du poisson?**
> *Non, je ne mange pas de poisson;*
> *je n'aime pas le poisson.*

1. Tu veux du bœuf?
2. Tu veux des œufs aux fines herbes?
3. Tu veux des carottes à la crème?
4. Tu veux du poulet?
5. Tu veux de la salade?
6. Tu veux du gâteau au chocolat?

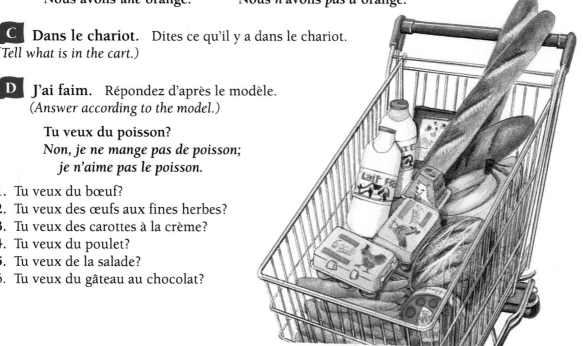

# Les contractions *au, aux*

Remember that the preposition *à* contracts with *le* to form *au* and with *les* to form *aux*. It remains unchanged with *la* and *l'*.

> On va *à la* montagne.  On va *au* lycée.
> On va *à l'*école.  On va *aux* magasins.

**E** **Où?** Répondez d'après les indications. (*Answer according to the cues.*)

1. Où est-ce qu'on achète du saucisson? (charcuterie)
2. Et du pain? (boulangerie)
3. Et de l'eau minérale? (épicerie)
4. Et du poisson? (marché)
5. À qui est-ce qu'on parle au marché? (marchands)

# Les adjectifs possessifs

Review the following forms of the possessive adjectives.

> notre appartement   notre maison   nos voitures
> votre appartement   votre maison   vos voitures
> leur appartement   leur maison   leurs voitures

**F** **La famille de Pierre et de Louise.** Complétez avec *notre, votre* et *leur.* (*Complete with* notre, votre, *and* leur.)

CAMILLE: Pierre et Louise, ___ famille est grande ou petite?
PIERRE:  ___ famille est assez grande.
CAMILLE: Vous avez beaucoup de cousins, n'est-ce pas? Où habitent ___ cousins?
LOUISE:  Nous avons des cousins à Lyon et des cousins à Strasbourg. ___ cousins à Strasbourg sont étudiants à l'université, mais ils habitent avec ___ parents à Colmar, près de Strasbourg.
CAMILLE: ___ sœur est à l'université de Strasbourg aussi, n'est-ce pas?
PIERRE:  Non, pas ___ sœur. ___ frère est à Strasbourg.

## Activités de communication

**A** **Au restaurant.** With a partner make up a conversation between a waiter or waitress and a customer.

**B** **Un voyage en train.** You and your friends are planning a day trip by train. Write a paragraph describing what you are going to do.

## MATHÉMATIQUES: LE SYSTÈME MÉTRIQUE

### Avant la lecture

1. Make a list of the weights and measures used in the United States.
2. Research what these weights and measures are based on.
3. Find out from your classmates how much they know about the metric system.

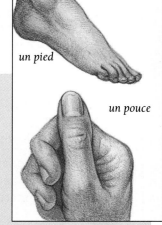

un pied

un pouce

### Lecture

Les anciennes mesures comme le pied et le pouce (douze pouces dans un pied) sont basées sur des parties du corps[1] humain. Mais les pouces et les pieds varient d'un pays à l'autre. Les pieds des Américains sont certainement plus grands que les pieds des Français! En France, avant la Révolution de 1789, c'est la même chose; les mesures varient d'une région à l'autre. Après 1789, les révolutionnaires décident de créer des mesures communes à toutes les régions de France.

Deux astronomes français, Méchain et Delambre, mesurent la longueur[2] de la partie de méridien qui va de la ville de Dunkerque en France à la ville de Barcelone en Espagne. Ils calculent la longueur totale de ce méridien. La 40.000.000e (quarante millionième) partie de cette longueur est adoptée comme unité de mesure de longueur et reçoit le nom de «mètre». C'est de cette manière que le système métrique est créé. En 1799, le système métrique est déclaré obligatoire en France. La France est le premier pays à adopter ce système de mesures.

Dunkerque

Barcelone

Aujourd'hui, le système métrique est utilisé par la plupart[3] des pays du monde. Même les pays comme les États-Unis, qui

*Médaille commémorative de la Convention du Mètre par Chaplain (1872)*

utilisent un autre système normalement, utilisent le système métrique pour les sciences.

C'est un système de poids[4] et mesures. Le mètre mesure la longueur, le gramme le poids, et le litre, dérivé des deux autres unités, est une unité de volume. Les unités plus grandes ou plus petites sont formées avec les préfixes suivants:

| | | |
|---|---|---|
| kilo | × 1000 | kilogramme = 1 000 grammes |
| hecto | × 100 | hectolitre = 100 litres |
| déca | × 10 | décamètre = 10 mètres |
| déci | : 10 | décigramme = 1/10 gramme |
| centi | : 100 | centilitre = 1/100 litre |
| milli | : 1 000 | millimètre = 1/1 000 mètre |

Depuis 1962, le système métrique s'appelle le Système International d'Unités. Il a sept unités de base: le mètre, le kilogramme, la seconde, l'ampère, le kelvin (température), la mole (quantité de matière) et la candela (intensité lumineuse).

[1] le corps *body*
[2] la longueur *length*
[3] la plupart *majority*
[4] poids *weights*

## Après la lecture

**A** **Les poids et les mesures.** Vrai ou faux?

1. Il y a des pays qui n'utilisent pas le système métrique.
2. Les États-Unis n'utilisent pas le système métrique pour les sciences.
3. Les anciennes mesures ont des bases scientifiques.
4. À l'origine, le mètre est basé sur la longueur de la partie de méridien qui va de Dunkerque à Barcelonne.
5. Le litre est une unité de volume.
6. Le gramme est une unité de longueur.
7. On dérive les unités plus grandes ou plus petites en ajoutant des préfixes.

**B** **Combien font...?** Faites des calculs.

1. 100cm (centimètres) = \_\_\_ mètre(s)
2. 2kl (kilolitres)　　 = \_\_\_ litre(s)
3. 2000g (grammes)　 = \_\_\_ kilogrammes

*Laser à He-Ne permettant de réaliser le mètre selon la définition adoptée en 1983*

**C** **Une nouvelle définition du mètre.** Depuis 1983, le mètre est basé sur la longueur du trajet (la distance) parcouru dans le vide par la lumière pendant 1/299.792.458 seconde. Expliquez cette nouvelle définition du mètre en anglais.

# DIÉTÉTIQUE: UNE ALIMENTATION ÉQUILIBRÉE[1]

## Avant la lecture

1. Everybody knows that nutritious foods help you grow. Do you know what the six essential types of nutrients are? If you don't, find out.
2. Make a list of the foods you eat often, and a list of those you rarely eat.
3. Look at the six types of nutrients discussed below and match them with your lists.

## Lecture

Le scorbut et le béribéri sont deux maladies[2] causées par une mauvaise alimentation. Elles sont aujourd'hui rares dans les pays industrialisés. Mais il y a encore beaucoup de gens qui ont une mauvaise alimentation. L'alimentation joue un rôle très important dans la préservation de la santé[3].

Quel est le nombre idéal de calories? Tout dépend de la personne, de son métabolisme et de son activité physique. L'âge, le sexe, la taille (grande ou petite) et le climat sont aussi des facteurs. Pour un homme de 25 ans qui fait du sport, c'est 2 900 calories par jour.

Il y a six aliments de base.

### 1. Les protéines

Les protéines sont particulièrement importantes pour les enfants et les adolescents. Elles aident à fabriquer des cellules. La viande et les œufs contiennent des protéines.

### 2. Les glucides (les hydrates de carbone en chimie)

Ces aliments sont la source d'énergie la plus efficace pour le corps humain.

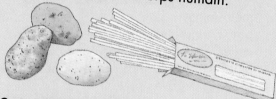

### 3. Les lipides (les graisses)

Les lipides sont aussi une bonne source d'énergie, mais pour les personnes qui ont un taux de cholestérol élevé, les graisses ne sont pas bonnes. Il faut faire un régime[4] sans graisses, il faut éliminer les graisses.

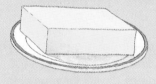

### 4. Les minéraux

Beaucoup de minéraux sont essentiels pour le corps humain. Le calcium est absolument nécessaire pour les os et les dents[5].

## 5. Les vitamines

Les vitamines sont indispensables. Il y a deux sortes de vitamines: les vitamines solubles dans l'eau (C et B) et les vitamines solubles dans la graisse (A et D).

- La vitamine A (végétaux, graisses animales) est bonne pour les yeux[6].
- La vitamine C (végétaux et fruits) joue un rôle important dans le métabolisme et est bonne pour la résistance aux infections.
- La vitamine D est la vitamine de la croissance, le développement progressif des jeunes. Pour cette raison, elle est bonne pour les enfants et les adolescents.
- La vitamine B (céréales, légumes) joue un rôle important dans le fonctionnement du foie[7] et des cellules nerveuses.

## 6. L'eau

L'eau est absolument essentielle au corps humain qui est fait de 65% d'eau.

D'une façon générale, une alimentation équilibrée est essentielle pour être en bonne santé.

[1] une alimentation équilibrée  *a balanced diet*
[2] maladies  *illnesses*
[3] la santé  *health*
[4] faire un régime  *to go on a diet*
[5] les os et les dents  *bones and teeth*
[6] les yeux  *eyes*
[7] le foie  *liver*

## Après la lecture

**A**  **La santé.**  Choisissez.

1. Le scorbut est ___.
   a. une maladie    b. une alimentation
   c. une vitamine

2. Une bonne alimentation est essentielle pour ___.
   a. l'obésité    b. la santé
   c. la maladie

3. Le nombre de calories idéal dépend de ___.
   a. la personne    b. la durée de la vie
   c. la vitamine

4. La vitamine A est bonne pour ___.
   a. les os    b. les dents
   c. les yeux

5. Le pourcentage d'eau dans le corps humain est de ___.
   a. 20%    b. 65%    c. 90%

6. Pour les personnes qui ont un taux de cholestérol élevé, il ne faut pas ___.
   a. de lipides    b. de minéraux
   c. de vitamines

7. La vitamine D est bonne surtout pour ___.
   a. les malades    b. les enfants
   c. les yeux

**B**  **Les aliments.**  Faites une liste des aliments que vous connaissez *(know)* en français et classez-les selon les six catégories.

**C**  **Trois régimes.**  Composez trois régimes.

1. un régime pour maigrir *(to lose weight)*
2. un régime pour grossir *(to gain weight)*
3. un régime végétarien

# LITTÉRATURE: ANTOINE DE SAINT-EXUPÉRY
## (1900-1944)

## Avant la lecture

1. Do you know the name of the American who made the first non-stop flight from New York to Paris in 1927?  Do you know the name of his plane?
2. Four of Saint-Exupéry's works are mentioned in this reading. Their English titles are *The Little Prince*; *Night Flight*; *Wind, Sand, and Stars*; and *Southern Mail*.  See if you can match the French and English titles.

## Lecture

*Antoine de Saint-Exupéry (1900–1944)*

Saint-Exupéry est un écrivain[1] célèbre. Mais Saint-Exupéry, c'est aussi un homme d'action. Il est né à Lyon en 1900. Pendant son service militaire il apprend à piloter un avion. Il est pilote de ligne entre Toulouse et Dakar en Afrique; il est chef d'aéroplace à Buenos Aires; il participe aux tout premiers vols France-Amérique.

Ses romans[2] reflètent sa carrière de pilote. *Courrier sud* parle de ses vols Toulouse-Casablanca-Dakar; *Vol de Nuit* parle de trois pilotes qui attendent un autre pilote à l'aéroport de Buenos-Aires. Le pilote qu'ils attendent, Fabien, n'arrive pas. Il est en retard. Il est en difficulté dans le ciel noir d'Amérique. Sa femme, Madame Fabien, est affolée, presqu'hystérique. Un des pilotes parle à Madame Fabien: «Madame, je vous en prie. Calmez-vous. Il est fréquent dans notre métier[3] d'attendre longtemps les nouvelles».

Dans *Terre des Hommes*, Saint-Exupéry parle de sa carrière et de ses camarades qui sont morts[4]. Il parle d'une vie d'action qui unit les hommes pour toujours, même après la mort.

Pendant la deuxième guerre mondiale, il écrit *Le Petit Prince* (1943) où il évoque sa nostalgie de l'amitié et cherche à définir le sens[5] des actions et des valeurs morales de la société moderne dédiée au progrès technique. Un an plus tard le 13 juillet 1944, il disparaît pour toujours dans une mission aérienne militaire. Il reste pour la légende le courageux, le charmant, l'exceptionnel «Saint-Ex».

[1] un écrivain  *a writer*
[2] romans  *novels*
[3] métier  *profession*
[4] morts  *dead*
[5] le sens  *the meaning*

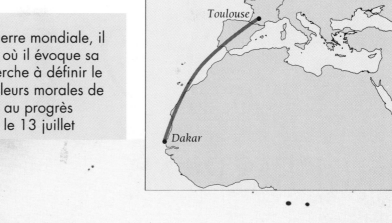

*L'avion postal piloté par Saint-Exupéry*

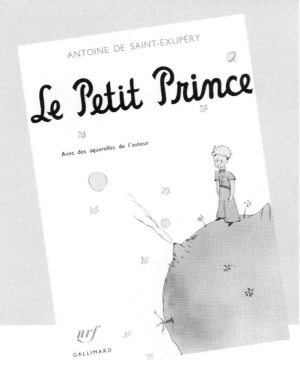

ANTOINE DE SAINT-EXUPÉRY

## Le Petit Prince

Avec des aquarelles de l'auteur

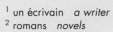

nrf
GALLIMARD

## Après la lecture

**A** «Saint-Ex».  Répondez.

1. Dans quel livre est-il question de l'Argentine?
2. Dans quel livre est-il question du Maroc?
3. Dans *Le Petit Prince*, Saint-Exupéry évoque la nostalgie de l'amitié. Pourquoi, à votre avis?

**B** **Imaginez.**  Imaginez ce qui arrive (*what happens*) dans *Vol de Nuit*.

**C** **Lindbergh.**  Écrivez une courte biographie de Charles Lindbergh en français.

# CHAPITRE
# 9

# LES SPORTS ET LES ACTIVITÉS D'ÉTÉ

## OBJECTIFS

In this chapter you will learn to do the following:

1. talk about summer leisure activities
2. tell what one must do
3. describe summer weather
4. describe people's activities
5. emphasize and clarify whom you are talking about
6. describe people and things
7. tell some differences between French and American vacation habits

# VOCABULAIRE

## MOTS 1

EN ÉTÉ

la mer

une station balnéaire
au bord de la mer

une vague

le sable

la plage

des lunettes de soleil

un maillot (de bain)

À la plage il faut faire attention.
Il faut mettre de la crème solaire.
André met de la crème solaire.
Il prend un bain de soleil.
Il bronze.

Christine met des lunettes de soleil.
Mais elle attrape un coup de soleil.
Pourquoi? Parce qu'elle ne fait pas attention.
Elle ne met pas de crème solaire.

**Note:** The impersonal expression *il faut*, "one must," is used often in French. It is followed by the infinitive.

faire de la planche à voile

faire de la plongée sous-marine

faire du ski nautique

faire du surf

faire une promenade

aller à la pêche

nager

plonger

une piscine

un moniteur

Robert aime nager.
Il nage dans la piscine.
Et Caroline plonge dans la piscine.

Laure prend des leçons de natation.
Elle apprend à nager.
Elle comprend les instructions du moniteur.

## Exercices

**A** **Tu aimes les activités d'été?** Donnez des réponses personnelles.

1. Tu aimes nager quand il y a de grandes vagues?
2. Tu aimes plonger dans une piscine?
3. Tu aimes faire de la planche à voile?
4. Tu aimes faire de la plongée sous-marine?
5. Tu aimes faire du ski nautique?
6. Tu aimes faire du surf?
7. Tu aimes aller à la pêche?
8. Tu aimes prendre des bains de soleil sur le sable?
9. Tu aimes faire des promenades sur la plage?

**B** **Qu'est-ce qu'on fait en été?** Donnez des réponses personnelles.

1. En été, tu aimes aller à la plage?
2. Tu vas à quelle station balnéaire?
3. Tu préfères nager dans la mer ou dans une piscine?
4. Quand tu vas à la plage, tu mets un beau maillot?
5. À ton avis, est-ce qu'il faut mettre de la crème solaire?
6. Est-ce que tu mets de la crème solaire?
7. Tu bronzes facilement ou tu attrapes des coups de soleil?
8. Tu mets des lunettes de soleil quand tu vas à la plage?

**C** **Qu'est-ce qu'elle apprend à faire?** Répondez d'après la photo.

1. Jeanne apprend à nager?
2. Elle prend des leçons de natation?
3. Elle apprend à nager dans la mer ou dans une piscine?
4. Elle comprend bien les instructions de la monitrice?

## NATATION – SKI NAUTIQUE

**POUR ÉVITER DE MULTIPLES DANGERS:**
courants, trous d'eau, épaves, vents, marées, barres, sables mouvants, tourbillons, etc.

**CHOISISSEZ UNE PLAGE SURVEILLÉE.**

**Baignade interdite**

**Baignade dangereuse**

**Baignade autorisée**

**LA BAIGNADE**
La natation est un **sport**; n'allez pas au-delà de vos possibilités.

L'hydrocution est un **accident** qui survient le plus souvent après:
• un repas copieux
• un bain de soleil prolongé

# VOCABULAIRE

## MOTS 2

LE TENNIS

une balle

une raquette

un court de tennis

un tee-shirt

une jupette

un filet

un short

les limites

des chaussures de tennis (f.)

hors des limites

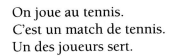

On joue au tennis.
C'est un match de tennis.
Un des joueurs sert.

L'autre joueur renvoie la balle.
Il frappe fort.
Le score est quinze à zéro.

une partie en simple
un match entre deux joueurs

une partie en double
un match entre quatre joueurs

gagner le match

**Note:** The verb *jouer* takes the preposition *à* when followed by a sport.

On joue au tennis.     On joue au volley.     On joue au foot.

LE TEMPS EN ÉTÉ

Quel temps fait-il?

Il fait du soleil.          Il fait beau.

Il fait chaud.

Il fait mauvais.

Il y a des nuages.     Il pleut.

Il fait du vent.

Il fait froid.

# Exercices

## A  Un match de tennis.  Donnez des réponses personnelles.

1. Tu aimes le tennis?
2. Tu joues au tennis?
3. Si tu ne joues pas au tennis, tu veux apprendre à jouer au tennis?
4. Tu as une raquette?
5. Il y a un court de tennis près de ta maison ou ton appartement?
6. Ton école a des courts de tennis?

## B  Le tennis.  Complétez.

1. Quand un garçon ou un homme joue au tennis, il met un ___, un ___ et des ___.
2. Quand une fille ou une femme joue au tennis, elle met un ___, une ___ et des ___.
3. ___ est un match entre deux joueurs.
4. ___ est un match entre quatre personnes.
5. Quand on joue au tennis, on a une ___ et des ___.
6. 15-"love" est un ___ de quinze à zéro.
7. On ___ ou ___ la balle avec la raquette.
8. Un joueur sert, mais la balle va dans le ___. Quand il sert encore la balle est ___! Il n'a pas de chance!
9. Un des joueurs ___ très fort. Il ___ le match.

## C  Le temps.  Répondez.

1. En été, il fait beau ou il fait mauvais dans ta ville?
2. Il fait du soleil?
3. Il pleut souvent?
4. Il fait du vent à la plage?
5. Quel temps fait-il aujourd'hui?

## D  Quel temps fait-il?  Répondez d'après les dessins.

1.
2.
3.
4.
5.
6.

# Activités de communication

*Mots 1 et 2*

**A** **À la plage.**   Describe three different types of weather at the beach. Your partner will tell you what kind of activity he or she likes (or doesn't like) to do on that kind of day at the beach.

> Élève 1: **Il fait du vent.**
> Élève 2: **Quand il fait du vent, j'aime faire de la planche à voile.**

**B** **Les vacances parfaites.**   Working with a partner, plan a summer vacation at the beach. Say where you would like to go and why, and what you like to do there. Report to the class.

> Élève 1: **Je voudrais aller à Hawaii parce qu'il fait toujours du soleil là-bas. J'aime nager. Et toi?**
> Élève 2: **Moi aussi, j'aime Hawaii. Je voudrais faire de la plongée sous-marine et du surf.**
> Élève 1 (*à la classe*): **Nous voulons aller à Hawaii. Moi, j'aime nager et mon ami(e) veut faire de la plongée sous-marine et du surf.**

**C** **Un match de tennis entre Guy et Nadine.**   Write a short paragraph describing the tennis match and the players in the illustration below. Tell what the players are wearing, how they play, what the score is, and who wins.

**D** **Il faut...**   Choose three places or situations from the list below. Ask your partner two things that one must do (or must not do) for each place or situation proposed. Then reverse roles.

> à l'école
>
> Élève 1: **À l'école, qu'est-ce qu'il faut faire?**
> Élève 2: **À l'école, il faut étudier et faire attention.**

| | |
|---|---|
| à la plage | au cours de français |
| après un dîner au restaurant | pour gagner un match |
| avant un examen | pour organiser une fête |
| avant un voyage | |

# STRUCTURE

## Les verbes *prendre, apprendre* et *comprendre* au présent

*Describing People's Activities*

1. The verb *prendre*, "to take," is irregular. Study the following forms.

| PRENDRE | | | |
|---|---|---|---|
| je | prends | nous | prenons |
| tu | prends | vous | prenez |
| il | | ils | |
| elle | prend | elles | prennent |
| on | | | |

> **Je prends mes livres quand je quitte la classe.**
> **Vous prenez l'avion pour aller à Boston mais Julie et Marc prennent le train.**

Note that the singular forms of *prendre* are the same as those of any regular *-re* verb, but the plural forms are irregular.

2. The verb *prendre* has a number of additional meanings. Here are a few of them.

    a. Used with food or beverages, *prendre* means either "to eat" or "to drink."

    > **Au restaurant Marie-Lise prend toujours du poulet.**
    > **Quand les enfants ont soif ils prennent de l'eau.**

    b. *Prendre le petit déjeuner* means "to eat breakfast." Note, however, that you do not use *prendre* with other meals in French. "To eat lunch" is *déjeuner* and "to eat dinner" is *dîner*.

    > **Gérard prend son petit déjeuner à la maison mais il déjeune à la cafétéria.**

    c. *Prendre les billets* means "to buy tickets."

    > **Je prends mon billet au guichet et j'attends le train.**

3. Two other verbs that are conjugated like *prendre* are *apprendre*, "to learn," and *comprendre*, "to understand." You use the preposition *à* after *apprendre* when it is followed by an infinitive.

    > **Ma sœur et mon frère apprennent à jouer au tennis.**
    > **Vous comprenez le français, n'est-ce pas?**

## Exercices

**A** **On prend un bain de soleil.** Répondez.

1. On prend un bain de soleil à la plage?
2. On prend un bain de soleil quand il y a des nuages?
3. On met de la crème solaire quand on prend un bain de soleil?
4. On bronze quand on prend un bain de soleil?

**B** **Moi, en été.** Donnez des réponses personnelles.

1. En été, tu prends des bains de soleil sur le sable?
2. Tu bronzes ou tu attrapes des coups de soleil?
3. Tu préfères nager dans une piscine, dans la mer ou dans un lac?
4. Tu prends des leçons de surf?
5. Tu apprends à faire de la planche à voile?
6. Tu apprends à faire du ski nautique?
7. Tu comprends le moniteur?

**C** **Qu'est-ce que tu prends?** Posez des questions à un copain ou à une copine d'après le modèle.

> le train
> Élève 1: Tu prends le train?
> Élève 2: Non, je ne prends pas le train. (Oui, je prends le train.)

1. ton billet au guichet à la gare
2. le bus pour aller à l'école
3. l'avion pour aller à New York
4. l'avion pour aller en France

**D** **Le petit déjeuner.** Répondez en utilisant «nous».

1. Vous prenez le petit déjeuner à la maison?
2. Vous prenez le petit déjeuner à quelle heure?
3. Vous prenez le petit déjeuner quand vous êtes en retard?
4. Vous prenez le petit déjeuner dans la cuisine ou dans la salle à manger?
5. Vous prenez du lait au petit déjeuner?

**E** **Qu'est-ce qu'ils prennent?** Changez d'après le modèle.

> Il prend un coca. (citron pressé)
> *Il prend un coca et ses copains prennent un citron pressé.*

1. Il prend un crème. (un express)
2. Il prend une salade. (une soupe à l'oignon)
3. Il prend un sandwich au pâté. (un croque-monsieur)
4. Il prend une glace au chocolat. (une glace à la vanille)
5. Il prend de l'eau minérale. (du thé)

**F** **Au cours de français.** Répondez.

1. Au cours de français, les élèves apprennent beaucoup de mots?
2. Ils apprennent le vocabulaire?
3. Ils apprennent des règles de grammaire?
4. Ils apprennent la civilisation française?
5. Et toi, tu apprends à parler français?
6. Tes copains et toi, vous comprenez bien quand le professeur parle français?

## Les pronoms accentués

*Emphasizing and Clarifying Whom You Are Talking About*

1. Compare the subject pronouns below with the corresponding stress pronouns.

| SUBJECT PRONOUNS | STRESS PRONOUNS |
|---|---|
| je | moi |
| tu | toi |
| il | lui |
| elle | elle |
| nous | nous |
| vous | vous |
| ils | eux |
| elles | elles |

*Une belle plage de sable à Antibes*

2. You use stress pronouns in several ways in French.

   a. to reinforce or stress the subject

   > **Moi, je vais au bord de la mer en été.**
   > **Lui, il reste à la maison.**

   b. after a preposition such as *avec, pour, chez,* etc.

   > **David veut jouer avec nous.**
   > **Les filles rentrent chez elles après la fête.**

   c. alone or in a phrase without a verb

   > **Qui fait du ski nautique? Moi!**
   > **Et eux? Est-ce qu'ils prennent des leçons?**

   d. before and after *et* or *ou*

   > **Marie et moi, nous allons à la plage.**
   > **Qui va faire les courses ce soir? Lui ou elle?**

e. after *c'est* or *ce n'est pas*

> C'est toi, Yvonne?
> Oui, c'est moi.
> C'est Jean-Luc?
> Non, ce n'est pas lui.

f. With *-même(s)* to express "myself," "herself," and so forth.

> Je vais faire les valises moi-même.
> Ils font la cuisine eux-mêmes.

## Exercices

**A** **Moi, toi et les autres.** Complétez.

DAVID: ___, j'adore nager.
CÉLINE: Et ton frère? Il aime nager?
DAVID: ___ ? Il aime faire du ski nautique.
CÉLINE: Et ta sœur, ___, elle aime faire du ski nautique aussi?
DAVID: Non, mais ___, elle aime faire de la planche à voile.
CÉLINE: Sans blague! Ma copine et ___, nous aimons faire de la planche à voile aussi.
DAVID: ___ aussi, j'aime faire de la planche à voile. Mais mes copains, ___, ils n'aiment pas ça.

**B** **Tu aimes les sports d'été?** Répondez d'après le modèle.

> **Tu aimes nager?**
> *Moi? Oui, j'adore nager.*

1. Tu aimes aller au bord de la mer?
2. Et ton frère, il aime faire du ski nautique?
3. Et tes sœurs, elles aiment faire de la plongée sous-marine?
4. Et vous, vous aimez nager?
5. Et tes copains, ils aiment faire du surf?

**C** **Une fête.** Complétez.

1. Tu vas donner une fête pour Jean?
   Oui, je vais donner une fête pour ___.
2. Qui va organiser la fête? Toi? Oui, c'est ___.
3. Et qui va faire les courses? Ta mère?
   Pas ___! Moi, je vais aller au marché ___-même!
4. Jean va arriver chez toi avec ses copains?
   Oui, il va arriver chez ___ avec ___.

SPORTS D'EAU VIVE CANYONING

# Les adjectifs avec une double consonne

*Describing People and Things*

1. Note that certain adjectives double their final consonant in the feminine forms. Study the following.

| | FÉMININ | MASCULIN |
|---|---|---|
| SINGULIER | une compagnie aérienne<br>une voiture européenne | un vol aérien<br>un café européen |
| PLURIEL | des compagnies aériennes<br>des voitures européennes | des vols aériens<br>des cafés européens |

2. Here are some other adjectives that follow the same pattern.

   canadien(ne)    italien(ne)    parisien(ne)

3. The adjective *bon,* which precedes the noun, also doubles its final consonant. Study these forms.

   C'est une très bonne idée.    Robert est un très bon élève.
   Il a de bonnes notes.    Et il a de bons profs.

4. The adjective *gentil,* "nice," also doubles its final consonant.

   une fille gentille    un garçon gentil

# Exercices

**A**  D'après vous.  Répondez.

1. C'est une bonne idée de voyager avec une bonne compagnie aérienne canadienne?
2. C'est une bonne idée de passer une bonne journée sur une belle plage?
3. Est-ce que la compagnie aérienne italienne sert des spécialités italiennes pendant ses vols?
4. Est-ce que les femmes parisiennes font leurs courses dans les beaux magasins parisiens?

**B**  Une compagnie canadienne.  Complétez.

La compagnie ___ (aérien) ___ (canadien) offre des vols vers des
$\phantom{xxx}_1\phantom{xxxxxxx}_2$
destinations ___ (européen). Le service est très ___ (bon). À bord les
$\phantom{xxxxxxx}_3\phantom{xxxxxxxxxxxxxx}_4$
stewards sont très ___ (gentil) et les hôtesses de l'air aussi sont très ___
$\phantom{xxxxxxxxxxx}_5\phantom{xxxxxxxxxxxxxxxxxxxxxxxxxxxx}_6$
(gentil). Il est agréable d'avoir une ___ (bon) place dans un avion ___
$\phantom{xxxxxxxxxxxxxxxxxxxxx}_7\phantom{xxxxxxxxxxxxxxxxx}_8$
(canadien) et de faire un ___ (bon) voyage ___ (européen).
$\phantom{xxxxxxxxxxxxxxx}_9\phantom{xxxxxxxxx}_{10}$

# CONVERSATION

## Scènes de la vie   *Une belle journée d'été*

NATHALIE: Il fait terriblement chaud!
FRANÇOISE: C'est vrai, c'est horrible!
NATHALIE: Tu veux aller à la plage?
FRANÇOISE: D'accord. Je vais chercher mon maillot de bain.

NATHALIE: Tu as de la crème solaire?
FRANÇOISE: Oui. Pourquoi? Tu vas prendre un bain de soleil?
NATHALIE: Mais bien sûr!

FRANÇOISE: Pas moi.
NATHALIE: Pas toi? Qu'est-ce que tu vas faire alors?
FRANÇOISE: Je vais nager et faire du ski nautique.

 **La plage.**   Répondez d'après la conversation.

1. Il fait chaud?
2. Nathalie veut aller à la plage?
3. Qu'est-ce que Françoise va chercher?
4. Qui n'a pas de crème solaire?
5. Qui va prendre un bain de soleil?
6. Elle aime bronzer?
7. Et Françoise, qu'est-ce qu'elle va faire?

## Prononciation   *Les sons /y/ et /y/ + voyelle*

The sound /y/ occurs in three positions: final, between two vowel sounds, and in combination with another vowel sound. Repeat the following.

| | | |
|---|---|---|
| fille | soleil | gentille |
| maillot | travailler | billet |
| canadien | aérien | vieux |

Now repeat the following sentences.

J'ai un vieux maillot.
On ne travaille pas bien au soleil.
C'est un avion canadien.

**un vieux soleil en maillot**

# Activités de communication

**A** **Qu'est-ce que vous prenez?** Divide into small groups and choose a leader. The leader will ask the others the following questions, take notes, then report to the class.

1. Qu'est-ce que tu prends quand tu as très soif?
2. Qu'est-ce que tu prends comme boisson au déjeuner?
3. Qu'est-ce que tu prends quand tu as très, très faim?
4. Qu'est-ce que tu prends quand tu es invité(e) au restaurant?

> **À la classe: Dans mon groupe, trois personnes prennent de l'eau quand elles ont très soif. Les deux autres prennent du coca.**

**B** **Moi, je veux apprendre à...** Ask your partner what he or she would like to learn to do and why. Then reverse roles.

> **Élève 1: Qu'est-ce que tu veux apprendre à faire?**
> **Élève 2: Moi, je veux apprendre à bien parler français.**
> **Élève 1: Pourquoi?**
> **Élève 2: Parce que je voudrais aller en France.**

**C** **En été.** Tell your partner some things you do in the summer, then find out what your partner likes to do.

> **Élève 1: En été je vais à la plage, je fais du surf et de la planche à voile. Et toi, qu'est-ce que tu aimes faire en été?**
> **Élève 2: Moi, j'aime aller à la plage aussi, mais je ne fais pas de surf. J'aime nager et j'aime faire des voyages avec ma famille.**

## LES VACANCES D'ÉTÉ

*C*'est le premier août. Tout le monde prend la route pour aller au bord de la mer. Les vacances d'été commencent. En France le mois d'août, c'est le mois des vacances. On ne travaille pas. On passe le mois entier au bord de la mer ou à la montagne.

Qu'elles sont belles[1], les plages en France! Il y a des stations balnéaires le long des côtes[2]: sur la Manche au nord, sur l'Océan Atlantique à l'ouest, et sur la Côte d'Azur au sud, au bord de la mer Méditerranée.

Qu'est-ce qu'on fait au bord de la mer? On va à la plage, bien sûr. À la plage on prend des bains de soleil. Tout le monde veut rentrer chez soi[3] bien bronzé. Les

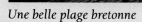

*Une belle plage bretonne*

gens[4] sportifs nagent ou font de la planche à voile. Moi, je fais du ski nautique. Qu'est-ce que tu fais en été?

Vers deux heures on a faim. Après une belle journée à la plage on a une faim de loup. L'air de la mer donne faim. On fait un pique-nique sur la plage ou on va dans un petit restaurant en plein air[5] où on commande des fruits de mer[6].

[1] Qu'elles sont belles   *How beautiful they are*
[2] le long des côtes   *along the coasts*
[3] chez soi   *home*
[4] les gens   *people*
[5] en plein air   *outdoor*
[6] des fruits de mer   *seafood*

## Étude de mots

**A** **Quel est le mot?**   Trouvez une expression équivalente.

1. sportif
2. une faim de loup
3. le mois entier
4. en plein air
5. partout
6. commencer

a. dans toutes les régions
b. tout le mois
c. très faim
d. qui aime les sports
e. à l'extérieur, dehors
f. le contraire de *finir*

**B** **Des faits.** Complétez les phrases d'après la lecture.

1. Le ___ d'août a trente et un jours.
2. Le mois d'août est le mois des ___ parce que les gens ne travaillent pas.
3. Le long des ___ de la France, il y a de très ___ plages.
4. Les Pyrénées et les Alpes sont des ___.
5. L'Océan Atlantique est à l'___ de la France.

## Compréhension

**A** **Au bord de la mer.** Répondez d'après la lecture.

1. Quelle est la date?
2. Tout le monde prend la route pour aller où?
3. On passe combien de temps au bord de la mer?
4. Il y a des plages partout en France?
5. Qu'est-ce qu'on fait à la plage?
6. Que font les gens sportifs?
7. Tout le monde veut rentrer chez soi comment?
8. Quelle est l'heure du déjeuner?
9. Où est-ce qu'on va manger?
10. Qu'est-ce qu'on commande au bord de la mer?

**B** **Les vacances.** Trouvez les renseignements suivants dans la lecture.

1. Quel est le mois des vacances, le mois où très peu de gens travaillent?
2. Où est-ce que les Français aiment passer leurs vacances?
3. Les Français passent combien de temps au bord de la mer ou à la montagne?

# DÉCOUVERTE CULTURELLE

*L*es Français sont très travailleurs. Mais les vacances sont très importantes pour eux. Le Français typique a à peu près cinq semaines de vacances par an. Le mois favori pour les vacances d'été, c'est le mois d'août. Le premier août il y a des bouchons et des embouteillages[1] partout. Tout le monde est pressé[2]

d'arriver au bord de la mer pour commencer les vacances.

Tes parents ont combien de semaines de vacances? Ta famille et toi, où passez-vous les vacances? Quand est-ce que vous y allez? Vous y passez combien de temps?

[1] des bouchons et des embouteillages    *traffic jams*
[2] est pressé    *is in a hurry*

# RÉALITÉS

**V**oici Yannick Noah **1**. C'est un champion de tennis célèbre. Tu voudrais jouer contre lui?

C'est une colonie de vacances en montagne **2**. Les enfants jouent avec les monitrices. Tout le monde adore l'été. C'est la belle saison.

Voici la plage de Nice, une ville sur la Côte d'Azur **3**. Sur la plage à Nice, il y a du sable ou des galets?

Voici Audierne, un joli port de pêche en Bretagne **4**. Il y a beaucoup de bateaux dans le port?

La jeune femme fait une promenade en vélo en montagne **5**. C'est un vélo tout terrain (VTT).

4

5

# CULMINATION

## Activités de communication orale

**A** **Une nouvelle amie.** You have just met a French student on the beach in Saint-Tropez. You want to find out more about him or her. Ask the French student (your partner) for the following information. Then reverse roles.

1. if he or she likes the beach
2. what sports he or she likes to play at the beach
3. where he or she has lunch and at what time
4. if he or she would like to have lunch with you tomorrow

**B** **Tu veux jouer au tennis avec moi?** During your lunch together, your new French friend (your partner) asks you the following questions. Answer, then reverse roles.

1. if you play tennis (or would like to learn to play)
2. if you have a racket
3. if you want to play tennis (or want to learn to play tennis) with him or her tomorrow

**C** **Une belle journée.** Work with a partner or in small groups and describe a day at the beach. Each person will say one sentence to make a continuing story. Be sure to include the following information.

1. what the weather is like
2. what beach you are going to
3. what time you leave the house
4. how you get to the beach
5. whom you go with
6. what you do there
7. what you eat and drink there
8. what time you leave the beach

## Activité de communication écrite

**Une carte postale.** You are spending two weeks at the beach resort of your choice. Write a postcard to a friend about your vacation. Be sure to include the following information.

1. where you are and what the place is like
2. what the weather is like
3. what your daily activities are
4. a new sport you are learning and what you think of the instructor
5. when you are going to return home

le 16 août

Cher (Chère) _____,

Salut! Je suis à ___

Amitiés

## Réintroduction et recombinaison

🚩 **On prend le train.** Complétez.

1. Jacques ___ le train. (prendre)
2. Jacques et ses copains ___ le train. (prendre)
3. Ils ___ au bord de la mer. (aller)
4. Ils ___ le train dans la salle d'attente. (attendre)
5. Jacques ___ au guichet. (aller)
6. Au guichet il ___ les billets pour tous ses copains. (prendre)
7. Les copains ___ l'annonce du départ du train. (entendre)
8. Ils ___ l'annonce. (comprendre)
9. Ils ___ sur le quai. (aller)
10. Ils ___ dans le train. (monter)
11. Ils ___ à la prochaine gare. (descendre)
12. Ils ___ à Deauville à quatorze heures dix-huit. (arriver)

*La plage de Deauville en Normandie*

## Vocabulaire

NOMS

l'été (m.)
la station balnéaire
le bord de la mer
la plage
le sable
la mer
la vague
la crème solaire
les lunettes de soleil (f.)
le maillot (de bain)
la natation
la piscine
la leçon
le moniteur

le tennis
le court de tennis
la balle
le filet
la raquette
le match
le joueur
la partie (en simple, en double)
les limites (f.)
le score
les chaussures de tennis (f.)
le tee-shirt
le short

la jupette

ADJECTIFS

aérien(ne)
bon(ne)
canadien(ne)
européen(ne)
gentil(le)
italien(ne)
parisien(ne)

VERBES

bronzer
frapper
gagner
jouer à
nager
plonger
renvoyer
apprendre (à)
comprendre
prendre

AUTRES MOTS ET EXPRESSIONS

faire de la planche à voile
faire de la plongée sous-marine
faire du ski nautique
faire du surf
faire une promenade
aller à la pêche

attraper un coup de soleil
prendre le petit déjeuner
prendre un bain de soleil
prendre un billet
Il faut + infinitif
entre
fort
hors des limites

pourquoi
parce que

Quel temps fait-il?
Il fait beau.
Il fait chaud.
Il fait du soleil.
Il fait froid.
Il fait mauvais.
Il fait du vent.
Il pleut.
Il y a des nuages.

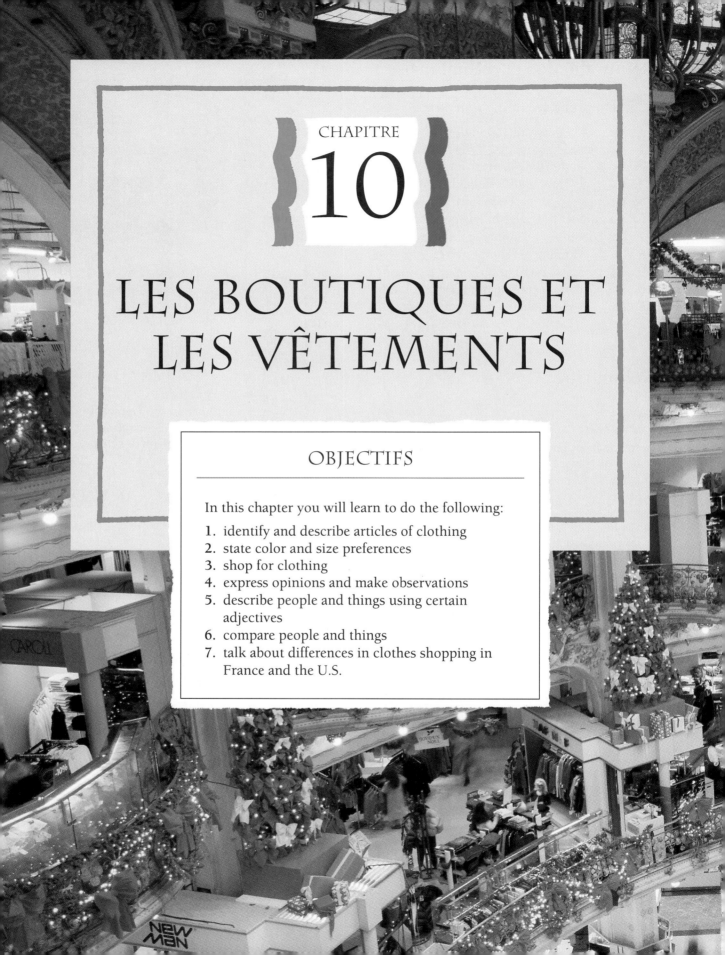

CHAPITRE

# 10

# LES BOUTIQUES ET LES VÊTEMENTS

## OBJECTIFS

In this chapter you will learn to do the following:

1. identify and describe articles of clothing
2. state color and size preferences
3. shop for clothing
4. express opinions and make observations
5. describe people and things using certain adjectives
6. compare people and things
7. talk about differences in clothes shopping in France and the U.S.

# VOCABULAIRE

## MOTS 1

### LES VÊTEMENTS POUR HOMMES

 une veste

 une chemise

un pantalon

 une cravate

 un complet

### LES VÊTEMENTS POUR FEMMES

 une jupe

 un chemisier

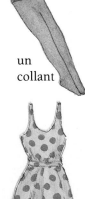 un collant

 un tailleur

une robe habillée

une robe sport

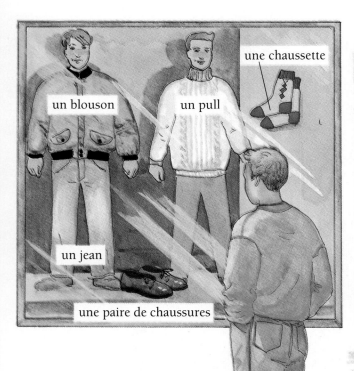

un blouson

un pull

une chaussette

un jean

une paire de chaussures

Marc porte un sweat-shirt.

la boutique d'un grand couturier

AU GRAND MAGASIN

une cliente

des soldes

250F
SOLDES
180F

un vendeur

un client

une vendeuse

un rayon prêt-à-porter

Lise voit beaucoup de chemisiers.
Elle voit les chemisiers au rayon prêt-à-porter.
Elle va faire ses achats au rayon prêt-à-porter.

le prix

1000$^F$

plus cher

100$^F$

moins cher

25$^F$

bon marché

240$^F$

cher

Mme Laval paie à la caisse.
Elle dépense* de l'argent.

* dépenser: employer de l'argent pour faire
  des achats

# Exercices

**A** **Albert et Christine.** Répondez d'après les dessins.

1. Qu'est-ce qu'Albert va mettre?

2. Qu'est-ce que Christine porte?

**B** **Qu'est-ce qu'on met?** Répondez.

1. Ce soir M. Ben-Azar va aller dans un restaurant élégant. Qu'est-ce qu'il va porter?
2. Qu'est-ce que sa femme va mettre?
3. Qu'est-ce que tu portes à l'école?
4. Qu'est-ce que tu portes quand il n'y a pas de cours?
5. Qu'est-ce que tu mets quand il fait froid?
6. Qu'est-ce qu'une femme met quand elle va au travail?
7. Qu'est-ce qu'un homme met quand il va au travail?

REVUE DE DÉTAILS

# NEWS MODE

REPÉRÉ AUX QUATRE COINS DE LA MODE, TOUT CE QUI NOUS PLAÎT. DE LA TÊTE AUX PIEDS.

**STRETCH (1)** Robe en panne de velours (Capucine Puerari, 1 360 F, 5 tailles, 8 coloris, rens. 45 49 26 90).
**SOIR CHIC (2)** Veste croisée, en drap de laine, sur jupe en taffetas de soie (Corinne Sarrut, 1 900 F, 3 tailles, 5 coloris (veste) et 900 F, du 36 au 42, en noir ou bronze (jupe), rens. 42 61 71 60). Gilet en satin (Chacok).
**INTÉRIEUR (3)** Robe de chambre en soie (Claudie Pierlot, 800 F, 2 tailles, 3 coloris, rens. 42 36 69 93).

**COL HIRONDELLE** Très 70, des chemises bicolores en col (Agnès B., 490 F, 3 tailles, 3 coloris, rens. 45 08 56 56).

**C** **Une boutique ou un grand magasin?**   Répondez.

1. On vend beaucoup de marchandises différentes dans la boutique d'un grand couturier ou dans un grand magasin?
2. Il y a beaucoup de rayons dans une boutique ou dans un grand magasin?
3. Qui vend des marchandises dans les boutiques et les grands magasins?
4. Et qui fait des achats?
5. Où est-ce qu'on paie dans les boutiques et les grands magasins?
6. Est-ce que les femmes riches achètent leurs vêtements au rayon prêt-à-porter ou chez les grands couturiers?
7. Est-ce qu'on peut acheter des vêtements sport et habillés dans un grand magasin?
8. Est-ce que les gens riches dépensent beaucoup d'argent pour leurs vêtements?

**D** **On va acheter des vêtements.**   Complétez.

1. Il y a beaucoup de réductions pendant les ___. Les prix sont plus bas, moins élevés.
2. Je préfère faire mes achats quand il y a des ___ parce que je ___ moins d'argent.
3. Le jean est une sorte de ___ sport, pas habillé.
4. Quel est le ___ de ce blouson? 800 francs?
5. Oh là là! Ce blouson n'est pas bon marché! Il est très ___.

# VOCABULAIRE

## MOTS 2

un cadeau

une manche longue

un chemisier à manches longues

une manche courte

Martine voit des chemisiers.
Elle trouve les chemisiers merveilleux,
vraiment fantastiques!
Elle pense, «Tiens! Je vais acheter un cadeau».

150F 100F

Elle est très contente (heureuse).
Pourquoi? Parce qu'elle voit que les
chemisiers sont en solde.

De quelle couleur est le chemisier?
Il est vert.

Note: The colors below are invariable.
They do not change to agree with the
noun they describe.

**bleu marine    marron    orange**

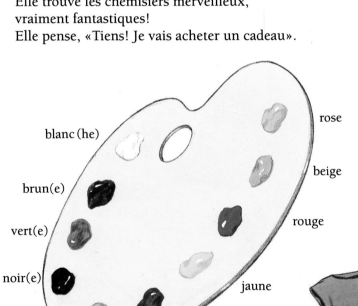

rose

beige

rouge

jaune

bleu(e)

blanc (he)

brun(e)

vert(e)

noir(e)

gris(e)

des chaussures marron

une robe orange

un pantalon
bleu marine

À mon avis cette couleur est plus jolie que l'autre.
Je trouve que cette couleur est plus jolie que l'autre.
Et je crois que Catherine préfère cette couleur aussi.

## Exercices

**A** **Qu'est-ce que Martine voit?** Répondez.

1. Qu'est-ce que Martine veut acheter?
2. Elle aime les chemisiers?
3. Elle trouve que les chemisiers sont merveilleux, vraiment fantastiques?
4. Est-ce que Martine voit que les chemisiers sont en solde?

**B** **De quelle couleur...?** Donnez des réponses personnelles.

1. De quelle couleur est ton blouson favori?
2. De quelle couleur est ton jean favori?
3. De quelle couleur est ta chemise favorite ou ton chemisier favori?
4. Qu'est-ce que tu portes aujourd'hui? De quelle couleur sont tes vêtements?

**C** **De petits problèmes.** Répondez d'après les dessins.

1. Ces chaussures sont trop larges ou trop étroites?

2. Cette jupe est trop longue ou trop courte?

3. Cette chemise a des manches longues ou courtes?

4. Ce pantalon est serré ou large?

**D** **Mes préférences.** Donnez des réponses personnelles.

1. Tu préfères des vêtements sport ou habillés?
2. Tu préfères des chaussures à talons bas ou hauts? Tu fais quelle pointure?
3. Tu préfères une chemise ou un chemisier à manches longues ou courtes?
4. Tu préfères tes vêtements un peu serrés ou larges?
5. Tu préfères un pantalon plus large? Tu voudrais la taille au-dessus?
6. Tu préfères un pantalon plus serré? Tu voudrais la taille au-dessous?
7. Tu préfères faire des achats quand il y a des soldes ou pas?
8. Tu aimes dépenser beaucoup d'argent pour tes vêtements?
9. Tu aimes acheter des cadeaux pour tes copains ou tes copines? Qu'est-ce que tu achètes?

## Activités de communication
*Mots 1 et 2*

**A** **Qui est-ce?** Describe what someone in the class is wearing. Your partner will guess who it is.

**B** **Une paire de chaussures.** You are in a shoe store in Montreal. Your partner will play the role of the salesperson.

1. Greet each other.
2. Tell the salesperson what you want.
3. The salesperson asks about the size and color you prefer. Answer.
4. The salesperson shows you a pair of shoes and asks how you like them.
5. The shoes don't fit. Ask for a larger (smaller) size.
6. The salesperson brings the correct size. Find out the price and if they're on sale.

**C** **Qui porte...?** Suggest three articles of clothing to your partner. He or she will say who wears each item (men, women, or both) and when or where the person wears it. Then reverse roles.

> Élève 1: un blouson
> Élève 2: Les hommes et les femmes portent un blouson quand il fait froid.

**D** **Les grands couturiers.** You and your classmates have been asked to create the most colorful outfit imaginable for a famous person. The first student will propose one item of clothing in any color. The next student will repeat that item and add another. Everyone will take a turn.

> Élève 1: Pour Tom Cruise, je choisis une chemise rouge...
> Élève 2: Pour Tom Cruise, je choisis une chemise rouge avec une cravate verte...

# STRUCTURE

**Les verbes *croire* et *voir* au présent**

*Expressing Opinions and Making Observations*

1. Study the following forms of the irregular verbs *croire*, "to think," "to believe," and *voir*, "to see."

| CROIRE | VOIR |
|--------|------|
| je **crois** | je **vois** |
| tu **crois** | tu **vois** |
| il / elle / on **croit** | il / elle / on **voit** |
| nous **croyons** | nous **voyons** |
| vous **croyez** | vous **voyez** |
| ils / elles **croient** | ils / elles **voient** |

2. The verbs *croire* and *voir* are often followed by a clause. The clause is introduced by *que,* which is shortened to *qu'* before a vowel or a silent *h*. In French you must use *que* even though its equivalent, "that," is often omitted in English.

> **Je crois que c'est une bonne idée.**
> **Je vois qu'elle aime cette boutique.**

## Exercices

**A Qu'est-ce qu'elle voit?** Qu'est-ce qu'Annick voit dans la vitrine de la boutique?

**B** **La fête.** Répondez d'après le modèle.

> **Il va faire beau demain soir?**
> *Oui, je crois. Toi, tu ne crois pas?*

1. Il faut porter une robe habillée à la fête?
2. David va inviter Sylvie à la fête?
3. La fête va être amusante?
4. On va servir un gâteau énorme?
5. L'appartement de David est assez grand pour la fête?

**C** **Tu vois des films?** Donnez des réponses personnelles.

1. Tu vois beaucoup de films?
2. Tu vois des films au cinéma ou à la télé?
3. En général, tu vois des films d'horreur, des films d'aventures ou des films d'amour?
4. Tes parents voient souvent des films?
5. Tu vois tes copains pendant le week-end? Qu'est-ce que tu fais avec eux?

**D** **Les croyances.** Répondez par «oui».

> **Tes copains et toi, vous croyez que le tennis est un sport merveilleux?**
> **Oui, nous croyons que le tennis est un sport merveilleux.**

1. Vous croyez que Paris est une belle ville?
2. Vos parents croient que vous êtes intelligents?
3. Votre professeur de français croit que vous travaillez bien?
4. Vos amis croient que vous êtes sympathiques?
5. Vous croyez que les jeans sont chic?
6. Vos grands-parents croient que vous êtes adorables?

**E** **Des opinions différentes!** Complétez avec «croire».

1. Moi, je ___ que la cousine de Sandra est française mais mes copains ___ qu'elle est italienne.
2. Le professeur ___ que l'examen va être facile mais les élèves ___ que l'examen va être difficile.
3. Tu ___ que les chats sont plus intelligents que les chiens mais ton frère ___ que les chiens sont plus intelligents que les chats.
4. Hélène ___ que Paris est près de Nice mais nous ___ que c'est assez loin de Nice.
5. Tu ___ qu'il va pleuvoir mais je ___ qu'il va faire beau.

GALERIES Lafayette

**Le Grand Magasin Capitale de la Mode.**

# D'autres adjectifs irréguliers     *Describing People and Things*

1. In spoken French the feminine forms of the adjective end in a consonant sound. This consonant sound is dropped in the masculine forms. Here are some irregular adjectives that follow this pattern. Note their spelling changes.

| FÉMININ PLURIEL | FÉMININ SINGULIER | MASCULIN PLURIEL | MASCULIN SINGULIER |
|---|---|---|---|
| sérieuses | sérieuse | sérieux | sérieux |
| délicieuses | délicieuse | délicieux | délicieux |
| heureuses | heureuse | heureux | heureux |
| merveilleuses | merveilleuse | merveilleux | merveilleux |
| basses | basse | bas | bas |
| favorites | favorite | favoris | favori |
| longues | longue | longs | long |
| premières | première | premiers | premier |
| dernières | dernière | derniers | dernier |
| entières | entière | entiers | entier |
| chères* | chère | chers | cher |

\* All forms of *cher* are pronounced the same way.

2. Here are two adjectives whose endings are pronounced in both the feminine and masculine forms. Note that the feminine ending has a softer sound than the masculine one.

| | | | |
|---|---|---|---|
| sportives | sportive | sportifs | sportif |
| actives | active | actifs | actif |

# Exercices

**A** **La prononciation.** Prononcez.

1. active / actif
2. favorite / favori
3. longue / long
4. basse / bas
5. merveilleuse / merveilleux
6. délicieuse / délicieux
7. généreuse / généreux
8. première / premier

**B** **Nathalie et son frère.** Répondez par «oui».

1. Nathalie est sportive?
2. Son frère est sportif?
3. Nathalie est active?
4. Et lui, il est actif?
5. Le rouge est la couleur favorite de Nathalie?
6. La planche à voile est son sport favori?
7. Nathalie est sérieuse?
8. Et son frère est un garçon sérieux?
9. Elle est souvent heureuse?
10. Et lui, il est souvent heureux?

**C** **La famille Beauchamp.** Complétez.

La famille Beauchamp est très ___ (sportif). Les parents sont très ___ (actif)
<sub>1</sub> <sub>2</sub>
et les deux enfants, Véronique et Nicole, sont ___ (actif) aussi. Aujourd'hui,
<sub>3</sub>
les deux filles sont très ___ (heureux) parce qu'elles partent pour Biarritz, leur
<sub>4</sub>
station balnéaire ___ (favori), où chaque année la famille passe des vacances
<sub>5</sub>
___ (merveilleux). À Biarritz, les filles et les parents vont pratiquer leurs
<sub>6</sub>
sports ___ (favori), la planche à voile et la natation. Après de ___ (long)
<sub>7</sub> <sub>8</sub>
journées à la plage, tout le monde est content de manger des fruits de mer ___
<sub>9</sub>
(délicieux) à la terrasse d'un restaurant.

## Le comparatif des adjectifs    *Comparing People and Things*

1. You use the comparative to compare two or more people or things. The
   following words are used to express comparisons.

   > (+)   *plus...que*
   > (−)   *moins...que*
   > (=)   *aussi...que*

Study the following sentences.

> **Cette vendeuse est plus sympathique que**
>     **l'autre vendeuse.**
> **Ce blouson est moins cher que la veste.**
> **Les chaussures américaines sont aussi chères**
>     **que les chaussures françaises.**

2. Note the liaison after *plus* and *moins* when they are
   followed by a vowel.

   > **plus‿intéressant**
   > **moins‿élégant**

3. If you are comparing people, you use the stress pronouns after *que*.

   > **Il est plus jeune que son ami.**       **Il est plus jeune que *lui*.**
   > **Elle est plus âgée que ses amis.**      **Elle est plus âgée qu'*eux*.**

4. Note that the adjective *bon* has an irregular form in the comparative,
   *meilleur*.

   > **Ils trouvent que le pain français est meilleur que le pain américain.**
   > **La robe rose est meilleur marché que la robe blanche.**

# Exercices

**A** **Plus ou moins que l'autre.** Répondez d'après les dessins. Suivez le modèle.

**Le blouson rouge est plus grand que le blouson noir?**
*Oui, le blouson rouge est plus grand que le blouson noir.*

1. Le blouson rouge est plus cher que le blouson noir?
2. Le blouson rouge est moins joli que le blouson noir?

3. La jupe bleue est moins chère que la jupe grise?
4. La jupe grise est plus courte que la jupe bleue?

5. La robe jaune est aussi élégante que la robe verte?
6. La robe jaune est moins habillée que la robe verte?

**B** **Non, pas plus.** Répondez d'après le modèle.

**Cette chemise est plus chère que l'autre?**
*Non, elle n'est pas plus chère. Mais elle est aussi chère que l'autre.*

1. Cette cravate est plus chère que l'autre?
2. Cette robe est plus habillée que l'autre?
3. Ce pull est plus cher que l'autre?
4. Ce chemisier est plus serré que l'autre?
5. Ces chaussures sont plus larges que les autres?
6. Ces manches sont plus courtes que les autres?

**C** **À mon avis.** Donnez des réponses personnelles.

1. Le cours de français est plus difficile ou plus facile que le cours de maths?
2. Le professeur de français est plus sévère, moins sévère ou aussi sévère que les autres professeurs?
3. Le football américain est plus intéressant ou moins intéressant que le basket-ball?
4. Une Volkswagen est moins chère ou plus chère qu'une Porsche?
5. Le coca est meilleur que le lait ou le lait est meilleur que le coca?
6. Les fruits et les légumes sont meilleurs pour la santé (*health*) que les pâtisseries?

1. You use the superlative to single out one item from the group and compare it to all the others. You form the superlative in French by using *le, la,* or *les* and *plus* or *moins* with the adjective.

> Cette robe est *la plus jolie* de la boutique.
> Cette robe est *la moins chère* de la boutique.

2. Note that the superlative is followed by *de* + a noun.

> Robert est le plus intelligent de la classe.
> Carole est la meilleure en maths du lycée.
> Les frères Dumas sont les plus amusants de tous les élèves.

## Exercices

**A**  **La plus chère et la plus grande.**  Répondez d'après l'indication.

1. Quelle boutique est la plus chère de toute la ville? (cette boutique)
2. Quelle ville est la plus grande de tout le pays? (Paris)
3. Quel magasin est le plus grand du centre commercial? (Monoprix)
4. Quel marché est le moins cher de tous les marchés? (le Village Suisse)
5. Quel couturier est le plus célèbre? (Yves Saint-Laurent)

**B**  **Ma famille.**  Donnez des réponses personnelles.

1. Qui est le plus jeune ou la plus jeune de ta famille?
2. Qui est le plus âgé ou la plus âgée de ta famille?
3. Qui est le plus amusant ou la plus amusante de ta famille?
4. Qui est le plus intelligent ou la plus intelligente de ta famille?
5. Qui est le plus beau ou la plus belle de ta famille?
6. Qui est le plus timide ou la plus timide de ta famille?
7. Qui est le plus sportif ou la plus sportive de ta famille?
8. Qui est le plus heureux ou la plus heureuse de ta famille?

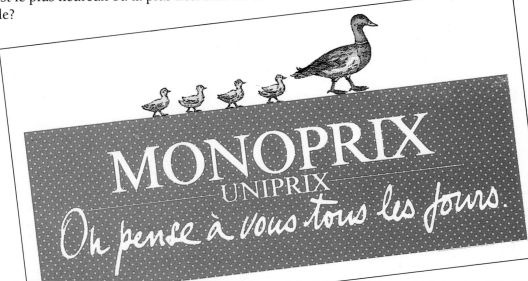

# CONVERSATION

## Scènes de la vie   *Un petit cadeau pour Papa*

LA VENDEUSE: Vous désirez, Mademoiselle?
SANDRINE: Je voudrais un petit cadeau pour mon père.
LA VENDEUSE: Pour la Fête des Pères?
SANDRINE: Non, c'est pour son anniversaire.

LA VENDEUSE: Une chemise, peut-être?
SANDRINE: Oui. Pourquoi pas?
LA VENDEUSE: Il fait quelle taille, votre père?
SANDRINE: Il fait du quarante, je crois. Oui, c'est ça, quarante.

LA VENDEUSE: Vous préférez quelle couleur?
SANDRINE: Bleu marine ou blanc. Il aime le look conservateur.
LA VENDEUSE: Bien, Mademoiselle. Et vous avez de la chance. Toutes les chemises sont en solde aujourd'hui.

**Un cadeau d'anniversaire.**   Répondez d'après la conversation.

1. Sandrine est dans un grand magasin?
2. Elle est au rayon chemises ou complets?
3. Elle est au rayon hommes ou femmes?
4. Elle veut acheter un cadeau?
5. C'est pour qui, le cadeau?
6. Qu'est-ce que la vendeuse propose?
7. Le père de Sandrine fait quelle taille?
8. Sandrine préfère quelle couleur?
9. Les chemises sont en solde?
10. La chemise va être plus chère ou moins chère?

## Prononciation   *Les sons /sh/ et /zh/*

It is important to make a distinction between the sound /sh/ as in *chat* and /zh/ as in *joli*. Put your fingers on your throat. When you say the sound /zh/ as in *joli* you should feel a vibration, but not when you say /sh/ as in *chat*. Repeat the following words with the sounds /sh/ and /zh/.

| | |
|---|---|
| a*ch*eter | lar*g*e |
| *ch*aussure | *j*upe |
| *ch*emise | oran*g*e |
| a*ch*ats | bei*g*e |
| *sh*ort | *j*eune |

Now repeat the following sentences that combine both sounds.

**J'achète toujours des chaussures bon marché.**
**Je cherche un joli tee-shirt jaune et un short orange.**

*chemise orange*

## Activités de communication

**A**   **Une boutique chic.**   You are in a boutique on the chic Rue du Faubourg Saint-Honoré in Paris. A classmate will play the role of the salesperson.

1. Greet each other.
2. The salesperson asks if he or she can help you. Say what you would like with as much detail as possible.
3. The salesperson asks your size.
4. The salesperson shows you the item of clothing and asks if you like it.
5. Ask the price and tell the salesperson whether or not you want to buy the item.

**B**   **Comparaisons.**   Work in small groups. Using the adjectives below on the right, think of as many comparisons as possible for each pair on the left. Report to the class.

> les chiens et les chats
> *Les chiens sonts plus intelligents que les chats (moins calmes, aussi beaux, etc.).*

| | | |
|---|---|---|
| l'anglais et les maths | âgé | intelligent |
| ton père et ta mère | meilleur | sympathique |
| les avions et les trains | difficile | patient |
| une Rolls-Royce et une Toyota | rapide | actif |
| ton école et une autre école | cher | sportif |
| les filles et les garçons | heureux | facile |

# LECTURE ET CULTURE

## LES ACHATS

Si la France est un pays de gastronomie, c'est aussi un pays de haute couture. Les noms des grands couturiers sont célèbres dans le monde entier—Yves Saint-Laurent, Dior, Courrèges, Cardin, Givenchy, Lacroix. Ces couturiers dictent la mode non seulement à Paris, mais à Tokyo, New York et Rio. À Paris on vend les vêtements et accessoires de ces couturiers dans des boutiques Place Vendôme, rue du Faubourg Saint-Honoré ou rue François I<sup>er</sup>.

Mais attention[1]! La plupart des Français ne font pas leurs achats chez les grands couturiers. Il y a des grands magasins de toutes les catégories, des plus luxueuses aux plus modestes—les Galeries Lafayette, la Samaritaine, Monoprix, Prisunic, etc. Dans les grands magasins on peut aller d'un rayon à l'autre et acheter toutes sortes de choses dans le même magasin. Beaucoup de gens profitent des soldes quand on vend les marchandises avec d'importantes réductions.

À Paris les jeunes—garçons et filles—achètent leurs vêtements dans les mêmes boutiques unisexe du Quartier Latin. Dans ces boutiques on trouve du prêt-à-porter original et à la mode[2]. Mais si on a très peu d'argent à dépenser on peut aller aux Puces[3] ou au Village Suisse. Nicole adore aller aux Puces ou au Village Suisse où elle trouve presque[4] toujours un chemisier ou un accessoire avec la griffe[5] célèbre d'un grand couturier—et à un prix très bas.

[1] Attention! *Careful! Watch out!*
[2] à la mode *in style*
[3] aux Puces *to the flea market*
[4] presque *almost*
[5] la griffe *label*

## Étude de mots

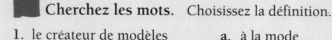 **Cherchez les mots.** Choisissez la définition.

1. le créateur de modèles
2. fameux
3. en vogue, populaire
4. fantastique
5. les produits commerciaux
6. profiter
7. presque toujours

a. à la mode
b. le couturier
c. célèbre
d. les marchandises
e. fréquemment
f. bénéficier
g. merveilleux

## Compréhension

**A** **Boutiques et magasins.** Complétez.

1. La France est un pays de gastronomie et de ___.
2. Deux ___ célèbres sont Pierre Cardin et Yves Saint-Laurent.
3. Les vêtements faits par un couturier portent la ___ du couturier.
4. Les Galeries Lafayette et La Samaritaine sont des ___, pas des boutiques.
5. Les clients dans un grand magasin peuvent aller d'un ___ à l'autre et ils peuvent acheter toutes sortes de choses dans le même magasin.
6. Pendant les ___ il y a d'importantes réductions.
7. Une boutique ___ vend des vêtements pour garçons et filles.

**B** **Le shopping.** Répondez.

1. On vend les vêtements et les accessoires des grands couturiers au Prisunic?
2. Il y a beaucoup de différents grands magasins en France?
3. Tous les grands magasins sont plus ou moins de la même catégorie?
4. Pendant les soldes, tout est plus cher ou meilleur marché?
5. Qu'est-ce qu'une boutique unisexe?
6. Qui aime les boutiques unisexe?
7. Les marchandises sont chères aux Puces?

**C** **Les achats.** Trouvez les renseignements suivants dans la lecture.

1. trois couturiers français
2. deux grands magasins français
3. deux marchés parisiens qui ont des prix très bas

# DÉCOUVERTE CULTURELLE

En France et en Europe en général les pointures et les tailles ne sont pas les mêmes qu'aux États-Unis. Voici les tailles des vêtements et les pointures des chaussures.

Si vous voulez acheter des chaussures en France, vous demandez quelle pointure? Si vous voulez acheter une chemise ou un chemisier, vous demandez quelle taille?

| FEMMES | | | | |
|---|---|---|---|---|
| **CHAUSSURES** | | | | |
| États-Unis | 5½–6 | 6½–7 | 7½–8 | 8½–9 |
| France | 37–38 | 38–39 | 39–40 | 40–41 |
| **ROBES, TAILLEURS, PULLS, CHEMISIERS** | | | | |
| États-Unis | 32 | 34 | 36 | 38 | 40 |
| France | 38 | 40 | 42 | 44 | 46 |

| HOMMES | | | | |
|---|---|---|---|---|
| **CHEMISES** | | | | |
| États-Unis | 14½ | 15 | 15½ | 16 | 16½ |
| France | 37 | 38 | 39 | 40 | 41 |
| **CHAUSSURES** | | | | |
| États-Unis | 6½–7 | 7½–8 | 8½–9 | 9½–10 |
| France | 40–41 | 41–42 | 42–43 | 43–44 |

Voici une boutique au Quartier Latin. Les deux copines regardent des vêtements ensemble. Tu aimes ces pulls? Tu veux acheter un pull dans cette boutique **1**?

C'est un groupe de jeunes Français **2**. Vous trouvez qu'il y a une grande différence entre les vêtements que vous portez et les vêtements que portent les jeunes Français?

C'est le marché aux puces à Lyon **3**.

On est aux Galeries Lafayette à Noël **4**. À la caisse on paie avec une carte de crédit, un chèque ou en espèces.

Les grands couturiers vendent aussi des articles de luxe comme les foulards en soie dans leurs boutiques **5**.

CHANEL

ChristianDior

FOULARD SOIE DIOR. CARRE 90×90 cm — 650 FF

# CULMINATION

## Activités de communication orale

**A** **Un sondage: le shopping.** Divide into groups and choose a leader. The leader will ask the others in the group the following questions about their shopping habits, take notes, and report to the class.

1. Quel est ton magasin favori? Pourquoi?
2. Tu préfères les grands magasins ou les boutiques?
3. Quand tu achètes des vêtements, tu préfères y aller seul(e) ou avec un(e) ami(e)?

**B** **Jeu de mémoire.** Study the clothing of all the students in one row for several minutes. One student will turn his or her back to the class and answer classmates' questions about what the people in the row are wearing. (*Qui porte un tee-shirt rouge? un jean noir? etc.*) If the student can't answer, the people in the row may help out by giving hints such as *La personne est blonde* or *Elle est assise derrière Suzanne.*

**C** **Les élèves.** Find out your partner's opinions of the students in your school. Ask him or her who is the nicest, the funniest, the most intelligent, the best-looking, and the most popular. Then reverse roles.

> Élève 1: À ton avis, qui est le (la) plus sympathique de l'école?
> Élève 2: À mon avis, Robert Mercier est le plus sympathique de l'école.

## Activités de communication écrite

**A** **Le catalogue.** Write five descriptions for a clothing catalogue. Describe the items using the vocabulary in this chapter. Tell what sizes the items come in, what colors, what occasions they could be worn for, and the prices.

> Voici une belle robe longue, très habillée, rouge et noire, parfaite pour les fêtes. Tailles: 36 à 42. Prix: 1.200F

**B** **Le look de ton école.** Write a note to your French friend describing *le look* at your school. Tell what boys and girls usually wear to school and what types of clothing and colors are "in" (*à la mode*).

## Réintroduction et recombinaison

**A** **Des préférences.** Complétez.

1. ___, je préfère un look sportif.
2. Mais ___, il préfère un look conservateur.
3. Les autres, ___, ils font toujours leurs achats dans les boutiques chères.
4. Et ___? Où est-ce que tu fais tes achats?

**B** **En été.** Donnez des réponses personnelles.

1. Quand est-ce que tu mets un maillot?
2. Qu'est-ce que tu portes quand il fait chaud?
3. Tu vas dans quelle sorte de magasin pour acheter un maillot?
4. Tu voudrais un maillot de quelle couleur?
5. Est-ce qu'on met des lunettes de soleil quand il pleut?
6. Qu'est-ce qu'une femme porte quand elle joue au tennis?

## Vocabulaire

**NOMS**

les vêtements (m.)
le blouson
la chaussette
la chaussure
la paire
le talon
le jean
le pantalon
le pull
le sweat-shirt
le chemisier
la manche
le collant
la jupe
la robe
le tailleur
la chemise
le complet
la cravate
la veste
le cadeau
la couleur
la taille
    au-dessus
    en dessous

la pointure
le grand magasin
la boutique
le rayon (prêt-à-porter)
le client
la cliente
le vendeur
la vendeuse
le prix
les soldes (f.)
le grand couturier

**ADJECTIFS**

bon marché
cher, chère
bas(se)
haut(e)
long(ue)
court(e)
étroit(e)
serré(e)
large
habillé(e)
sport
sportif, sportive
actif, active
favori(te)

heureux, heureuse
merveilleux,
    merveilleuse
sérieux, sérieuse
délicieux, délicieuse
dernier, dernière
entier, entière
meilleur(e)
beige
bleu(e)
bleu marine
blanc, blanche
brun(e)
gris(e)
jaune
marron
noir(e)
orange
rose
rouge
vert(e)

**VERBES**

croire
dépenser
penser
porter
voir

**AUTRES MOTS ET
EXPRESSIONS**

à mon avis
beaucoup de
faire des achats
trop
vraiment

# LA ROUTINE ET LA FORME PHYSIQUE

## OBJECTIFS

In this chapter you will learn to do the following:

1. describe your personal grooming habits and your daily routine
2. find out and tell someone's name
3. tell some things people do to stay fit
4. tell what people do for themselves and others
5. ask "who" and "whom"
6. talk about what people do to stay fit in France and the U.S.

# VOCABULAIRE

## MOTS 1

LA ROUTINE

les cheveux (m.)

la figure

les dents (f.)

la main

se réveiller

se lever

se laver

se laver les cheveux

se brosser les dents

se raser

se peigner

se maquiller

s'habiller

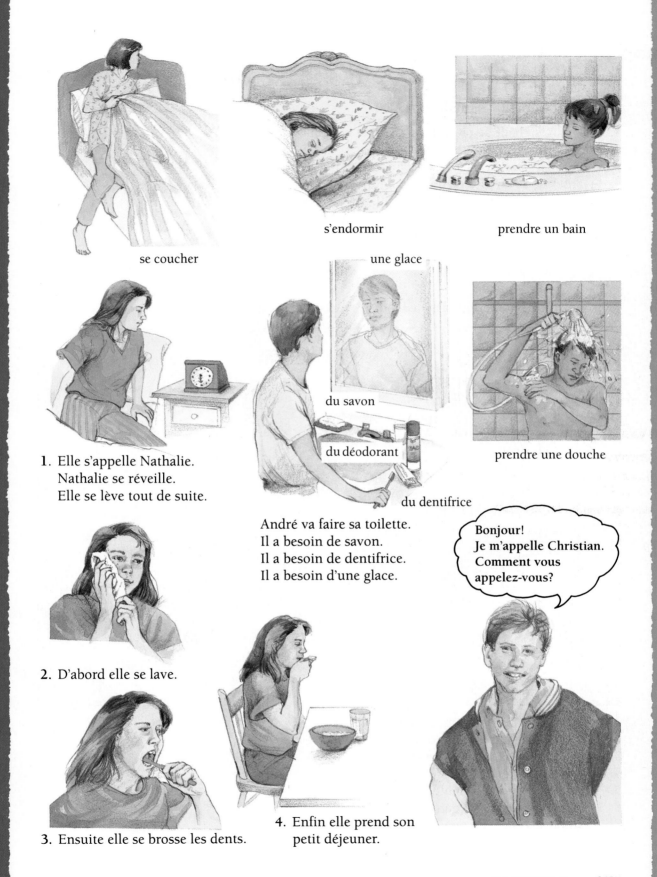

se coucher

s'endormir

prendre un bain

une glace

du savon

du déodorant

du dentifrice

prendre une douche

1. Elle s'appelle Nathalie.
Nathalie se réveille.
Elle se lève tout de suite.

André va faire sa toilette.
Il a besoin de savon.
Il a besoin de dentifrice.
Il a besoin d'une glace.

Bonjour!
Je m'appelle Christian.
Comment vous
appelez-vous?

2. D'abord elle se lave.

3. Ensuite elle se brosse les dents.

4. Enfin elle prend son
petit déjeuner.

## Exercices

**A** **La routine de Nathalie.** Répondez.

1. Le matin Nathalie se réveille à six heures et demie?
2. Elle se lève tout de suite?
3. D'abord elle va dans la salle de bains pour faire sa toilette?
4. Ensuite elle se lave les mains et la figure avec du savon?
5. Elle se brosse les dents avec du dentifrice et une brosse à dents?
6. À ton avis, elle prend une douche ou un bain?
7. À ton avis, elle se maquille? Elle se peigne? Elle se regarde dans la glace? Elle s'habille?
8. Elle prend son petit déjeuner?

**B** **La routine de Gérard.** Répondez d'après les dessins.

1. Gérard rentre chez lui vers cinq heures?
2. Il se lave les mains avant le dîner?
3. Il dîne dans la cuisine ou dans la salle à manger?
4. Il se brosse les dents après le dîner?
5. À dix heures il se déshabille?
6. Il prend un bain le soir ou le matin?
7. Quand il se couche, il s'endort tout de suite?

**C** **Dans quelle pièce?** Complétez.

1. On se brosse les dents dans ___.
2. On s'endort dans ___.
3. On prend une douche dans ___.
4. On se regarde dans la glace dans ___.
5. On se couche dans ___.
6. On prend son petit déjeuner dans ___.
7. La douche est dans ___.
8. Le lit est dans ___.

**D** **Il a besoin de...** Choisissez la bonne réponse.

1. Il va se brosser les dents. Il a besoin de ___.
   **a.** crème      **b.** dentifrice

2. Il va prendre une douche. Il a besoin de ___.
   **a.** savon      **b.** dentifrice

3. Il va se raser. Il a besoin d'un ___.
   **a.** peigne      **b.** rasoir

4. Il veut se peigner. Il a besoin d'un ___.
   **a.** peigne      **b.** rasoir

5. Il veut se laver les cheveux. Il a besoin de ___.
   **a.** déodorant      **b.** shampooing

**6 F 90** Bain crème, parfums au choix, 1 litre

**20 F 00** Lot de 3 brosses à dents GIBBS Intégral

**4 F 90** Gel douche, parfums au choix, 300 ml (le litre : 16,34 F)

**35 F 00** 1 brosse + 1 froufrou + 1 peigne + 1 miroir, coloris divers

# VOCABULAIRE

## MOTS 2

LA FORME PHYSIQUE

grossir

maigrir

un gymnase

faire de la gymnastique

un club de forme

faire de l'exercice

faire de l'aérobic

pratiquer un sport

mettre un survêtement

Robert veut se mettre en forme.
Pour se mettre en forme il se
     promène.
Il se promène dans le parc.

Robert veut rester en forme.
C'est toujours le problème.
Pour rester en forme il fait de
     l'exercice.

Il fait du jogging.

Les copains s'amusent.
Ils s'amusent bien.

# Exercices

**A** **Pour rester en forme.** C'est bon ou mauvais pour la santé *(health)*?

manger beaucoup de chocolat
*Manger beaucoup de chocolat, c'est mauvais pour la santé.*

1. bien manger
2. manger beaucoup de pâtisseries
3. prendre du lait
4. prendre du coca au petit déjeuner
5. ne pas faire d'exercice
6. faire de l'aérobic
7. prendre des vitamines
8. fumer
9. pratiquer un sport
10. grossir
11. se promener tous les jours
12. se mettre en forme

**B** **En forme.** Donnez des réponses personnelles.

1. Tu aimes être en forme?
2. Tu fais de l'exercice pour rester en forme?
3. Tu fais du jogging? Tu mets un survêtement?
4. Tu pratiques un sport?
5. Tu pratiques quel sport?
6. Tu es membre d'un club de forme?
7. Tu fais de la gymnastique à l'école ou au gymnase?
8. Tu grossis quand tu manges beaucoup?
9. Rester en forme, c'est un problème pour toi?

**C** **Quel est le mot?** Choisissez.

1. Il prend des kilos. Il ___.
   a. grossit     b. maigrit

2. Il perd des kilos. Il ___.
   a. grossit     b. maigrit

3. Il va faire du jogging. Il met ___.
   a. une chemise     b. un survêtement

4. Il va faire du jogging. Il met ___.
   a. un complet     b. des tennis

5. Il va au parc. Il va ___.
   a. se promener     b. se raser

6. Il va ___ avec ses copains dans le parc.
   a. s'amuser     b. se réveiller

# Activités de communication
*Mots 1 et 2*

**A** **La routine.** Tell your French Canadian friend (your partner) about a member of your family. Give the following information. Then reverse roles.

1. his or her name
2. what time he or she gets up
3. some of his or her grooming habits
4. what he or she does to stay in shape
5. what sports he or she participates in

**B** **Les sportifs.** Work with a partner. Ask him or her the following questions, then reverse roles.

1. Qu'est-ce que tu fais pour rester en forme?
2. Où...?
3. Avec qui...?
4. Quand...?

**C** **Qu'est-ce que je veux faire? Devine!** Tell your partner an item that you need. Your partner will guess what you want to do, choosing from the list below.

> Élève 1: J'ai besoin d'une raquette.
> Élève 2: Tu veux jouer au tennis.

aller à la plage
dîner dans un restaurant élégant
faire du jogging
faire les courses
faire les devoirs de...

faire un voyage
jouer au tennis
manger
prendre un bain de soleil
préparer le dîner

**D** **Madame Nette.** Madame Nette is a very organized woman whose daily routine is always the same. You and your classmates will take turns describing Madame Nette's day from morning to night. The first student will suggest her first activity of the day. The next student will repeat that activity and add another.

> Élève 1: Madame Nette se réveille à six heures.
> Élève 2: Madame Nette se réveille à six heures.
>   Elle se lève tout de suite.

# STRUCTURE

Les verbes réfléchis

*Telling What People Do for Themselves*

1. Compare the following pairs of sentences.

Chantal lave le bébé.

Chantal se lave.

Chantal regarde le bébé.

Chantal se regarde.

Chantal couche le bébé.

Chantal se couche.

In the sentences on the left Chantal performs the action and the baby receives it. In the sentences on the right Chantal herself is the receiver of the action. In these sentences Chantal both performs and receives the action of the verb. For this reason the pronoun *se* must be used. *Se* refers to Chantal and is called a reflexive pronoun. It indicates that the action of the verb is reflected back to the subject.

2. Each subject pronoun has its corresponding reflexive pronoun. Study the following.

| SE LAVER | S'HABILLER |
|---|---|
| je me lave | je m' habille |
| tu te laves | tu t' habilles |
| il se lave | il s' habille |
| elle se lave | elle s' habille |
| on se lave | on s' habille |
| nous nous lavons | nous nous habillons |
| vous vous lavez | vous vous habillez |
| ils se lavent | ils s' habillent |
| elles se lavent | elles s' habillent |

Note that *me, te,* and *se* become *m', t',* and *s'* before a vowel or silent *h*.

3. In the negative form of a reflexive verb, *ne* is placed before the reflexive pronoun. *Pas* follows the verb.

**Je me réveille mais je *ne* me lève *pas* tout de suite.**
**On *ne* se brosse *pas* les dents avant le dîner.**
**Je me couche mais je *ne* m'endors *pas* tout de suite.**
**Nous *ne* nous rasons *pas* tous les jours.**

## Exercices

**A** **La routine de Charles.** Répétez la conversation.

ROGER: Tu te lèves à quelle heure, Charles?
CHARLES: À quelle heure est-ce que je me lève ou je me réveille?
ROGER: Tu te lèves.
CHARLES: Je me lève à six heures et demie.
ROGER: Et tu quittes la maison à quelle heure?
CHARLES: À sept heures. Je me lave, je me brosse les dents, je me rase et je prends mon petit déjeuner en une demi-heure.
ROGER: Et tu t'habilles aussi?
CHARLES: Bien sûr que je m'habille!

Répondez d'après la conversation.

1. Charles se lève à quelle heure?
2. Il se lave?
3. Il se brosse les dents dans la salle de bains?
4. Il se rase?
5. Il quitte la maison à quelle heure?

**B** **Jacqueline et Véronique.** Changez *Jacqueline* en *Jacqueline et Véronique.*

1. Jacqueline se réveille à sept heures.
2. Jacqueline se lève tout de suite.
3. Jacqueline se brosse les dents.
4. Jacqueline se lave les mains et la figure.
5. Jacqueline se brosse les cheveux.
6. Jacqueline se maquille.

**C** **Je fais ma toilette.** Donnez des réponses personnelles.

1. Tu te lèves à quelle heure?
2. Tu vas dans la salle de bains?
3. Tu fais ta toilette?
4. Tu te laves les mains et la figure?
5. Tu prends une douche ou un bain?
6. Tu te laves les cheveux avec du shampooing?
7. Tu te brosses les dents?
8. Tu te peignes?
9. Tu t'habilles vite (rapidement)?

**D** **Marc répond.** Complétez.

1. Marc, tu ___? (se raser)
2. Oui, je ___. (se raser)
3. Tu ___ tous les jours? (se raser)
4. Oui, malheureusement il faut ___ tous les jours. (se raser)
5. Tu ___ les cheveux ou tu ___? (se brosser, se peigner)
6. Moi, je ___. Je ne ___ pas les cheveux. (se peigner, se brosser)
7. Tu ___ avant ou après le petit déjeuner? (s'habiller)
8. Je ___ avant le petit déjeuner. (s'habiller)

## Verbes avec changements d'orthographe — *Verbs with Spelling Changes*

1. The verbs *se promener* and *se lever,* like *acheter,* take an *accent grave* in all forms except the infinitive, *nous,* and *vous.*

| SE PROMENER | |
|---|---|
| je me promène | nous nous promenons |
| tu te promènes | vous vous promenez |
| il/elle/on se promène | ils/elles se promènent |

| SE LEVER | |
|---|---|
| je me lève | nous nous levons |
| tu te lèves | vous vous levez |
| il/elle/on se lève | ils/elles se lèvent |

2. The verb *s'appeler* doubles the *l* in all forms except the infinitive, *nous*, and *vous*.

| S'APPELER | |
|---|---|
| je m'appelle | nous nous appelons |
| tu t'appelles | vous vous appelez |
| il/elle/on s'appelle | ils/elles s'appellent |

3. Verbs that end in -*ger* such as *manger, nager,* and *voyager* add an *e* in the *nous* form in order to maintain the soft consonant sound.

**nous mangeons**     **nous nageons**     **nous voyageons**

4. Verbs that end in -*cer,* such as *commencer,* take a cedilla on the *c* in the *nous* form in order to maintain the soft consonant sound.

**nous commençons**

# Exercices

**A** **Moi et toi.**   Mettez au pluriel.

**Je me lève à sept heures et tu te lèves à neuf heures.**
*Nous nous levons à sept heures et vous vous levez à neuf heures.*

1. Je me lève à 8 heures.
2. Je vais au magasin où j'achète un short.
3. Je me promène dans le parc.
4. Ensuite je nage dans la piscine.
5. Je commence à avoir faim.
6. Je rentre chez moi et je mange une pomme.
7. Et toi, tu te lèves à quelle heure?
8. Qu'est-ce que tu achètes au magasin?
9. Tu te promènes dans le parc aussi?
10. Ensuite tu nages dans la piscine?

**B** **Je m'appelle...**   Complétez avec «s'appeler».

1. Bonjour, je ___ ...
2. Mon frère ___ ...
3. Et ma sœur ___ ...
4. Mon père ___ ...
5. Ma mère ___ ...
6. Mes meilleurs amis ___ ...
7. Et comment _____-vous?
8. Nous ___ Dupont.

# Le pronom interrogatif *qui*  *Asking "Who" or "Whom"*

1. You have been using the pronoun *qui* to form a question.

   > **Qui est là?**
   > **Qui parle?**
   > **Qui se lève?**

2. You can also use *qui* as the object of the verb or as the object of a preposition. In this case *qui* means "whom."

   > **Tu vois qui?**
   > **Vous invitez qui?**
   >
   > **Vous parlez à qui?**
   > **Vous allez au cinéma avec qui?**

3. Note that in the above questions *qui* is at the end of the sentence. In informal French, people put the question word at the end of the sentence and raise the tone of their voice. However, in formal or written French, the pronoun *qui* is placed at the beginning of the question and the subject and verb are inverted. Observe the following differences.

| INFORMAL | FORMAL / WRITTEN |
|---|---|
| **Tu vois qui?** | **Qui vois-tu?** |
| **Vous invitez qui?** | **Qui invitez-vous?** |
| **Vous parlez à qui?** | **À qui parlez-vous?** |
| **Vous allez au cinéma avec qui?** | **Avec qui allez-vous au cinéma?** |

# Exercices

**A** **Pardon? Qui ça?** Posez des questions d'après le modèle.

**Marie parle.**
*Pardon? Qui parle?*

1. Son frère arrive.
2. Sa mère va à la porte.
3. Sa mère est très contente.

4. Le frère de Marie s'appelle David.
5. David a un cadeau.

**B** **Qui?** Posez des questions d'après le modèle.

**Je regarde Suzanne.**
*Tu regardes qui?*

1. Je téléphone à Robert.
2. Je parle à Robert.
3. J'invite Alice.

4. Je vois mon ami.
5. Je danse avec Isabelle.

**C** **Parlons bien.** Récrivez les questions d'après le modèle.

**Vous ressemblez à qui?**
*À qui ressemblez-vous?*

1. Vous téléphonez à qui?
2. Vous parlez à qui?
3. Vous invitez qui à la fête?
4. Vous achetez un cadeau pour qui?
5. Vous allez au restaurant avec qui?
6. Vous êtes derrière qui dans la queue?

# CONVERSATION

## Scènes de la vie   *Qui est en forme?*

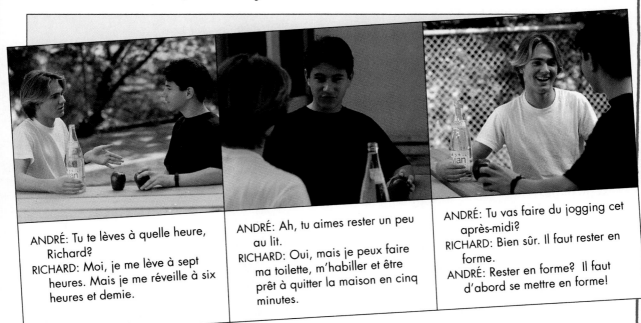

ANDRÉ: Tu te lèves à quelle heure, Richard?
RICHARD: Moi, je me lève à sept heures. Mais je me réveille à six heures et demie.

ANDRÉ: Ah, tu aimes rester un peu au lit.
RICHARD: Oui, mais je peux faire ma toilette, m'habiller et être prêt à quitter la maison en cinq minutes.

ANDRÉ: Tu vas faire du jogging cet après-midi?
RICHARD: Bien sûr. Il faut rester en forme.
ANDRÉ: Rester en forme? Il faut d'abord se mettre en forme!

**La forme.** Répondez d'après la conversation.

1. André parle à qui?
2. Richard se réveille à quelle heure?
3. Mais il reste au lit jusqu'à quelle heure?
4. Il aime rester au lit?
5. Qu'est-ce qu'il peut vite faire?
6. Richard va faire du jogging cet après-midi?
7. Qui veut rester en forme?
8. Qui veut se mettre en forme?
9. Alors, qui est en meilleure forme en ce moment?

## Prononciation   *Les sons /s/ et /z/*

It is important to make a distinction between the sounds /s/ and
/z/. You would not want to confuse *poisson* with *poison*! Repeat
the following words with the sound /s/ as in *assez* and /z/ as
in *raser*.

| | | | | |
|---|---|---|---|---|
| assez | dessert | cassette | boisson | classe |
| raser | désert | magasin | prise | valise |

Now repeat the following sentences. Pay attention to which
sounds occur.

| | |
|---|---|
| **Ils s'appellent Dumas.** | **Ils appellent leur chien.** |
| **Elles s'habillent vite.** | **Elles habillent les bébés.** |
| **Ils sont sympathiques.** | **Ils ont faim.** |

poisson / poison

## Activités de communication

**A   L'horaire du matin.**   Find out the following information from your
partner about his or her morning routine. Then reverse roles.

1. when your partner wakes up
2. if he or she gets up right away
3. what your partner does next
4. if your partner has breakfast
5. what time he or she leaves home

**B   L'horaire du soir.**   Now find out the following information about your
partner's evening routine. Then reverse roles.

1. what time your partner returns home
2. when he or she does homework
3. when he or she has dinner
4. when your partner goes to bed
5. if he or she falls asleep right away

**C   La révolte du samedi et du dimanche.**   Nobody wants to do the
same things on the weekend that he or she does during the week. Working in
small groups, make a list of weekend activities that are different from your
weekday ones. Report to the class.

> **Le samedi et le dimanche, nous ne nous levons pas à sept heures.**
> **Nous ne prenons pas notre petit déjeuner à huit heures.**
> **Nous nous promenons dans le parc...**

## LA FORME PHYSIQUE

*D*ans beaucoup de pays, la forme physique et la santé sont en ce moment une obsession. La forme physique et la santé intéressent bien sûr les Français mais peut-être pas au même point ou degré qu'aux États-Unis.

Que font les Français pour rester en forme? Les Français estiment qu'il faut faire de l'exercice. On voit des gens qui font du jogging dans les parcs et le long des fleuves[1]. Il y a maintenant de plus en plus de clubs de forme avec tout l'équipement nécessaire pour se mettre en forme. Il y a des classes pour faire de l'aérobic et pour les jeunes il y a des soirées aérobic. Dans les villes, il y a de plus en plus de piscines couvertes[2] pour faire de la natation toute l'année. Le cyclisme est très populaire en France. Le cyclisme est sans aucun doute[3] une excellente forme d'exercice. Le Tour de France est une course[4] cycliste internationale qui a lieu[5] en juillet. Et le tennis? Le tennis est un autre sport qui a de plus en plus de «disciples» en France. On parle toujours des marathons qui ont lieu dans les grandes villes des États-Unis. Il y a aussi un très grand marathon à Paris au mois d'octobre. Beaucoup de coureurs[6] participent au marathon de Paris.

[1] fleuves *rivers*
[2] piscines couvertes *indoor pools*
[3] sans aucun doute *without a doubt*
[4] course *race*
[5] a lieu *takes place*
[6] coureurs *runners*

## Étude de mots

**A** **Le français, c'est facile.** Trouvez quatre mots apparentés dans la lecture.

**B** **Les noms et les verbes.** Trouvez le verbe qui correspond au nom.

1. l'équipement
2. une obsession
3. la participation
4. l'intérêt
5. le coureur, la course

a. intéresser
b. participer
c. obséder
d. équiper
e. courir

## Compréhension

**A**  **Oui ou non?**   Corrigez les phrases fausses.

1. La forme physique intéresse beaucoup plus les Français que les Américains.
2. Les Français ne font pas d'exercice.
3. Il y a des clubs de forme en France.
4. L'aérobic n'est pas du tout populaire en France.
5. Le cyclisme n'est pas populaire chez les Français.
6. Le Tour de France est une course cycliste internationale qui a lieu en France.
7. Le marathon de Paris est une autre course cycliste.
8. Très peu de gens font du tennis en France.

**B**  **La forme physique en France.**   Répondez.

1. Qu'est-ce que les Français font pour rester en forme?
2. Qu'est-ce qu'il y a dans les clubs de forme?
3. Où peut-on nager toute l'année?
4. Quel sport a de plus en plus de «disciples»?
5. Il y a un grand marathon dans quelle ville?
6. Le marathon de Paris a lieu quand?
7. Le Tour de France a lieu quand?

**C**  **L'essentiel.**   Quelle est l'idée principale de cette lecture?

# DÉCOUVERTE CULTURELLE

**PETIT DÉJEUNER FRANÇAIS**
Croissant au Beurre
Pain, Beurre, Confiture,
Café ou Thé ou Chocolat,
35,00

**AMERICAN BREAKFAST**
3 Œufs sur le plat, Pain, Beurre,
Jus d'Orange,
Café ou Thé ou Chocolat,
56,00

Avant de quitter la maison, André prend son petit déjeuner. Mais qu'est-ce qu'un petit déjeuner typiquement français? C'est du pain, des croissants ou des brioches avec une tasse de café au lait pour les adultes et une tasse de chocolat chaud pour les enfants. Mais des œufs, du bacon, des pommes de terre, absolument pas! Même les céréales ne sont pas très populaires chez les Français.

Comparez les deux petits déjeuners sur la carte d'un café parisien. Qui prend des œufs sur le plat, les Français ou les Américains? Qui prend des croissants?

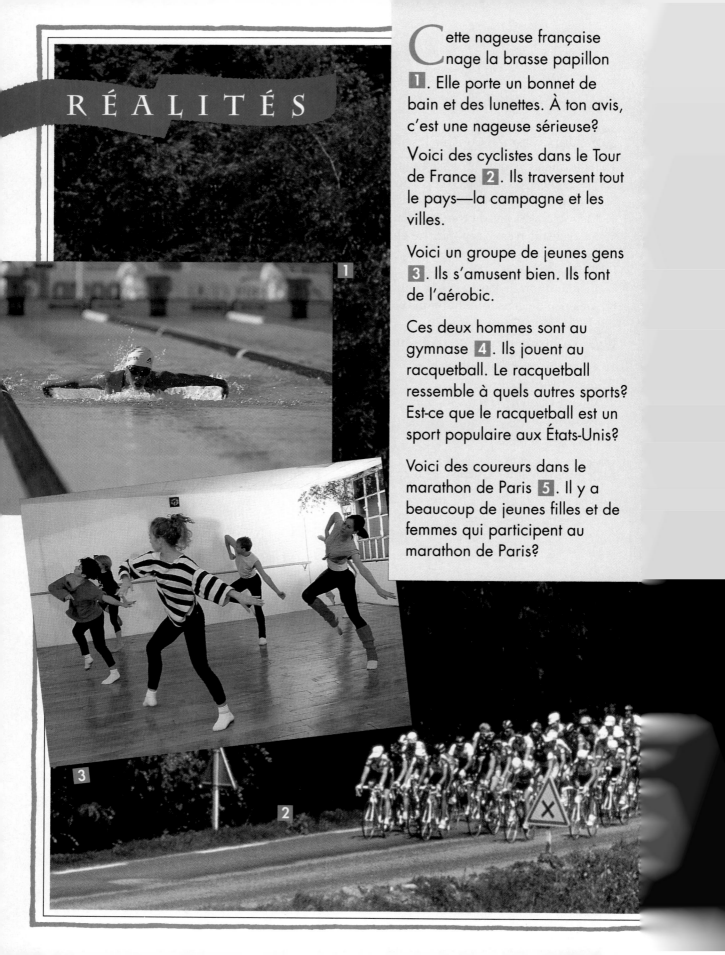

# RÉALITÉS

Cette nageuse française nage la brasse papillon **1**. Elle porte un bonnet de bain et des lunettes. À ton avis, c'est une nageuse sérieuse?

Voici des cyclistes dans le Tour de France **2**. Ils traversent tout le pays—la campagne et les villes.

Voici un groupe de jeunes gens **3**. Ils s'amusent bien. Ils font de l'aérobic.

Ces deux hommes sont au gymnase **4**. Ils jouent au racquetball. Le racquetball ressemble à quels autres sports? Est-ce que le racquetball est un sport populaire aux États-Unis?

Voici des coureurs dans le marathon de Paris **5**. Il y a beaucoup de jeunes filles et de femmes qui participent au marathon de Paris?

# CULMINATION

## Activités de communication orale

**A** **Qui est devant qui?** One student will turn his or her back to the class and answer questions from the others about where students are seated. Use the words below in your questions.

à côté de     à gauche de     derrière     à droite de     devant

Élève 1: Isabelle est devant qui?
Élève 2: Elle est devant Paul.

**B** **Une interview.** An exchange student from France (your partner) has arrived at your school. You are interviewing him or her for the school newspaper. Ask the student for the following information.

1. what his or her name is
2. where he or she is from
3. what he or she does with classmates after school
4. what his or her friends' names are
5. what clothes he or she likes to wear
6. what he or she does to stay in shape
7. what he or she likes to eat

## Activités de communication écrite

**A** **Qu'est-ce qu'un petit déjeuner typiquement français?** You are living with a French family for the summer. Write a note to one of your friends describing a typical French breakfast. Tell him or her if you like it or not.

En France au petit déjeuner, on prend...

**B** **Monsieur Dodu veut se mettre en forme.**
Monsieur Dodu would like to lose some weight and get in shape. As his personal trainer, write out a daily routine for him. Indicate when he gets up, when he exercises, and what type of exercise he does. Also plan his meals and indicate what time the meals are.

La routine de M. Dodu
6h                Il se réveille et il se lève
                      tout de suite.
6h15 à 7h      Il fait de l'exercice avec moi.
7h à 7h05      Il prend une douche froide.

## Réintroduction et recombinaison

**A** **À votre tour.** Répondez.

1. Quand tu t'habilles le matin, qu'est-ce que tu mets?
2. Qu'est-ce que tu prends au petit déjeuner?
3. Tu vas à l'école comment? En bus, en voiture ou à pied?
4. Tu fais des achats après les cours?
5. Tu aimes faire des achats dans un grand magasin ou dans une boutique?
6. Tu achètes des cadeaux pour tes copains?
7. De quelle couleur est ton pantalon ou ton tee-shirt favori?
8. Pour les chaussures tu fais quelle pointure?
9. Tu demandes la pointure au-dessus ou au-dessous quand les chaussures sont trop larges?

**B** **L'anniversaire de mon frère.** Complétez.

Je ____ (aller) aux Galeries Lafayette. Je ____ (vouloir) acheter
un cadeau pour mon frère. C'est son anniversaire. Qu'est-ce
que je ____ (pouvoir) acheter? Qu'est-ce qu'il ____ (aimer)?
Je ____ (aller) au rayon articles de sport. Je ____ (voir) une
raquette de tennis. Voilà! C'est une bonne idée. Mon frère
____ (aimer) bien le tennis. Ses copains et lui ____ (jouer)
souvent au tennis mais mon frère ____ (avoir) une vieille
raquette. J'____ (acheter) la raquette et je ____ (payer) à
la caisse.

J'AIME PAS LE SPORT !
J'AIME PAS ME FATIGUER !
J'AIME RIEN !

## Vocabulaire

**NOMS**

les cheveux (m.)
les dents (f.)
la figure
la main

le dentifrice
le savon
le déodorant
la glace

le club de forme
le gymnase
le parc
le survêtement

le lit

le problème

**VERBES**

s'amuser
s'appeler
se réveiller
se lever
se brosser
se laver
se peigner
s'habiller
se maquiller
se raser
se promener
se coucher

s'endormir
maigrir
grossir

**ADVERBES**

d'abord
enfin
ensuite
tout de suite

**AUTRES MOTS
ET EXPRESSIONS**

avoir besoin de
faire de l'exercice
faire de l'aérobic

faire de la gymnastique
faire du jogging
pratiquer un sport
se mettre en forme
rester en forme
faire sa toilette
prendre un bain
    (une douche)

# {12}

# LA VOITURE ET LA ROUTE

## OBJECTIFS

In this chapter you will learn to do the following:

1. talk about cars and good driving habits
2. buy gas and have your car serviced
3. express "nothing," "no one," and "never"
4. describe people's activities using certain irregular verbs
5. ask questions formally and informally
6. compare driving in France and in the U.S.

# VOCABULAIRE

## MOTS 1

LA VOITURE

les deux roues

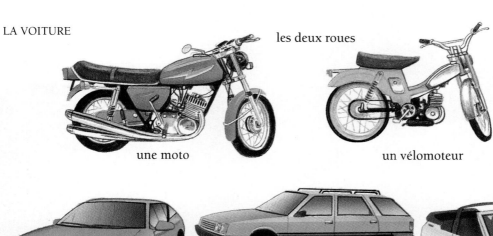

une moto

un vélomoteur

une voiture de sport

un break

**PEUGEOT**

une marque française

une décapotable

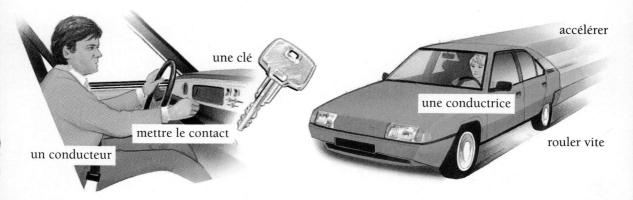

une clé

mettre le contact

un conducteur

accélérer

une conductrice

rouler vite

La conductrice freine.

La voiture s'arrête.

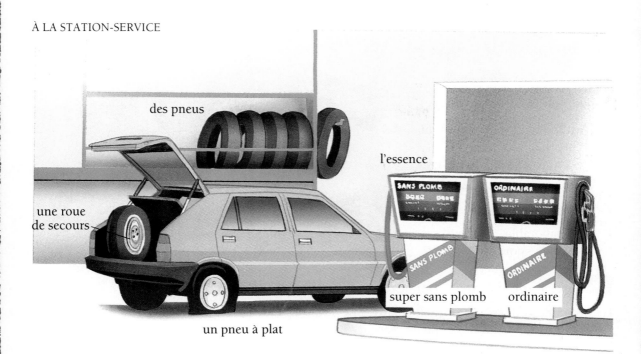

des pneus

l'essence

une roue de secours

super sans plomb     ordinaire

un pneu à plat

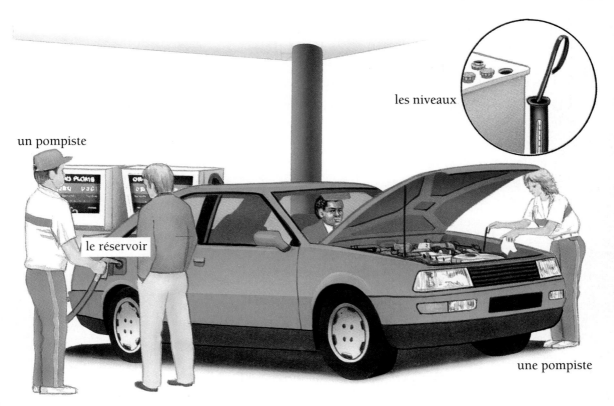

un pompiste

les niveaux

le réservoir

une pompiste

Le pompiste fait le plein.
Il met trente litres de super sans plomb dans le réservoir.
Quelqu'un parle au pompiste.
Une autre pompiste vérifie les niveaux.

## Exercices

### A Qu'est-ce que c'est?
Répondez d'après les dessins.

1. C'est une voiture de sport ou un break?
2. C'est un vélomoteur ou une moto?
3. La moto a deux roues ou quatre roues?
4. La décapotable, c'est la voiture de sport ou le break?

### B Tu as une voiture? Donnez des réponses personnelles.

1. Tu as une voiture? Tu as quelle marque de voiture?
2. Tu veux une voiture? De quelle marque?
3. Tu préfères les breaks ou les voitures de sport?
4. Tu aimes les décapotables?
5. Tu préfères les voitures ou les motos?
6. Ta mère roule vite? Et ton père?

### C Les voitures. Choisissez la bonne réponse.

1. À la station-service le pompiste fait le plein. Il met de l'essence dans ___.
   **a.** le radiateur    **b.** le réservoir
2. Il vérifie les niveaux. Il met de l'eau dans ___.
   **a.** le moteur    **b.** le radiateur
3. Il met de l'air dans ___.
   **a.** les roues    **b.** les pneus
4. Le conducteur veut rouler plus vite. Il ___.
   **a.** freine    **b.** accélère
5. La conductrice veut s'arrêter. Elle ___.
   **a.** freine    **b.** accélère
6. Quand quelqu'un a un pneu à plat, il ou elle a besoin d'___.
   **a.** une roue de secours    **b.** une clé
7. Pour mettre le contact, on a besoin d'___.
   **a.** une clé    **b.** un réservoir
8. En général, dans les voitures de sport on met de l'essence ___.
   **a.** super    **b.** ordinaire
9. Aux États-Unis les nouvelles voitures consomment de l'essence ___.
   **a.** avec plomb    **b.** sans plomb

# VOCABULAIRE

## MOTS 2

LA ROUTE

l'auto-école (f.)

un permis de conduire

prendre des leçons de conduite

la limitation de vitesse

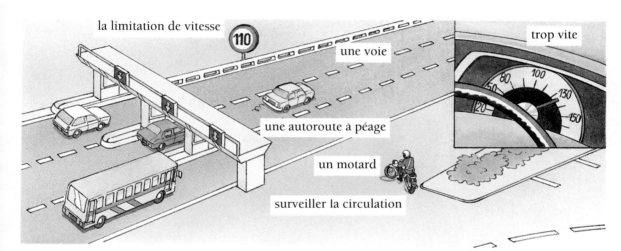

une voie

trop vite

une autoroute à péage

un motard

surveiller la circulation

un croisement

un carrefour

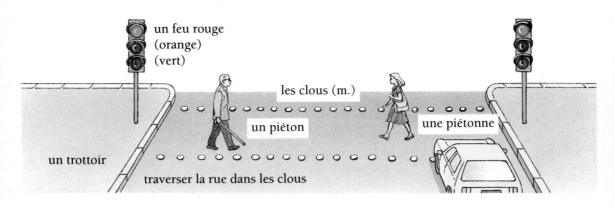

un feu rouge
(orange)
(vert)

les clous (m.)

un piéton

une piétonne

un trottoir

traverser la rue dans les clous

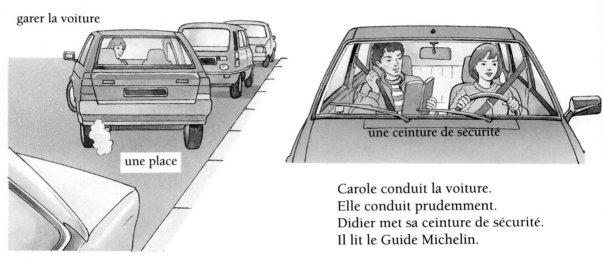

garer la voiture

une place

une ceinture de sécurité

Carole conduit la voiture.
Elle conduit prudemment.
Didier met sa ceinture de sécurité.
Il lit le Guide Michelin.

Il est interdit de stationner ici.

une contractuelle

ZUT!

une contravention

Camille lit la contravention.
Elle est fâchée.
Elle dit «Zut!»

La contractuelle écrit une contravention.
La contractuelle ne dit rien.
Elle ne parle à personne.

# Exercices

**A** **En voiture.** Répondez par «oui» ou «non».

1. Il faut payer quand on roule sur une autoroute à péage?
2. Les autoroutes ont souvent quatre ou six voies?
3. À un carrefour il faut faire attention aux piétons?
4. Il faut mettre sa ceinture de sécurité quand on conduit?
5. On peut conduire sans avoir de permis de conduire?
6. Il faut conduire prudemment à un croisement?
7. Il faut respecter la limitation de vitesse?
8. Il faut rouler vite quand le feu est rouge?
9. Il faut s'arrêter quand le feu est vert?
10. Il faut accélérer pour s'arrêter?
11. Il est interdit de stationner sur le trottoir?

**B** **À vous de choisir.** Choisissez la bonne réponse.

1. Les ___ traversent la rue dans les clous quand le feu est vert.
   **a.** motards   **b.** piétons

2. Les motards surveillent ___.
   **a.** la circulation   **b.** le stationnement

3. Les contractuelles surveillent ___.
   **a.** le stationnement   **b.** la circulation

4. Les motards donnent des contraventions aux ___ qui roulent trop vite.
   **a.** conducteurs   **b.** contractuelles

5. Quand on veut garer sa voiture, on cherche ___.
   **a.** une place   **b.** le trottoir

**C** **Tu conduis ou pas?** Donnez des réponses personnelles.

1. Tu as ton permis de conduire?
2. Tu vas passer ton permis de conduire?
3. Tu as quel âge maintenant?
4. On passe le permis de conduire à quel âge?
5. Tu vas prendre des leçons de conduite?
6. Tu vas prendre des leçons de conduite à l'école ou à une auto-école?

**D** **Que font-ils?** Complétez en utilisant «conduit», «lit», «dit» ou «écrit».

1. Carole ___ la voiture.
2. Didier ne ___ pas la voiture.
3. Didier ___ le Guide Michelin.
4. Carole ne ___ pas le guide parce qu'elle ___.
5. La contractuelle ___ une contravention.
6. Carole est fâchée. Elle ___ «Zut!»
7. La contractuelle ne ___ rien. Elle ne parle à personne.

## Activités de communication

*Mots 1 et 2*

**A** **C'est une bonne idée?**   Ask a classmate if it's a good idea to do the following things when driving.

> conduire sans avoir de permis de conduire
>
> Élève 1: C'est une bonne idée de conduire sans avoir de permis de conduire?
>
> Élève 2: Non, ce n'est pas une bonne idée de conduire sans avoir de permis de conduire.

1. traverser la rue quand le feu est rouge
2. rouler avec un pneu à plat
3. rouler sans avoir beaucoup d'essence dans le réservoir
4. se maquiller quand on conduit
5. lire le Guide Michelin quand on conduit

**B** **Le permis de conduire.**   A French student visiting the U.S. (your partner) asks you for the following information. Answer, then reverse roles.

1. if you have a driver's license
2. if you are going to take driver's ed at school
3. if you have a car (or want a car)
4. what make of car you have or want

**C** **Tu as de bons réflexes?**   Work with a partner and write down several situations one might encounter while driving. Your partner will tell how he or she would react by saying: *je freine, je m'arrête,* or *j'accélère.* Reverse roles.

> Élève 1: Il y a un animal devant toi sur la route.
> Élève 2: Je freine.

**D** **Il ou elle conduit bien ou mal?**   Your driver's ed instructor at school (your partner) wants to test your knowledge of good driving habits. Using suggestions from the list below, he or she will describe three or four drivers. You must decide if the person described drives well or not. Reverse roles.

> s'arrêter au feu rouge
> Élève 1: Elle s'arrête au feu rouge.
> Élève 2: Elle conduit bien.

1. rouler trop vite
2. s'arrêter au feu rouge
3. freiner au feu orange
4. garer la voiture dans une zone de stationnement interdit
5. accélérer quand il ou elle voit un piéton dans les clous

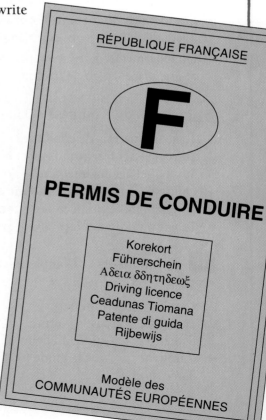

RÉPUBLIQUE FRANÇAISE

**F**

**PERMIS DE CONDUIRE**

Korekort
Führerschein
Αδεια δδητηδεωξ
Driving licence
Ceadunas Tiomana
Patente di guida
Rijbewijs

Modèle des
COMMUNAUTÉS EUROPÉENNES

# STRUCTURE

## Les verbes *conduire, lire, écrire et dire* au présent

*Describing People's Activities*

1. Study the following forms of the verbs *conduire*, "to drive," *lire*, "to read," *écrire*, "to write," and *dire*, "to say." Note how similar they are to one another in the present tense.

2. Note the irregular verb form of *dire: vous dites*.

| CONDUIRE | LIRE | ÉCRIRE | DIRE |
|---|---|---|---|
| je conduis | je lis | j' écris | je dis |
| tu conduis | tu lis | tu écris | tu dis |
| il elle }conduit on | il elle }lit on | il elle }écrit on | il elle }dit on |
| nous conduisons | nous lisons | nous écrivons | nous disons |
| vous conduisez | vous lisez | vous écrivez | vous dites |
| ils elles }conduisent | ils elles }lisent | ils écrivent elles écrivent | ils elles }disent |

## Exercices

**A** **Didier va à Bourges.** Répondez par «oui».

1. Didier va à Bourges?
2. Didier conduit prudemment?
3. Avant le voyage Didier lit le Guide Michelin?
4. Didier dit que Bourges est loin?
5. Didier écrit une lettre à son copain Guillaume?
6. Dans sa lettre il dit que Bourges est une jolie ville?
7. Guillaume lit la lettre de Didier?

**B** **Je lis et j'écris.** Donnez des réponses personnelles.

1. Tu aimes lire?
2. Tu lis beaucoup?
3. Tu lis le journal tous les jours?
4. Tu lis des magazines?
5. Tu lis quels magazines?
6. Tu écris des lettres à tes amis?
7. Tu écris à tes grands-parents ou tu téléphones à tes grands-parents?

**C** **Une question, mon ami.** Posez des questions à un copain ou une copine d'après le modèle.

> écrire beaucoup de lettres
> Élève 1: Tu écris beaucoup de lettres?
> Élève 2: Oui, j'écris beaucoup de lettres. (Non, je n'écris pas beaucoup de lettres).

1. écrire des poèmes
2. écrire des compositions au cours d'anglais
3. lire le journal
4. lire des magazines
5. conduire une nouvelle voiture
6. dire que les voitures de sport sont chouettes

**D** **Ses amis et lui.** Complétez.

1. Lui, il dit des choses stupides, des bêtises, et ses amis ___ des bêtises aussi.
2. Lui, il conduit une vieille voiture et ses amis ___ de vieilles voitures aussi.
3. Lui, il conduit prudemment et ses amis ___ prudemment aussi.
4. Lui, il écrit une lettre et ses amis ___ une lettre aussi.
5. Lui, il lit un magazine et ses amis ___ un magazine aussi.

**E** **Oui ou non?** Répondez en utilisant «nous».

1. Vous dites des bêtises?
2. Vous dites des choses sérieuses?
3. Vous dites des choses intéressantes?
4. Vous dites des choses amusantes?
5. Vous conduisez beaucoup?
6. Vous lisez beaucoup?
7. Vous écrivez souvent à vos amis?

**F** **Qui dit ça?** Complétez avec «dire».

1. On ____ que les autoroutes sont bonnes en France.
2. Je ____ que les autoroutes françaises sont bonnes mais je ____ aussi qu'il y a trop de circulation.
3. Jean ____ que la plupart des autoroutes sont à péage.
4. Tu ____ qu'il faut payer sur les autoroutes à péage?
5. Paul et Monique, qu'est-ce que vous ____? Vous ____ qu'il faut payer sur les autoroutes américaines aussi? Vous ____ que la plupart des autoroutes aux États-Unis sont à péage?
6. Nos amis américains ____ qu'il y a beaucoup d'autoroutes à huit voies, c'est-à-dire quatre voies dans chaque sens (direction).

# Les mots négatifs

*Expressing "Nothing," "No one," and "Never"*

1. You have already learned the negative expression *ne... pas*. Study the following negative expressions that function the same way as *ne... pas*.

| AFFIRMATIF | NÉGATIF |
|---|---|
| Il dit quelque chose. | Il ne dit rien. |
| Il écrit quelque chose. | Il n'écrit rien. |
| Il voit quelqu'un. | Il ne voit personne. |
| Il parle à quelqu'un. | Il ne parle à personne. |
| Il voyage toujours. | Il ne voyage jamais. |
| Il lit souvent. | Il ne lit jamais. |
| Il écrit quelquefois. | Il n'écrit jamais. |

2. As with *ne... pas*, when *ne... jamais* is followed by *un*, *une*, *des*, or *de la*, *de l'*, *du*, and *des*, these words change to *de*.

> Il fait souvent une promenade.  Il ne fait jamais de promenade.
> Elle fait toujours du sport.  Elle ne fait jamais de sport.

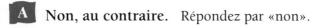

## Exercices

**A  Non, au contraire.**  Répondez par «non».

> **Il voit quelque chose?**
> *Non, il ne voit rien.*

1. Il dit quelque chose?
2. Il écrit quelque chose?
3. Il entend quelque chose?
4. Il lit quelque chose?
5. Il vend quelque chose?
6. Il regarde quelque chose?
7. Il voit quelqu'un?
8. Il regarde quelqu'un?
9. Il parle à quelqu'un?
10. Il écrit à quelqu'un?

**B  Elle ne voyage jamais.**  Répondez d'après le modèle.

> **Pascale adore nager.**
> *Tu crois? Elle dit ça, mais elle ne nage jamais.*

1. Pascale adore conduire.
2. Pascale adore lire.
3. Pascale adore voyager.
4. Pascale adore faire du sport.
5. Pascale adore jouer au tennis.
6. Pascale adore faire du ski nautique.

## Les questions et les mots interrogatifs

## Asking Questions Formally and Informally

1. Review the following ways in which questions can be formed in French.

> **Vous parlez français?**
> **Est-ce que vous parlez français?**
> **Parlez-vous français?**

2. Review the following question words you have already learned.

> **à quelle heure**    **comment**    **où**    **quand**
> **combien de**    **pourquoi**    **qui**

3. Note that you can use these question words in three ways.

   **a.** In informal, spoken French the question word is often placed at the end of the sentence.

   > **Tu vas où?**
   > **Tu vas au cinéma avec qui?**
   > **Vous allez arriver au cinéma à quelle heure?**

   **b.** The question word can also be used with *est-ce que*.

   > **Où est-ce que tu vas?**
   > **Avec qui est-ce que tu vas au cinéma?**
   > **Quand est-ce que vous allez arriver au cinéma?**

   **c.** In more formal conversation and in written French the subject and verb are inverted after a question word.

   > **Où vas-tu?**
   > **Avec qui vas-tu au cinéma?**
   > **Quand allez-vous arriver au cinéma?**

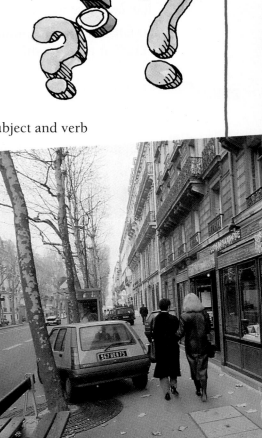

4. With a noun subject, both the noun and *il(s)* and *elle(s)* are used in the inverted question form.

   > **Où** *les copains* **dînent-ils?**
   > **Comment** *Marie* **conduit-***elle***?**
   > **Combien de roues** *les motos* **ont-***elles***?**
   > **Pourquoi** *Jean* **vend-il\*** **la voiture?**

   \* The final **d** is pronounced as a /t/.

5. In the inverted question form you insert a *t* between *il, elle,* or *on* and any verb that does not end in a *t* or a *d*.

   > **Où Béatrice déjeune-t-elle?**
   > **Comment va-t-on rue Racine?**
   > **Pourquoi gare-t-elle sa voiture sur le trottoir?**

# Exercices

**A** **Tu vas où?**  Transposez les questions d'après le modèle.

> **Arlette, où vas-tu?**
> *Tu vas où, Arlette?*

1. Où vas-tu?
2. Comment vas-tu au restaurant?
3. À quelle heure arrives-tu au restaurant?

4. Avec qui dînes-tu?
5. Où es-tu maintenant?

**B** **Où allez-vous?**  Transposez les questions d'après le modèle.

> **Où est-ce que vous allez?**
> *Où allez-vous?*

1. Où est-ce que vous allez dîner?
2. Comment est-ce que vous allez au restaurant?
3. Est-ce que vous conduisez?
4. Est-ce que vous prenez l'autoroute à péage?
5. Avec qui est-ce que vous allez au restaurant?
6. Est-ce que vous parlez français au serveur?

**C** **Encore des questions!**  Écrivez des questions d'après le modèle.

> **Marie lit la carte.**
> *Marie lit-elle la carte?*

1. Marie va au restaurant.
2. Marie conduit.
3. Marie gare sa voiture devant le restaurant.
4. Marie regarde la carte.
5. Marie parle au serveur.
6. Marie commande un sandwich au jambon.
7. Le serveur sert le sandwich.
8. Marie mange le sandwich.
9. Le sandwich est bon.
10. Marie paie.
11. Marie laisse un pourboire pour le serveur.

**D** **À qui Jean parle-t-il?**  Écrivez des questions d'après le modèle.

> **Jean parle à sa copine. (à qui)**
> *À qui Jean parle-t-il?*

1. Jean parle à sa copine au téléphone. (à qui)
2. Il invite sa copine au cinéma. (qui)
3. Ils vont aller au cinéma ce soir. (quand)
4. Jean arrive chez sa copine à sept heures. (à quelle heure)
5. Ils voient le film «Extraterrestre». (quel film)
6. Après le cinéma ils vont au café. (quand)

# CONVERSATION

## Scènes de la vie   *Tu as ton permis de conduire?*

FRANCINE: Tu as ton permis de conduire?
PHILIPPE: Non, je n'ai pas mon permis. J'ai seulement quinze ans.

FRANCINE: Mais tu conduis, n'est-ce pas?
PHILIPPE: Tu veux rigoler! Je ne conduis jamais!

FRANCINE: C'est bizarre. Je suis sûre que...
PHILIPPE: Ah... je comprends! Tu vois mon frère Alain qui conduit et tu crois que c'est moi.

**Qui conduit?**   Répondez d'après la conversation.

1. Philippe a son permis de conduire?
2. Pourquoi pas?
3. Francine croit que Philippe conduit?
4. Le frère de Philippe conduit?
5. Francine voit qui?
6. Elle croit que c'est qui?

## Prononciation   *Le son /wa/*

Repeat the following words with the sound /wa/ as in *moi*:

| | | |
|---|---|---|
| toi | voie | réservoir |
| croisement | trottoir | pouvoir |

Now repeat the following sentences:

**Tu ne vois pas le croisement devant toi!**
**Il va pouvoir partir à trois heures.**
**Moi, je ne crois pas Antoine!**

trottoir

## Activités de communication

**A** **Une enquête.** Copy the chart on the right. Interview your partner and find out how often he or she does some of the following activities. Fill in the chart with his or her answers. Reverse roles and report to the class.

| Activité | souvent | quelquefois | jamais |
|---|---|---|---|
| Jouer au tennis | | | X |
| | | | |
| | | | |

> Élève 1: Tu joues au tennis?
> Élève 2: Non, je ne joue jamais au tennis.
> Élève 1 (*à la classe*): Patrick ne joue jamais au tennis.

| | | |
|---|---|---|
| acheter des cadeaux | écrire des lettres | lire le journal |
| aller au bord de la mer | faire de la planche à voile | manger des fruits de mer |
| chanter sous la douche | faire des voyages | prendre des bains de soleil |
| conduire | faire du jogging | regarder la télé |
| écouter du jazz | faire les courses | |

**B** **Qu'est-ce qu'on lit, écrit et dit?** Choose from the list below and tell your partner what some of the following people read, write, and say. Then reverse roles.

| | | |
|---|---|---|
| le professeur | ton frère ou ta sœur | tes amis et toi |
| tes parents | les élèves | |

| LIRE | ÉCRIRE | DIRE |
|---|---|---|
| des journaux | des compositions | des choses amusantes |
| des livres | des exercices au tableau | des choses brillantes |
| des magazines | des lettres à tes grands-parents | des choses importantes |
| la page des sports | des mots (*notes*) aux amis | des choses stupides |

**C** **Qu'est-ce que tu aimes lire?** Using the list below, find out what your partner likes to read. Take notes and report to the class.

| | | |
|---|---|---|
| la littérature classique | les poèmes | les biographies |
| la science-fiction | les magazines | le journal |

> Élève 1: Est-ce que tu aimes lire la littérature classique?
> Élève 2: Oui, j'aime lire la littérature classique et...
> Élève 1 (*à la classe*): Stacy aime lire la littérature classique et...

**D** **Qu'est-ce que tu dis?** Write down several statements that would make your classmates respond with one of the expressions below. Your teacher will collect the papers and call on students to respond.

| | | |
|---|---|---|
| Absolument pas! | C'est un miracle! | Quelle surprise! |
| C'est chouette, ça! | Jamais! | Tu veux rigoler! |
| C'est impossible! | Quelle chance! | Zut! |

> Suzanne a un «A» à l'examen de français!
> Je dis, «C'est chouette, ça!» (Je dis, «C'est impossible!»)

## ON VA CONDUIRE EN FRANCE?

En France presque[1] tout le monde a une voiture. Les Français conduisent quelles marques de voiture? Il y a deux marques françaises qui sont très populaires, Renault et Peugeot. On voit aussi beaucoup de voitures japonaises sur les autoroutes françaises, mais très peu de voitures américaines.

Les autoroutes en France sont très bonnes. Elles ont trois ou quatre voies dans chaque sens (direction). La plupart des autoroutes sont à péage. Il y a aussi des routes nationales qui sont des routes à grande circulation. Les routes départementales sont plus pittoresques mais il faut faire attention aux croisements, qui peuvent être dangereux.

Si vous conduisez en France, il faut respecter la limitation de vitesse sur les routes et dans les agglomérations[2]. Les motards surveillent la circulation. Si vous roulez trop vite, vous allez avoir une contravention.

Et le stationnement! Il n'y a jamais assez de[3] parkings ou de places pour garer les voitures. Si vous garez votre voiture là où le stationnement est interdit, vous allez trouver une contravention sur le parebrise[4] à votre retour[5]. Les contractuelles sont très vigilantes et très strictes.

[1] presque *almost*
[2] les agglomérations *populated areas*
[3] assez de *enough*
[4] le parebrise *windshield*
[5] à votre retour *upon your return*

### Étude de mots

**A** **Le français, c'est facile.** Trouvez cinq mots apparentés dans la lecture.

**B** **Synonymes.** Trouvez les expressions équivalentes.

1. vite
2. la direction
3. surveiller
4. l'agglomération
5. garer

a. rapidement
b. une zone développée
c. stationner
d. le sens
e. contrôler, observer attentivement

## Compréhension

**A** **Sur la route en France.** Corrigez les phrases.

1. Il y a plus de voitures américaines que de voitures japonaises en France.
2. Il n'y a pas de voitures françaises. L'industrie automobile n'existe pas en France.
3. Beaucoup d'autoroutes en France ne sont pas bonnes.
4. On ne paie jamais sur les autoroutes à péage françaises.
5. La plus grande route c'est la route départementale.
6. Il y a des croisements dangereux sur les autoroutes.
7. Il n'y a pas de limitation de vitesse dans les agglomérations.
8. Les conducteurs aiment avoir des contraventions.

**B** **En route.** Répondez.

1. Les grandes autoroutes en France ont combien de voies dans chaque sens?
2. Qu'est-ce qu'il faut payer sur la plupart des autoroutes?
3. Il y a une limitation de vitesse sur les routes en France?
4. Qui surveille les autoroutes?
5. Il y a toujours assez de places pour stationner?
6. Qui a la responsabilité de surveiller le stationnement?
7. Quelles sont deux marques françaises de voiture?

# DÉCOUVERTE CULTURELLE

Voici un vélomoteur. Il faut avoir plus de seize ans et un permis spécial pour conduire un vélomoteur.

Le rêve[1] de beaucoup de jeunes, c'est une moto. On peut conduire une moto à partir de seize ans[2] avec un permis spécial moto. Et le casque[3] est obligatoire! Si vous êtes en France, vous pouvez conduire une moto? Pourquoi?

Et pour conduire une voiture il faut avoir dix-huit ans en France. Là où vous habitez, il faut avoir quel âge pour obtenir un permis de conduire?

[1] le rêve  *the dream*
[2] à partir de seize ans  *from age 16 on*
[3] le casque  *the helmet*

# RÉALITÉS

1

2 MOUGINS ↑
GRASSE ↑
A8 ↑

3

APPEL

PIETONS

L'agent de police est dans les villes . Les agents de police règlent la circulation.

Voici trois panneaux routiers **2**. Quel panneau indique une autoroute à péage, à ton avis?

Pour traverser la rue, les piétons appuient sur le bouton **3**.

Voici des gendarmes français **4**. Eux, ils sont toujours sur la route, souvent à moto. Ils portent toujours un casque s'ils sont à moto.

Voici quelques signaux importants qu'il faut comprendre pour conduire en France **5**. Quelle est la limitation de vitesse sur cette route?

VOUS N'AVEZ PAS LA PRIORITÉ

45

RAPPEL

# CULMINATION

## Activités de communication orale

**A** À la station-service.

1. Make up as many questions about this illustration as you can.
2. Work with a classmate and have him or her answer your questions.

**B** **La route.** Work with a partner. Write down as many questions as possible that a French person might ask about driving in the U.S. Refer to the list below for some ideas. Then ask your partner your questions.

> beaucoup de circulation
>
> Est-ce qu'il y a beaucoup de circulation?
> Où est-ce qu'il y a beaucoup de circulation?
> Il y a beaucoup de circulation à quelle heure?, etc.

des autoroutes à péage     mettre une ceinture de sécurité
la limitation de vitesse     prendre des leçons de conduite
assez de parkings dans
    la ville
des vélomoteurs
beaucoup de
    stations-service
de l'essence sans plomb
des motards
des contraventions

## Activités de communication écrite

**A  Mon permis de conduire.** Write a letter to a French friend telling your age, where you live, and whether or not you have a driver's license. Tell some things you have to do to get a license. Find out some things your friend must do in France to get a driver's license.

**B  Zut!** Write a short dialogue between a driver and a *contractuelle* who is giving him or her a ticket.

## Réintroduction et recombinaison

**A  Personnellement.** Donnez des réponses personnelles.

1. Comment t'appelles-tu?
2. Tu es d'où?
3. Tu es de quelle nationalité?
4. Tu vas à quelle école?
5. Qui est ton professeur de français?
6. Qu'est-ce que tu fais au cours de français?
7. Tu aimes être en forme?
8. Qu'est-ce que tu fais pour rester en forme?

**B  Jamais!** Répondez en utilisant «ne... jamais».

1. Tes parents se lèvent à midi en semaine?
2. Les élèves se couchent à six heures du soir?
3. Le professeur s'endort en classe?
4. Les garçons se rasent en classe?
5. Les élèves se regardent dans une glace pendant un examen?

## Vocabulaire

**NOMS**

la voiture
la voiture de sport
le break
la décapotable
la marque
les deux roues (f.)
la moto
le vélomoteur
la roue de secours
le pneu (à plat)
le réservoir
la clé
la ceinture de sécurité
le conducteur
la conductrice
l'auto-école (f.)
la leçon de conduite
le permis de conduire
le guide

la route
l'autoroute à péage (f.)
la voie
la limitation de vitesse
le motard
la circulation
le croisement
le carrefour
le trottoir
le piéton
la piétonne
les clous (m.)
le feu
le stationnement
la place
la contractuelle
la contravention

la station-service
le (la) pompiste
l'essence (f.)
  super
  ordinaire
  sans plomb
les niveaux (m.)

**VERBES**

rouler
accélérer
freiner
s'arrêter
traverser
surveiller
conduire
dire
écrire
lire

**AUTRES MOTS ET EXPRESSIONS**

garer la voiture
faire le plein
vérifier les niveaux
mettre le contact
quelqu'un
ne... jamais
ne... personne
ne... rien

fâché(e)
il est interdit
prudemment
sans
trop
vite
Zut!

# RÉVISION

## CHAPITRES 9-12

### Conversation *Stéphanie en robe!*

ANTOINE: Qu'est-ce que je vois! Stéphanie en robe!
STÉPHANIE: Euh...tu crois que la robe bleue est plus jolie que la robe rose?
ANTOINE: Mais non. Tu es très jolie en rose.
STÉPHANIE: Je préfère vraiment les pantalons!
ANTOINE: Tu sors avec qui?
STÉPHANIE: Avec Jérôme. On va au restaurant.
ANTOINE: Ah oui, avec lui, c'est toujours les restaurants chic.
STÉPHANIE: Oui, mais on s'amuse bien ensemble.
ANTOINE: Tu pars à quelle heure?
STÉPHANIE: Dans cinq minutes. Je me peigne, je me maquille et je pars.

**Stéphanie et son frère.** Répondez.

1. Qu'est-ce qu'Antoine voit?
2. De quelle couleur est la robe de Stéphanie?
3. D'après Antoine, la robe bleue est plus jolie que la robe rose?
4. Qu'est-ce que Stéphanie préfère, les robes ou les pantalons?
5. À ton avis, est-ce qu'Antoine aime Jérôme?
6. Est-ce que Stéphanie aime sortir avec Jérôme? Pourquoi?
7. Est-ce que Stéphanie va partir dans quelques minutes?
8. Qu'est-ce qu'elle va faire avant de partir?

### Structure

### Les verbes réfléchis

Review the present tense forms of reflexive verbs.

1. Remember that in reflexive constructions, the subject and the reflexive pronoun refer to the same person.

| SE LEVER | |
|---|---|
| *je me* lève | *nous nous* levons |
| *tu te* lèves | *vous vous* levez |
| *il/elle/on se* lève | *ils/elles se* lèvent |

**2.** Review the placement of *ne...pas, ne...plus, ne...jamais*.

> Vous *ne* vous levez *pas?*
> Il *ne* s'endort *jamais* tout de suite.

**A** **On sort.** Complétez.

Ma sœur et moi, nous ____ (s'amuser) bien quand nous sortons. Mais elle ____
(se préparer) pendant des heures, et moi, je ____ (se laver) et je ____
(s'habiller) en deux minutes. D'abord, elle, elle ____ (se brosser) les dents
pendant cinq minutes! Puis elle ____ (s'habiller), mais elle ____ (se changer)
trois fois (*times*) avant de se décider. Puis, elle ____ (se maquiller) pendant une
demi-heure. Enfin, elle ____ (se peigner). Pendant ce temps, moi, je lis un
livre. Quelquefois, je ____ (s'endormir)!

## Les verbes *prendre, croire, voir, lire, dire, écrire* et *conduire*

Review the following forms of some irregular verbs you have learned.

| PRENDRE | je prends, tu prends, il / elle / on prend<br>nous prenons, vous prenez, ils / elles prennent |
|---|---|
| COMPRENDRE | je comprends, tu comprends, il / elle /on comprend<br>nous comprenons, vous comprenez, ils /elles comprennent |
| CROIRE | je crois, tu crois, il / elle /on croit<br>nous croyons, vous croyez, ils / elles croient |
| VOIR | je vois, tu vois, il / elle /on voit<br>nous voyons, vous voyez, ils / elles voient |
| LIRE | je lis, tu lis, il / elle /on lit<br>nous lisons, vous lisez, ils / elles lisent |
| DIRE | je dis, tu dis, il / elle /on dit<br>nous disons, vous dites, ils / elles disent |
| ÉCRIRE | j'écris, tu écris, il / elle /on écrit<br>nous écrivons, vous écrivez, ils / elles écrivent |
| CONDUIRE | je conduis, tu conduis, il / elle /on conduit<br>nous conduisons, vous conduisez, ils / elles conduisent |

**B** **Qu'est-ce qu'on fait?** Remplacez les mots en italique et faites les changements nécessaires.

1. *Vous* écrivez beaucoup? (elles)
2. *Moi, je* lis beaucoup. (elles)
3. *Ils* écrivent souvent à leurs parents? (tu)
4. *Ils* voient leurs parents toutes les semaines. (je)
5. *Amélie* conduit bien? (tes frères)
6. Non, *elle* apprend à conduire. (ils)
7. *Tu* dis déjà «au revoir»? (vous)
8. Oui, *je* prends l'avion dans une heure. (nous)
9. *Tu* conduis beaucoup? (elles)
10. Non, *je* vois mal. (elles)
11. *Robert* lit le journal tous les matins? (ils)
12. *Je* crois qu'*il* lit le journal. (nous, ils)

## Les pronoms accentués

1. Review the stress pronouns and the corresponding subject pronouns.

| SUBJECT PRONOUNS | STRESS PRONOUNS |
|---|---|
| je | moi |
| tu | toi |
| il | lui |
| elle | elle |
| nous | nous |
| vous | vous |
| ils | eux |
| elles | elles |

2. Remember that you use stress pronouns

   a. to emphasize the subject.
   b. after a preposition.
   c. when there is no verb in the sentence.
   d. after *c'est* or *ce sont*.
   e. after *que* in comparisons.

Moi, j'ai faim!
C'est pour moi?
Qui? Moi?
C'est lui qui n'écrit jamais.
Anne est plus grande que toi.

**C** **En vacances.** Répondez d'après le modèle.

> **Sa mère joue au tennis. Et son père?**
> *Lui aussi, il joue au tennis.*

1. Son frère fait de la plongée sous-marine. Et ses cousins?
2. Je fais de la planche à voile. Et toi?
3. Nous bronzons facilement. Et vous deux?
4. Il plonge bien. Et ses sœurs?
5. Vous sortez ce soir. Et nous?
6. Tu vas au restaurant. Et moi?
7. Ils aiment les fruits de mer. Et elle?
8. J'aime le soleil. Et vous?

# Le comparatif et le superlatif

1. You use the comparative to compare two people or two items.

> **Nathalie est plus (moins, aussi) sportive que son frère.**

2. You use the superlative to single out one person or one item from the group and compare it to all the others.

> **Nathalie est la plus (la moins) sportive de la famille.**
> **Serge est le plus (le moins) sportif de la famille.**
> **Ils sont les plus (les moins) sportifs de la famille.**

3. Remember that the adjective *bon* has an irregular form in the comparative and the superlative: *meilleur(e)*.

> **Mon idée est meilleure que ton idée.**
> **Jean-Claude est le meilleur de la classe.**

**D  Bernard et moi.**  Répondez d'après le modèle.

> Élève 1: **Bernard est très sérieux.**
> Élève 2: **Il est plus sérieux que moi?**
> Élève 1: **Non, mais il est aussi sérieux que toi.**

1. Bernard est très timide.
2. Bernard est très sportif.
3. Bernard est très généreux.
4. Bernard est très actif.
5. Bernard est très nerveux.
6. Bernard est très grand.
7. Bernard est très patient.
8. Bernard est très intelligent.

**E  Nathalie et moi.**  Changez Bernard en Nathalie dans l'Exercice D.

**F  Les élèves de Mme Leblond.**  Répondez d'après le modèle.

> **Véronique est très amusante.**
> *Véronique est la plus amusante de la classe.*

1. Alain est très timide.
2. Catherine et Émilie sont très intelligentes.
3. Louise est très jolie.
4. Les frères Gautier sont très désagréables.
5. Les sœurs Duhamel sont très gentilles.
6. Olivier est très aimable.
7. Valérie est très réservée.
8. Martine est très bonne.

## Activité de communication

**Au Club Med.**  Imagine that you are a group leader (*un gentil organisateur* or *un G.O.*) at Club Med. Tell about your daily routine: what time you get up, what you wear, what sports you play, what you eat, and what you do at night.

## ÉCOLOGIE: LA POLLUTION DE L'EAU

### Avant la lecture

1. Is water scarce or abundant where you live? Think about the role that water plays in your town. Are there any regulations concerning the watering of lawns, the washing of cars, the amount of certain substances that can be present in the town water?

2. Here are four titles. Scan the text and see if you can match these titles with the four paragraphs in the text.

> **La répartition de l'eau**
> **Sauvons l'eau!**
> **La circulation de l'eau**
> **Les différents genres de pollution**

### Lecture

Le Gange déborde et cause des inondations.

La sécheresse dans le désert

L'eau, tu es
la plus grande richesse
qui soit° au monde,          *exists*
et tu es la plus délicate,
toi, si pure
au ventre° de la terre.      *in the depths of*

*Antoine de Saint-Exupéry*

Nous "sommes" de l'eau. Notre corps est composé de 65% d'eau. On trouve l'eau partout: 96% dans les mers et les océans, 3% dans les glaciers et 1% qui prend part au «cycle de l'eau».

L'eau des lacs et des mers s'évapore. Ensuite elle retombe en pluie et s'infiltre dans le sol. Du sol, elle est absorbée par les arbres où elle arrive dans les feuilles et s'évapore encore, etc.

On ne peut pas vivre (exister) sans eau, mais malheureusement, l'eau est mal distribuée: par exemple, en Afrique certaines régions n'ont pas assez d'eau[1],

mais en Inde, quand le Gange, le grand fleuve, déborde, il y a trop d'eau[2]. Aux États-Unis, nous avons quelquefois des périodes de sécheresse quand il n'y a pas de pluie ou, au contraire, des inondations, quand il y a trop de pluie. Mais en général, nous n'avons ni trop, ni trop peu[3] d'eau. Notre problème, c'est la pollution.

La pollution peut prendre plusieurs formes.

### 1. Les pluies acides

Quand les nuages passent au-dessus des zones industrielles, ils absorbent tous les gaz qui s'échappent (sortent) des cheminées et des voitures. Les nuages transportent ces gaz et les pluies qui tombent un peu plus loin sont des «pluies acides». Ces pluies acides causent la destruction des forêts et contaminent les lacs.

### 2. Les engrais[4]
Les agriculteurs utilisent beaucoup d'engrais, en général des phosphates, pour maintenir la fertilité du sol. Ces engrais chimiques sont entraînés[5] par les pluies jusque dans les lacs et les rivières. Ils polluent les rivières et les lacs parce qu'ils font pousser les plantes aquatiques[6]. Ces plantes prennent tout l'oxygène de l'eau. Sans oxygène, les poissons ne peuvent pas vivre et disparaissent. Les engrais polluent aussi les mers. Ils sont entraînés dans les mers par les rivières où ils nourrissent les algues. Ces algues se transforment en véritables «marées[7] rouges» et tuent[8] les poissons.

### 3. La marée noire
La marée noire est causée par le mazout[9] qui est jeté dans la mer par des pétroliers.

### 4. Les déchets[10] radioactifs
Il y a à notre époque plus de 100.000 tonnes de déchets radioactifs au fond de l'océan Atlantique et de l'océan Pacifique!

Il faut sauver l'eau. Il faut apprendre à conserver les réserves. Et surtout il faut apprendre à ne pas polluer, à ne pas verser les déchets toxiques dans l'eau. C'est le but[11] de beaucoup d'écologistes qui veulent protéger et sauver notre environnement.

[1] assez d'eau  *enough water*
[2] trop d'eau  *too much water*
[3] nous n'avons ni trop, ni trop peu  *we have neither too much nor too little*
[4] les engrais  *fertilizers*
[5] entraînés  *carried*
[6] ils font pousser les plantes aquatiques  *they make aquatic vegetation grow*
[7] marées  *tides*
[8] tuent  *kill*
[9] le mazout  *fuel oil*
[10] les déchets  *waste*
[11] le but  *the goal*

*Plusieurs formes de pollution*

## Après la lecture

**A** **La pollution.** Vrai ou faux?

1. 65% de l'eau prend part au «cycle de l'eau».
2. On ne peut pas vivre sans eau.
3. Les marées rouges font disparaître les poissons.
4. La marée noire est causée par des algues.
5. Il y a des déchets radioactifs dans l'océan Pacifique.
6. Il faut apprendre à conserver les réserves d'eau.

**B** **Il faut sauver l'eau.** Répondez.

1. Quels sont les risques de pollution de l'eau là où vous habitez?
2. Quelles sont les mesures adoptées par votre ville pour ne pas polluer l'eau ou pour la conserver? S'il n'y a pas de mesures adoptées, faites des recommandations.

## LITTÉRATURE: APOLLINAIRE (1880-1918)

Guillaume Apollinaire a une vie très fantaisiste et mouvementée. Sa poésie reflète sa vie. Il voyage dans toute l'Europe—à Munich, Berlin, Prague, Vienne. Il s'intéresse à tous les mouvements intellectuels et artistiques de son époque. C'est la période avant la guerre de 1914, une période très riche en idées en tous genres. C'est le début du cubisme, par exemple. Les poètes et les artistes peintres (*painters*) discutent ensemble ces nouvelles idées. Apollinaire est l'ami des peintres Picasso, Vlaminck et Marie Laurencin. Apollinaire est un des premiers grands poètes français modernes. Il annonce les grands mouvements artistiques des années 20 (1920s).

Certains des poèmes d'Apollinaire sont des «calligrammes»: le poème est écrit en forme d'objet. *La cravate* est un exemple de ce genre de poème.

### Avant la lecture

1. The poem is written in the shape of a tie. When do men or women wear ties? What impression does a tie convey?
2. What could a tie represent in terms of freedom and society?

### Lecture

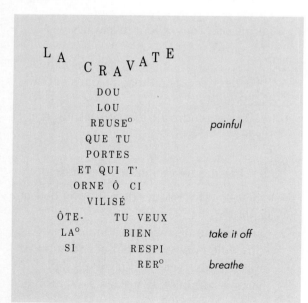

### Après la lecture

**A** **Les vêtements.** Répondez.

1. Qu'est-ce que vous mettez quand vous vous habillez «bien»?
2. Est-ce que vous jugez les gens d'après leurs vêtements?
3. D'après vous, est-ce qu'une école doit (*must*) imposer certaines normes vestimentaires?

**B** **Êtes-vous poète?**

Avec des amis «poètes», écrivez un calligramme.

En 1901-1902 Apollinaire est en Allemagne et rencontre une jeune Anglaise, Annie Playden. Mais Annie qui est mennonite émigre aux États-Unis.

## Avant la lecture

1. Find out about the Mennonites.
2. In French, the word *bouton* means both button (for clothes) and bud (for flowers). In the last stanza of the poem, the poet makes a joke. See if you can explain what the joke is.

## Lecture

**ANNIE**

Sur la côte du Texas
Entre Mobile et Galveston il y a
Un grand jardin tout plein de roses
Il contient aussi une villa
Qui est une grande rose

Une femme se promène souvent
Dans le jardin toute seule
Et quand je passe sur la route bordée
   de tilleuls°      *linden trees*
Nous nous regardons

Comme cette femme est mennonite
Ses rosiers et ses vêtements n'ont pas
   de boutons
Il en manque deux° à mon veston   *two are*
La dame et moi suivons le même rite  *missing*

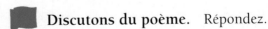

«Apollinaire» par Picasso (Monument élevé à la mémoire du poète à Saint-Germain-des-Prés)

## Après la lecture

**Discutons du poème.** Répondez.

1. The poet imagines his lost love in America. Find examples in the poem that show that this is just a fantasy.
2. In a typically French way, Apollinaire makes light of his emotion and sadness with a "joke." What is the only remaining link between the couple?

## MÉTÉOROLOGIE: LA PRÉVISION DU TEMPS

### Avant la lecture

1. Find a weather map in one of your newspapers.
2. Match the French and English terms for weather expressions by comparing the legend of your weather map with that of the French weather map below.

### Lecture

Le matin, beaucoup de gens écoutent le bulletin météorologique à la radio ou le regardent à la télévision pour décider comment s'habiller.

La météo est la science qui étudie l'atmosphère: les vents, les pluies, les dépressions ou zones de basses pressions, et les anticyclones ou zones de hautes pressions. Pour prévoir le temps, les météorologistes doivent savoir[1] le temps qu'il fait sur tout le globe. Il y a trois centres météorologiques dans le monde qui rassemblent toutes les informations météorologiques; ils sont situés à Washington aux États-Unis, à Moscou en Russie et à Melbourne en Australie.

Le soleil chauffe la Terre[2]; la Terre à son tour chauffe l'air et forme l'atmosphère. Mais l'atmosphère n'est pas la même partout: il y a des masses d'air froid au-dessus des pôles, et des masses d'air chaud au-dessus de l'équateur. Quand les masses d'air passent au-dessus des mers ou des océans, elles absorbent de la vapeur d'eau. Il y a donc plusieurs catégories de masses d'air: froides et humides, froides et sèches, chaudes et humides, chaudes et sèches. Ces masses d'air pèsent de

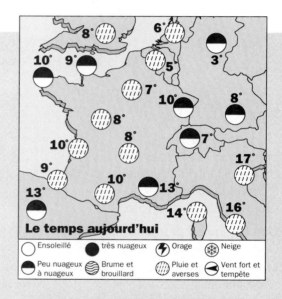

**Le temps aujourd'hui**

| | |
|---|---|
| ○ Ensoleillé | ● très nuageux | ⚡ Orage | ❄ Neige |
| ◐ Peu nuageux à nuageux | ⊛ Brume et brouillard | ▦ Pluie et averses | ◁ Vent fort et tempête |

manière différente sur le sol[3]. Dans un anticyclone, elles pèsent lourd[4]: c'est donc une zone de hautes pressions. Dans une dépression, elles ne pèsent pas lourd: c'est donc une zone de basses pressions. Dans un anticyclone, les masses d'air sont trop lourdes et ne peuvent s'affronter[5]. Le temps reste stable. Dans une dépression, les différentes masses d'air s'affrontent si elles sont différentes—une masse d'air froid va contre une masse d'air chaud, par exemple. Le front est la zone où les deux masses s'affrontent; il apporte de la pluie ou du vent.

Les vents sont des mouvements d'air entre les anticyclones (zones de hautes pressions) et les dépressions (zones de

*Les cumulo-nimbus annoncent souvent un orage.*

*Les nimbo-stratus annoncent aussi le mauvais temps: pluie continue ou neige.*

basses pressions). L'air est repoussé[6] par les anticyclones, mais il est aspiré[7] par les dépressions. Ce mouvement d'air est le vent.

Les nuages sont l'ensemble de particules d'eau très fines. Elles sont maintenues en suspension par les mouvements verticaux de l'air.

On peut souvent prévoir le temps d'après les nuages. La forme, la couleur et l'altitude donnent des renseignements relativement précis sur le temps.

[1] doivent savoir   *must know*
[2] chauffe la Terre   *heats the Earth*
[3] pèsent...sol   *exert varying amounts of pressure on the surface of the Earth*
[4] lourd   *heavily*
[5] s'affronter   *collide*
[6] repoussé   *pushed back*
[7] aspiré   *pulled in*

## Après la lecture

**A**   **Le bulletin météorologique.**
Donnez une définition en français pour les mots suivants.

1. la météorologie
2. les dépressions
3. les anticyclones
4. le front
5. le vent

**B**   **La météorologie.**   Répondez aux questions.

1. Qu'est-ce que la météorologie étudie?
2. Comment est-ce qu'on obtient les informations nécessaires?
3. Où sont les trois centres météorologiques?
4. Qu'est-ce qui arrive (*happens*) quand les masses d'air passent au-dessus des mers?
5. Quand est-ce que le temps reste stable? Quand est-ce qu'il pleut ou qu'il y a du vent?
6. De quelle autre manière est-ce qu'on peut prévoir le temps?

**C**   **La carte du temps.**   Faites la carte du temps pour les États-Unis pour la journée de demain (en français, bien sûr).

**D**   **Savez-vous que...**   Dans le système Celsius, 0° est la température où l'eau gèle, et 100° est la température où l'eau bout.  Si vous voulez passer de degrés Celsius en degrés Farenheit ou vice versa, voici deux formules qui peuvent vous aider.

$9/5°C + 32 = °F$     Ex:  $(9/5 \times 20°C) + 32 = 68°F$

$(°F - 32) \times 5/9 = °C$     Ex:  $(86°F - 32) \times 5/9 = 30°C$

Faites les calculs suivants.

1. 98.6° F= ___° C
2. 32° F= ___° C
3. 17° C = ___° F
4. 25° C = ___° F

# LES SPORTS

## OBJECTIFS

In this chapter you will learn to do the following:

1. talk about soccer and other sports
2. describe past actions
3. ask questions with "what"
4. express reactions
5. discuss some differences between sports in the
   U.S. and in France

# VOCABULAIRE

## MOTS 1

LE FOOT(BALL)

le but

un gardien de but

un terrain de foot(ball)

un ballon

siffler

un arbitre

des joueurs

un joueur

la tête

une équipe

le pied

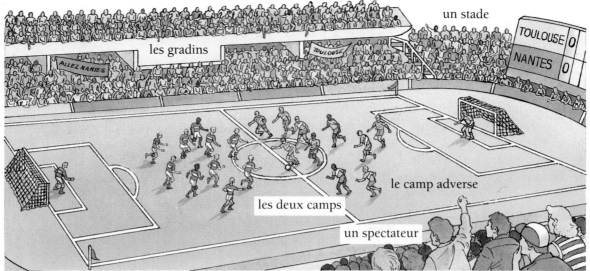

un stade

les gradins

TOULOUSE 0
NANTES 0

le camp adverse

les deux camps

un spectateur

Le stade est comble.
Il y a beaucoup de monde.
Les gradins sont pleins.

21 avril 22 avril

match Toulouse-Nantes

hier          aujourd'hui

Hier Nantes a joué contre Toulouse.
Le match a opposé Toulouse à Nantes.

Peyre a donné un coup de pied dans le ballon.

| TOULOUSE | 0 | 0 |
| NANTES | 0 | 1 |

Roland a envoyé le ballon dans le but.
Il a marqué un but.

# Exercices

**Le stade est comble.** Répondez.

1. Il y a beaucoup de spectateurs dans le stade?
2. Les gradins sont pleins de spectateurs ou il y a beaucoup de places libres?
3. Le stade est comble?
4. Il y a beaucoup de monde dans le stade?
5. Le foot est un sport d'équipe. C'est un sport individuel ou collectif?

**B** **Un match de foot.** Répondez d'après les indications.

1. Dans un match de foot, il y a combien d'équipes? (deux)
2. Chaque équipe a combien de joueurs? (onze)
3. Il y a combien de joueurs sur le terrain? (vingt-deux)
4. Dans un match il y a combien de camps? (deux)
5. Le match est divisé en quoi? (mi-temps)
6. Il y a combien de mi-temps? (deux)
7. Chaque mi-temps dure combien de minutes? (quarante-cinq)
8. Qui garde le but? (le gardien de but)
9. Qu'est-ce que chaque équipe veut faire? (marquer un but)
10. Qui bloque ou arrête le ballon? (le gardien de but)

**C** **Toulouse contre Nantes.** Répondez par «oui».

1. Toulouse a joué contre Nantes?
2. Peyre a donné un coup de pied dans le ballon?
3. Peyre a passé le ballon à Roland?
4. Roland a envoyé le ballon dans le but?
5. Roland a marqué un but?
6. Le gardien n'a pas arrêté le ballon?
7. Roland a égalisé le score?
8. L'arbitre a sifflé?
9. Il a déclaré un penalty contre Toulouse?
10. Nantes a gagné le match?
11. Toulouse a perdu le match?

# VOCABULAIRE

## MOTS 2

D'AUTRES SPORTS

le panneau

le panier

lancer

le basket(-ball)

dribbler

le demi-cercle

Un joueur a dribblé le ballon.
Il a dribblé le ballon jusqu'au demi-cercle.

Un autre joueur a lancé le ballon dans le panier.

le volley(-ball)

par dessus le filet

le filet

le sol

Un joueur a servi.

Un autre joueur a renvoyé le ballon.

le cyclisme

des coureurs cyclistes

une course cycliste

un vélo

un coureur

un gagnant

une piste

une coupe

Leblanc (27) a gagné la course.
Boulet (28) a perdu la course.

Aux États-Unis le football américain est
un sport d'automne.

Le base-ball est un sport de printemps.

# Exercices

**A** **Un match de basket.** Répondez.

1. On joue au basket-ball sur une piste ou sur un terrain?
2. Le basket-ball est un sport individuel ou un sport d'équipe?
3. Il y a cinq ou onze joueurs dans une équipe de basket-ball?
4. Pendant un match de basket les joueurs dribblent le ballon ou donnent un coup de pied dans le ballon?
5. Un joueur a dribblé le ballon jusqu'au panneau ou jusqu'au demi-cercle?
6. Un autre joueur a lancé le ballon dans le panier ou dans le but?

**B** **Le volley-ball.** Répondez par «oui» ou «non».

1. Une équipe de volley-ball a six joueurs?
2. Un joueur sert?
3. Un joueur du camp adverse renvoie le ballon?
4. Quand il renvoie le ballon, le ballon peut toucher le filet?
5. On renvoie le ballon par dessus le filet?
6. Le ballon peut toucher le sol?

**C** **C'est quel sport?** Identifiez.

> **le base-ball**
> **le basket-ball**
> **le football**
> **le football américain**
> **le volley-ball**

1. Aux États-Unis c'est un sport d'automne.
2. Aux États-Unis c'est un sport de printemps.
3. Le ballon ne peut pas toucher le sol.
4. Il y a cinq joueurs dans l'équipe.
5. Le joueur a donné un coup de pied dans le ballon.
6. Le joueur a renvoyé le ballon par dessus le filet.
7. Le gardien de but a bloqué le ballon.
8. Le joueur a servi.
9. Le joueur a lancé le ballon dans le panier.
10. Le joueur a marqué un but.

*Magic Johnson et les Lakers jouent contre l'équipe de Limoges.*

*Greg Lemond, le premier Américain à gagner le Tour de France*

**D** **Une course cycliste.** Choisissez.

1. Un vélo est ___.
   **a.** une bicyclette     **b.** une voiture     **c.** un stade

2. ___ roule à vélo.
   **a.** Une bicyclette     **b.** Un coureur cycliste     **c.** Un spectateur

3. Dans une course internationale, chaque équipe ___.
   **a.** gagne un trophée     **b.** gagne la coupe     **c.** représente son pays

4. Le gagnant de la course est ___.
   **a.** la coupe     **b.** le champion     **c.** le coureur

5. ___ gagnent de l'argent.
   **a.** Les professionnels     **b.** Les amateurs     **c.** Les spectateurs

6. ___ gagne.
   **a.** Le premier     **b.** Le dernier
   **c.** Chaque équipe

7. On donne ___ au gagnant.
   **a.** la course     **b.** la coupe
   **c.** la bicyclette

8. Dans une course cycliste les coureurs roulent sur ___.
   **a.** des gradins     **b.** un terrain
   **c.** une piste

## Activités de communication

*Mots 1 et 2*

**A** **C'est quel sport?**   Give your partner several details about a sport without mentioning the name of the sport. Your partner will guess what sport you are describing. Then reverse roles.

> Élève 1: Il y a cinq joueurs dans l'équipe. Les joueurs dribblent le ballon. Les meilleurs joueurs sont souvent très grands. Ils lancent le ballon dans le panier.
> Élève 2: C'est le basket-ball.

**B** **Ton équipe favorite.**   Ask your partner what his or her favorite team is and why. Reverse roles and report to the class.

> Élève 1: Quelle est ton équipe favorite? Pourquoi?
> Élève 2: Mon équipe favorite de base-ball, c'est les Expos parce que je suis de Montréal. (Je n'ai pas d'équipe favorite de base-ball.)

**C** **Un match de football.**   Ask your partner several questions about the illustration using *qui, quel(le), est-ce que, combien,* and *où.* Then reverse roles.

## Le passé composé des verbes réguliers

*Describing Past Actions*

1. You use the *passé composé* to express actions completed in the past. The *passé composé* is made up of the present tense of *avoir* and the past participle of the verb. Review the present tense of the verb *avoir*.

| AVOIR | |
|---|---|
| j' ai | nous avons |
| tu as | vous avez |
| il/elle/on a | ils/elles ont |

2. Study the following forms of the past participle of regular French verbs.

| -er → -é | | -ir → -i | | -re → -u | |
|---|---|---|---|---|---|
| regarder | regardé | choisir | choisi | perdre | perdu |
| parler | parlé | réussir | réussi | vendre | vendu |

Almost all past participles of French verbs end in the sound /é/, /i/, or /ü/.

| PARLER | FINIR | PERDRE |
|---|---|---|
| j'ai parlé | j'ai fini | j'ai perdu |
| tu as parlé | tu as fini | tu as perdu |
| il/elle/on a parlé | il/elle/on a fini | il/elle/on a perdu |
| nous avons parlé | nous avons fini | nous avons perdu |
| vous avez parlé | vous avez fini | vous avez perdu |
| ils/elles ont parlé | ils/elles ont fini | ils/elles ont perdu |

3. The *passé composé* is often used with time expressions such as:

> avant hier
> hier
> hier matin
> hier soir
> l'année dernière
> la semaine dernière

Study the following examples of the *passé composé.*

> **J'ai regardé le match à la télé hier soir.**
> **Nantes a joué contre Toulouse.**
> **L'année dernière Toulouse a gagné la coupe.**
> **Mais hier soir Toulouse a perdu le match.**
> **L'arbitre a puni Toulouse.**
> **Il a déclaré un penalty contre Toulouse.**
> **Les spectateurs ont applaudi.**

4. Note the placement of *ne... pas* in negative sentences with the *passé composé. Ne... pas* goes around the verb *avoir.*

> **Je** *n'***ai** *pas* **parlé à Suzanne.**
> **Tu** *n'***as** *pas* **regardé la télé?**
> **Il** *n'***a** *pas* **entendu le téléphone.**

## Exercices

**A** **Quel est le participe passé?** Donnez le participe passé.

1. habiter
2. quitter
3. parler
4. écouter
5. travailler
6. remplir
7. obéir
8. réussir
9. servir
10. dormir
11. perdre
12. vendre
13. attendre
14. répondre

**B** **Hier ou la semaine dernière.**
Donnez des réponses personnelles.

1. Hier matin tu as quitté la maison à quelle heure?
2. Avant les cours tu as rigolé avec tes copains?
3. Tu as parlé au prof de français?
4. La semaine dernière tu as passé un exâmen? Tu as réussi à l'examen?
5. Tu as répondu à toutes les questions?
6. Tu as quitté l'école à quelle heure hier?
7. Tu as attendu le bus devant l'école?

## Le forcing

**Encore une victoire pour l'équipe de Strasbourg. Les Niçois ont perdu leur troisième match.**

**STRASBOURG ET NICE 6–3**

Après l'échec total de Lyon et le demi-échec face à Bourges, Nice a commis une troisième erreur en trois matchs. Les Strasbourgeois ont pratiqué un football collectif de qualité, se montrant patients et prudents pendant la première mi-temps. Le jeu niçois manquait de mouvement et de vitesse. Dortez se pose en rival sérieux de Peyre. Au début du match il a fait le forcing pour égaliser le score.

Ce n'est qu'après la mi-temps qu'il a marqué trois buts de suite. Et quels buts! On n'a jamais vu ca depuis le match légendaire qui Toulouse et Nant...

l'année dernière. Dortez avait ... mal à croire ce qu'il venait ... faire. Lors d'une interview apr... le match il a dit: «Je dois être ... peu fou. C'est sûrement pour ... que j'intéresse tout le monde ... lui est difficile de faire le hum... quand son talent saute aux y... Peyre, par contre, n'essaie m... pas de cacher son ego. «Je ... plus fort que jamais,» a-t-il ... cisé l'autre jour. «Il est vra... nous avons perdu trois m... mais cela n'a pas d'import... ou si peu. La semaine pro... je vais pouvoir mon... suis

**C** **La fête d'Élisabeth.** Complétez au passé composé.

1. Vendredi dernier Élisabeth ___ une fête. (donner)
2. Elle ___ à tous ses copains. (téléphoner)
3. Ses copains ___ au téléphone. (répondre)
4. Élisabeth ___ ses copains à la fête. (inviter)
5. Tous ses copains ___ son invitation. (accepter)
6. Yves et moi, nous ___ quelque chose à manger. (préparer)
7. Mais qui ___ les provisions? (acheter)
8. Tu ___ le menu? (choisir)
9. Non, Élisabeth ___ la fête et elle ___ le menu. (donner, choisir)
10. Tout le monde ___. (manger)
11. Vous ___ pendant la fête? (danser)
12. Oui, nous ___ et nous___. (danser, chanter)

**D** **Un voyage en avion.** On va imaginer que vous avez voyagé. Répondez.

1. Tu as voyagé l'année dernière?
2. Tu as voyagé avec Air France?
3. Tu as choisi classe économique ou première classe?
4. Tu as choisi une place côté couloir?
5. L'avion a décollé à l'heure?
6. Et il a atterri à l'heure?
7. Tu as voyagé avec un copain ou une copine?
8. Tu as attendu longtemps tes bagages?
9. La compagnie aérienne a perdu tes bagages?

**E** **Un voyage en train.** Mettez au passé composé.

1. J'attends le train.
2. Je voyage avec ma copine.
3. Nous attendons le train dans la salle d'attente de la gare.
4. J'achète un magazine au kiosque.
5. Je ne choisis pas de journal.
6. Ma copine achète un livre.
7. Nous entendons l'annonce du départ de notre train.
8. On annonce le départ au haut-parleur.
9. Le porteur descend nos bagages sur le quai.
10. Nous réussissons à trouver nos places dans la voiture onze.
11. Le contrôleur vérifie les billets.

1. *Qu'est-ce que* is another question or interrogative expression. It means "what" and refers to a thing.

> **Qu'est-ce que vous voyez?**
> **Qu'est-ce qu'il regarde?**
> **Qu'est-ce que vous avez?**

Note that *Qu'est-ce que vous avez?* also means "What's the matter?"

2. To ask "what?" in formal or written French you use *que* and invert the subject and verb.

> **Que voyez-vous?**
> **Que regarde-t-il?**
> **Qu'avez-vous?**

3. In informal French *qu'est-ce que* is used in exclamations.

> **Qu'est-ce qu'il est beau ce garçon!**     *How handsome that boy is!*
> **Qu'est-ce qu'elle est belle!**     *How beautiful she is!*
> **Qu'est-ce que je suis fatigué!**     *How tired I am!*

# Exercices

**A**   **Comment? Qu'est-ce que tu fais?**    Posez des questions d'après le modèle.

> J'écoute la radio.
> *Comment? Qu'est-ce que tu écoutes?*

1. Je lis le journal.
2. Je regarde la télé.
3. Je fais des exercices.
4. Je fais les courses.
5. J'achète un cadeau.
6. Je lave la voiture.
7. Nous écrivons un poème.
8. Nous préparons le petit déjeuner.
9. Nous commandons une boisson.

**B**   **Des mini-conversations.**    Posez des questions et répondez d'après le modèle.

> marquer/ un but
>
> Élève 1: Qu'est-ce que les joueurs ont marqué?
> Élève 2: Ils ont marqué un but.

1. lancer / le ballon
2. dribbler / le ballon
3. envoyer / le ballon
4. perdre / le match
5. gagner / la coupe
6. égaliser / le score
7. gagner / de l'argent

# CONVERSATION

## Scènes de la vie  *Une retransmission sportive*

ROMAIN: Tu as regardé la télé hier soir?
CORINNE: Oui, j'ai regardé la retransmission du match France-Brésil.

ROMAIN: Tu parles de la victoire de la France sur le Brésil?
CORINNE: Voilà! La France a gagné un à zéro.
ROMAIN: Le Brésil a fait le forcing pour égaliser le score.
CORINNE: Oui, mais sans succès. À chaque fois Peyre a bloqué le ballon. Ce type est un gardien vachement fort.

ROMAIN: Qui a marqué le but pour la France? J'ai oublié.
CORINNE: Tu as oublié? Tu n'as pas de mémoire! Moi, je ne vais jamais oublier ça! Roland. C'est Roland qui a marqué le but.

**Quel match alors!**  Répondez d'après la conversation.

1. Qui a regardé la télé hier soir?
2. Qu'est-ce qu'elle a regardé à la télé?
3. Qui a joué contre la France?
4. Qui a gagné le match?
5. Quelle équipe a perdu le match?
6. Le Brésil a réussi à égaliser le score? Pourquoi pas?
7. Comment s'appelle le gardien de but français?
8. Qui a marqué le but pour la France?
9. Qui a oublié son nom?

**20.30**

**20.25** **TF1** 22.35
### Football
En direct de Rotterdam. Commentaires : Thierry Roland et Jean-Michel Larqué.

### Feyenoord/AS Monaco
Demi-finale retour de la **Coupe d'Europe des vainqueurs de Coupes.**
«Je crois sincèrement que l'on forme un groupe de joueurs très unis. Quand l'un est en difficulté, l'autre a la volonté de venir l'aider. C'est important comme état d'esprit, car cela veut dire qu'en Coupe d'Europe, où le mental compte énormément, on peut avoir confiance en la solidarité. Je pense qu'on a une équipe capable d'embêter beaucoup de monde.»
Rob Witschge, qui prononce ces paroles pleines de bon sens, sait de quoi il parle. Il connaît aussi bien le football néerlandais que le football français, pour avoir joué pendant deux ans à Saint-Étie...

Désormais attaquant à Fey◻ l'ancien Stéphanois s'est p◻ ment adapté au style défe◻ son équipe, qui ressemble◻ mément à celui de l'Ajax d'◻ tous les défenseurs attaquen◻ les attaquants défendent. ◻ tat : les défenses adverses s◻ vent confrontées à des vagues◻ lantes bien difficiles à con◻ Arsène Wenger, l'entraîneu◻ Monégasques, craint cette ta◻ du rouleau compresseur, il ◻ cache pas : «Feyenoord m'◻ forte impression. Cette form◻ est très disciplinée. Et il é◻ d'elle une grande force physi◻

En cas d'égalité à la fin du temps ◻ mentaire, il sera procédé aux prol◻ tions et éventuellement aux tirs aux ◻

**20.30** **C++** 21.00
### Journal du ciném◻
Présentation : Michel Denisot.

**20.30** **M6** 20.40

## Prononciation    *Liaison et Élision*

l'arbitre

1. You have already seen that in French certain words are pronounced differently depending on whether they are followed by a vowel or a consonant. There is either liaison or elision. Compare the following.

   les copains / les‿amis     je regarde / j'écoute

2. Liaison is the linking of a usually silent consonant to the following word when the word begins with a vowel or silent *h*. Liaison occurs with plural subject pronouns, plural articles, and plural possessive adjectives. Repeat the following.

   ils‿ont gagné     les‿équipes     des‿arbitres     mes‿amis

3. Elision is the linking of a consonant and a vowel sound. It is made by dropping the vowel at the end of a word before a vowel at the beginning of the next. Elision occurs with the articles *le* and *la*, with the pronoun *je*, and with the negative word *ne*. Repeat the following.

   l'arbitre     l'équipe     j'attends     j'ai gagné     Tu n'écoutes pas!

   les‿arbitres

Now repeat and compare the following pairs of sentences.

   Vous‿avez perdu. / Vous n'avez pas perdu.
   J'ai fini. / Je n'ai pas fini.

## Activités de communication

**A** **Le week-end dernier.**   Tell your partner several things you did or didn't do last weekend, choosing from the verbs below. Then reverse roles.

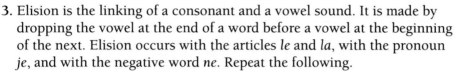

| | | | | |
|---|---|---|---|---|
| acheter | dîner | jouer | regarder | téléphoner |
| attendre | dormir | manger | rigoler | travailler |

**B** **Des exclamations!**   Tell your partner the name of a well-known person, place, or thing. Your partner will give his or her opinion using *qu'est-ce que*. Then reverse roles. You may each take several turns.

   Élève 1: Michael Jordan.
   Élève 2: Qu'est-ce qu'il est grand!

**C** **Ton sport d'équipe favori.**   Work with a partner. Take turns asking each other for the following information.

1. Quel est ton sport d'équipe favori?
2. Tu joues à ce sport ou tu préfères regarder les matchs à la télé?
3. Quelle est ton équipe favorite?
4. Ton équipe favorite a gagné beaucoup de matchs cette année?

## LES SPORTS EN FRANCE

*E*st-ce que les Français sont des sportifs sérieux? On peut dire que les sports collectifs intéressent les Français moins que les Américains ou les Russes, par exemple. Mais de nos jours, de plus en plus de Français pratiquent un sport. Le sport d'équipe le plus populaire en France, c'est le football ou, comme on dit souvent, le foot. Chaque grande ville a son équipe de foot. Des championnats nationaux et internationaux attirent[1] des fanas du monde entier. Mais le football en France, et en Europe en général, n'est pas le même que le football américain. D'abord le ballon est rond et les joueurs ne peuvent pas toucher le ballon avec les mains. Ils donnent un coup de tête ou un coup de pied dans le ballon pour envoyer le ballon dans le but de l'équipe adverse.

En France on pratique presque[2] tous les sports —le basket-ball, le volley-ball et le hand-ball. Mais il y a un sport qu'on ne pratique jamais: c'est le base-ball. Le base-ball n'est pas du tout populaire.

La France est le pays du cyclisme. Les courses dans les vélodromes attirent toujours beaucoup de monde. En juillet le célèbre Tour de France a lieu[3]. C'est une course internationale tout autour du[4] pays. Les coureurs cyclistes professionnels de tous les pays du monde participent au Tour de France. On donne au gagnant un trophée. On donne aussi une somme d'argent au nouveau héros international.

[1] attirent *attract*
[2] presque *almost*
[3] a lieu *takes place*
[4] tout autour du *all around*

**79ᵉ Tour de France**

## Étude de mots

**Quelle est la définition?** Trouvez les mots qui correspondent.

1. un sport collectif
2. un sport individuel
3. le même
4. un joueur
5. le camp adverse
6. pratiquer un sport

a. le contraire de «différent»
b. faire du sport, jouer
c. l'opposition
d. un sport qu'on pratique seul
e. une personne qui pratique un sport
f. un sport d'équipe

## Compréhension

**A**   **Les sports.**   Répondez par «oui» ou «non».

1. Les sports collectifs sont plus populaires en France qu'aux États-Unis.
2. Le sport d'équipe le plus populaire en France, c'est le football.
3. Le football est un sport collectif qu'on pratique en compétition.
4. Quand on joue au football américain on peut toucher le ballon avec les mains.
5. Le ballon de football en France est ovale.
6. Le base-ball est assez populaire en France.
7. Le cyclisme est plus populaire aux États-Unis qu'en France.
8. Le Tour de France a lieu au mois de septembre.

**B**   **Les Français aiment les sports.**   Répondez.

1. On pratique quels sports d'équipe en France?
2. Quel sport est-ce qu'on ne pratique jamais en France?
3. Quel sport est plus populaire en France qu'aux États-Unis?
4. Qu'est-ce que c'est, le Tour de France?
5. Qui participe au Tour de France?
6. Qu'est-ce qu'on donne au gagnant du Tour de France?

# DÉCOUVERTE CULTURELLE

*Il* y a un sport qu'on pratique en France qui ressemble au football américain? Oui, mais ce n'est pas le foot. C'est le rugby. Le football américain ressemble au rugby.

Aux États-Unis toutes les écoles secondaires ont toujours des équipes de football américain et d'autres sports. En France, ce n'est pas le cas. Les sports ne sont pas très importants dans les lycées français. Il n'y a pas d'équipes organisées. Mais les élèves secondaires en France ont le mercredi après-midi libre et, grâce aux[1] associations sportives scolaires, ils peuvent profiter de leur temps libre pour faire du sport.

Les Françaises et les Français font de la gymnastique, du tennis et du jogging. Mais ce sont surtout les hommes qui jouent au foot.

[1] grâce aux *thanks to*

RÉALITÉS

1

2

L'alpinisme est un sport très pratiqué en France **1**.

Voici des joueuses de volley-ball. Est-ce que l'arbitre regarde attentivement le match **2**?

En France aussi on aime faire du patin à roulettes sur les rampes **3**.

Le Tour de France commence et finit à Paris. Quel monument parisien célèbre est sur la photo **4**?

Voici un match de football à Bordeaux. C'est un match de nuit. Est-ce que les gradins sont pleins **5**?

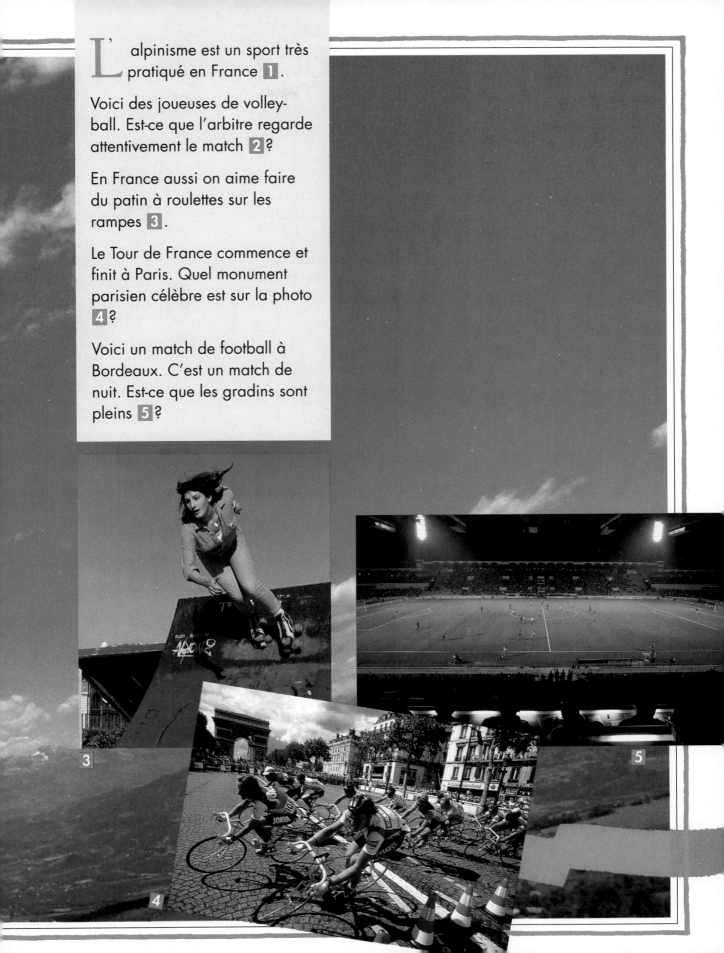

3

4

5

# CULMINATION

## Activités de communication orale

**A** **Le temps passé.** Using the time expressions and the verbs below, ask your partner several questions about his or her activities. Then reverse roles.

> quitter /ce matin
> Élève 1: Tu as quitté la maison à quelle heure ce matin?
> Élève 2: Ce matin j'ai quitté la maison à sept heures et quart.

| VERBES | EXPRESSIONS DE TEMPS |
|---|---|
| étudier | ce matin |
| jouer | hier |
| perdre | hier soir |
| quitter | l'année dernière |
| regarder | la semaine dernière |
| téléphoner | pendant le week-end |
| travailler | |
| attendre | |

**B** **Une enquête.** Divide into small groups and choose a leader. Using the list below, the leader will ask the others what they did last summer, take notes, and report to the class.

> Élève 1: Qui a voyagé en avion l'été dernier?
> Élève 2: Moi, j'ai voyagé en avion l'été dernier.

| | |
|---|---|
| étudier le français | gagner beaucoup d'argent |
| jouer au tennis | voyager en avion / train / voiture |
| travailler | passer quelques semaines à la plage |

## Activité de communication écrite

**Une invitation.** Write a short note inviting a friend to go to a sports event with you. Be sure to include the following in your note.

1. Ask your friend if he or she would like to go to the sports event with you.
2. Tell your friend when and where the event is.
3. Say who is playing against whom.
4. Mention how you will get to the event.

## Réintroduction et recombinaison

**A** **Mes vêtements.** Donnez des réponses personnelles.

1. Quelle est la couleur de ta chemise favorite ou de ton chemisier favori?
2. Quand tu achètes des chaussures, tu fais quelle pointure?
3. Tu achètes des vêtements prêt-à-porter ou sur mesure?
4. Si ton pantalon est trop large, tu as besoin de la taille au-dessus ou de la taille au-dessous?
5. Et s'il est trop serré, tu as besoin de quelle taille?

**B** **Raoul.** Répondez d'après le dessin.

1. Raoul est où?
2. Il parle à qui?
3. Que veut Raoul?
4. Qui met de l'essence dans le réservoir?
5. Qu'est-ce que la pompiste vérifie?

**C** **Serge roule en voiture.** Complétez.

1. Serge ___ bien. (conduire)
2. Il ___ le code de la route. (lire)
3. Il ___ que St.-Brieuc est assez loin d'ici. (dire)
4. Il ___ une carte postale de St.-Brieuc. (écrire)

**D** **Et vous aussi!** Récrivez les phrases de l'Exercice C en utilisant «vous».

## Vocabulaire

NOMS

le foot(ball)
le terrain de football
l'équipe (f.)
le camp
le joueur
le gardien de but
le ballon
le but
l'arbitre (m.)
la tête
le pied

le basket(-ball)
le panier
le panneau
le demi-cercle

le base-ball
le volley-ball
le sol

le vélo
le cyclisme
le coureur cycliste
le coureur
la course
la piste
le stade
le gradin
le spectateur
le gagnant
la coupe

l'automne (m.)
le printemps

ADJECTIFS

adverse
comble
plein(e)

VERBES

dribbler
envoyer
lancer
opposer
siffler

AUTRES MOTS ET EXPRESSIONS

donner un coup de pied
marquer un but
contre
par dessus
jusqu'à
beaucoup de monde

hier
hier matin
hier soir
avant hier
l'année dernière

# L'HIVER ET LES SPORTS D'HIVER

## OBJECTIFS

In this chapter you will learn to do the following:

1. talk about skiing and ice skating
2. describe winter weather
3. describe past actions
4. ask "whom" or "what"
5. describe French and Canadian ski resorts

# VOCABULAIRE

## MOTS 1

UNE STATION DE SPORTS D'HIVER

un sommet

une montagne

une piste très raide

une vallée

des bosses (f.)

un télésiège

un chalet

une skieuse

des lunettes (f.)

un bonnet

un skieur

une écharpe

un anorak

un gant

un bâton

un ski

une chaussure de ski

le ski de fond

le ski alpin

une piste de slalom

un moniteur    une monitrice

Marie est débutante.
L'hiver dernier elle a pris des leçons de ski.
Elle a appris à faire du ski.
Elle a eu un très bon moniteur.
Le moniteur a appris à faire du ski à Marie.
Elle a compris les instructions du moniteur.

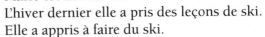

Marie a mis son anorak.
Elle a mis ses gants, son écharpe
    et son bonnet.
Elle a mis ses skis.

Marie a descendu la piste.
Elle a descendu la piste verte.
La piste verte est pour les débutants.

## Exercices

**A** **Marie a appris à faire du ski.** Répondez.

1. Marie a appris à faire du ski?
2. Qui a appris à Marie à faire du ski?
3. Elle a eu un très bon moniteur?
4. Elle a compris les instructions du moniteur?
5. Marie a mis son anorak?
6. Elle a mis ses gants, son écharpe et son bonnet?
7. Elle a mis ses chaussures de ski et ses skis?
8. Elle a descendu quelle piste?
9. La piste verte est pour les débutants?

**B** **Un sport fabuleux.** Répondez par «oui» ou «non».

1. Le ski est un sport d'été.
2. Les débutants ne font pas bien du ski.
3. Une piste très raide, c'est une piste avec des bosses.
4. Le moniteur ou la monitrice apprend à faire du ski aux débutants.
5. Les skieurs prennent le télésiège pour descendre la piste.
6. Les skieurs prennent le télésiège pour monter au sommet de la montagne.
7. On n'a pas vraiment besoin de pistes pour faire du ski de fond.
8. Les débutants descendent la piste de slalom.
9. Les skieurs et les skieuses portent souvent des lunettes.
10. Après le ski on va dans le chalet.

**On fait du ski.** Répondez d'après les dessins.

1. C'est une station balnéaire ou une station de sports d'hiver?
2. C'est une plage ou une montagne?
3. C'est une piste ou une piscine?
4. C'est un skieur ou un nageur?
5. C'est un ski nautique ou un bâton?

6. C'est un maillot ou un anorak?
7. Elle fait du ski alpin ou du ski nautique?
8. Il fait du ski de fond ou du ski alpin?
9. C'est le sommet de la montagne ou la vallée?
10. C'est un gant ou une écharpe?

# VOCABULAIRE

## MOTS 2

EN HIVER

Il fait froid.
Le ciel est couvert.
Il neige.
Il gèle.
Le vent est très froid.

Quelle est la température
aujourd'hui?
Il fait deux (degrés
Celsius).

jouer dans la neige

lancer une
boule de neige

une patinoire

une patineuse

un patineur

le patinage

la glace

un patin à glace

Hier Robert a fait du patin.
Il a eu un petit accident.
Il a fait une chute.

## Exercices

**A** **Le petit accident de Robert.** Répondez.

1. Robert a fait du patin ou du ski?
2. Il a mis ses patins ou ses skis?
3. Il a fait une chute sur la patinoire ou sur la piste de slalom?
4. Il a eu un petit accident ou un accident grave?

**B** **Le temps en hiver.** Répondez.

1. En hiver il fait froid ou il fait chaud?
2. Il neige en hiver ou en été?
3. Quand il neige, le ciel est couvert ou il fait du soleil?
4. Quand il neige, il fait chaud ou il fait froid?
5. Il gèle quelquefois en hiver?
6. Le vent est froid?
7. En général, quelle est la température dans ta ville en hiver?
8. Les températures en hiver sont basses ou élevées?

**C** **Les sports d'hiver et d'été.** Donnez des réponses personnelles.

1. Tu préfères l'été ou l'hiver?
2. Quelle est ta saison favorite?
3. Tu préfères les sports d'hiver ou les sports d'été?
4. Qu'est-ce que tu mets quand il fait très froid?
5. Tu as fait du ski? Où?
6. Tu aimes faire du ski?
7. Il y a une station de sports d'hiver près de chez toi?
8. Tu aimes jouer dans la neige?
9. Tu aimes lancer des boules de neige?
10. Tu aimes faire du patin?
11. Tu es bon patineur ou bonne patineuse?
12. Tu as des patins à glace?

**D** **C'est le ski ou le patinage?** Choisissez.

1. On pratique ce sport sur la glace.
2. On pratique ce sport sur la neige.
3. On descend une piste.
4. Les champions font du slalom.
5. On met des patins à glace.
6. On utilise des bâtons.
7. On pratique ce sport sur une patinoire.

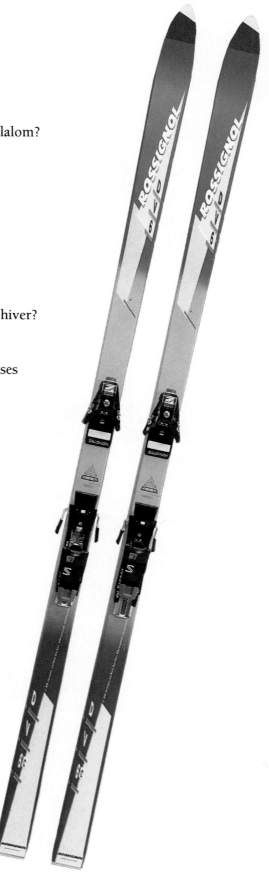

## Activités de communication

**A** **À quels sports joue-t-on?** A French exchange student (your partner) has just arrived to spend a year at your school. He or she will ask you what the weather is like in your town in summer and winter and what activities people do during these seasons. Give him or her as much information as you can.

**B** **La météo: il va faire quel temps demain?** You would like to know what the weather is going to be like tomorrow. Find out the following from your partner:

1. if he or she heard or read the weather report *(la météo)* for tomorrow.
2. what the weather is going to be like. (If your partner hasn't heard or read the weather report, he or she should take a guess.)
3. what the temperature is going to be.
4. if your partner would like to do something with you, based on the weather report.

**C** **À la montagne.** Imagine that you and your partner are at a winter resort. Your partner will ask you what you did during the day. Using the list below, tell him or her several things you did, then reverse roles.

> Élève 1: Qu'est-ce que tu as fait aujourd'hui?
> Élève 2: D'abord j'ai pris des leçons de ski avec un moniteur.
>     Ensuite j'ai...

> descendre la piste
> faire du patin
> faire du ski
> jouer dans la neige
> lancer des boules de neige
> prendre le télésiège

**D** **Sur le télésiège.** On the chairlift you strike up a conversation with the person sitting next to you (your partner). Find out if he or she:

1. likes to ski and where.
2. skis often.
3. also likes cross-country skiing.
4. is a beginner or skis well.

# STRUCTURE

## Le passé composé des verbes irréguliers

*Describing Past Actions*

1. You have already learned the past participles of regular verbs in French which end with an /é/, /i/, or /ü/ sound. Note the past participles of the following irregular verbs which also end with an /i/ or /ü/ sound.

| INFINITIF ➜ | PARTICIPE PASSÉ |
|---|---|
| mettre | mis |
| permettre | permis |
| prendre | pris |
| comprendre | compris |
| apprendre | appris |
| dire | dit |
| écrire | écrit |
| conduire | conduit |
| avoir | eu |
| croire | cru |
| voir | vu |
| pouvoir | pu |
| vouloir | voulu |
| lire | lu |

La ligne d'arrivée de la compétition de ski alpin à Val d'Isère

J'ai pris des leçons de ski.
J'ai appris à faire du ski.
J'ai compris toutes les instructions de la monitrice.
Elle a dit, «Bravo! Vous faites très bien du ski!»
J'ai eu de la chance. J'ai eu une très bonne monitrice.
Elle a écrit un livre sur le ski alpin. J'ai lu son livre.

2. The commonly used verbs *être* and *faire* also have irregular past participles.

| être | été |
|---|---|
| faire | fait |

J'ai fait un voyage à Megève l'année dernière.
J'ai été très content de pouvoir faire du ski.

3. Note the position of short adverbs such as *déjà, bien, trop,* and *vite* with the *passé composé.* They are placed between *avoir* and the past participle.

| | |
|---|---|
| J'ai *déjà* mangé. | *I have already eaten.* |
| Il a *vite* fini son sandwich. | *He quickly finished his sandwich.* |
| Il a *bien* choisi son moniteur. | *He chose his instructor well.* |

Adverbs of time such as *hier* and *aujourd'hui* follow the past participle.

Il a fait du ski *hier.*
Mais il n'a pas fait de ski *aujourd'hui.*

## Exercices

**A** **Gilles a fait du ski.** Répondez d'après les dessins.

1. Gilles a mis son anorak?
2. Il a dit «Bonne chance» à son ami?
3. Son ami a déjà fait du ski aujourd'hui?

4. Gilles a bien fait du ski?
5. Il a eu un accident?
6. Après l'accident Gilles a lu un livre pour les débutants?

**B Tu as dit quoi?** Complétez d'après le modèle avec «dire», «lire» ou «écrire».

J'___ que j'___ ce que j'___.
*J'ai dit que j'ai lu ce que j'ai écrit.*

1. Il ___ qu'il ___ ce qu'il ___.
2. Nous ___ que nous ___ ce que nous ___.
3. Tu ___ que tu ___ ce que tu ___.
4. Vous ___ que vous ___ ce que vous ___.
5. Elles ___ qu'elles ___ ce qu'elles ___.

**C Qu'est-ce qu'on a fait?** Répondez.

1. Est-ce que tu as lu le journal ce matin? Et tes parents?
2. Les élèves ont lu leur livre de francais avant l'examen?
3. Est-ce que tu as dit «Salut!» à tes copains ce matin?
4. Tes amis et toi avez dit «Au revoir!» à votre professeur de français hier?
5. La femme a dit «Zut!» quand elle a trouvé une contravention sur le parebrise de sa voiture?
6. Les élèves ont écrit des lettres à leurs grands-parents?
7. Ils ont écrit une composition au cours d'anglais?
8. Est-ce que tu as bien écrit cet exercice?

**D En route!** Complétez au passé composé.

Mon ami Laurent ___ (dire) que
<sub>1</sub>
Chamonix est une belle station de sports
d'hiver. Il ___ (lire) le Guide Michelin et
<sub>2</sub>
il ___ (voir) que Chamonix est loin de
<sub>3</sub>
Paris. Mais il ___ (vouloir) y aller. Ses
<sub>4</sub>
parents ___ (permettre) à Laurent
<sub>5</sub>
de prendre leur voiture. Il ___ (prendre)
<sub>6</sub>
leur voiture et il ___ (conduire) jusqu'à
<sub>7</sub>
Chamonix. Il ___ (faire) le voyage avec
<sub>8</sub>
son copain Alain qui ___ (être) très
<sub>9</sub>
content de partir avec lui. Ils ___ (mettre)
<sub>10</sub>
leurs skis sur la voiture. Ils ___ (prendre)
<sub>11</sub>
l'autoroute. Ils n'___ pas ___ (avoir) de
<sub>12</sub>
problème.

*On va à la Mer de Glace près de Chamonix.*

# Les pronoms *qui* et *quoi*

## *Asking "Whom" or "What"*

1. You use the pronouns *qui*, "whom," and *quoi*, "what," with prepositions such as *à*, *de*, *avec*, and *chez* to ask questions in French. *Qui* refers to a person and *quoi* refers to a thing. Study the following examples.

> **Tu parles à qui?**
> **Tu vas chez qui?**
> **Tu parles de quoi?**

2. Note the inversion in formal or written French.

| INFORMAL | FORMAL |
|---|---|
| **Vous parlez à qui?** | **À qui parlez-vous?** |
| **Vous allez chez qui?** | **Chez qui allez-vous?** |
| **Vous avez besoin de quoi?** | **De quoi avez-vous besoin?** |

## Exercices

**A** **Comment? Je n'ai pas entendu.** Répondez d'après le modèle.

> **Elle parle de sa sœur.**
> *Comment? Je n'ai pas entendu. Elle parle de qui?*

1. Elle parle de sa tante.
2. Elle parle de son prof.
3. Elle parle au moniteur.
4. Elle parle à son amie.
5. Elle est chez ses parents.
6. Elle va chez son copain.
7. Elle travaille avec sa cousine.
8. Elle parle de son travail.
9. Elle parle de ses vacances à la montagne.
10. Elle a besoin d'argent.
11. Elle a besoin de skis.

**B** **Au téléphone.** Posez une question d'après le modèle.

> **Vous allez au cinéma avec votre amie.**
> *Avec qui allez-vous au cinéma?*

1. Vous téléphonez à votre amie.
2. Vous parlez à votre amie.
3. Vous parlez de choses sérieuses.
4. Vous laissez un message pour le frère de votre amie.

*Un forfait-journée*

# CONVERSATION

## Scènes de la vie   *Tu as fait du ski?*

LISETTE: Michel, tu as fait du ski hier?
MICHEL: Oui. J'ai descendu la piste noire.

LISETTE: La piste noire? Mais tu es fou! C'est dangereux.
MICHEL: Oui, mais je n'ai pas eu de problème.

LISETTE: Tu n'as pas fait de chute?
MICHEL: Si, une petite chute, rien de grave!

 **La piste noire.**   Répondez d'après la conversation.

1. Qui a fait du ski hier?
2. Il a descendu quelle piste?
3. La piste noire est facile ou difficile?
4. Les pistes noires sont des pistes très raides?
5. Michel a eu un problème?
6. Il a fait une chute?

## Prononciation   *Le son /r/ initial*

You have already practiced saying the /r/ sound in the middle or at the end of a word. You will now practice saying it at the beginning of a word. Repeat the following pairs of words.

| | |
|---|---|
| **opéra / radio** | **mari / restaurant** |
| **favori / rigoler** | **adoré / rez-de-chaussée** |

Now repeat the following sentences.

> **C'est la radio qui réveille Richard.**
> **Pour rester en forme, Raoul ne regarde pas trop la télévison.**
> **Robert roule très vite dans sa Renault rouge.**

une radio

## Activités de communication

**A  Au téléphone.**   Ask your partner if he or she spoke on the telephone last night (or the night before). Ask whom your partner spoke to (*à qui*) and what they talked about (*de quoi*). Then reverse roles.

**B  Le week-end dernier.**   Choose three or four of the activities listed below and find out if your partner did any of them last weekend. If the answer is "yes," ask your partner some additional questions. Then reverse roles.

> Élève 1: **Tu as vu un film le week-end dernier?**
> Élève 2: **Oui, j'ai vu un film.**
> Élève 1: **Tu as vu quel film?**
> Élève 2: **J'ai vu . . .**

| | |
|---|---|
| avoir un accident | inviter un copain ou une copine au cinéma |
| écrire une composition | jouer au football / base-ball / basket-ball, etc. |
| être à une fête | lire un journal / un magazine / un livre |
| étudier | parler au téléphone |
| faire tes devoirs | regarder un programme à la télé |
| faire un voyage | voir un film |

**C  J'ai appris à . . .**   Tell your partner something you learned to do recently (last week, last summer, etc.). Your partner will ask you for the information below. Answer, then reverse roles.

1. when you learned to do the activity
2. where you learned
3. who taught you
4. if you took lessons
5. if you had a good instructor
6. if you understood the instructions

**D  Au Canada.**   Your Canadian pen pal has invited you to spend a week in Québec during the winter. Write back accepting or declining the invitation. Give several reasons why you can or cannot accept.

**E  Mes vacances d'hiver.**   Write a postcard to a friend telling about your mid-winter vacation. Include the following information.

1. where you are
2. who is with you
3. what the weather is like
4. what you have done
5. what you have liked and disliked
6. when you are going to return home

*On fait beaucoup de ski au Canada.*

## ON VA AUX SPORTS D'HIVER

*E*n février dernier la classe de Madame Carrigan a fait un voyage au Canada. Les élèves ont eu une semaine de vacances. Ils ont pris le train de New York à Montréal. Ils ont passé trois jours à Montréal où ils ont parlé français. Montréal est la deuxième ville francophone[1] du monde, après Paris.

Après deux jours à Montréal ils ont pris le car[2] jusqu'au Parc du Mont-Sainte-Anne. Le Mont-Sainte-Anne est une station de sports d'hiver tout près de la jolie ville de Québec. Après leur arrivée à Sainte-Anne ils ont tous mis leur anorak et leurs chaussures de ski. Ils ont acheté leur ticket de télésiège. Ils ont pris le télésiège jusqu'au sommet de la montagne. Du sommet ils ont eu une vue splendide sur les montagnes et les vallées couvertes de neige. As-tu jamais[3] vu les montagnes couvertes de neige? C'est vraiment superbe!

Les bâtons à la main et les skis aux pieds, ils ont commencé à descendre une piste. Mais ils ont choisi la mauvaise[4] piste, une piste très raide, trop difficile pour des débutants. Qui a eu un accident? Le casse-cou[5] Michel? Mais oui, c'est lui! Il a fait une chute. Il a glissé jusqu'en bas[6] de la piste. Tous ses copains ont rigolé. Ils ont dit, «Michel, tu es une vraie boule de neige qui roule, roule, roule!»

[1] francophone *French-speaking*
[2] le car *the bus*
[3] jamais *ever*
[4] mauvaise *wrong*
[5] le casse-cou *daredevil*
[6] a glissé jusqu'en bas *slid to the bottom*

*Le Mont-Sainte-Anne*

## Étude de mots

**Quel est le mot?** Choisissez.

1. Février est _____.
   a. un mois     b. une saison

2. Février est en _____.
   a. été     b. hiver

3. Montréal est une ville _____.
   a. francophone     b. française

4. Les chaussures de ski sont des _____.
   a. tennis          b. bottes

5. On met _____ quand il fait très froid.
   a. un maillot     b. un anorak

## Compréhension

**A** **Une excursion.** Corrigez les phrases.

1. Les élèves de Madame Carrigan ont fait un voyage en France.
2. Ils ont pris l'avion.
3. Ils ont passé trois jours à Québec.
4. Québec est la deuxième ville francophone du monde.
5. Le Parc du Mont-Sainte-Anne est une station balnéaire.
6. Les élèves de Madame Carrigan font tous très bien du ski.

**B** **Un fait important.** Vous avez appris quelque chose d'important au sujet de Montréal. Qu'est-ce que c'est?

# DÉCOUVERTE CULTURELLE

Quelques pays francophones ont des stations de sports d'hiver fabuleuses. En France, par exemple, il y a beaucoup de stations de sports d'hiver dans les Alpes et les Pyrénées. La Suisse est un pays célèbre pour le ski. Et n'oubliez pas que le français est une des langues officielles de la Suisse. En Suisse on parle français, allemand et italien. Et au Québec, la province francophone du Canada, il y a des stations de sports d'hiver superbes.

En France les écoles primaires ont des classes de neige. Les élèves vont dans une station de sports d'hiver. Le matin ils ont des cours. Ils étudient les maths, l'anglais, etc. L'après-midi, des moniteurs apprennent à faire du ski aux élèves. Il y a des classes de neige aux États-Unis? Vous croyez que c'est une bonne idée?

Dans les stations de sports d'hiver en France les pistes sont classées selon leur difficulté. Les couleurs indiquent le niveau, ou le degré, de difficulté.

| PISTE | NIVEAU | TYPE DE SKIEURS |
|---|---|---|
| | facile | débutants |
| | moyen | bons skieurs |
| | difficile | très bons skieurs |
| | très difficile | très, très bons skieurs |

# RÉALITÉS

Le hockey sur glace est un sport d'hiver très populaire, surtout au Canada. Et les joueurs canadiens sont parmi les meilleurs joueurs de hockey du monde **1**.

Courchevel est une grande station de sports d'hiver très célèbre dans les Alpes françaises. Tu veux faire du ski sur les pistes de Courchevel **2**?

Voici des gens dans une rue de Méribel pendant les Jeux Olympiques de 1992. Comme Courchevel, Méribel fait partie des Trois Vallées, une galaxie de stations de sports d'hiver dans les Alpes françaises **3**.

Voici le tricolore (le drapeau français) et le drapeau olympique. De quelles couleurs sont ces drapeaux **4**?

Voici des gens qui font du ski de fond dans la province d'Alberta au Canada **5**.

Ces deux couples prennent le télésiège jusqu'au sommet de la montagne **6**. Un des couples va faire du ski et l'autre couple va faire du surf des neiges. As-tu jamais fait du surf des neiges?

# CULMINATION

## Activités de communication orale

**A** **Sports d'hiver ou sports d'été?** Find out if your partner prefers winter or summer sports. Then ask which ones he or she likes and why. Reverse roles.

**B** **Sur la piste.** Imagine that you and your partner have just met on the ski slopes. Use the cues below to talk to each other.

1. Ask your partner to do something with you tomorrow. (Name the activity.)
2. Your partner wants to know where and at what time.
3. Your partner will either a) accept the invitation or
   b) decline, and suggest some other activity.

**C** **Miami et New York.** Imagine that you're from Miami and your partner is from New York. Contrast your two cities in winter. Talk about the weather, clothing, activities, and so on.

> Élève 1: À Miami il fait chaud en hiver.
> Élève 2: À New York il fait froid en hiver.

**D** **La location de skis.** You need to rent some ski equipment from the attendant (your partner) at a ski resort. Use the cues below to talk with your partner.

1. Greet each other.
2. Tell your partner what ski equipment you need and for how long.
3. He or she will ask your boot size.
4. Your partner will then ask what level skier you are.
5. Find out when you pay.

**E** **De quoi a-t-on besoin pour..?** Using the list below, ask your partner what one needs in order to do several of the following activities. Your partner will name as many things as possible. Then reverse roles.

*Le Mont d'Arbois à Megève*

> Élève 1: De quoi a-t-on besoin pour apprendre le français?
> Élève 2: On a besoin d'un bon professeur, d'un livre et de beaucoup de patience!

1. conduire une voiture
2. écrire une composition
3. faire du ski
4. faire un voyage
5. jouer au tennis
6. préparer un sandwich

# Activité de communication écrite

**Une station de sports d'hiver idéale.** Write a paragraph describing an ideal winter resort (real or imaginary). Be sure to include the following information.

1. where it is located and how to get there
2. what the weather is generally like
3. what facilities there are (lifts, skating rinks, restaurants, etc.)
4. what else you can do there besides ski

# Réintroduction et recombinaison

**A** **Un match de foot.** Mettez au passé composé.

1. Je joue au foot.
2. Je passe le ballon à Charles.
3. Il renvoie le ballon.
4. Le gardien bloque le ballon.
5. Nous ne marquons pas de but.
6. L'arbitre déclare un penalty.
7. L'équipe adverse marque un but.
8. Nous faisons le forcing pour égaliser le score.

**B** **La télé.** Complétez au passé composé.

1. Hier soir j'___ la télé. (regarder)
2. J'___ un film intéressant. (voir)
3. J' ___ la météo: demain, neige et froid, températures basses. (entendre)
4. À neuf heures mon copain Éric m' ___. (téléphoner)
5. Il n'___ pas ___ de bonnes nouvelles. (avoir)
6. Il ___ un examen et il n'___ pas ___ à l'examen. (passer, réussir)

# Vocabulaire

**NOMS**
l'hiver (m.)
le vent
le ski (*skiing*)
le ski alpin
le ski de fond
le skieur
la skieuse
le (la) débutant(e)
le moniteur
la monitrice
la piste (raide)
la piste de slalom
la bosse

la station de sports
   d'hiver
le chalet
le télésiège
la montagne
le sommet
la vallée

le ski (*ski*)
le bâton
la chaussure de ski
l'anorak (m.)
le bonnet
l'écharpe (f.)
le gant

les lunettes (f.)

le patinage
le patin à glace
le patineur
la patineuse
la patinoire
la glace
l'accident (m.)
la chute

**VERBES**
apprendre à quelqu'un
   à faire quelque chose
descendre

**AUTRES MOTS ET EXPRESSIONS**
faire du ski
faire du patin
faire une chute
il fait ___ degrés Celsius
il fait froid
il gèle
il neige

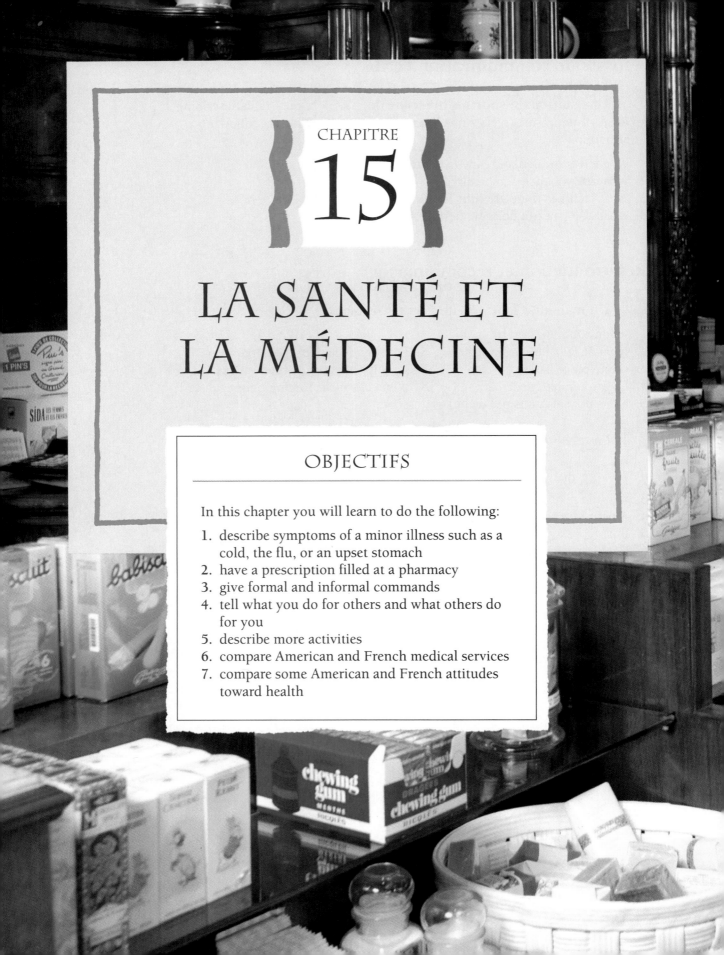

# CHAPITRE
# 15

# LA SANTÉ ET
# LA MÉDECINE

## OBJECTIFS

In this chapter you will learn to do the following:

1. describe symptoms of a minor illness such as a cold, the flu, or an upset stomach
2. have a prescription filled at a pharmacy
3. give formal and informal commands
4. tell what you do for others and what others do for you
5. describe more activities
6. compare American and French medical services
7. compare some American and French attitudes toward health

# VOCABULAIRE

## MOTS 1

ON EST MALADE

les yeux (m.)

l'oreille (f.)

le nez

la bouche

la gorge

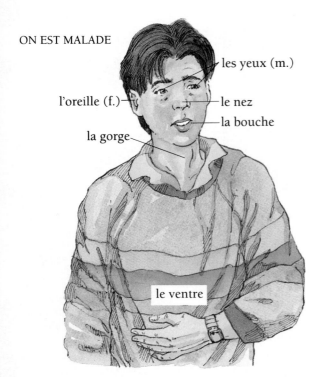

le ventre

avoir de la fièvre

Paul a un rhume.
Il est enrhumé.
Il éternue.

Atchoum!

un kleenex

Il tousse.

un mouchoir

Martin n'est pas en bonne santé.
Il est en mauvaise santé.
Il est très malade, le pauvre.
Il ne se sent pas bien.
Qu'est-ce qu'il a, le pauvre garçon?

**Note:** The expression *Qu'est-ce qu'il a?* means "What's wrong with him?"

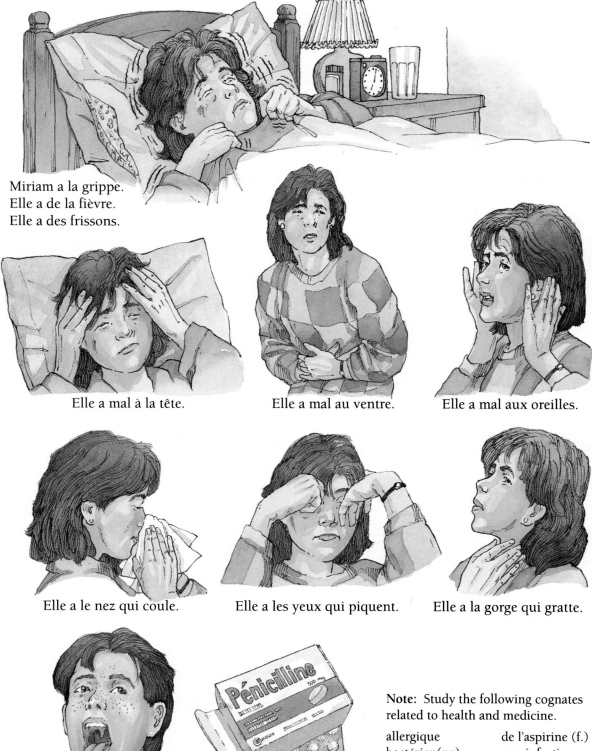

Miriam a la grippe.
Elle a de la fièvre.
Elle a des frissons.

Elle a mal à la tête.

Elle a mal au ventre.

Elle a mal aux oreilles.

Elle a le nez qui coule.

Elle a les yeux qui piquent.

Elle a la gorge qui gratte.

Christophe a très mal à la gorge. Il a une angine.

**Note:** Study the following cognates related to health and medicine.

| | |
|---|---|
| allergique | de l'aspirine (f.) |
| bactérien(ne) | une infection |
| viral(e) | la pénicilline |
| une allergie | la température |
| un antibiotique | |

## Exercices

**A** **Qu'est-ce que c'est?** Identifiez.

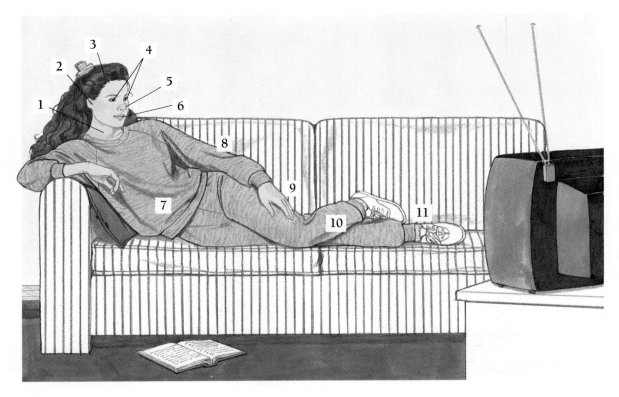

**B** **Qu'est-ce qu'elle a, la pauvre Miriam?** Répondez.

1. Miriam est très malade?
2. Elle ne se sent pas bien?
3. Qu'est-ce qu'elle a?
4. Elle a de la fièvre et des frissons?
5. Elle a la gorge qui gratte?
6. Elle a les yeux qui piquent et le nez qui coule?
7. Elle a mal à la tête?
8. Elle a mal au ventre?
9. Elle a mal aux oreilles?

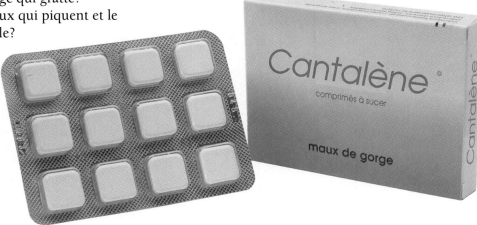

**C** **La santé.** Donnez des réponses personnelles.

1. Tu es en bonne santé ou en mauvaise santé?
2. Quand tu es enrhumé(e), tu as le nez qui coule?
3. Tu as les yeux qui piquent?
4. Tu as la gorge qui gratte?
5. Tu tousses?
6. Tu éternues?
7. Tu as mal à la tête?
8. Tu ne te sens pas bien?
9. Tu as de la fièvre quand tu as un rhume ou la grippe?
10. Quand tu as de la fièvre, tu as quelquefois des frissons?
11. Quand tu as mal à la tête, tu prends de l'aspirine?

**D** **On a mal.** Complétez.

1. On prend de l'aspirine. On a mal à la ___.
2. On a très mal à la gorge. On a une ___.
3. La ___ est un antibiotique.
4. On ne peut pas prendre de pénicilline quand on est ___ à la pénicilline.
5. On a une température de 40°C. On a de la ___.
6. Quand on est toujours malade, on est en ___.
7. Les ___ accompagnent souvent la fièvre.
8. On donne des antibiotiques comme la pénicilline pour combattre des infections bactériennes, pas ___.
9. Quand on a le nez qui coule, on a toujours besoin d'un ___ ou d'un ___.
10. Quand on a un rhume, on ___ et on ___.
11. Quand on a de la fièvre, on prend de l'___.
12. Quand on est enrhumé ou quand on écoute trop la musique, on a mal aux ___.

# VOCABULAIRE

## MOTS 2

CHEZ LE MÉDECIN

un malade

une malade

le médecin

Le médecin examine le malade.
Le malade ouvre la bouche.
Le médecin examine la gorge du malade.

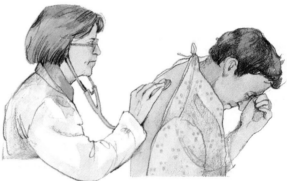

Elle ausculte le malade.
Il souffre, le pauvre.

Où avez-vous mal?

**Ouvrez la bouche.**　　**Toussez.**　　**Respirez à fond.**

Le médecin parle.

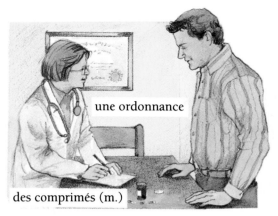

une ordonnance

des comprimés (m.)

le pharmacien
la pharmacienne

Le médecin me fait un diagnostic.
Elle me prescrit des antibiotiques.
Elle me fait une ordonnance.

Je suis à la pharmacie.
Qu'est-ce que la pharmacienne te donne?
Elle me donne des médicaments.

**Note:** You may use the following informal expressions to talk about health.

1. When you are not feeling well, you can say:

   **Je ne suis pas dans mon assiette aujourd'hui.**

2. To tell someone he or she will soon be better, you can say:

   **Tu vas être vite sur pied.**

3. When someone has a high fever, you can say:

   **Il a une fièvre de cheval.**

4. To say "It hurts," you say:

   **Ça fait mal!**

5. When you have a "frog in your throat," you can say:

   **J'ai un chat dans la gorge.**

# Exercices

**A** **Chez le médecin.** Choisissez.

1. Où est le malade?
   a. À l'hôpital.   b. Chez lui.   c. Chez le médecin.

2. Qui souffre?
   a. Le médecin.   b. Le malade.   c. Le pharmacien.

3. Qu'est-ce que le médecin examine?
   a. La bouche.   b. La gorge.   c. Le ventre.

4. Qu'est-ce que le malade ouvre?
   a. La bouche.   b. La gorge.   c. L'oreille.

5. Le médecin ausculte le malade. Comment respire-t-il?
   a. Il éternue.   b. À fond.   c. Bien.

6. Qui est-ce que le médecin ausculte?
   a. Le malade.   b. Le pharmacien.   c. La pharmacienne.

7. Que fait le médecin?
   a. Un diagnostic.   b. Des comprimés.   c. Des médicaments.

8. Qu'est-ce qu'il a, le pauvre malade?
   a. Une angine.   b. Mal au ventre.   c. Mal aux yeux.

9. Que fait le médecin?
   a. Un pharmacien.   b. Une ordonnance.   c. Un comprimé.

10. Qu'est-ce qu'elle prescrit?
    a. La pharmacie.   b. Des ordonnances.   c. Des antibiotiques.

11. Où va le malade pour acheter des médicaments?
    a. Chez le médecin.   b. À la pharmacie.   c. À l'ordinateur.

**B** **Le médecin m'examine.** Donnez des réponses personnelles.

1. Tu vas chez le médecin quand tu es très malade?
2. Le médecin te demande, «Où avez-vous mal»?
3. Quand tu as une angine, ça fait très mal?
4. Le médecin te dit, «Ouvrez la bouche»?
5. Il t'ausculte?
6. Il te dit, «Respirez à fond»?
7. Le médecin te fait un diagnostic?
8. Il te prescrit des comprimés?
9. Tu vas à la pharmacie pour acheter les médicaments?
10. Tu prends quelquefois des antibiotiques?

**C** **Plus familier, s'il vous plaît.** Dites d'une manière familière.

1. Je ne vais pas très bien aujourd'hui.
2. Tu vas bientôt te sentir mieux.
3. J'ai beaucoup de fièvre!
4. Je ne peux pas parler facilement.

## Activités de communication

*Mots 1 et 2*

**A** **Qu'est-ce que tu as?** Your partner was absent from school today due to illness. Call your partner to find out how he or she is feeling.

1. Ask what's wrong.
2. He or she will tell you a few symptoms.
3. Find out how your partner feels now.
4. Find out if he or she is going to school tomorrow.
5. Tell your partner something that happened at school today.
6. Your partner will ask you for the French homework.

**B** **Je ne suis pas dans mon assiette!** Yesterday you did something that made you feel ill today. Using List 1 below, tell your partner what you did. He or she will guess what's wrong with you, choosing from List 2.

| 1 | 2 |
|---|---|
| lire pendant six heures | avoir le nez qui coule |
| manger trop de chocolat | avoir mal aux yeux |
| passer trop d'examens | avoir la gorge qui gratte |
| regarder trop la télé | avoir mal aux pieds |
| crier au match | être fatigué(e) |
| faire une longue promenade | avoir mal aux oreilles |
| étudier jusqu'à 3h du matin | avoir mal à la tête |
| écouter trop de musique | avoir mal au ventre |
| jouer dans la neige en tee-shirt | |

Élève 1: Hier j'ai joué dans la neige.
Élève 2: Tu as le nez qui coule.

**C** **Quel médecin?** While on a trip to France, you get sick. Describe your symptoms. Your partner will look at the list of doctors at the *Hôpital Saint-Pierre* and tell you which one to call and what the phone number is.

Élève 1: J'ai mal au ventre.
Élève 2: Appelle le docteur Simonet au 43.89.39.25.

### HÔPITAL SAINT-PIERRE

Dr Monique Dumas
*Généraliste*

43.25.31.96

Dr Paul Forêt
*Oculiste*

43.36.97.64

Dr Michel Pagès
*Oto-rhino*

43.55.41.71

Dr Nicole Simonet
*Gastro-entérologue*

43.89.39.25

# STRUCTURE

## Les pronoms *me, te, nous, vous*

*Telling What You Do For Others and What Others Do For You*

1. You have already seen the pronouns *me, te, nous,* and *vous* with reflexive verbs. These same pronouns function as objects of the verb.

| | |
|---|---|
| **Le médecin *te* voit?** | Oui, il *me* voit. |
| **Le médecin *t'*examine?** | Oui, il *m'*examine. |
| **Le médecin *vous* regarde?** | Oui, il *me* regarde. |
| | Oui, il *nous* regarde. |
| **Le médecin *te* fait une ordonnance?** | Oui, il *me* fait une ordonnance. |
| **Il *vous* parle?** | Oui, il *me* parle. |
| | Oui, il *nous* parle. |

2. Note that the object pronoun comes right before the verb of which it is the object. This is true even when there is a helping verb, such as *pouvoir, vouloir,* or *aller* in the sentence.

   Il *m'*examine.
   Il va *m'*examiner.
   Il peut *m'*examiner.

3. The object pronoun cannot be separated from the verb by a negative word.

   Il ne *vous fait* pas d'ordonnance.
   Il ne *nous examine* pas.
   Il ne *m'ausculte* jamais.

## Exercices

**A** **Chez le médecin.** Donnez des réponses personnelles.

1. Quand tu vas chez le médecin, il te parle?
2. Il te regarde?
3. Il t'examine?
4. Il t'ausculte?
5. Il te fait un diagnostic?
6. Il te fait une ordonnance?
7. Il te prescrit des médicaments?
8. Il te prescrit des antibiotiques?
9. Le pharmacien te donne des médicaments?

**B** **Elle nous invite à la fête.** Répondez d'après le modèle.

> **Suzanne vous parle de sa fête?**
> *Oui, elle nous parle de sa fête.*

1. Elle vous téléphone?
2. Elle vous parle au téléphone?
3. Elle vous invite à la fête?
4. Elle vous dit l'heure de la fête?
5. Elle vous dit où elle habite?
6. Elle vous donne son adresse?

**C** **Elle ne nous invite pas à la fête.** Répondez par «non» aux questions de l'Exercice B.

**D** **Au rayon prêt-à-porter.** Complétez avec «vous» ou «me».

Je suis au rayon prêt-à-porter des Galeries Lafayette. La vendeuse ___ parle.
  ¹

Elle ___ demande:
  ²

—Vous désirez?

—Je voudrais un chemisier, s'il ___ plaît. Je fais du 40.
  ³

—D'accord. Je peux ___ proposer ces deux types de chemisiers.
  ⁴

—Ce chemisier bleu marine à manches longues ___ intéresse beaucoup.
  ⁵

—Je ___ suggère la taille au-dessous alors. Ces chemisiers sont très grands.
  ⁶

—D'accord. Je peux ___ payer avec une carte de crédit?
  ⁷

—Mais bien sûr!

**E** **Pourquoi ça?** Répondez d'après le modèle.

> **Élève 1: Il me regarde.**
> **Élève 2: Il te regarde? Pourquoi?**

1. Il me pose des questions.
2. Il me parle.
3. Il me téléphone.
4. Il me dit son numéro de téléphone.
5. Il me donne son adresse.

**F** **C'est ton anniversaire.** Donnez des réponses personnelles.

1. Tes copains vont te téléphoner le jour de ton anniversaire?
2. Ils vont te voir?
3. Ils vont t'inviter au cinéma ou au concert?
4. Ils vont te dire, «Bon anniversaire»?
5. Pour ton anniversaire, ils vont te faire un gâteau?

## Les verbes comme *ouvrir* au présent et au passé composé

*Describing More Activities*

1. Although the verbs *ouvrir, souffrir, couvrir,* and *découvrir* have infinitives that end in *-ir,* they have the same endings as *-er* verbs in the present tense.

| OUVRIR | SOUFFRIR |
|---|---|
| j' ouvre | je souffre |
| tu ouvres | tu souffres |
| il | il |
| elle } ouvre | elle } souffre |
| on | on |
| nous ouvrons | nous souffrons |
| vous ouvrez | vous souffrez |
| ils ouvrent | ils |
| elles ouvrent | elles } souffrent |

2. The past participles of these verbs are irregular.

| INFINITIF ⟶ | PARTICIPE PASSÉ |
|---|---|
| ouvrir | ouvert |
| couvrir | couvert |
| découvrir | découvert |
| souffrir | souffert |
| offrir | offert |

Pendant la nuit il a ouvert la fenêtre.
Hier le médecin a découvert la cause
de la maladie.

Guéris vite!

## Exercices

**A** **Tu souffres?**  Donnez des réponses personnelles.

1. Tu souffres quand tu es enrhumé(e)?
2. Tu souffres plus quand tu as un rhume ou quand tu as la grippe?
3. Tu prends de l'aspirine quand tu souffres d'une allergie?
4. Tu ouvres la bouche quand le médecin t'examine la gorge?
5. Tu ouvres les yeux quand le médecin t'examine les yeux?
6. Tu offres un bouquet de roses à ton amie malade?

**B** **Qu'est-ce qu'on fait?** Complétez avec «ouvrir» ou «offrir».

1. Nous ___ les yeux quand nous nous réveillons.
2. Elle ___ un livre à sa mère pour la Fête des Mères.
3. Vous ___ le magazine pour regarder les photos qui vous intéressent?
4. Vous ___ la bouche quand le médecin vous examine la gorge?
5. Ils ___ la bouche pour chanter.
6. J' ___ le livre et je commence à lire.
7. J'___ la fenêtre quand il fait chaud.
8. Tu ___ les cadeaux que tes amis t'___ pour ton anniversaire?

**C** **Il a été malade.** Répondez par «oui».

1. Charles a été malade?
2. Il a été à l'hôpital?
3. Le médecin a examiné Charles?
4. Charles a ouvert la bouche?
5. Le médecin a découvert la cause de sa maladie?
6. Il a couvert le pauvre Charles?
7. Le médecin a fait un diagnostic?
8. Charles a compris le diagnostic?
9. Le médecin a prescrit des médicaments?
10. Charles a pris les médicaments?
11. Il a pris trois comprimés par jour?
12. Il a beaucoup souffert?
13. Ses amis ont offert un petit cadeau à Charles?

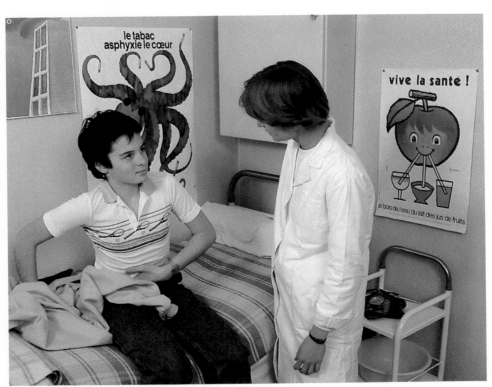

*Une femme-médecin parle à son jeune patient.*

# L'impératif

## Giving Formal and Informal Commands

1. You use the imperative to give commands and make suggestions. The forms are usually the same as the *tu, vous,* or *nous* form of the present tense. Note, however, that you drop the final *s* of the *tu* form of verbs ending in *-er,* including *aller.* The same is true for verbs like *ouvrir* and *souffrir,* which are conjugated like *-er* verbs. In commands the subject is omitted.

| INFINITIF | TU | VOUS |
|-----------|-----|------|
| regarder | regarde | regardez |
| aller | va | allez |
| ouvrir | ouvre | ouvrez |
| finir | finis | finissez |
| attendre | attends | attendez |
| prendre | prends | prenez |
| faire | fais | faites |
| dire | dis | dites |

**Marie, regarde le tableau! Va au tableau!**
**Madame, prenez des vitamines!**
**Roger et Vincent, faites attention!**

2. To express "Let's . . .," you use the *nous* form of the verb without the subject.

**Dansons!**
**Choisissons le menu touristique.**

3. With commands, negative expressions go around the verb.

**Ne parle pas en classe.**
**N'écoutez jamais ce disque.**
**Ne disons rien.**

*Les vitamines*

Laboratoire Conseil Oberlin

## Exercices

**A** **La loi, c'est moi!** Donnez un ordre à un copain ou à une copine d'après le modèle.

> **chanter**
> *Chante!*

1. danser
2. écouter la musique
3. parler français
4. travailler plus
5. préparer le dîner
6. commander un sandwich
7. ouvrir la porte

**B** **Et vous aussi!** Refaites l'Exercice A d'après le modèle.

> **chanter**
> *Chantez!*

**C** **Ne fais pas ça!** Donnez un ordre à un copain ou à une copine d'après le modèle.

> **regarder**
> *Ne regarde pas!*

1. lire le journal
2. écrire une lettre
3. prendre le métro
4. attendre dans la gare
5. descendre
6. aller vite
7. faire attention
8. entrer

**D** **Ne faites pas ça!** Refaites l'Exercice C d'après le modèle.

> **regarder**
> *Ne regardez pas!*

**E** **Allons-y!** Répondez d'après le modèle.

> **Vous voulez inviter Marie?**
> *Oui, invitons Marie!*

1. Vous voulez aller à la plage?
2. Vous voulez nager?
3. Vous voulez faire du ski nautique?
4. Vous voulez prendre le petit déjeuner?
5. Vous voulez aller au restaurant?
6. Vous voulez manger des fruits?

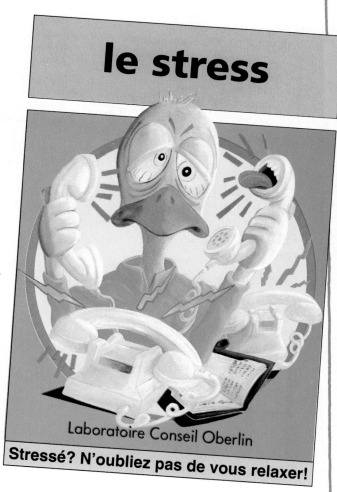

# le stress

Laboratoire Conseil Oberlin

**Stressé? N'oubliez pas de vous relaxer!**

# CONVERSATION

## Scènes de la vie  *Charlotte souffre*

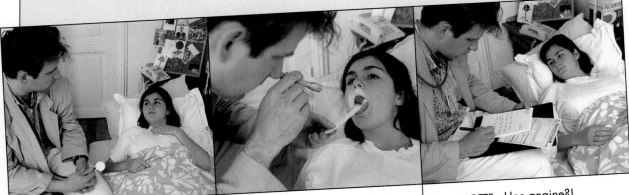

CHARLOTTE:  Ah, docteur, qu'est-ce que je peux souffrir!
LE MÉDECIN:  Où avez-vous mal? Quels sont vos symptômes?
CHARLOTTE:  Qu'est-ce que je suis malade! J'ai les yeux qui piquent et la gorge qui gratte. Ça fait mal!

LE MÉDECIN:  Vous avez mal à la tête?
CHARLOTTE:  Ah, oui. J'ai mal partout. Et j'ai des frissons. J'ai froid.
LE MÉDECIN:  Alors, vous avez de la fièvre. Je vais prendre votre température. Mais d'abord, je vais vous examiner. Ouvrez la bouche, s'il vous plaît. . . Oui, vous avez la gorge très rouge. Vous avez une angine.

CHARLOTTE:  Une angine?!
LE MÉDECIN:  Oui, ce n'est pas grave. Je vais vous faire une ordonnance. Je vous prescris des antibiotiques. Vous allez être vite sur pied.

---

![icon] **Une angine.**  Répondez d'après la conversation.

1. Charlotte souffre beaucoup?
2. Elle a les yeux qui piquent?
3. Elle a la gorge qui gratte?
4. Elle a mal à la tête?
5. Où a-t-elle mal?
6. Elle a de la fièvre et des frissons?
7. Qu'est-ce que le médecin va prendre?
8. Qu'est-ce que Charlotte ouvre?
9. Elle a la gorge comment?
10. Qu'est-ce qu'elle a?
11. Qu'est-ce que le médecin prescrit?
12. Charlotte va être vite sur pied?

**Docteur Henri ANSART**

50, résidence du Bois du Four
78640 NEAUPHLE-LE-CHÂTEAU
(Yvelines)
Tél. 36.89.00.07   36.89.08.95

DUROSEL Charlotte

Hyconcil :

2 gélules matin et soir pendant 5 jours.

Locabiotal :

3 pulvérisations par jour.

## Prononciation  *Le son /ü/*

1. To say the sound /ü/, first say the sound /i/ but round your
lips. Repeat the following words.

| | | |
|---|---|---|
| température | enrhumé | chaussure |
| voiture | descendu | |

2. The sound /ü/ also occurs in combination with other vowels.

| | | |
|---|---|---|
| éternuer | lui | depuis |
| aujourd'hui | je suis | |

Now repeat the following words and sentences.

**Quelle est la température aujourd'hui?**
**Luc conduit depuis huit ans.**
**Il a mis ses chaussures dans la voiture.**

température

## Activités de communication

**A**  **Ah docteur, je suis très malade!**  Imagine you are sick with a cold,
the flu, or a throat infection.  When the doctor (your partner) asks you what's
wrong, tell him or her several of your symptoms.  Your partner will make a
diagnosis and tell you what to do to get better.

Élève 1: J'ai mal à la tête et j'éternue tout le temps.
Élève 2: Vous avez un rhume. Prenez de l'aspirine et du bouillon
de poulet.

**B**  **Je déteste ce cadeau!**  In your worst nightmare, what do the
following people give you for your birthday? Your partner will ask you about
each person. Answer, then reverse roles.

Élève 1: Qu'est-ce que ta grand-mère t'offre pour ton
anniversaire?
Élève 2: Elle m'offre des cassettes de Frank Sinatra.

| | |
|---|---|
| tes parents | tes grands-parents |
| ton meilleur ami | ton frère |
| ta meilleure amie | ta sœur |

**C**  **Excusez-moi...**  You are supposed to take a French test today but you
aren't feeling well. Write a note to your French teacher with the following
information.

1. Say that you cannot take the test because you are ill.
2. Mention some symptoms you have.
3. Give the date and time you'd like to take the test.

# LECTURE ET CULTURE

## UNE CONSULTATION OU UNE VISITE

*L*e pauvre Richard! Qu'est-ce qu'il est malade! Il tousse. Il éternue. Il a mal à la tête. Il a une fièvre de cheval. Il a des frissons. Il n'est pas du tout dans son assiette. Il n'est pas très courageux, notre Richard. Il veut prendre rendez-vous[1] chez le médecin, mais c'est le week-end. Son médecin ne donne pas de consultations.

Alors que faire? Pas de problème! Appelons S.O.S Médecins, un service qui envoie des médecins à domicile. Un médecin arrive chez Richard. Il examine Richard. Il ausculte le malade. Il prend sa température. Le médecin dit que Richard a la grippe. Mais ce n'est pas grave. Il va vite se sentir mieux. Le médecin fait une ordonnance à Richard. Il prescrit des antibiotiques: trois comprimés par jour, un à chaque repas[2].

Richard paie le médecin. Mais en France la Sécurité Sociale rembourse les honoraires des médecins, c'est-à-dire l'argent qu'on donne aux médecins. Les honoraires et tous les frais[3] médicaux sont remboursés de 80 à 100% (pour cent) par la Sécurité Sociale.

[1] prendre rendez-vous *make an appointment*  
[2] repas *meal*  
[3] les frais *expenses*

## Étude de mots

 **Autrement dit.** Dites d'une autre manière.

1. Richard a *beaucoup de fièvre*.
2. Il *ne se sent pas bien*.
3. Il veut *aller voir* le médecin.
4. Le médecin *ne voit pas de malades* pendant le week-end.
5. S.O.S Médecins envoie des médecins *chez les malades*.
6. Le médecin *écoute la respiration de* Richard.
7. La grippe n'est pas une maladie *sérieuse*.
8. Richard va vite *se sentir mieux*.

## Compréhension

**A** **Vous avez compris?** Répondez par «oui» ou «non».

1. Richard est très courageux quand il est malade.
2. Il a beaucoup de fièvre.
3. Il a mal au ventre.
4. Richard veut aller chez le médecin.
5. Son médecin donne des consultations tous les jours.
6. Richard prend rendez-vous chez le médecin de S.O.S Médecins.
7. Le médecin prescrit des comprimés d'aspirine.
8. Les frais médicaux ne sont pas remboursés en France.

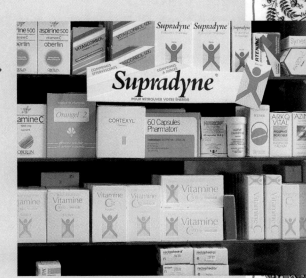

**B** **En France.** Qu'est-ce que vous avez appris sur les médecins et les services médicaux en France?

# DÉCOUVERTE CULTURELLE

*L*a culture influence la médecine? Certainement. Par exemple, en France tout le monde parle de son foie[1]. Les Français disent souvent, «J'ai mal au foie». En Amérique on n'entend jamais «J'ai mal au foie». Pourquoi pas? Parce que, pour les Américains, une maladie du foie est quelque chose de grave. Mais quand un Français dit qu'il a mal au foie, il veut dire tout simplement qu'il a un trouble digestif. Ce n'est rien de grave. Il n'est peut-être pas dans son assiette aujourd'hui mais il va être vite sur pied.

Aux États-Unis on parle d'allergies. Beaucoup d'Américains souffrent d'une petite allergie. Les symptômes d'une allergie ressemblent aux symptômes d'un rhume. On éternue et on a souvent mal à la tête. Une allergie est désagréable, mais pas grave. En France, on parle moins souvent d'allergies. Vive la différence!

[1] le foie *the liver*

*Les troubles digestifs*

# RÉALITÉS

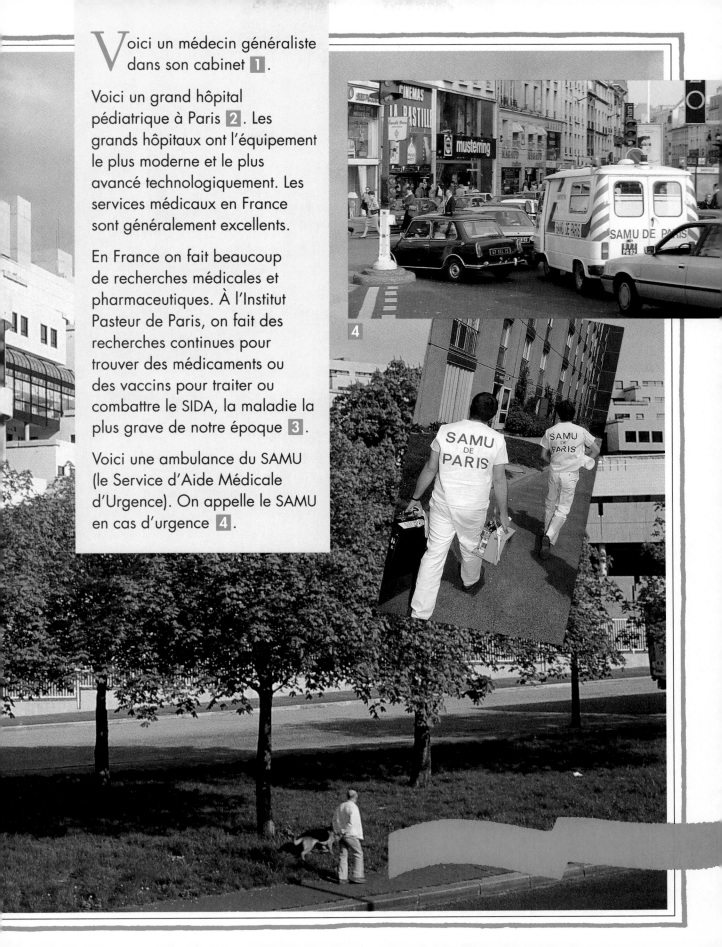

V̲oici un médecin généraliste dans son cabinet **1**.

Voici un grand hôpital pédiatrique à Paris **2**. Les grands hôpitaux ont l'équipement le plus moderne et le plus avancé technologiquement. Les services médicaux en France sont généralement excellents.

En France on fait beaucoup de recherches médicales et pharmaceutiques. À l'Institut Pasteur de Paris, on fait des recherches continues pour trouver des médicaments ou des vaccins pour traiter ou combattre le SIDA, la maladie la plus grave de notre époque **3**.

Voici une ambulance du SAMU (le Service d'Aide Médicale d'Urgence). On appelle le SAMU en cas d'urgence **4**.

# CULMINATION

## Activités de communication orale

**A** **Attention à la santé!** The health class is helping the teacher make up a quiz for the next class. Write down several health tips. When a student reads a tip aloud, another student must say whether it's a good or bad idea.

> Élève 1: Mange beaucoup de pâtisseries.
> Élève 2: C'est une mauvaise idée!

**B** **Qu'est-ce que tu me dis?** Suggest the following situations to your partner and ask what he or she would say in each case.

> **t'offrir un bouquet de roses**
>
> Élève 1: Je t'offre un bouquet de roses. Qu'est-ce que tu me dis?
> Élève 2: Je te dis, «Merci beaucoup, les roses sont magnifiques!»

1. te téléphoner à minuit
2. te proposer de sortir ensemble
3. te dire que j'ai besoin d'argent
4. te demander de faire mes devoirs pour moi
5. te donner un sandwich au pâté
6. te dire que je ne suis pas dans mon assiette

## Activité de communication écrite

**Tu es en bonne santé?** Do you have good health habits? On a separate sheet of paper make a chart like the one below. For each statement, check the box that best describes you. Compare your results with those of a classmate.

Give yourself two points for each time you answered *souvent*, one point for each time you answered *de temps en temps*, and zero for each time you answered *jamais*. Scores: between 10 and 12, you take good care of yourself; between 4 and 6, you take fairly good care of yourself; below 4, you need to take better care of yourself.

| | SOUVENT | DE TEMPS EN TEMPS | JAMAIS |
|---|---|---|---|
| 1. Je mange des fruits et des légumes. | | | |
| 2. Je prends des vitamines. | | | |
| 3. Je pratique un sport. | | | |
| 4. Je prends un bon petit déjeuner tous les jours. | | | |
| 5. Je dors au moins huit heures par jour. | | | |
| 6. Je porte des vêtements appropriés pour la saison. | | | |

# Réintroduction et recombinaison

**A** **Isabelle se sent très bien aujourd'hui!** Complétez au présent.

Qui ____ (dire) qu'Isabelle n' ____ (être) pas dans son assiette aujourd'hui? Ce
<sub>1</sub>                          <sub>2</sub>
n' ____ (être) pas du tout vrai. Elle ____ (aller) très bien. Elle ____ (se lever) de
<sub>3</sub>                          <sub>4</sub>                    <sub>5</sub>
bonne heure, ____ (prendre) son petit déjeuner et ____ (quitter) la maison. Elle
                <sub>6</sub>                          <sub>7</sub>
____ (vouloir) rester en forme. Elle ____ (aller) au gymnase où elle ____ (faire)
<sub>8</sub>                    <sub>9</sub>                          <sub>10</sub>
de l'aérobic. Elle ____ (avoir) beaucoup de copains au gymnase. Ils ____ (mettre)
                    <sub>11</sub>                                    <sub>12</sub>
un survêtement et ils ____ (faire) de l'exercice ensemble.
                      <sub>13</sub>

**B** **Aux sports d'hiver.** Complétez au passé composé.

1. L'hiver dernier Sylvie et Maryse ____ (passer) une semaine à Val d'Isère dans les Alpes françaises.
2. Le premier jour elles ____ (mettre) leur anorak, leurs gants et leurs skis.
3. Elles ____ (prendre) le télésiège jusqu'au sommet de la montagne.
4. Malheureusement elles ____ (choisir) la mauvaise piste—une piste noire, très difficile.
5. Sylvie ____ (glisser) et ____ (faire) une chute.
6. Elle ____ (perdre) ses bâtons qui ____ (glisser) jusqu'en bas de la piste.
7. Deux garçons très sympa ____ (trouver) les bâtons et ils ____ (donner) les bâtons à Sylvie.
8. Les deux filles ____ (dire) «merci» aux garçons et ils ____ (faire) du ski ensemble toute la journée.

# Vocabulaire

NOMS
la santé
la médecine
le médecin
le (la) malade
le (la) pauvre
l'allergie (f.)
l'angine (f.)
la température
la fièvre
les frissons (m.)
la grippe
le rhume
l'infection (f.)

le médicament
l'ordonnance (f.)

l'aspirine (f.)
l'antibiotique (m.)
la pénicilline
le comprimé
la pharmacie
le (la) pharmacien(ne)
le kleenex
le mouchoir

les yeux (m.pl.)
le nez
la bouche
l'oreille (f.)
la gorge
le ventre

ADJECTIFS
allergique

bactérien(ne)
enrhumé(e)
malade
viral(e)

VERBES
examiner
ausculter
respirer (à fond)
éternuer
tousser
couvrir
découvrir
offrir
ouvrir
souffrir

se sentir
prescrire

AUTRES MOTS ET EXPRESSIONS
avoir mal à
avoir un chat dans la gorge
avoir de la fièvre
avoir une fièvre de cheval
avoir les yeux qui piquent
avoir le nez qui coule
avoir la gorge qui gratte
être dans son assiette
être en bonne (mauvaise) santé
être vite sur pied
faire un diagnostic
faire une ordonnance
Ça fait mal.

# LES LOISIRS CULTURELS

## OBJECTIFS

In this chapter you will learn to do the following:

1. discuss movies, plays, and museums
2. indicate people, places, and things you know
3. tell what you know how to do
4. refer to people and things already mentioned
5. identify cities, countries, and continents
6. express "to come," "to come back," and "to become"
7. tell where people come from
8. contrast French and American cultural activities

# VOCABULAIRE

## MOTS 1

AU CINÉMA

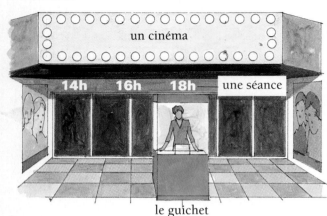

un cinéma

une séance

le guichet

l'écran

un dessin animé

une salle
de cinéma

Qui joue dans ce film?

les vedettes

un acteur

une actrice

un film étranger

Qu'est-ce que tu vas faire?

les sous-titres (m.)

On passe un film étranger à Paris.
On passe le film en V.O., c'est-à-dire
   en version originale.
On le voit en version originale avec
   des sous-titres français.

Le film est doublé.
La version originale est en anglais.
La version doublée est en français.

Tu préfères quels genres de films?

un documentaire

un film policier

un film d'horreur

un film de science-fiction

un film d'aventures

un film d'amour

une comédie

un drame

AU THÉÂTRE

une pièce de théâtre

le décor

le rideau

On monte une pièce.
C'est une comédie.

un costume

la scène

Comédie-Française

**Molière**
**Le Tartuffe**

**Acte 1**
   *Scène 1*
   *Scène 2*

*Entracte*
**Acte 2**
   *Scène 1*
   *Scène 2*

**Acte 3**
   *Scène 1*
   *Scène 2*

La pièce a trois actes.
Chaque acte a deux scènes.
Entre deux actes il y a un entracte.

Voici quelques genres de pièces:
   une tragédie
   un opéra
   une comédie musicale

l'entracte (m.)

# Exercices

**A** **Fana de cinéma ou pas?**  Donnez des réponses personnelles.

1. Tu es fana de cinéma? C'est-à-dire, tu aimes beaucoup voir des films?
2. Tu vas souvent au cinéma?
3. Il y a un cinéma près de chez toi?
4. La première séance est à quelle heure?
5. Il y a toujours un dessin animé avant le film?
6. Tu fais la queue devant le cinéma? Quels soirs spécialement?
7. Où est-ce que tu prends les billets?
8. Dans la salle de cinéma, tu préfères une place près de l'écran ou loin de l'écran?
9. Quel est ton acteur préféré ou ton actrice préférée?
10. Quelle est la vedette de ton film préféré?
11. Si tu vois un film étranger, tu préfères voir la version originale avec des sous-titres ou une version doublée?

**B** **Au cinéma.**  Complétez.

1. Ce soir on ___ un très bon film au cinéma Rex.
2. C'est un film étranger. Il n'est pas doublé, il a des ___.
3. On ne passe pas le film en ___ originale.
4. La prochaine ___ commence à quelle heure?
5. Combien coûte le ___?

**C** **Tu aimes quels genres de films?**  Donnez des réponses personnelles.

1. Tu préfères les documentaires ou les dessins animés?
2. Tu préfères les films policiers ou les films d'horreur?
3. Tu préfères les films d'aventures ou les films de science-fiction?
4. Tu préfères les comédies ou les drames?
5. Quand tu vas au magasin de vidéos, tu choisis généralement quel genre de films?

**D** **Des pièces et des films.**  Complétez.

1. Au théâtre on ___ une pièce.
2. On voit un film au cinéma et on voit une pièce au ___.
3. Une pièce a des ___ et les ___ ont des ___.
4. Entre deux actes il y a un ___.
5. Un ___ joue le rôle de Roméo.
6. Une ___ joue le rôle de Juliette.
7. Le balcon de Juliette est le ___ d'une scène d'amour célèbre.
8. Les acteurs et les actrices portent des ___.
9. Le mot ___ en français signifie (veut dire) *scene* et *stage* en anglais.
10. Le ___ se lève à 20 heures.

## E Au théâtre. Donnez des réponses personnelles.

1. Tu es fana de théâtre?
2. Tu vas souvent au théâtre?
3. Il y a un théâtre dans ta ville?
4. Ton école a un club d'art dramatique?
5. Tu es membre du club d'art dramatique?
6. Le club monte combien de pièces par an?
7. Cette année le club va monter quelle pièce?

## F Mes préférences. Donnez des réponses personnelles.

1. Tu préfères les comédies ou les tragédies?
2. Tu aimes l'opéra?
3. Tu aimes les comédies musicales?
4. Tu as déjà joué dans une pièce?
5. Quel rôle as-tu joué?

Collections de la Comédie-Française

Comédie-Française

Molière
Le Malade imaginaire

# VOCABULAIRE

## MOTS 2

AU MUSÉE
une exposition d'art

la peinture

un tableau

une statue

la sculpture

une peintre

un peintre

des sculpteurs (m.)

une œuvre (f.)

> Je sais le nom du peintre.
> C'est Duval.
> Je ne connais pas ce peintre
> personnellement.
> Je connais son œuvre, c'est-à-dire
> ses tableaux.

Musée d'Art Moderne
Ouvert: du mardi au dimanche
de 9h à 18h
Fermé: le lundi

> Moi, je connais bien le Musée d'Art
> Moderne.
> Je le visite souvent.
> Je sais que le musée est fermé le lundi.
> Il est ouvert tous les jours sauf le lundi.

# Exercices

**A** **Un peu de culture.** Répondez d'après les dessins.

1. C'est un musée ou un théâtre?
2. Le musée est ouvert ou fermé?
3. C'est une exposition de peinture ou une exposition de sculpture?

4. Elle est peintre ou sculpteur?
5. C'est un tableau ou une statue?

**B** **Qui le sait?** Répondez.

1. Robert sait le nom du peintre?
2. Il connaît le peintre?
3. Il connaît l'œuvre du peintre?
4. Annick sait le nom du musée?
5. Elle connaît le musée?
6. Elle connaît le Musée d'Art Moderne?
7. Elle le visite souvent?
8. Elle sait que le musée est fermé le lundi?
9. Le Musée d'Art Moderne est ouvert tous les jours sauf le lundi?

# Activités de communication

*Mots 1 et 2*

**A** **Tu aimes le cinéma?** You are talking to a French student (your partner) in a café in Paris. He or she wants to know the following.

1. if you like movies
2. if you go to the movies often
3. if you have any favorite stars
4. what types of movies you like
5. how much it costs to go to the movies in the U.S.

**B  Le théâtre.**   A French exchange student at your school (your partner) is interested in theater. He or she wants to know the following.

1. if you like to go to the theater and what kinds of plays you like
2. if there are theaters in your town
3. if your school has a drama club
4. what play(s) the club is putting on or has put on this year

**C  Les critiques.**   Imagine that you are a movie critic for a French magazine. Write a short description of a few films of your choice. For each, indicate the type of film it is, who the actors are, and your opinion of the film. Your partner will guess what films you are reviewing.

> Élève 1: C'est un dessin animé. Les vedettes de ce film sont des animaux verts. C'est un film assez amusant.
> Élève 2: C'est les *Ninja Turtles*.

**D  Mon film préféré.**   Ask your partner what his or her favorite movies are and why. Then ask your partner the names of a few movies he or she hates and why. Reverse roles.

**E  Au musée.**   Read the descriptions of the five Paris museums listed below. Ask your partner which museum he or she might like to visit and why. (If your partner doesn't want to visit any of them, find out why.) Then reverse roles.

> Élève 1: Tu veux visiter quel musée?
> Élève 2: Je veux visiter le Centre Pompidou parce que j'aime l'art moderne.

**F  Renseignements.**   You are in Paris and would like to visit one of the museums listed in Activité E. Call the museum and ask the agent (your partner) for the following information. (He or she will answer using the information in Activité E.)

1. where the museum is
2. what time it opens and when it closes
3. what day it is closed
4. how much it costs to get in

## LES MUSÉES

**MUSÉE DE L'ARMÉE**
Esplanade des Invalides. 45.55.37.70. Tous les jours de 10h à 18h. Entrée: 27F, Tarif réduit: 14F. (Musée accessible aux handicapés physiques).

**CENTRE POMPIDOU (BEAUBOURG)**
Rue Rambuteau. 42.77.12.33. Semaine de 12h à 22h. Samedi, dimanche et fêtes de 10h à 22h. Fermé le mardi. Tarif musée: 27F. Tarif réduit: 18F. *Le Musée National d'Art Moderne de l'après-impressionnisme à nos jours, plus des expositions temporaires, concerts, ballets, cinémathèque.*

**MUSÉE DU LOUVRE**
Rue de Rivoli. Ouvert tous les jours sauf le mardi de 9h à 18h. Entrée: 30F. Tarif réduit: 15F. *Six musées en un seul: antiquités gréco-romaines, égyptiennes, orientales, beaux-arts français, italiens et d'autres encore. En vedette, «la Vénus de Milo», et «la Joconde».*

**MUSÉE DU SPORT**
24, rue du Commandant Guilbaud. 40.45.99.12. Entrée: 20F. Tarif réduit: 10F. Ouvert tous les jours de 9h30 à 12h30 et de 14h à 17h. Fermé mercredi, samedi et fêtes. *Exposition permanente: Trésors et curiosités du sport.*

**MUSÉE DU CINÉMA-HENRI LANGLOIS**
Palais de Chaillot. 45.53.74.39. Tous les jours sauf mardi et fêtes. Visites guidées à 10h, 11h, 14h, 15h, et 16h. Entrée: 22F. Tarif réduit: 14F. *Documents sur le cinéma de 1895 à nos jours.*

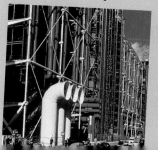

# STRUCTURE

## Les verbes *connaître* et *savoir* au présent

*Indicating People, Places, and Things You Know and What You Know How to Do*

1. Study the following forms of the irregular verbs *connaître* and *savoir*, both of which mean "to know."

| CONNAÎTRE | SAVOIR |
|---|---|
| je connais | je sais |
| tu connais | tu sais |
| il ⎫ | il ⎫ |
| elle ⎬ connaît | elle ⎬ sait |
| on ⎭ | on ⎭ |
| nous connaissons | nous savons |
| vous connaissez | vous savez |
| ils ⎫ connaissent | ils ⎫ savent |
| elles ⎭ | elles ⎭ |

2. You use *savoir* to indicate that you know a fact.

> **Je sais le numéro de téléphone et l'adresse du cinéma.**
> **Je sais que le cinéma n'est pas loin d'ici.**
> **Il sait à quelle heure la séance commence.**

3. You use *savoir* + infinitive to indicate that you know how to do something.

> **Elle sait conduire.**
> **Tu sais danser?**

4. *Connaître* means "to know" in the sense of "to be acquainted with." You use it with people, places, and things. Compare the meanings of *savoir* and *connaître* in the sentences below.

> **Je sais son nom. C'est Nathalie. Je connais bien Nathalie.**
> **Je sais où elle habite. Elle habite à Grenoble. Je connais Grenoble.**
> **Je sais le nom de l'auteur. C'est Victor Hugo. Je connais son œuvre.**

## Exercices

**A** **Qu'est-ce que tu sais?** Donnez des réponses personnelles.

1. Tu sais l'adresse de ton ami(e)? Il (Elle) habite quelle ville?
2. Tu connais la ville?
3. Tu sais le nom d'un bon restaurant? Quel est son nom?
4. Tu connais le restaurant?
5. Tu sais le nom de l'auteur de la tragédie de *Macbeth*? Quel est son nom?
6. Tu connais les pièces de Shakespeare?
7. Tu connais *Macbeth*?

**B** **On sait tout.** Complétez avec «savoir».

1. Moi, je ___ le nom du théâtre.
2. Et Paul ___ le numéro de téléphone du théâtre.
3. Paul et moi, nous ___ l'adresse du théâtre.
4. Mais nous ne ___ pas l'heure du lever de rideau.
5. Voilà Guy et Monique. Ils ___ à quelle heure la pièce commence.
6. Je ___ que le théâtre est fermé le dimanche.
7. Vous ___ quelle pièce on monte maintenant à la Comédie-Française?
8. Et toi, tu ___ qui joue le rôle principal dans cette pièce?

**C** **Qu'est-ce que tu sais faire?** Donnez des réponses personnelles.

1. Tu sais jouer au tennis?
2. Tu sais faire de l'aérobic?
3. Tu sais faire des costumes?
4. Tu sais organiser une très bonne fête?
5. Tu sais parler français?

**D** **Qui connaît quoi?** Complétez avec «connaître».

1. Je ___ bien la France.
2. Les élèves de Madame Benoît ___ la peinture française.
3. Mais ils ne ___ pas très bien la littérature française.
4. Tu ___ la culture française?
5. Et Paul, il ___ la culture française contemporaine?
6. Vous ___ l'art français?
7. Nous ___ les Impressionnistes comme Monet, Manet et Renoir.
8. Tu ___ l'œuvre du peintre Degas?
9. Ah, oui. Je ___ son œuvre. J'adore ses danseuses de ballet.

*Auguste Rodin: «Les Bourgeois de Calais»*

## Les pronoms *le, la, les*

### *Referring to People and Things Already Mentioned*

1. You have already learned to use *le, la, l'*, and *les* as definite articles. These same words are also used as direct object pronouns. A direct object pronoun can replace either a person or a thing. Note that the direct object pronoun in French comes right before the verb.

| | |
|---|---|
| Je sais le nom du film. | Je *le* sais. |
| Je vois le film. | Je *le* vois. |
| J'aime le film. | Je *l'*aime. |
| Je ne connais pas la vedette. | Je ne *la* connais pas. |
| Je lis les sous-titres. | Je *les* lis. |
| J'admire les costumes. | Je *les* admire. |

2. Note the placement of the direct object pronoun in negative sentences. It cannot be separated from the verb by the negative word.

| | |
|---|---|
| Tu connais l'auteur? | Non, je ne *le connais* pas. |
| Tu regardes la télé? | Je ne *la regarde* jamais. |
| Tu aimes les tragédies? | Je ne *les aime* pas du tout. |

3. Remember that in sentences with a verb + infinitive, the pronoun comes right before the infinitive.

| | |
|---|---|
| Nous pouvons lire les sous-titres. | Nous pouvons *les* lire. |
| Il ne peut pas comprendre le film. | Il ne peut pas *le* comprendre. |

## Exercices

**A** **Tu aimes les pâtisseries?** Donnez des réponses personnelles d'après le modèle.

> les pâtisseries
> *Les pâtisseries? Je les aime beaucoup.*
> *(Je ne les aime pas. Je les déteste!)*

1. les gâteaux
2. l'eau minérale
3. la viande
4. le bœuf
5. le poisson
6. la glace
7. les fruits
8. les crevettes
9. le poulet
10. les haricots verts

*Paul Cézanne: «L'Assiette bleue-Abricots et Cerises»*

**B** **On voit le film en version originale.** Complétez.

1. —On voit le film doublé ou en version originale?
   —On ___ voit en version originale.
2. —Tu sais le nom de la vedette?
   —Oui, je ___ sais.
3. —Tu connais la vedette?
   —Tu veux rigoler! Mais non, je ne ___ connais pas.
4. —Tu comprends le français?
   —Oui, je ___ comprends.
5. —Tu ___ comprends assez bien pour comprendre le film?
   —Non, mais il n'y a pas de problème. Il y a des sous-titres et je ___ lis quand je ne comprends pas le dialogue.

**C** **Qu'est-ce qu'il est beau!** Répondez d'après le modèle.

> **Tu vois la statue?**
> *Oui, je la vois. Qu'est-ce qu'elle est belle!*

1. Tu vois le théâtre?
2. Tu aimes la pièce?
3. Tu vois le tableau?
4. Tu entends le concert?
5. Tu vois le ballet?
6. Tu vois le film?
7. Tu lis le poème?
8. Tu vois le décor?
9. Tu regardes les costumes?
10. Tu vois la vedette?
11. Tu vois l'actrice?
12. Tu regardes les tableaux?

**D** **Qu'est-ce qu'on va faire?**
Répondez en utilisant «le», «la» ou «les».

1. Après les cours tu vas prendre le bus?
2. Tu vas écouter la radio?
3. Tu vas faire les devoirs de français ce soir?
4. Tu vas regarder la télé?
5. Ton père ou ta mère va préparer le dîner?
6. Tes parents vont lire le journal?

*Edgar Degas: «Deux Danseuses en Scène»*

# Les prépositions avec les noms géographiques

*Identifying Cities, Countries, and Continents*

You use the following prepositions to express "in" or "to" with geographical names.

1. *à* with the name of a city

> Le Château de Versailles est bien sûr à Versailles.
> Le Musée du Louvre est à Paris.
> Je vais à New York pour aller au théâtre.

2. *en* with the name of feminine countries and continents. Most countries and continents whose names end in silent *-e* are feminine. *Le Mexique* is one of the common exceptions.

> Henri est en France.
> La France est en Europe.
> Carole va en Tunisie.
> La Tunisie est en Afrique.
> Shanghaï est en Chine.
> La Chine est en Asie.

3. *au* with the name of masculine countries. Most countries whose names do not end in silent *-e* are masculine.

> Il va faire du ski au Canada.
> Cancún est au Mexique.
> Tokyo est au Japon.
> Je passe mes vacances au Maroc.
> Lisbonne est au Portugal.

4. *aux* with countries whose name is plural.

> Marc fait un voyage aux États-Unis.
> Amsterdam est aux Pays-Bas.

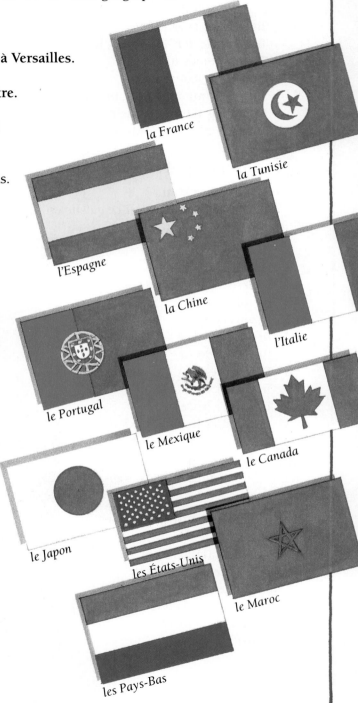

la France
la Tunisie
l'Espagne
la Chine
l'Italie
le Portugal
le Mexique
le Canada
le Japon
les États-Unis
le Maroc
les Pays-Bas

## Exercices

### A Vous connaissez la géographie?
Répondez en indiquant le pays.

1. Où est Paris?
2. Où est Rome?
3. Où est Madrid?
4. Où est Lyon?
5. Où est Tokyo?
6. Où est New York?
7. Où est Montréal?
8. Où est Lisbonne?

**B** **Vous y allez quand?** Posez une question d'après le modèle.

> **Nous allons à Antibes.**
> *Ah oui? Vous allez en France quand?*

1. Nous allons à Paris.
2. Nous allons à Cannes.
3. Nous allons à Amsterdam.
4. Nous allons à Barcelone.
5. Nous allons à Québec.
6. Nous allons à Shanghaï.
7. Nous allons à Miami.
8. Nous allons à Casablanca.

**C** **C'est quel continent?** Complétez.

1. Le Japon est ___ Asie et la Chine est ___ Asie aussi.
2. L'Italie et l'Espagne sont ___ Europe. Le Portugal est aussi ___ Europe.
3. Le Brésil, le Chili et l'Argentine sont ___ Amérique du Sud.
4. Les États-Unis et le Canada sont ___ Amérique du Nord.
5. Le Sénégal et la Côte d'Ivoire sont ___ Afrique.

**D** **Les grands musées du monde.** Complétez.

1. Le Musée du Prado est ___ Madrid ___ Espagne.
2. Le Musée du Louvre est ___ Paris ___ France.
3. Le Metropolitan Museum est ___ New York ___ États-Unis.
4. Le Musée Britannique est ___ Londres ___ Angleterre, c'est-a-dire ___ Grande-Bretagne.
5. Le Centre Pompidou est ___ Paris ___ France.
6. Le Rijksmuseum est ___ Amsterdam ___ Hollande, c'est-à-dire _ Pays-Bas.

*La Fontaine Stravinski près du Centre Pompidou*

## Les verbes irréguliers *venir*, *revenir* et *devenir* au présent

*Expressing "to come," "to come back," and "to become"*

1. The verb *venir,* "to come," is irregular in the present tense. Study the following forms.

| VENIR | | | |
|---|---|---|---|
| je | viens | nous | venons |
| tu | viens | vous | venez |
| il | | ils | |
| elle | vient | elles | viennent |
| on | | | |

**Tu viens ce soir au théâtre?**
**Beaucoup de touristes viennent en France en été pour visiter ses musées célèbres.**
**Venez avec nous!**

2. Two other verbs conjugated like *venir* are *revenir,* "to come back," and *devenir,* "to become." *Devenir* is seldom used in the present.

**Il revient à trois heures.**

## Exercices

**A** **Qui vient au cinéma?** Répondez par «oui».

1. Claude vient au cinéma avec nous?
2. Il vient avec Martine?
3. Liliane vient aussi?
4. Elle vient avec sa copine?
5. Elles viennent à vélomoteur?
6. Tu viens au cinéma aussi?
7. Tu viens avec un copain?
8. Ton copain et toi, vous venez à pied?

**B** **Ils reviennent cet après-midi.** Répondez d'après le modèle.

Élève 1: Marie est là?
Élève 2: Non, elle revient cet après-midi.

1. Mon père est là?
2. Mes copains sont là?
3. Sophie est là?
4. Le professeur est là?

## La préposition *de* avec les noms géographiques

### *Telling Where People Come From*

You use the following prepositions to express "from" with geographical names.

1. *de* with the name of a city, a feminine country, or a continent

> **Elle est de Bordeaux.**
> **Ses grands-parents viennent d'Italie.**
> **Mes grands-parents viennent d'Amérique du Sud.**

2. *du* with the name of a masculine country

> **Mon amie arrive du Japon ce soir.**
> **Son père revient du Maroc.**

3. *des* with a country whose name is plural

> **Ils arrivent des États-Unis.**

## Exercices

**A** **D'où viennent tous ces touristes?** Répondez d'après le modèle.

> **Italie**
> *Ces touristes viennent d'Italie.*

1. Espagne
2. Rome
3. Nice
4. France
5. Tokyo
6. Japon
7. Maroc
8. Mexique
9. New York
10. États-Unis

**B** **D'où vient ta famille?** Donnez des réponses personnelles.

1. D'où viens-tu?
2. Ta famille et toi, d'où venez-vous?
3. D'où vient ton père?
4. D'où vient ta mère?
5. D'où viennent tes grands-parents?

*La ville d'Oujda au Maroc*

# CONVERSATION

## Scènes de la vie   *On va au cinéma*

DAVID: Carole, tu veux aller au cinéma?

CAROLE: Pourquoi pas? C'est une très bonne idée. On passe quel film?

DAVID: On a le choix. Il y a beaucoup de cinémas, tu sais! Tu préfères quels genres de films?

CAROLE: Moi, j'aime tous les films. Je suis fana de cinéma, une vraie cinéphile.

DAVID: Au Rex on passe un très bon film espagnol —en version originale avec des sous-titres, je crois.

CAROLE: Excellente idée! On peut travailler notre espagnol. La prochaine séance est à quelle heure?

 **Des cinéphiles.**   Répondez d'après la conversation.

1. Qui est fana de cinéma?
2. Elle aime quels genres de films?
3. On passe quel film au Rex?
4. Le film est doublé?
5. Qu'est-ce que les deux amis peuvent faire s'ils voient ce film?

## Prononciation   *Les sons /ü/ et /u/*

It is important to make a clear distinction between /ü/ and /u/ since many words differ only in these two sounds. Repeat the following pairs of words.

> vous/vu      dessous/dessus      roue/rue      loue/lu      tout/tu

Now repeat the following sentences.

> **Vous avez vu ces statues?**
> **Tu vas souvent au musée?**
> **Cette comédie musicale est doublée.**

**une roue**

# Activités de communication

**A** **D'où viennent-ils?** Working in groups, make a list of as many foreign celebrities as you can think of (world leaders, actors, athletes, etc.). Take turns asking students from another group where these people are from. Then reverse roles. The group with the most correct answers wins.

> Élève 1: D'où viennent les Beatles?
> Élève 2: Ils viennent d'Angleterre. (Je ne sais pas. Je ne les connais pas.)

**B** **Où est...?** Working in groups, make a list of as many famous foreign cities, museums, and geographical features as possible. Take turns asking students in another group to tell you where these things are. The group with the most correct answers wins.

> Élève 1: Où est Montréal?
> Élève 2: Montréal est au Canada.

**C** **Je connais bien...** Think of someone you know well in the class. Using the verbs *savoir* and *connaître*, tell your partner about this person without saying his or her name. Your partner will try to guess whom you are talking about. Include as much of the following information as you can.

*La Place Jacques Cartier à Montréal*

1. son adresse et son numéro de téléphone
2. les cours qu'il ou elle a
3. les choses qu'il ou elle a dans sa chambre
4. les membres de sa famille
5. les activités qu'il ou elle aime faire

> Élève 1: Je sais qu'il aime le football américain et la musique rock. Je connais son frère Bob. Il habite dans la rue Kennedy...
> Élève 2: C'est Andy.

**D** **Moi, je sais chanter. Et toi?** Think of several things that you know how to do well, then ask your partner if he or she knows how to do these things. If your partner doesn't know how, find out if he or she would like to learn.

> Élève 1: Moi, je sais très bien chanter. Et toi?
> Élève 2: Je ne sais pas chanter.
> Élève 1: Tu veux apprendre à chanter?

# LECTURE ET CULTURE

## LES LOISIRS CULTURELS EN FRANCE

*I*l est naturellement difficile de décrire[1] un adolescent américain typique. Et il est difficile aussi de décrire un adolescent français typique. Mais généralisons un peu! Disons que Chantal Brichant est une adolescente française typique. Que fait Chantal quand elle a du temps libre? Est-ce qu'elle lit? Oui, elle lit. Elle lit beaucoup? Pas vraiment. On peut dire que les jeunes Français lisent un peu plus que les jeunes Américains, mais ils ne lisent pas énormément. Quand Chantal lit, qu'est-ce qu'elle choisit? Elle choisit des romans[2] et des bandes dessinées[3].

Chantal va au théâtre? Oui, de temps en temps. Dans toutes les grandes villes de France, et surtout à Paris, il y a des théâtres. Chaque année un certain nombre de pièces sont bien accueillies[4] par le public. Mais Chantal, comme la plupart des adolescents «typiques», va plus souvent au cinéma. Les Français voient beaucoup de films français, bien sûr, mais ils voient aussi pas mal de[5] films étrangers. On passe les grands films étrangers en exclusivité[6] dans les grands cinémas. Ces films sont souvent doublés, mais on peut les voir aussi en version originale avec des sous-titres.

Mais quel est le loisir préféré de Chantal et des Français «typiques»? La télévision? Mais oui! La télévision est de loin[7] le loisir culturel préféré des Français. Et les jeunes gens aiment aussi sortir avec leurs copains. Est-ce qu'il y a beaucoup de différences entre les Américains et les Français? Qu'est-ce que tu en penses?

[1] décrire  *to describe*
[2] des romans  *novels*
[3] des bandes dessinées  *comic strips*
[4] bien accueillies  *well-received*
[5] pas mal de  *quite a few*
[6] en exclusivité  *first run*
[7] de loin  *by far*

### Étude de mots

**Le français, c'est facile.**
Trouvez cinq mots apparentés dans la lecture.

## Compréhension

**A** **Vous avez compris?** Répondez.

1. Chantal lit quand elle a du temps libre?
2. Elle lit énormément?
3. Quel est le genre littéraire préféré des Français?
4. Il y a des théâtres en France? Où?
5. Chaque année il y a des pièces que le public aime?
6. Où est-ce qu'on passe les films étrangers en exclusivité?
7. Quel est le loisir préféré des Français?

**B** **Les adolescents.** Il est extrêmement difficile de décrire un adolescent français ou américain typique. Pourquoi?

# DÉCOUVERTE CULTURELLE

### LES MUSÉES

Les musées en France sont très fréquentés par les Français et par les touristes qui viennent du monde entier—d'Europe, d'Asie, d'Australie, d'Amérique et d'Afrique. À Paris il y a beaucoup de musées. Le Musée d'Orsay est une ancienne gare qui est aujourd'hui un musée extraordinaire où il y a une exposition permanente des peintres impressionnistes. Le Centre Pompidou (ou Beaubourg) a toujours des expositions d'art moderne. Il y a un nouveau Musée Picasso. Et la perle des musées français, c'est le Louvre.

Le dimanche, l'entrée dans les musées nationaux est à demi-tarif. Le dimanche, les gens viennent en foule admirer les peintures et les sculptures des artistes de tous les siècles[1] et de tous les pays du monde.

### LES BANDES DESSINÉES

La lecture préférée des jeunes de 8 à 18 ans est la bande dessinée. La «B.D.» vient en tête[2] des romans policiers, d'espionnage et de science-fiction. Mais les bandes dessinées ne sont pas seulement pour les enfants. Il est certain que la grande majorité des jeunes Français lisent «Tintin», «Astérix» et «Lucky Luke». Quand ils deviennent adultes, ils continuent d'avoir «leurs» bandes dessinées. Beaucoup de bandes dessinées, comme, par exemple, «Les Frustrés» de la dessinatrice humoristique Claire Brétécher, critiquent la vie moderne.

[1] les siècles *centuries*
[2] vient en tête *rates above*

© Hergé/Casterman

# RÉALITÉS

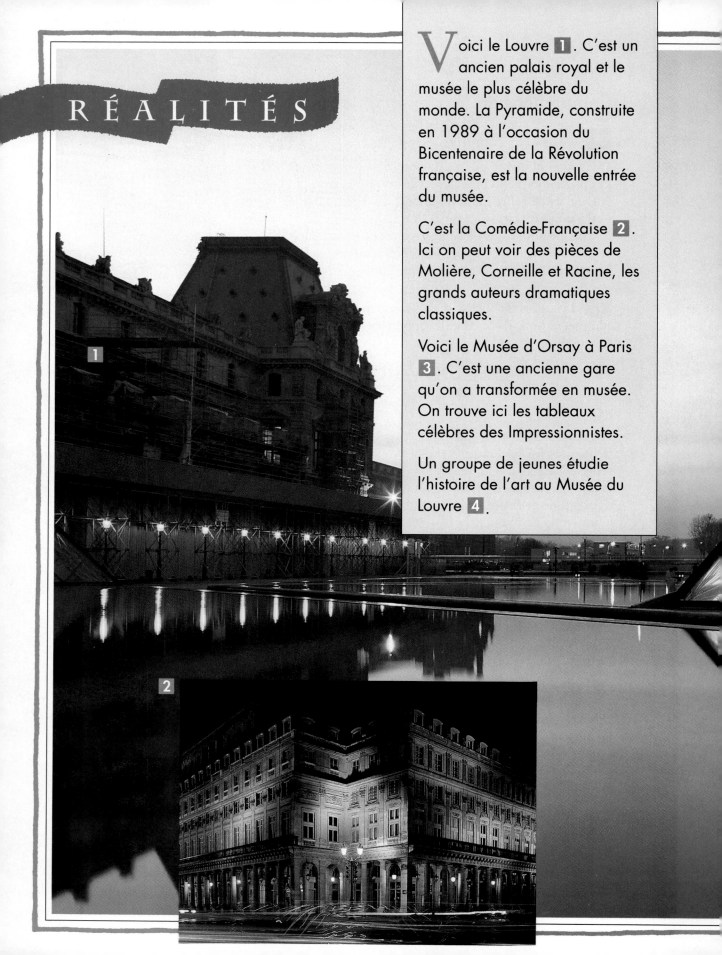

Voici le Louvre **1**. C'est un ancien palais royal et le musée le plus célèbre du monde. La Pyramide, construite en 1989 à l'occasion du Bicentenaire de la Révolution française, est la nouvelle entrée du musée.

C'est la Comédie-Française **2**. Ici on peut voir des pièces de Molière, Corneille et Racine, les grands auteurs dramatiques classiques.

Voici le Musée d'Orsay à Paris **3**. C'est une ancienne gare qu'on a transformée en musée. On trouve ici les tableaux célèbres des Impressionnistes.

Un groupe de jeunes étudie l'histoire de l'art au Musée du Louvre **4**.

## Activités de communication orale

**A** **Dans ta ville.** You have been asked to prepare a radio advertisement to attract French-speaking tourists to a cultural event (real or imaginary) that will take place in your town. Be sure to include the following information.

1. a brief description of the event
2. the date, time, and place
3. how and where to obtain tickets
4. price of the tickets
5. a statement encouraging people to attend

**B** **La télé.** Divide into small groups. The leader will interview the others to find out how much time they spend watching TV every day and what their favorite kinds of shows are. The leader will take notes and report to the class.

1. Tu regardes la télé combien d'heures par jour?
2. Quelles sortes de programmes est-ce que tu préfères regarder?

| | |
|---|---|
| les sports | les clips (vidéos rock) |
| les comédies | les documentaires |
| les drames | les dessins animés |
| le journal télévisé | les séries |
| les films | |

> *À la classe:* **Dans mon groupe, tout le monde regarde la télé deux ou trois heures par jour. On préfère les comédies...**

**C** **Tu veux aller au cinéma avec moi?** Scan the following ads from a French movie guide. Select a movie you would like to see and invite your partner to go with you.

1. Ask your partner if he or she would like to see the movie you have selected.
2. Your partner wants to know where the movie is playing.
3. Tell him or her and give the time.
4. Your partner wants to know if the movie is dubbed or if it's in the original language with subtitles.
5. Tell your partner why you want to see this movie.
6. He or she will either accept your invitation or decline and suggest another film.

### les salles

**COMŒDIA**
13, avenue Berthelot - Lyon 7e
Tél.:76.58.58.98

**ROBIN DES BOIS**
(Gran Ecran - Son Dolby Stéréo)
Tlj.: 13h50 - 16h30 - 19h15 - 22h

**LA MANIERE FORTE** (Son Dolby Stéréo)
Tlj.: 13h50 - 16h - 18h - 20h15 - 22h15

**THELMA ET LOUISE**
(Grand Ecran - Son Dolby Stéréo - V.O.)
Tlj.: 14h - 16h45 - 19h30 - 22h

**SPARTACUS**
(Grand Ecran -Son Dolby Stéréo - V.O.)
Tlj.: 14h30 - 20h15

**LES TORTUES NINJA II**
Tlj.: 14h - 16h - 18h - 20h - 21h45

**UNE EPOQUE FORMIDABLE**
+ Court métrage: "Le ridicule tue"
Tlj.: 14h - 16h - 18h - 20h - 22h

**FOURMI LAFAYETTE**
68, rue P. Corneille angle cours Lafayette - Tel. 78.60

**BRAZIL**
Tlj. (sf. di.): 21h30 - di.: 1.

**SCENES DE MENAGE D UN CENTRE COMMERC**
Tlj.: 20h

**TINTIN ET LE LAC AUX REQUINS**
Me., sa., lu.:14h

**ASTERIX ET LE COUP DU MENHIR**
Me., sa., lu: 14h - di.: 15h 3

**MAMAN, J'AI RATÉ L'AV**
Me., sa., di., lu.: 15h30

**FANTASIA**
Me., sa., di., lu.:15h30

**ALICE**
Sa.: 18h

**JACQUOT DE NANTES**
Me., sa., lu.: 15h30 - 21h30 - ve., ma.: 21h30 - di. 17h45

# Activité de communication écrite

**Des renseignements, s'il vous plaît.** You are going to spend a month in a French city of your choice. Write a letter to the tourist office (*le syndicat d'initiative*) to request information about cultural events during your stay. Be sure to include the following information.

1. your name and age
2. what cultural activities you like
3. when you will be in the city

# Réintroduction et recombinaison

**Je suis malade.** Donnez des réponses personnelles.

1. Tu te sens bien aujourd'hui?
2. Quand tu es malade, tu te couches?
3. Aux États-Unis le médecin vient chez toi?
4. Le médecin te fait une ordonnance? Tu la donnes au pharmacien?
5. Quand le pharmacien te donne des comprimés, tu les prends avec un verre d'eau?
6. Quand tu es malade, tu ouvres un magazine et tu le lis?
7. Tu souffres beaucoup quand tu as la grippe?
8. Tu éternues et tu tousses quand tu es enrhumé(e)?

# Vocabulaire

NOMS
le cinéma
le guichet
la séance
la salle de cinéma
l'écran (m.)
l'acteur (m.)
l'actrice (f.)
la vedette (m. et f.)
le film
le film policier
le film d'aventures
le film d'horreur
le film de science-fiction
le film d'amour
le film étranger
le dessin animé
le documentaire
le drame

le film en version
   originale (V.O.)
le film doublé
les sous-titres (m.)

le théâtre
la pièce
la scène (*stage*)
le rideau
le décor
le costume
l'acte (m.)
l'entracte (m.)
la scène (*scene*)
le genre
la comédie
la comédie musicale
la tragédie
l'opéra (m.)

le musée
l'exposition (f.)
la peinture
le (la) peintre
le tableau
la sculpture
le sculpteur
la statue
l'œuvre (f.)
le nom

ADJECTIFS
chaque
fermé(e)
ouvert(e)

VERBES
connaître
savoir

venir
revenir
devenir
visiter

AUTRES MOTS ET
EXPRESSIONS
monter une pièce
passer un film
c'est-à-dire
entre
personnellement
sauf

## Conversation *Le joueur de foot*

CHRISTINE: Tu connais le garçon là-bas?

SABINE: Je sais son nom—c'est Marc. Mais je ne le connais pas.

CHRISTINE: Je le vois tous les jours dans l'autobus.

SABINE: Et tu ne le connais pas!? Tu es trop timide! Je sais qu'il fait du foot tous les mercredis.

CHRISTINE: Comment tu sais ça?

SABINE: Il est dans l'équipe de mon frère. Il est gardien de but.

CHRISTINE: Il joue bien?

SABINE: Pas mal. Mais la semaine dernière, l'autre équipe a marqué trois buts et notre équipe a perdu zéro à trois!

 **Trois buts!** Répondez d'après la conversation.

1. Christine et Sabine connaissent le garçon?
2. Sabine sait son nom? Comment s'appelle-t-il?
3. Où est-ce que Christine le voit tous les jours?
4. Il joue à quoi?
5. Il est dans quelle équipe?
6. Il est gardien de but?
7. Est-ce que son équipe a gagné la semaine dernière? Pourquoi?

## Structure

### Les pronoms d'objet direct et indirect *me, te, nous* et *vous*

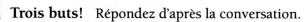

The pronouns *me, te, nous,* and *vous* function as both direct and indirect objects of the verb. Remember that *me* and *te* change to *m'* and *t'* before a vowel or silent *h*. Object pronouns always come right before the verb.

| | |
|---|---|
| Le professeur *te* regarde? | Oui, il *me* regarde. |
| Le médecin *t'*examine? | Non, il ne *m'*examine pas. |
| Il va *vous* faire une ordonnance? | Oui, il va *nous* faire une ordonnance. |

**A** **Qu'est-ce qu'on fait?** Répondez en utilisant «me» ou «nous».

1. Quand le médecin t'examine, il t'ausculte?
2. Quand tu as une angine, le médecin te prescrit des antibiotiques?
3. Tes copains te téléphonent quand tu es malade?
4. Tes professeurs vous admirent, toi et tes copains?
5. Ils vous donnent beaucoup de devoirs?
6. Ils vont vous voir l'année prochaine?

## Les pronoms d'objet direct *le, la, les*

Review the following direct object pronouns *le, la, les*. Remember that *le* and *la* change to *l'* before a vowel or vowel sound. These pronouns can replace either people or things.

| | |
|---|---|
| Je vois l'acteur. | Je *le* vois. |
| J'aime beaucoup cet acteur. | Je *l'*aime beaucoup. |
| Je vais regarder la télé. | Je vais *la* regarder. |
| Je n'aime pas les romans. | Je ne *les* aime pas. |

**B** **Qu'est-ce qu'on fait?** Répondez en utilisant «le», «la», «l'» ou «les».

1. Vous connaissez les Impressionnistes?
2. Vous savez l'adresse du Musée d'Orsay?
3. Vous aimez les tableaux des Impressionnistes?
4. Qui aime la sculpture?
5. Tes copains et toi, vous aimez voir les films d'horreur?

**C** **Non.** Mettez à la forme négative d'après les indications.

1. Je les vois souvent. (ne... jamais)
2. Vous les aimez, ces gens? (ne... pas)
3. La télé, nous la regardons de temps en temps. (ne... jamais)
4. Le ballet? Nous voulons le voir. (ne... pas)

## Les prépositions avec les noms géographiques

You use the following prepositions to express "in," "to," and "from" with geographical names.

1. *à* and *de* with cities

   **Il habite à Paris.**     **Je viens de Rome.**

2. *en/au (aux)* and *de/du (des)* with countries, depending on whether the country is masculine or feminine, singular or plural.

| | FÉMININ | MASCULIN |
|---|---|---|
| to | **Je vais en France.** | **Je vais au Brésil.**<br>**Je vais aux États-Unis.** |
| from | **Je viens de France.** | **Je viens du Brésil.**<br>**Je viens des États-Unis.** |

Remember that, except for *le Mexique* and a few others, countries that end in a silent *e* are feminine.

## D Quelle ville? Quel pays? Complétez.

1. Il est ___ Rome. Il habite ___ Italie.
2. Nous venons ___ Londres, mais nous n'habitons pas ___ Angleterre.
3. J'ai un appartement ___ Paris, mais je n'habite pas ___ France.
4. Ils vont tous les ans ___ Mexique.
5. L'Alhambra est ___ Grenade, ___ Espagne.
6. J'ai passé une semaine ___ Amsterdam ___ Pays-Bas.
7. Il vient ___ Maroc. Il est ___ Casablanca.
8. Tu viens ___ New York. Tu habites ___ États-Unis.

## E Dans quel pays? Regardez la carte à la page 488. Choisissez une ville et répondez d'après le modèle.

> **Bruxelles**
>
> **Élève 1: Dans quel pays est Bruxelles?**
> **Élève 2: Bruxelles est en Belgique.**

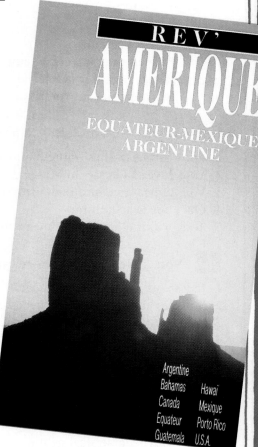

REV' AMERIQUE
EQUATEUR-MEXIQUE
ARGENTINE

Argentine
Bahamas    Hawaï
Canada     Mexique
Equateur   Porto Rico
Guatemala  U.S.A.

## Le passé composé des verbes réguliers et irréguliers

1. The *passé composé* is composed of two parts: the present tense of the verb *avoir* and the past participle of the verb. Review the forms of the *passé composé* of regular verbs.

| PARLER | FINIR | VENDRE |
|---|---|---|
| j'ai parlé | j'ai fini | j'ai vendu |
| tu as parlé | tu as fini | tu as vendu |
| il / elle / on a parlé | il / elle / on a fini | il / elle / on a vendu |
| nous avons parlé | nous avons fini | nous avons vendu |
| vous avez parlé | vous avez fini | vous avez vendu |
| ils / elles ont parlé | ils / elles ont fini | ils / elles ont vendu |

2. For the past participles of irregular verbs, see p. 360.

3. Remember that *ne... pas, ne... plus, ne... jamais* go around the verb *avoir.*

> **Tu n'as pas écouté le prof hier?**

**F** **Le match de foot.** Décrivez un match de foot imaginaire au *passé composé*. Utilisez les verbes et expressions suivants.

| | | |
|---|---|---|
| regarder | jouer | donner un coup de pied |
| marquer un but | passer le ballon | arrêter le ballon |
| égaliser le score | gagner | perdre |

**G** **Les achats.** Vous avez acheté des vêtements. Décrivez ces vêtements à un copain ou une copine. Utilisez les verbes suivants.

acheter    coûter    prendre    trouver    aimer

## L'impératif

Imperative forms are used to give commands or to make suggestions. They are the same as the *tu, nous,* and *vous* forms of the present tense. However, in the case of regular *-er* verbs and *aller*, you drop the final s of the *tu* form.

| | | |
|---|---|---|
| Travaille! | Attends un peu! | Fais ça! |
| Travaillons! | Attendons un peu! | Faisons ça! |
| Travaillez! | Attendez un peu! | Faites ça! |

**H** **Le jeu de «Jacques a dit»** *(Simon says).* Vous donnez des ordres à vos camarades. Si vous dites d'abord «Jacques a dit», ils le font, mais si vous ne dites pas «Jacques a dit», ils ne le font pas.

*(Jacques a dit):* **Levez le bras droit! Fermez les yeux! etc.**

## Activité de communication

**Enquête sur les saisons.** You want to know if your partner prefers summer or winter. On a separate sheet of paper, make a chart like the one below. Fill it out for both seasons. Compare your chart with your partner's and try to guess which season he or she prefers by asking questions about his or her choices.

Élève 1: Tu préfères le ski ou le ski nautique?
Élève 2: Je préfère le ski nautique.
Élève 1: Tu préfères l'été.

| | L'HIVER | L'ÉTÉ |
|---|---|---|
| Vêtements | | |
| Activités | le ski | le ski nautique |
| Équipement | | |
| Nourriture | | |

## MICROBIOLOGIE:
## LOUIS PASTEUR ET L'INSTITUT PASTEUR

### Avant la lecture

You have no doubt heard of pasteurized milk. The term comes from the name of the French chemist, Louis Pasteur, who invented the method of destroying harmful organisms without altering the milk. Find out how milk and other substances are pasteurized.

### Lecture

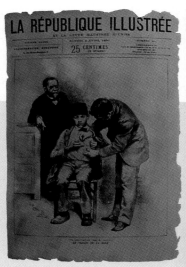

«La vaccination de Joseph Meister»

**Louis Pasteur** (1822–1895)

Louis Pasteur est né en 1822 dans le Jura. Au collège, il n'est pas très bon élève. Il n'aime pas beaucoup ses cours, mais il aime le dessin. On l'appelle «l'artiste». Il veut devenir professeur et entre à l'École Normale, un institut qui forme les professeurs. Mais maintenant, il est passionné de sciences et passe son temps à faire de la recherche[1]. Il se spécialise en chimie.

En 1854, il commence à étudier ce que nous connaissons sous le nom de «microbes». Pasteur appelle ces microbes «germes» et il fonde une nouvelle science, la microbiologie. En 1873 Pasteur présente à l'Académie de Médecine un rapport qui révolutionne la médecine. Avant ce rapport de Pasteur, on croit que toutes les maladies terribles comme la typhoïde, le choléra et la fièvre jaune sont créées par le corps humain. C'est la théorie de la «génération spontanée». Mais Pasteur a fait des recherches sur les maladies du vin, de la bière et du ver à soie[2]. Il a compris que ces maladies n'arrivent pas toutes seules. Son idée, c'est que toutes les maladies sont causées par des micro-organismes. Ce sont des organismes très, très petits. On les baptise «microbes».

Pour Pasteur, les microbes sont partout. Il dit aux chirurgiens[3] de se laver les mains avant d'opérer, de bien laver aussi leurs instruments, c'est-à-dire de pratiquer l'asepsie. Malheureusement peu de[4] gens l'écoutent. Pourquoi? Parce qu'il n'est pas médecin. Il est chimiste et biologiste. Mais Pasteur ne s'arrête pas là. Il continue ses recherches. Il veut lutter[5] contre les microbes. Ses recherches sur les maladies infectieuses des animaux le conduisent à découvrir la vaccination. En 1885, il réalise le vaccin contre la rage[6]. On vaccine alors pour la première fois un être humain, un petit garçon de neuf ans—Joseph Meister—qui a été mordu[7] par un chien enragé. C'est la victoire, après 40 ans de recherches.

[1] la recherche   *research*
[2] du vin, de la bière et du ver à soie   *wine, beer, and the silkworm*
[3] chirurgiens   *surgeons*
[4] peu de   *few*
[5] lutter   *fight*
[6] la rage   *rabies*
[7] mordu   *bitten*

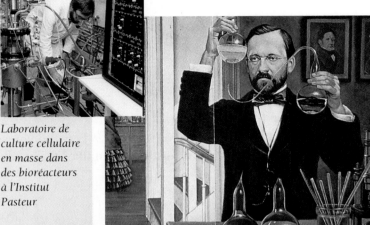

*Laboratoire de culture cellulaire en masse dans des bioréacteurs à l'Institut Pasteur*

### L'Institut Pasteur (1888)

L'enthousiasme est grand, non seulement en France mais dans le monde entier.

L'Académie des Sciences reçoit[1] de l'argent de nombreux pays pour la construction d'un centre de recherches en microbiologie. L'Institut Pasteur est inauguré le 4 novembre 1888. Et qui est son concierge?[2] C'est... Joseph Meister. Les collaborateurs et élèves de Pasteur continuent son travail. En 1891 les docteurs Calmette et Guérin mettent au point[3] le BCG (Bacille de Calmette et Guérin), le vaccin contre la tuberculose. En 1894, le docteur Roux met au point un vaccin contre la diphtérie.

De nos jours, l'Institut Pasteur de Paris est célèbre dans le monde entier. En plus du centre de recherches, il a un hôpital pour les maladies infectieuses et un centre d'enseignement[4]. En 1983, c'est à l'Institut Pasteur que le docteur Montagnier a isolé le virus du SIDA (Syndrome Immuno-Déficitaire Acquis). Aujourd'hui à l'Institut, on continue à faire des recherches pour trouver une cure ou un vaccin contre cette terrible maladie.

[1] reçoit   *receives*
[2] concierge   *caretaker, concierge*
[3] mettent au point   *come out with*
[4] enseignement   *teaching*

*Pasteur par Robert Thom*

## Après la lecture

**A**   **Louis Pasteur.**   Copiez ce formulaire (*data sheet*) sur Pasteur et remplissez-le.

| | |
|---|---|
| NOM | |
| DATES | |
| ÉCOLE | |
| SPÉCIALISATION | |
| SUJET DU RAPPORT EN 1873 | |
| DÉCOUVERTE EN 1885 | |

**B**   **Enquête.**   Que pensent vos camarades? Quelle est pour eux la plus grande découverte de Pasteur? Pourquoi?

**C**   **Savez-vous que...**   En France les enfants sont en général vaccinés contre les maladies suivantes: la diphtérie, le tétanos et la poliomyélite (un seul vaccin pour les trois); la tuberculose (le BCG); la coqueluche (*whooping cough*); la rougeole (*measles*); la rubéole (*German measles*) et les oreillons (*mumps*). Les deux premiers vaccins sont obligatoires et les autres sont recommandés. Et dans votre pays? Quels sont les vaccins recommandés?

# ART: LES IMPRESSIONNISTES

## Avant la lecture

1. What does the title of this text refer to?
2. Are any of these paintings familiar to you? Where did you see them?
3. How would describe them? Realistic? Dreamlike? Colorful?

## Lecture

Entre 1870 et 1900, les arts, et en particulier la peinture, commencent à changer. Chaque année, le «Salon» est une grande exposition de peinture. Si les peintres veulent exposer leurs tableaux, ils leur faut être acceptés par un jury.

Nous sommes en 1873. Le jury vient de refuser[1] tout un groupe de jeunes peintres. Ils sont furieux et décident d'avoir leur propre exposition. Elle a lieu[2] en 1874. Le public est scandalisé et crie à la vulgarité: les couleurs sont trop vives, les paysages[3] sont trop «bizarres». Un des tableaux est intitulé «Impression: soleil levant[4]». De là le terme (péjoratif à l'origine) «les Impressionnistes». Qui sont ces jeunes peintres? En voici trois.

### Claude Monet (1840–1926)

Lycéen au Havre, il aime faire les caricatures de ses professeurs sur ses cahiers. Le peintre Eugène Boudin les voit et encourage Monet à faire de la peinture. C'est une révélation pour lui. Il admire les jeux de la lumière[5] sur l'eau, sur tout le paysage. Pour mieux étudier les variations de la forme en fonction de la lumière, il peint le même sujet à différentes heures de la journée. La cathédrale de Rouen est une de ces séries.

Il passe la plus grande partie de sa vie dans sa maison de Giverny en Normandie où il reproduit dans son jardin les couleurs de ses tableaux.

*Claude Monet: «La Cathédrale de Rouen, le Portail, Harmonie bleue»*

*Auguste Renoir: «Portrait de Margot»*

## Auguste Renoir (1841–1919)

Il commence comme apprenti chez un décorateur de porcelaine à Paris. Il passe ses moments libres au musée du Louvre où il admire surtout les tableaux du peintre flamand Rubens. Renoir rencontre bientôt Claude Monet, qui l'encourage à peindre avec des couleurs moins sombres. Ils vont ensemble peindre à la campagne. Les Impressionnistes aiment peindre en plein air[6]. Comme tous les Impressionnistes, Renoir reçoit beaucoup de critiques. Il commence à douter, à se demander si les Impressionnistes ont raison[7]. Et pourtant Renoir est le premier Impressionniste reconnu par le public.

## Edgar Degas (1834–1917)

Son père est un riche banquier qui est amateur d'art. Degas va régulièrement au Louvre où il copie les grands maîtres[8]. Degas aime le théâtre, l'opéra, la vie facile. Il devient ami avec les autres peintres impressionnistes, mais il n'a pas grand-chose en commun avec eux. Il n'aime pas peindre en plein air et il aime peindre des personnages et pas des paysages. On l'appelle souvent «le peintre des danseuses» parce qu'il a peint beaucoup de scènes où on voit des danseuses s'exercer avant le spectacle.

[1] vient de refuser *has just turned down*
[2] a lieu *takes place*
[3] les paysages *the landscapes*
[4] soleil levant *sunrise*
[5] les jeux de la lumière *the play of light*
[6] en plein air *outdoors*
[7] ont raison *are right*
[8] maîtres *masters*

## Après la lecture

**A** Les Impressionnistes. Dites qui c'est: Monet, Renoir ou Degas?

1. Il aime beaucoup les tableaux de Rubens.
2. Il peint le même sujet à des heures différentes de la journée.
3. Son père est un riche amateur d'art.
4. Il n'aime pas peindre la nature.
5. Il commence par peindre sur de la porcelaine.
6. C'est un de ses tableaux qui leur donne leur nom.
7. Il peint souvent des danseuses.
8. Il aime beaucoup son jardin.

**B** Une «Impressionniste» américaine. Faites un rapport sur la vie et l'œuvre de l'artiste peintre américaine Mary Cassatt (1845-1926).

*Edgar Degas: «Dans les coulisses (Danseuses en bleu)»*

# HISTOIRE: TROIS EXPLORATEURS

## Avant la lecture

*La Nouvelle France* included territories that covered most of the present-day United States. Although the French presence is not as prevalent as it used to be, it is still very much alive.

## Lecture

*Jacques Cartier*

*Robert Cavelier
de la Salle*

### Jacques Cartier

Jacques Cartier est né à Saint-Malo en Bretagne en 1494. C'est une ville de marins[1] qui traversent souvent l'océan Atlantique pour aller pêcher[2]. Jacques Cartier est un marin audacieux, passionné des voyages: de Saint-Malo, il va au Portugal, au Brésil, à Terre-Neuve[3].

En 1534, le roi de France, François 1er, le charge d'une expédition pour découvrir des pays d'Orient où il y a de l'or et des pierres précieuses[4]. Jacques Cartier part avec deux bateaux et 61 marins. Vingt jours après, ils arrivent à Terre-Neuve. C'est un voyage très rapide pour l'époque[5]. Jacques Cartier revient au Canada encore deux fois. La troisième fois, en 1541, il construit un fort qui est devenu une grande ville: Québec.

### Robert Cavelier de la Salle

Robert Cavelier de la Salle est le fils d'un riche marchand de Rouen, un grand port de Normandie. La Salle est passionné de l'Amérique et lit tous les rapports des explorateurs qu'il peut trouver. Il rêve[6] de descendre le Mississippi jusqu'au golfe de Mexique. En 1679, il réalise son rêve: il part de Fort Frontenac sur le Saint-Laurent avec six canots qui transportent 23 Français, 18 Indiens, 10 squaws et 3 enfants. Ils traversent les lacs Ontario, Érié, Huron et Michigan. Ils descendent l'Illinois et le Mississippi, et finalement ils arrivent dans le delta du Mississippi en 1682. La Salle prend possession de la région au nom du roi de France et appelle ces nouveaux territoires «La Louisiane» en l'honneur du roi Louis XIV.

### John Charles Frémont

John Charles Frémont est né à Savannah en Géorgie en 1813. Son père est un aristocrate français qui est parti en Amérique pendant la Révolution de 1789

*John Charles Frémont*

pour échapper à la guillotine. Le jeune Frémont est très intelligent. Il est surtout très bon en mathématiques, mais il aime aussi l'aventure et le danger. Il devient d'abord professeur de maths, mais sur un bateau de guerre[7]. Il devient ensuite l'assistant d'un mathématicien français, Nicolas Nicollet, qui fait le levé topographique[8] des territoires du Nord, entre le Mississippi et le Missouri. Mais à l'époque, c'est la conquête de l'Ouest qui passionne les esprits. Frémont est le candidat idéal pour cette longue route inconnue de plus de 3 500 kilomètres. Frémont rassemble alors à Saint-Louis une équipe de 19 «voyageurs» canadiens qui connaissent bien les fleuves et les forêts. Il est aussi accompagné par un topographe allemand, Preuss, et un guide, Kit Carson. Ils partent en juin 1842. Lorsqu'il revient dans l'Est, il rapporte beaucoup de notes. Sa femme Jessie écrit deux livres d'après ses notes. Les livres sont aussi illustrés de cartes des régions traversées. Ces deux livres font de Frémont et de son guide Kit Carson des héros nationaux et la conquête de l'Ouest est commencée.

[1] marins *sailors*
[2] aller pêcher *to go fishing*
[3] Terre-Neuve *Newfoundland*
[4] de l'or et des pierres précieuses *gold and precious stones*
[5] l'époque *the times, the age*
[6] rêve *dreams*
[7] guerre *war*
[8] fait le levé topographique *is surveying*

## Après la lecture

**A** **Trois explorateurs.** Vrai ou faux?

1. Jacques Cartier a descendu le Mississippi.
2. Il a fondé Québec.
3. Cavelier de la Salle est né en France.
4. Le nom «Louisiane» vient du nom du roi Louis XIV.
5. Le père de Frémont a été guillotiné.
6. Frémont a écrit deux livres.

**B** **Les voyages des explorateurs.**
Regardez la carte et racontez les voyages des trois explorateurs.

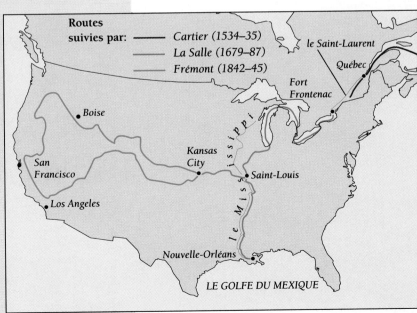

Routes suivies par:
—— Cartier (1534–35)
—— La Salle (1679–87)
—— Frémont (1842–45)

*le Saint-Laurent*
*Québec*
*Fort Frontenac*
*Boise*
*Kansas City*
*San Francisco*
*Saint-Louis*
*le Mississippi*
*Los Angeles*
*Nouvelle-Orléans*
LE GOLFE DU MEXIQUE

## OBJECTIFS

In this chapter you will learn to do the following:

1. check into and out of a hotel
2. describe past actions
3. tell what you do for another person or for other people
4. describe various kinds of hotels in France

# VOCABULAIRE

## MOTS 1

À L'HÔTEL

le hall

la réception

une porte

un escalier

la réceptionniste

le réceptionniste

une fiche d'enregistrement

une chambre avec salle de bains

une chambre à un lit

une chambre pour une personne

une chambre qui donne sur la cour

une chambre à deux lits

une chambre pour deux personnes

Lindsay est arrivée à l'hôtel.
Elle est entrée dans le hall.

Elle est allée à la réception.
Elle a montré son passeport à la réceptionniste.
Elle a rempli la fiche d'enregistrement.
La réceptionniste lui a donné la clé.

Elle a monté ses bagages.
Elle est montée au troisième étage.
Elle a pris l'ascenseur, pas l'escalier.

Elle a ouvert la porte de sa chambre avec la clé.

Elle est descendue une heure plus tard.

Elle est sortie.

Elle est rentrée à neuf heures du soir.

## Exercices

**A** Qu'est-ce que c'est?
Répondez d'après les dessins.

**1.** C'est un hôtel ou une chambre?

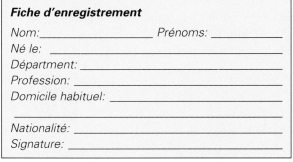

Fiche d'enregistrement

Nom:_____ Prénoms: _____
Né le : _____
Départment: _____
Profession: _____
Domicile habituel: _____
_____
Nationalité: _____
Signature: _____

**2.** C'est la réception ou la réceptionniste?

**3.** C'est une clé ou une fiche d'enregistrement?

**4.** C'est un ascenseur ou un escalier?

**5.** C'est une porte ou une chambre?

**6.** C'est une chambre à un lit ou à deux lits?

**7.** C'est une chambre qui donne sur la cour ou sur la rue?

**B** À l'hôtel. Répondez.

1. Lindsay est arrivée à l'hôtel?
2. Elle est entrée dans le hall?
3. Elle a parlé à la réceptionniste?
4. Elle lui a montré son passeport?
5. Lindsay a rempli la fiche d'enregistrement?
6. La réceptionniste lui a donné la clé?
7. Lindsay a monté ses bagages?
8. Elle est montée par l'ascenseur?
9. La chambre est au troisième étage?
10. C'est une chambre avec salle de bains?
11. Lindsay est descendue une heure plus tard?
12. Elle est sortie?
13. Elle est rentrée à neuf heures du soir?

**C** Le touriste. Choisissez la bonne réponse.

1. À l'hôtel le touriste remplit ___.
   a. la fiche    b. la chambre    c. la clé
2. Pour monter dans sa chambre il prend ___.
   a. le lit    b. l'ascenseur    c. la porte
3. Il ouvre la porte de sa chambre avec ___.
   a. l'escalier    b. le lit    c. la clé
4. Il prend une douche dans ___.
   a. la salle de bains    b. le hall
   c. le petit déjeuner
5. Il dort dans ___.
   a. le lit    b. l'escalier
   c. la salle de bains
6. Le matin il se lève et prend ___.
   a. la fiche    b. le petit déjeuner
   c. la cour

ALTEA
—— HÔTEL ——

Ne Pas
Déranger

ALTEA
—— HÔTEL ——

PETIT DÉJEUNER
*Merci de passer votre commande ce soir. Bonne nuit.*

Le petit déjeuner est servi dans votre chambre de quart d'heure en quart d'heure de 7 heures à 11 heures.
Merci de faire votre choix et suspendre votre fiche à l'extérieur de votre porte.

Chambre N°___ Signature _____

PETIT DÉJEUNER COMPLET
Jus d'orange, croissant, petit pain, beurre, confiture ou miel, yaourt, fruit ou compote au choix.

❑ THÉ
❑ THÉ CITRON          ❑ DÉCAFÉINÉ
❑ THÉ AU LAIT         ❑ CAFÉ              ❑ CHOCOLAT
                      ❑ CAFÉ AU LAIT      ❑ LAIT FROID
                                          ❑ LAIT CHAUD

...us vous suggérons notre petit déjeuner buffet qui vous sera servi au Coffee Shop dès 7 heures 30.

# VOCABULAIRE

## MOTS 2

une facture

les frais (m.)

réception

une carte de crédit

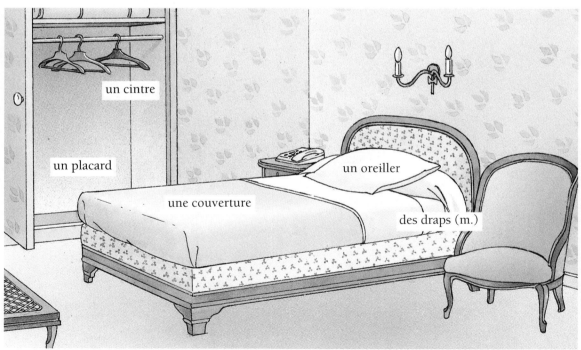

un cintre

un placard

une couverture

un oreiller

des draps (m.)

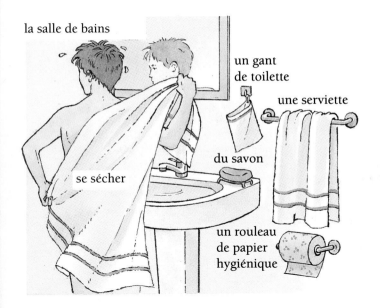

la salle de bains

un gant
de toilette

une serviette

du savon

se sécher

un rouleau
de papier
hygiénique

Lindsay est restée une semaine
à l'hôtel.
Elle a libéré la chambre.

Elle est descendue à la réception.
Elle a demandé la facture.
Elle a vérifié les frais.

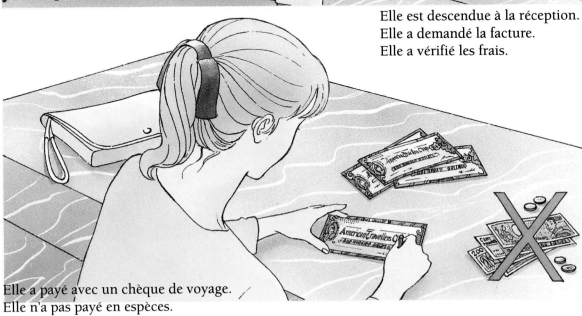

Elle a payé avec un chèque de voyage.
Elle n'a pas payé en espèces.

## Exercices

**A** **Elle a libéré la chambre.** Répondez.

1. Lindsay a libéré la chambre?
2. Elle est descendue à la réception?
3. Elle a voulu payer?
4. Elle a demandé la facture?
5. Elle a parlé au caissier ou à la caissière?
6. Elle a vérifié les frais?
7. Elle a payé en espèces?
8. Elle a payé avec une carte de crédit?
9. Elle a payé la facture comment?

**B** **J'ai besoin de quoi?** Complétez.

1. Je vais me laver. J'ai besoin de ___ et d'un ___.
2. J'ai pris une douche. Maintenant je vais me sécher. J'ai besoin d'une ___.
3. Je vais mettre ma veste et mon pantalon dans le placard. J'ai besoin de ___.
4. Je vais me coucher mais il fait froid dans la chambre. J'ai besoin d'une autre ___.
5. Je préfère dormir avec deux ___. J'ai besoin d'un autre ___.
6. Ah, zut! J'ai besoin d'un rouleau de ___.
7. La chambre n'est pas prête (*ready*). Il n'y a pas de ___ sur le lit.

**C** **À l'hôtel?** Où sont les objets suivants—dans la chambre, dans la salle de bains, dans le placard ou à la caisse?

1. l'oreiller
2. le cintre
3. la facture
4. le papier hygiénique
5. la carte de crédit
6. le gant de toilette
7. les draps
8. la couverture
9. le savon
10. la serviette

# Exercices

**A** Un voyage à Avignon.   Répondez par «oui».

1. Monique est allée à Avignon?
2. Elle est arrivée à la Gare de Lyon à 10h.
3. Elle est allée sur le quai?
4. Elle est montée en voiture?
5. Le train pour Avignon est parti à l'heure?
6. Le train est arrivé à Avignon à l'heure?
7. Monique est descendue du train à Avignon?
8. Elle est sortie de la gare?
9. Elle est allée à l'hôtel?
10. Elle est entrée dans le hall de l'hôtel?

**B** À l'école.   Donnez des réponses personnelles.

1. Tu es allé(e) à l'école ce matin?
2. Tu es arrivé(e) à l'école à quelle heure?
3. Tu es venu(e) à l'école comment?
4. Tu es entré(e) dans l'école?
5. Tu es allé(e) à ton premier cours?
6. Tu es sorti(e) de l'école à quelle heure hier?
7. Tu es allé(e) manger quelque chose avec tes copains après les cours?
8. Tu es rentré(e) à la maison tout de suite après?

**C** Au cinéma.   Mettez au passé composé.

1. Michel et sa sœur vont au cinéma.
2. Ils partent à l'heure.
3. Ils montent dans le bus.
4. Ils arrivent au cinéma.
5. Ils descendent du bus.
6. Ils vont au guichet.
7. Ils entrent dans le cinéma.
8. Ils sortent du cinéma après le film.
9. Ils vont au café.
10. Ils rentrent chez eux à minuit.

**D** Qui est sorti?   Donnez des réponses personnelles.

1. Le mois dernier, tes copains et toi, vous êtes allés au cinéma?
2. Vous y êtes allés comment? En voiture? En bus?
3. Vous êtes toujours partis à l'heure?
4. Vous êtes arrivés quelquefois en retard?
5. Après le film vous êtes allés manger quelque chose?
6. Vous êtes souvent rentrés chez vous assez tard?

**E** Un séjour.   Complétez au passé composé.

Ce matin Marc ___ (arriver) à Paris avec ses copains. Ils ___ (sortir) de la gare
        1                                                                                          2
et ___ (trouver) un taxi. Ils ___ (aller) à l'hôtel. Quand ils ___ (arriver) à
     3                                        4                                         5
l'hôtel, ils ___ (entrer) dans le hall. Ils ___ (aller) à la réception et tout le
              6                                      7
monde ___ (remplir) et ___ (signer) une fiche d'enregistrement. La
          8                      9
réceptionniste ___ (donner) les clés à Marc. Marc et ses copains ___ (monter)
                  10                                                                            11
au quatrième étage à pied. Ils ___ (prendre) l'escalier. Ils ___ (mettre) leurs
                                        12                                      13
bagages dans leur chambre et ___ (sortir) tout de suite après.
                                          14

**F** **Une excursion.** Mettez au passé composé.

MATHIEU: Tu ___ (aller) en Normandie avec Laure, n'est-ce pas?

THÉRÈSE: Oui, nous y ___ (aller).

MATHIEU: Comment avez-vous trouvé le Mont-Saint-Michel?

THÉRÈSE: C'est vraiment impressionnant. Nous ___ (sortir) de notre petit hôtel à huit heures du matin et nous ___ (arriver) au Mont vers 9h.

MATHIEU: Vous ___ (monter) à la basilique?

THÉRÈSE: Oui, et nous ___ (sortir) sur la terrasse. De là, la vue est superbe.

MATHIEU: Mon frère et moi ___ (aller) au Mont-Saint-Michel l'année dernière et je suis d'accord avec toi—c'est formidable!

Le Mont-Saint-Michel

## D'autres verbes avec *être* au passé composé

*Describing Past Actions*

Although the following verbs do not express motion to or from a place, they are also conjugated with *être*.

| | | |
|---|---|---|
| rester | Il est resté huit jours. | *He stayed a week.* |
| tomber | Il est tombé. | *He fell.* |
| devenir | Il est devenu malade. | *He became sick.* |
| naître | Elle est née en France. | *She was born in France.* |
| mourir | Elle est morte en 1991. | *She died in 1991.* |

## Exercices

**A** **Être ou ne pas être.** Donnez des réponses personnelles.

1. Tu es né(e) quel jour?
2. Tu es né(e) à l'hôpital?
3. Tu es né(e) dans quel hôpital?
4. Ta mère est restée combien de jours à l'hôpital?
5. Où tes parents sont-ils nés?
6. Tu as des grands-parents? Où sont-ils nés?

**B** **Vous êtes maladroit!** Regardez les dessins et dites qui est tombé où.

l'enfant
*L'enfant est tombé dans le jardin.*

1. tu

2. Michel

3. tes copains

4. nous

5. vous

**C** **Aux Jeux Olympiques.** Complétez au passé composé.

1. Sophie ___ (aller) à Albertville en France pour participer aux Jeux Olympiques.
2. Elle ___ (rester) quinze jours dans les Alpes.
3. Elle est patineuse. Pendant la compétition elle n'___ pas ___ (tomber).
4. Mais toutes les autres patineuses ___ (tomber).
5. Alors Sophie ___ (gagner) la médaille d'or.
6. Elle ___ (devenir) championne olympique.
7. Après les Jeux elle ___ (rentrer) au Canada où elle ___ (devenir) très célèbre.

# Le passé composé: *être* ou *avoir*     *Describing Past Actions*

The verbs *descendre, monter, passer, rentrer,* and *sortir* are conjugated with *être* in the *passé composé* when they are not followed by an object. They are conjugated with *avoir*, however, when they are followed by a direct object. Study the following pairs of sentences. Note the differences in meaning.

**WITHOUT OBJECT**

**Elle est descendue.**

**Nous sommes montés au deuxième étage.**

**Ils sont sortis hier soir.**

**WITH OBJECT**

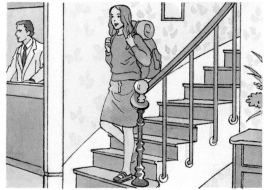

**Elle a descendu *son sac à dos*.**

**Nous avons monté *nos bagages*.**

**Ils ont sorti *leur passeport*.**

## Exercices

**A** **Christine est arrivée.** Répondez par «oui».

1. Christine est arrivée à l'hôtel?
2. Elle est allée à la réception?
3. Elle a sorti son passeport et sa carte de crédit?
4. Elle est montée dans sa chambre?
5. Elle a pris l'escalier?
6. Elle a monté ses bagages?
7. Elle est descendue?
8. Elle est sortie?
9. Elle est allée au musée?
10. Elle est rentrée à l'hôtel à onze heures du soir?

**B** **En route!** Complétez au passé composé avec «avoir» ou «être».

1. Isabelle et Janine ___ (sortir) de la maison à neuf heures.
2. Elles ___ (sortir) tous leurs bagages sur le trottoir.
3. Elles ___ (attendre) le taxi.
4. Quand le taxi ___(venir), elles ___(mettre) leurs bagages dans le coffre.
5. Puis les deux filles ___(monter) dans le taxi.
6. À la gare elles ___ (descendre) du taxi et ___ (descendre) leurs bagages sur le quai.
7. Elles ___ (sortir) leurs billets et ___ (monter) dans le train.

# Les pronoms *lui, leur*

## *Telling What You Do for Others*

1. *Lui* and *leur* are indirect object pronouns. Observe the difference between a direct object and an indirect object in the following sentences.

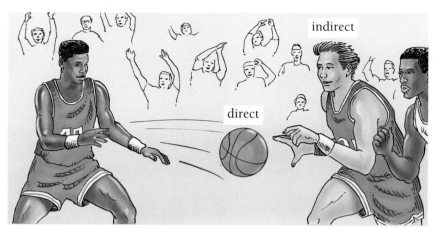

**Pierre lance *le ballon à Gilles*.**

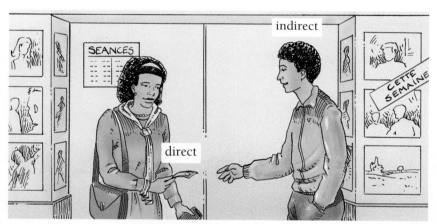

**Marie donne *l'argent à son copain*.**

In the above sentences, *le ballon* and *l'argent* are direct objects. *Gilles* and *son copain* are indirect objects, introduced by *à*.

2. You use the pronoun *lui* to replace *à* + a person (singular).

| | |
|---|---|
| **Je parle *à Marie*.** | **Je lui parle.** |
| **Je parle *à Luc*.** | **Je lui parle.** |
| **Il lance le ballon *à l'autre joueur*.** | **Il lui lance le ballon.** |
| **Il ne renvoie pas le ballon *à la fille*.** | **Il ne lui renvoie pas le ballon.** |

3. You use the pronoun *leur* to replace *à* + more than one person.

> Je téléphone *à Roger et à Olivier.*     Je leur téléphone.
> Je téléphone *à Catherine et à Jeanne.*     Je leur téléphone.
> L'arbitre parle *aux filles.*     L'arbitre leur parle.

4. As with other object pronouns, *lui* and *leur* cannot be separated from the verb by a negative word.

> Je ne *lui parle* pas.
> Il ne *leur téléphone* pas.

5. Remember that in sentences with a verb + infinitive, the pronoun comes right before the infinitive.

> Je vais *lui* téléphoner.
> Je ne veux pas *leur* offrir de cadeaux.

## Exercices

**A**   **Guy offre un cadeau.**   Refaites les phrases d'après le modèle.

> Guy offre un cadeau *à sa nouvelle amie française.*
> *Guy lui offre un cadeau.*

1. Guy offre un cadeau *à Danielle.*
2. Il donne le cadeau *à Danielle* au restaurant.
3. Elle est contente. Elle dit «merci» *à Guy.*
4. Elle téléphone *à sa copine Sandrine* pour décrire le cadeau.
5. Danielle dit *à sa copine,* «Guy est sympa, n'est-ce pas?»
6. Sandrine répond *à Danielle,* «Oh, oui, c'est un garçon vraiment chouette!»

**B**   **Un match de foot.**   Complétez avec «lui» ou «leur».

1. Il lance le ballon à Gilles?
   Oui, il ___ lance le ballon.
2. Les joueurs parlent à l'arbitre?
   Oui, ils ___ parlent.
3. Et l'arbitre parle aux joueurs?
   Oui, il ___ parle.
4. L'arbitre explique les règles aux joueurs?
   Oui, il ___ explique les règles.
5. L'employée au guichet parle à un spectateur?
   Oui, elle ___ parle.
6. Le spectateur pose une question à l'employée?
   Oui, il ___ pose une question.
7. L'employée vend des billets aux spectateurs?
   Oui, elle ___ vend des billets.

**C**   **Personnellement.**   Répondez en utilisant «lui» ou «leur».

1. Tu parles à tes professeurs?
2. Tu dis «bonjour» à ton professeur de français?
3. Tu vas téléphoner à tes copains ce week-end?
4. Tu aimes parler à tes copains au téléphone?
5. Tu parles souvent à tes copains?
6. Tu vas écrire à ta grand-mère?
7. Tu écris souvent à ta grand-mère?

# CONVERSATION

## Scènes de la vie   À la réception de l'hôtel

LINDA: Bonjour, Madame. J'ai réservé une chambre pour deux personnes.
LA RÉCEPTIONNISTE: C'est à quel nom, s'il vous plaît?
LINDA: Au nom de Collins.

LA RÉCEPTIONNISTE: Vous avez votre confirmation?
LINDA: Oui, je l'ai. La voilà. *(Elle lui montre sa confirmation.)*
LA RÉCEPTIONNISTE: Merci. J'ai une très jolie chambre au troisième qui donne sur la cour.

LINDA: C'est une chambre à deux lits?
LA RÉCEPTIONNISTE: Oui, avec salle de bains.
LINDA: C'est combien, la chambre?
LA RÉCEPTIONNISTE: Trois cent cinquante francs. Et le petit déjeuner est compris. Voilà votre clé.

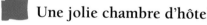  **Une jolie chambre d'hôtel.**   Répondez d'après la conversation.

1. Linda veut une chambre pour combien de personnes?
2. Elle parle à qui?
3. Elle a réservé une chambre?
4. Qu'est-ce qu'elle a montré à la réceptionniste?
5. La chambre est à quel étage?
6. Elle donne sur la rue?
7. C'est une chambre à combien de lits?
8. La chambre a une salle de bains privée?
9. C'est combien la chambre?
10. Le petit déjeuner est compris ou pas?

## Prononciation    *Les sons /ó/ et /ò/*

It is important to make a clear distinction between the closed sound /ó/ as in
«mot» and the open sound /ò/ as in «sort». Repeat the following pairs of
words.

nos / note     mot / mort     dôme / dort     beau / bonne

Now repeat the following sentences.

> Claude ne dort pas beaucoup.
> Paul sort beaucoup trop.
> Il n'y a pas d'eau chaude dans la chambre 14.

Hôtel de Bordeaux

## Activités de communication

**A**    **Au voleur!**   Imagine that one of the rooms in your hotel in Paris was
burglarized. The house detective (your partner) asks you and all the other
guests what you did from the time you left your room this morning until the
time you returned this afternoon. Give a full account of your activities.

> Élève 1: À quelle heure est-ce que vous êtes sorti(e) de la  chambre?
> Élève 2: Je suis sorti(e) à dix heures et demie.
> Élève 1: Où est-ce que vous êtes allé(e)?
> Élève 2: Je suis allé(e) au troisième étage chercher mes copains.
> Élève 1: Qu'est-ce que vous avez fait ensuite?

**B**    **Qu'est-ce qu'on fait pour toi?**   Think of a friend or family member
you like very much. What does this person do for you? What do you do for
him or her? Use the following verbs.

| | | |
|---|---|---|
| acheter | écrire | préparer |
| apprendre | faire | répondre |
| dire | parler | servir |
| donner | poser des questions | téléphoner |

> Mon amie Sylvie me donne de jolis cadeaux pour mon anniversaire.
>     Elle me téléphone presque tous les soirs...Moi, je lui écris des
>     lettres pendant les vacances.

**C**    **Une enquête: Tu es né(e) quand?**   Divide into groups. The leader
will find out who is the oldest and the youngest in his or her group by asking
the group members when they were born.

> Élève 1: Judy, tu es née quand?
> Élève 2: Je suis née le 17 août 1981...
> Élève 1 (*à la classe*): Judy est née le 17 août 1981. Meredith est née
>     le 30 janvier 1982. Judy est la plus âgée et Meredith est la plus
>     jeune de notre groupe.

## L'HÔTEL DE LA GARE

Monique est arrivée avec quelques copines à Nice. Elles sont descendues du train et sont allées tout de suite au syndicat d'initiative. Le syndicat d'initiative est un bureau de tourisme qui se trouve souvent dans les gares ou près des gares. Les touristes vont au syndicat d'initiative pour trouver une chambre d'hôtel dans la ville où ils sont arrivés, s'ils n'ont pas réservé de chambre à l'avance.

Monique a expliqué à l'employée du syndicat d'initiative que ses copines et elle sont étudiantes. Elles ne veulent pas aller dans un hôtel de grand luxe qui coûte très cher. Pas de problème: l'employée a téléphoné à l'Hôtel de la Gare où elle a réservé une chambre pour les filles. L'Hôtel de la Gare est un hôtel confortable mais pas trop cher. Et il est où, l'Hôtel de la Gare? En face de[1] la gare, bien sûr! Il y a un Hôtel de la Gare dans beaucoup de villes en France.

Monique et ses copines sont sorties de la gare, elles ont traversé la rue et sont arrivées à l'hôtel en deux minutes. Elles ont rempli les fiches d'enregistrement et ont monté leurs bagages à la chambre. Elles sont redescendues tout de suite après et sont allées visiter la ville de Nice.

[1]en face de  across from

## Étude de mots

**A** **Le français, c'est facile.** Trouvez cinq mots apparentés dans la lecture.

**B** **C'est-à-dire...** Trouvez les mots ou expressions qui correspondent.

1. le syndicat d'initiative
2. réserver
3. expliquer
4. les bagages
5. cher

a. qui coûte beaucoup
b. les sacs à dos, les valises
c. un bureau de tourisme
d. dire
e. louer à l'avance

**GRAND HOTEL DE LA GARE ★ NN**

**BAR – RESTAURANT**
33230 SAINT - MÉDARD - DE - GUIZIÈRES
57.69.60.14

Christian BIRON
*PROPRIÉTAIRE*
*CHEF DE CUISINE*

ÉTAPE V. R. P.
SÉMINAIRES - NOCES
BANQUETS DIVERS
SALLE de 25 à 200 Couverts
-15 CHAMBRES-

R. C. S. A 341530111    IMP. BOAT

## Compréhension

 **Un séjour à Nice.** Répondez.

1. Monique et ses copines sont arrivées où?
2. Elles sont allées à Nice comment?
3. Quand elles sont arrivées à la gare, où sont-elles allées?
4. Pourquoi sont-elles allées au syndicat d'initiative?
5. L'employée du syndicat d'initiative a téléphoné à quel hôtel?
6. Où est l'hôtel?
7. Les filles sont allées à l'hôtel?
8. Elles sont allées à l'hôtel à pied, en autobus ou en taxi?
9. Qu'est-ce qu'elles ont fait quand elles sont arrivées à l'hôtel?
10. Qu'est-ce que le syndicat d'initiative?
11. Qu'est-ce que vous avez appris au sujet des hôtels de la Gare?

# DÉCOUVERTE CULTURELLE

En France les hôtels sont classés par le ministère du Tourisme selon leur confort et leur luxe.

| | |
|---|---|
| ★★★★L | HÔTEL DE GRAND LUXE |
| ★★★★ | HÔTEL DE PREMIÈRE CLASSE, TOUT CONFORT |
| ★★★ | HÔTEL TRÈS CONFORTABLE |
| ★★ | HÔTEL CONFORTABLE |
| ★ | HÔTEL AU CONFORT MOYEN, SIMPLE MAIS CONVENABLE[1] |

**LIGUE FRANÇAISE POUR LES AUBERGES DE LA JEUNESSE**
38, Bd RASPAIL 75007 PARIS
TÉL. (1) 45 48 69 84
FAX 45 44 57 47

Quelle catégorie d'hôtel est la plus chère? Et la moins chère?

En France, il y a beaucoup de pensions qui sont souvent très agréables. Une pension est un hôtel simple à caractère familial.

Les jeunes qui voyagent en France aiment aller dans des auberges de jeunesse[2]. Les auberges de jeunesse ont des dortoirs[3] et ne coûtent pas très cher. Beaucoup de randonneurs[4] et cyclistes louent une chambre (ou un lit) dans une de ces auberges, qui se trouvent souvent près des villes. Les jeunes voyageurs les aiment beaucoup parce que dans les auberges de jeunesse ils peuvent faire la connaissance de[5] jeunes gens qui viennent de beaucoup de pays différents.

[1] moyen...convenable *moderately priced, no-frills hotel*
[2] des auberges de jeunesse *youth hostels*
[3] des dortoirs *dormitories*
[4] randonneurs *hikers*
[5] faire la connaissance de *meet*

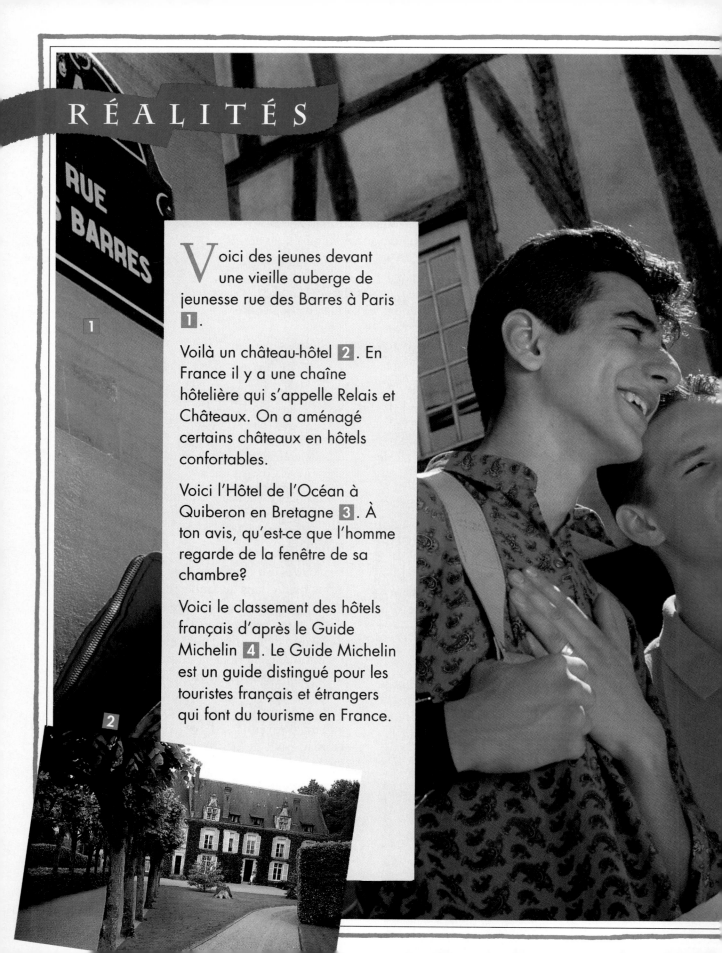

**V**oici des jeunes devant une vieille auberge de jeunesse rue des Barres à Paris **1**.

Voilà un château-hôtel **2**. En France il y a une chaîne hôtelière qui s'appelle Relais et Châteaux. On a aménagé certains châteaux en hôtels confortables.

Voici l'Hôtel de l'Océan à Quiberon en Bretagne **3**. À ton avis, qu'est-ce que l'homme regarde de la fenêtre de sa chambre?

Voici le classement des hôtels français d'après le Guide Michelin **4**. Le Guide Michelin est un guide distingué pour les touristes français et étrangers qui font du tourisme en France.

**HOTEL DE L'OCÉAN**

**MICHELIN**

Grand luxe
Grand confort
Très confortable
De bon confort
Assez confortable
Simple mais convenable

La table vaut le voyage
La table mérite un détour
Une très bonnne table
Repas soigné
à prix modérés 100/130

**Repas**

Petit déjeuner
enf. 55  Menu enfant

Menu à moins de 75 F

# CULMINATION

## Activités de communication orale

**A** **Des vacances formidables.** Using the following question words and phrases, ask your partner about a great vacation he or she once had. Then reverse roles.

1. où      3. avec qui
2. quand      4. quelles activités

**B** **Allons en France.** Your partner is planning a trip to France and is going to stay in one of the hotels pictured below. Ask your partner which of the hotels he or she prefers and why. Then reverse roles.

### Auberge de Combreux

**Combreux**
**Val de Loire**

21 chambres de 210 à 350 F
Petit déjeuner     30F
Demi-pension     280F

*Auberge pleine de charme en forêt, près des châteaux de la Loire. À l'hôtel vélo, tennis, piscine, practice de golf.*

### Hôtel Idéal Mont Blanc

**Combloux**
**Haute-Savoie**

Ouvert: été et hiver
26 chambres de 310 à 365F
Petit déjeuner     37F
Demi-pension     277F
Pension complète   322 F

*Chalet grand confort dans les Alpes. Séjour idéal pour les sports d'été ou d'hiver.*

### Hôtel de Paris

**34, boulevard d'Alsace**
**Cannes, Côte d'Azur**

45 chambres de 250 à 580F
Petit déjeuner 35F en salle,
50F en chambre par personne

*Hôtel de grand confort en ville. Près de la mer. Chambres avec télé couleurs, radio, salles de bains. Jardin avec piscine.*

### Hostellerie du Châteaux d'Agneaux

**Avenue Sainte-Marie**
**Agneaux, Normandie**

12 chambres de 300 à 600F
Petit déjeuner     37F
Demi-pension     450F
Pension     550F

*Trente km. de la plage. Sur la route du Mont-St.-Michel. Confort, calme avec tennis et sauna.*

## Activités de communication écrite

**A** **Une publicité.** Write an ad for a hotel (real or imaginary) using the ads above as a guide.

**B** **Mon journal intime.** Write a diary entry describing your activities last weekend.

**C** **Une vie antérieure.** Imagine you lived in another century. Write a short paragraph telling where and when you were born and died.

## Réintroduction et recombinaison

**Les loisirs culturels.** Donnez des réponses personnelles.

1. Tu es sorti(e) le week-end dernier ou tu es resté(e) à la maison?
2. Si tu es sorti(e), avec qui es-tu sorti(e)?
3. Tu es allé(e) au cinéma le mois dernier?
4. Tu as vu quel film? Avec quels acteurs?
5. Tes copains et toi, avez-vous déjà visité un musée? Quel musée?
6. Vous avez admiré quels peintres ou quels sculpteurs?
7. Tu connais la Statue de la Liberté? Tu sais dans quelle ville des États-Unis elle est?
8. Si tu vas en France, qu'est-ce que tu veux visiter?
9. Tu veux voir une pièce à la Comédie-Française? Quel genre de pièce, une comédie ou une tragédie?
10. Si tu vas voir un film étranger, tu préfères le voir doublé ou en version originale avec des sous-titres?

## Vocabulaire

**NOMS**
l'hôtel (m.)
le hall
l'escalier (m.)
la réception
le (la) réceptionniste
la personne
la fiche d'enregistrement
la facture
les frais (m.)
la carte de crédit
le chèque de voyage
la chambre
   à un lit
   à deux lits
la porte
le placard
le cintre
les draps (m.)

la couverture
l'oreiller (m.)
la salle de bains
le savon
le gant de toilette
la serviette
le rouleau de papier hygiénique

**VERBES**
monter
montrer
réserver
tomber
se sécher
mourir
naître

**AUTRES MOTS ET EXPRESSIONS**
donner sur
libérer la chambre
payer en espèces

Hôtel ★★ NN
BELLEVUE
Françoise et Jean Pierre CHODORGE
RESTAURANT - LOGIS DE FRANCE
Restaurant plein air - Salle de réunion
Repas de groupe - Service traiteur
Fermeture hebdomadaire le mercredi (hors saison)
55120 CLERMONT EN-ARGONNE TÉL. 29 87 41 02

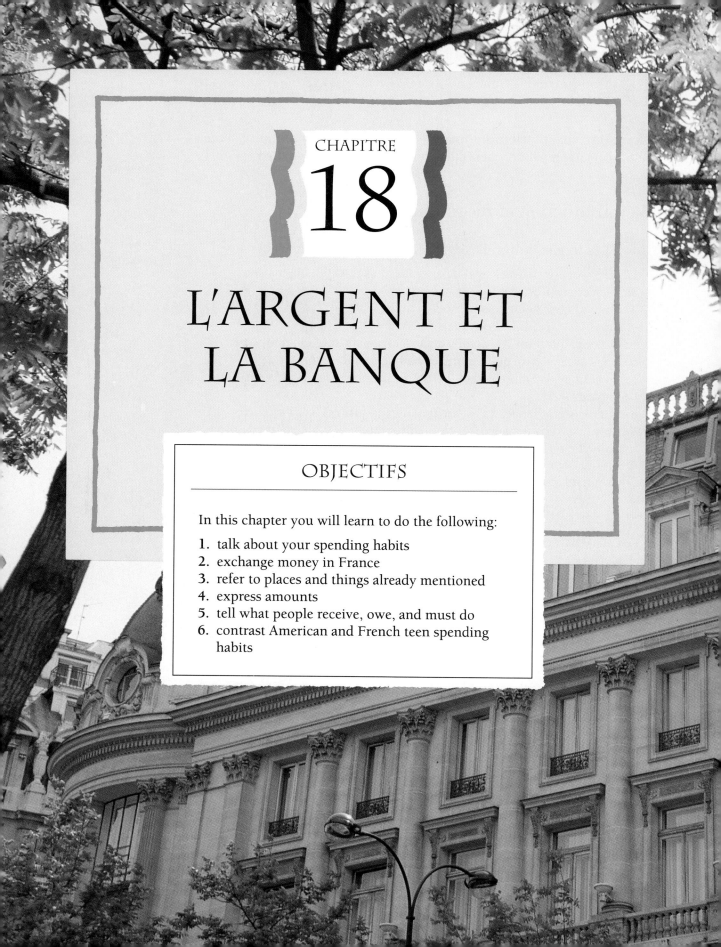

# L'ARGENT ET LA BANQUE

## OBJECTIFS

In this chapter you will learn to do the following:

1. talk about your spending habits
2. exchange money in France
3. refer to places and things already mentioned
4. express amounts
5. tell what people receive, owe, and must do
6. contrast American and French teen spending habits

# VOCABULAIRE

## MOTS 1

de l'argent liquide

un billet

une pièce

de la monnaie

un portefeuille

un sac

un porte-monnaie

Tu as de la monnaie?

Tu peux me faire de la monnaie?

Oui, j'en ai.

Oui, je peux.

une poche

À LA BANQUE

un chèque (bancaire)

signer un chèque

toucher
un chèque

SOCIÉTÉ NATIONALE

RELEVÉ DE COMPTE

--- 39418 ---                    3180        1134580PT03941

SYLVIE VIDAL                                  code banque
75 BOULEVARD DU TEMPLE                        30003
75010   PARIS                                 code guichet
                                              03182
                                              numéro de compte
                                              0048039532

                                    DÉBIT    CRÉDIT    VALEUR

DATE    NATURE DE L'OPÉRATION

2802    VIREMENT ÉPARGNE DECLIC   2802     608,00    010392

        * * * * * * * * * * * * * * * * * * * * * *
        *   CE RELEVÉ CONCERNE VOTRE    *
        *              CODEVI            *
        * * * * * * * * * * * * * * * * * * * * * *

                                              2.618.12

NOUVEAU SOLDE

un relevé de compte
d'épargne

Sylvie est allée à la banque.
Elle a ouvert un compte d'épargne.
Elle a versé de l'argent sur son compte.

AU BUREAU DE CHANGE

le cours du change

ETATS UNIS \5,00 F
ITALIE
ALLEMAGNE
JAPON

Steve est allé au bureau de change.
Il y est allé pour changer de l'argent.
Il a changé de l'argent?
Oui, il en a changé.
Il a donné des dollars.
Et il a reçu des francs français.

la monnaie française

# Exercices

**A** **Qu'est-ce que c'est?** Identifiez.

1. C'est un chèque bancaire ou une carte de crédit?

2. C'est de l'argent liquide ou un chèque de voyage?

4. C'est un sac ou une poche?

5. C'est un portefeuille ou un porte-monnaie?

3. C'est un billet ou une pièce?

7. Elle signe le chèque ou elle touche le chèque?

6. C'est une banque ou un bureau de change?

8. Il fait de la monnaie ou il change de l'argent?

**B** **Au bureau de change.**   Répondez.

1. Où est-ce que Steve est allé?
2. Il a de la monnaie américaine ou de la monnaie française?
3. Il a changé de l'argent?
4. Il a changé combien de dollars?
5. Quel est le cours du change?
6. Steve a reçu combien de francs pour ses dollars?

**C** **Mon argent.**   Donnez des réponses personnelles.

1. Tu as de l'argent sur toi?
2. Tu as combien d'argent sur toi?
3. Tu mets ton argent dans ton portefeuille?
4. Tu mets des pièces ou des billets dans ton portefeuille?
5. Tu mets les pièces dans un portefeuille, dans un porte-monnaie ou dans ta poche?
6. Ton portefeuille est dans ta poche ou dans ton sac?
7. En général, tu paies en espèces, par chèque ou avec une carte de crédit?
8. Tu as un compte d'épargne?
9. Tu regardes ton relevé de compte chaque mois?
10. Tu verses de l'argent sur ton compte?

# VOCABULAIRE

## MOTS 2

Voici Lise.
Elle aime mettre de l'argent de côté.
Elle ne dépense pas tout son argent.
Elle fait des économies.

Et voilà Denis.
Denis n'a pas d'argent.
Il est fauché.
Il veut emprunter de
l'argent à Lise.

Tu peux me prêter
de l'argent?

Oui, je peux
te prêter de
l'argent.
Tu en veux
combien?

Denis rembourse Lise.
Il lui rend son argent.

**Note:** Here are some informal words referring to money.

| | |
|---|---|
| le fric | *l'argent* |
| 50 balles | *50 francs* |
| Il est fauché. | *Il n'a pas d'argent.* |
| Il a plein de fric. | *Il a beaucoup d'argent.* |

## Exercices

**A** **C'est qui?** Décidez si c'est Lise ou Denis.

1. Il / Elle dépense tout son argent.
2. Il / Elle met de l'argent de côté.
3. Il / Elle fait des économies.
4. Il / Elle a un compte d'épargne.
5. Il / Elle est toujours fauché(e).
6. Il / Elle emprunte de l'argent à un(e) ami(e).
7. Il / Elle prête de l'argent.
8. Il / Elle rembourse l'argent qu'il/elle emprunte.

**B** **L'argent et toi!** Donnez des réponses personnelles.

1. Tu travailles?
2. Tu gagnes de l'argent? Tu as de l'argent de poche?
3. Qu'est-ce que tu fais pour gagner de l'argent? Tu travailles dans le jardin des voisins? Tu laves des voitures? Tu gardes des enfants? Tu aides ton père ou ta mère?
4. Tu dépenses tout ton argent de poche ou tu en mets de côté?
5. Tu as un compte d'épargne? Dans quelle banque?
6. De temps en temps, tu empruntes de l'argent à tes parents?
7. Quand tu dois de l'argent à tes parents, tu les rembourses toujours?
8. Tu leur rends vite l'argent?

**C** **Un peu d'argot.** Dites la même chose d'une autre manière.

DAVID: Tu as *du fric?*
MARIE: Tu me demandes si j'ai *du fric.* Tu sais bien que *je suis toujours fauchée.*
DAVID: Et tu me dois cinquante *balles.*
MARIE: Oui, je sais. Mais tu n'en as pas besoin. Tu as *plein de fric.*
DAVID: C'est pas la question.
MARIE: D'accord. Je te rends les cinquante *balles* demain.

**D** **Quel est le nom?** Choisissez le mot qui correspond.

1. épargner          a. le versement
2. économiser        b. le remboursement
3. verser            c. le prêt
4. changer           d. l'épargne
5. dépenser          e. l'emprunt
6. emprunter         f. des économies
7. prêter            g. la dépense
8. rembourser        h. le change

## Activités de communication

*Mots 1 et 2*

**A**   **Ton argent et toi.**   A French exchange student at your school (your partner) wants to know about American teens and money. Answer his or her questions, then reverse roles.

1. Tu gagnes de l'argent? Comment?
2. Tes parents te donnent de l'argent de poche?
3. Pour quoi est-ce que tu dépenses ton argent?
4. Tu mets de l'argent de côté?

**B**   **Au bureau de change.**   You are at a foreign exchange office in France and want to change 50 dollars into francs. The exchange rate is five francs to the dollar. Act out the following scene with the teller (your partner).

1. Greet the teller and say what you want.
2. Ask what the exchange rate is today.
3. The teller asks if you have traveler's checks or cash. (If you have traveler's checks, the teller asks you to sign them.)
4. The teller asks you for your passport.

**C**   **Quel cours du change!**   You and your partner are French tourists visiting the U.S. Fortunately for you, the current exchange rate is five francs to the dollar. Make a list of several gifts you'd like to buy for your friends and family in France. Tell your partner how much each of your gifts costs in dollars. He or she will tell you the price in francs. Then reverse roles.

> Élève 1: Je voudrais acheter une cassette
> pour ma sœur. Ça coûte 9 dollars.
> Ça fait combien en francs?
> Élève 2: Ça fait 45 francs.

**D**   **Un petit problème.**   You'd like to buy or do something but you can't afford it at the moment. Your friend (your partner) might be able to help you out.

1. Tell your partner you'd like to borrow money.
2. Your partner wants to know how much and why.
3. Your partner asks when you can pay him or her back.
4. Say when you can pay the money back and how you'll get it.

# STRUCTURE

Le pronom *y*                    *Referring to Places Already Mentioned*

1. You have already used the pronoun *y* with the verb *aller* to refer to a place just mentioned. *Aller* cannot stand alone.

> **Tu vas au restaurant?**
> **Oui, j'y vais.**
> **On y va ensemble?**

2. You also use the pronoun *y* to replace any location introduced by *à* or another preposition.

| | |
|---|---|
| **Tu vas *à Paris?*** | **Oui, j'y vais.** |
| **Henri monte *sur la tour Eiffel?*** | **Oui, il y monte.** |
| **Il est *à l'Hôtel Racine?*** | **Oui, il y est.** |
| **Il veut entrer *dans l'hôtel?*** | **Oui, il veut y entrer.** |
| **Tu veux aller *en France?*** | **Oui, je veux y aller.** |
| **Ils peuvent dîner *chez leurs amis?*** | **Oui, ils peuvent y dîner.** |

3. With the *passé composé,* y comes before the helping verb.

| | |
|---|---|
| **Ils sont entrés *dans le musée?*** | **Oui, ils y sont entrés.** |
| **Elle est montée *au troisième étage?*** | **Oui, elle y est montée.** |
| **Elle a vu de beaux tableaux *au musée?*** | **Oui, elle y a vu de beaux tableaux.** |

4. Note the placement of *y* in negative sentences.

| | |
|---|---|
| PRÉSENT | **Je n'y vais pas.** |
| VERBE + INFINITIF | **Je ne vais pas y aller.** |
| PASSÉ COMPOSÉ | **Je n'y suis pas allé(e).** |

# Exercices

**A** **Au gymnase.** Répétez la petite conversation.

BÉATRICE: Tu vas au gymnase?
HÉLÈNE: Oui, j'y vais tous les samedis.
BÉATRICE: Ton copain y va aussi?
HÉLÈNE: Oui, il y va aussi. Il y va souvent.

**B** **On y va?** Répondez d'après les dessins en utilisant «y».

1. David est allé au bureau de change?
2. Il est allé au bureau de change le matin?
3. Il est allé au bureau de change pour changer de l'argent?
4. Il est arrivé au bureau de change avant l'ouverture?
5. Il a attendu devant le bureau?
6. Il a attendu cinq minutes devant le bureau?
7. Quand le bureau a ouvert, David est entré dans le bureau?
8. Il a fait la queue devant la caisse?

**C** **À l'école.** Donnez des réponses personnelles en utilisant «y».

1. Tu vas à l'école tous les jours?
2. Tu prépares tes leçons à la maison?
3. Tu parles français au cours de français?
4. Tu parles français au cours d'anglais?
5. Tu attends tes amis dans la cour?
6. Tu mets tes livres dans ton sac à dos?
7. Tu vas à l'école à pied?
8. Tu aimes aller chez tes copains après les cours?
9. Tu veux aller chez eux aujourd'hui?

# Y, *lui* ou *leur*

*Referring to People and Things
Already Mentioned*

1. You also use the pronoun *y* to replace *à* + a thing.

| | |
|---|---|
| **Georges répond *à la lettre?*** | Oui, il *y* répond. |
| **Anne a répondu *au téléphone?*** | Non, elle n'*y* a pas répondu. |

2. If the preposition *à* is followed by a person, you use *lui* or *leur,* not *y*.

| | |
|---|---|
| **Georges répond *à Marie.*** | Il *lui* répond. |
| **Anne a répondu *à ses amis.*** | Elle *leur* a répondu. |

## Exercices

**A** **Il a téléphoné.** Répondez en utilisant «y».

1. Paul a téléphoné à l'hôtel?
2. Paul a répondu à la question?
3. Il a obéi à la règle?
4. Paul a réussi à l'examen?
5. Paul a participé au match?

**B** **Y, *lui* ou *leur*?** Complétez.

1. Tu as répondu à la lettre?
   Oui, j'___ ai répondu.
2. Tu as répondu à vos cousins?
   Oui, je ___ ai répondu.
3. Sa sœur a répondu à une petite annonce? Oui, elle ___ a répondu.
4. Elle a répondu à sa mère?
   Oui, elle ___ a répondu.
5. Elle a téléphoné à ses copains?
   Oui, elle ___ a téléphoné.
6. Tes copains et toi, vous avez obéi au professeur? Oui, nous ___ avons obéi.
7. Vous avez obéi aussi aux règles de l'école? Oui, nous ___ avons obéi.

## Le pronom *en*

Referring to Things Already Mentioned

1. You use the pronoun *en* to replace a noun that is introduced by *de* or any form of it: *du, de l', de la, des.*

| | |
|---|---|
| Vous avez *de la monnaie?* | Oui, j'en ai.<br>Non, je n'en ai pas. |
| Richard veut *de l'argent?* | Oui, il en veut.<br>Non, il n'en veut pas. |
| Il va changer *des francs?* | Oui, il va en changer.<br>Non, il ne va pas en changer. |
| Il a besoin *d'argent?* | Oui, il en a besoin.<br>Non, il n'en a pas besoin. |
| Il a parlé *de ses finances?* | Oui, il en a parlé.<br>Non, il n'en a pas parlé. |
| Il est venu *de la banque?* | Oui, il en est venu.<br>Non, il n'en est pas venu. |
| Il y a *des* bureaux de change en ville? | Oui, il y en a.<br>Non, il n'y en a pas. |

# Exercices

**A** **La fête de Laurence.** Répondez d'après le dessin.

**Laurence sert du coca?**
*Oui, elle en sert.*

1. Elle sert de l'eau minérale?
2. Elle sert des sandwichs?
3. Elle sert de la pizza?
4. Elle sert de la salade?
5. Elle sert du fromage?
6. Elle sert des chocolats?
7. Elle sert de la glace?
8. Elle sert de la mousse au chocolat?

**B** **Oui, j'en ai.** Donnez des réponses personnelles en utilisant «en».

1. Tu as de l'argent dans ton portefeuille?
2. Tu as de la monnaie dans ta poche?
3. Tu reviens de la banque?
4. Tu as des billets?
5. Tu as des pièces?
6. Tu as besoin d'argent?
7. Tu veux gagner de l'argent?
8. Tu parles de l'argent?
9. Tu as emprunté de l'argent à tes parents?
10. Tu as prêté de l'argent à tes amis?

**C  Dans le réfrigérateur.** Répondez d'après le modèle.

du coca

Élève 1: Il y a du coca dans ton réfrigérateur?

Élève 2: Oui, il y en a dans mon réfrigérateur. (Non, il n'y en a pas.)

1. de l'eau minérale
2. de la glace
3. des légumes surgelés
4. du jambon
5. des tartes
6. de la viande

## D'autres emplois du pronom *en*

*Expressing Amounts*

1. Note that you also use the pronoun *en* with numbers and expressions of quantity. They cannot stand alone in French. They must be accompanied by *en*.

| | |
|---|---|
| Tu as combien de magazines? | J'*en* ai *deux*. |
| Et tu as beaucoup de livres? | Oui, j'*en* ai *beaucoup*. |

2. Here are some other expressions of quantity. Note the use of *en* with them.

J'*en* ai *une paire*.
J'*en* ai *une douzaine*.

| | |
|---|---|
| J'*en* ai *très peu*. | *very few, very little* |
| J'*en* ai *assez*. | *enough* |
| J'*en* ai *quelques-uns (-unes)*. | *a few* |
| J'*en* ai *plusieurs*. | *several* |
| J'*en* ai *trop*. | *too much, too many* |

## Exercice

**J'en ai assez.** Donnez des réponses personnelles en utilisant «en».

1. Tu as combien de paires de chaussures?
2. Tu en as assez?
3. Tu as combien de billets d'un dollar? Tu en as quelques-uns?
4. Tu en as assez pour acheter un coca?
5. Tu as beaucoup d'argent ou peu d'argent dans ton portefeuille?
6. Tu as plusieurs cours aujourd'hui?
7. Tu as trop de devoirs tous les soirs?
8. Tu as beaucoup de cassettes de ton groupe de rock préféré ou tu en as seulement quelques-unes?

## Les verbes *recevoir* et *devoir*

### Saying What People Receive, Owe, and Must Do

1. Study the following forms of the present tense of the irregular verbs *recevoir*, "to receive," and *devoir*, "to owe."

| RECEVOIR | DEVOIR |
|---|---|
| je reçois | je dois |
| tu reçois | tu dois |
| il | il |
| elle } reçoit | elle } doit |
| on | on |
| nous recevons | nous devons |
| vous recevez | vous devez |
| ils | ils |
| elles } reçoivent | elles } doivent |

> Je reçois beaucoup de cadeaux pour mon anniversaire.
> Elle reçoit beaucoup de lettres.
>
> Nous devons de l'argent à la banque.
> Mon ami me doit de l'argent.

2. When followed by an infinitive, the verb *devoir* also means "must" or "to have to."

> Il m'a prêté de l'argent. Je dois lui rendre son argent.
> Elle a un examen difficile demain. Elle doit étudier ce soir.

3. Note the past participles of these verbs.

> J'ai *reçu* cent dollars.
> J'ai *dû* étudier pour réussir à l'examen.

# Exercices

**A** **Je sais que je lui dois de l'argent.** Mettez au pluriel d'après le modèle.

> **Je lui dois vingt francs.**
> *Nous lui devons vingt francs.*

1. Je lui dois de l'argent.
2. Je lui dois cent dollars.
3. Si je reçois mon chèque aujourd'hui, je vais le rembourser.
4. Je sais que je dois lui rendre l'argent que je lui dois.

*Un distributeur automatique de billets.*

**B** **Je dois aller au bureau de change.** Répondez.

1. Si tu as besoin de francs, tu dois aller au bureau de change?
2. Si j'ai besoin de francs, je dois y aller aussi?
3. On doit y aller ensemble?
4. Le dollar est à cinq francs. Si je change vingt dollars, je reçois combien de francs?
5. Si un Français change cent francs, il reçoit combien de dollars?
6. Les Français reçoivent leur salaire en dollars ou en francs?
7. Les Américains reçoivent leur salaire en dollars ou en francs?
8. Tu as déjà reçu un salaire?
9. Tu as reçu combien?

**C** **On doit faire beaucoup de choses.** Complétez au présent avec «devoir» ou «recevoir».

Dans la vie, on ___ faire beaucoup de choses et ce n'est pas toujours agréable!
$\overline{1}$
Moi, tous les matins je ___ me lever à six heures et demie. Je ___ préparer le
$\overline{2}$ $\overline{3}$
petit déjeuner. Ma sœur, Aurélie ___ donner à manger au chien. Nous ___
$\overline{4}$ $\overline{5}$
quitter la maison à huit heures pour aller à l'école. Le soir nous ___ aider
$\overline{6}$
notre mère à préparer le dîner. Après le dîner nous ___ faire nos devoirs.
$\overline{7}$
Nous___ beaucoup travailler tous les jours! Mais chaque semaine nous ___
$\overline{8}$ $\overline{9}$
de l'argent de poche de nos parents. Tes copains et toi, vous ___ de l'argent de
$\overline{10}$
poche de vos parents? Qu'est-ce que vous ___ faire tous les jours pour en
$\overline{11}$
avoir? Vous travaillez? Une question de plus! Qu'est-ce que vous faites de
l'argent que vous ___? Vous le dépensez ou vous mettez quelques dollars de
$\overline{12}$
côté? Vos parents vous disent que vous ___ faire des économies?
$\overline{13}$

# CONVERSATION

## Scènes de la vie   *Au bureau de change*

ROBERT: Je voudrais changer vingt dollars en francs français, s'il vous plaît.

LE CAISSIER: Vous avez des chèques de voyage ou de l'argent liquide?
ROBERT: Des chèques de voyage. Le dollar est à combien aujourd'hui?
LE CAISSIER: À cinq francs quatre-vingts.

ROBERT: Très bien.
LE CAISSIER: Votre passeport, s'il vous plaît. Et signez votre chèque. Votre adresse à Paris?
ROBERT: Hôtel Molière, rue Molière dans le 1er arrondissement.

**A** **Des francs, s'il vous plaît.**   Répondez d'après la conversation.

1. Où est-ce que Robert est allé?
2. Il veut changer combien de dollars?
3. Il va changer des chèques de voyage ou de l'argent liquide?
4. Il veut changer des dollars en quelle monnaie?
5. Quel est le cours du change?
6. Le caissier veut voir son passeport?
7. Robert est à quel hôtel à Paris?

**B** **Qu'est-ce qu'il a fait?**   Corrigez les phrases.

1. Robert est allé à la banque.
2. Il a changé de l'argent liquide.
3. Il a changé cinquante francs.
4. Il a reçu des dollars.
5. Le caissier a voulu voir sa carte de crédit.

LA POSTE
DCV-01

ACHAT ☐ VENTE ☐ DE BILLETS ETRANGER

à M _____ Laporte, Robert
(nom, prénom)   Hôtel Molière
(adresse)   Rue Molière
Paris   75001

| DEVISE | CODE | MONTANT | | COURS | CONTRE-VA |
|--------|------|---------|--|-------|-----------|
| USD | 03190 | 2000 | | 5,3500 | 1,0,7,0 |
| | | | | COMMISSION | ,1,2 |
| | | | | NET | 1,0,5, |

A  *Paris*  , LE 26/06
SIGNATURE DU CLIENT,

*Robert Laporte*

## Prononciation   *Les sons /p/, /t/, /k/*

1. Repeat the following words with the initial French sounds /p/, /t/, and /k/.

   **payer    pour       temps    taxi      quand    calme**

2. Repeat the following words with the final French /p/, /t/, and /k/.

   **nappe    soupe      carte    contente      banque    fric**

3. Now repeat the following sentences.

   **Philippe a plein de fric à la banque.**
   **Tes parents vont payer avec une carte de crédit?**

payer avec une
carte de crédit

## Activités de communication

**A   Malheureusement.**   Work with a partner. Take turns telling each other several things you would like to do but can't because there's something else you must do first. Reverse roles.

> Élève 1: **Je voudrais aller au match de tennis mais je ne peux pas parce que je dois faire mes devoirs de maths.**
> Élève 2: **Et moi, je voudrais regarder la télé mais je ne peux pas parce que je dois aider ma mère.**

**B   Faisons les valises.**   Write down at least five items of clothing you would pack for a one-week stay in France next summer. Compare your list with your partner's and see if you've packed the same items.

> Élève 1: **Moi, j'ai trois paires de jeans. Et toi, tu en as combien?**
> Élève 2: **J'en ai deux. Et j'ai six tee-shirts. Toi, tu en as combien?**

**C   Où suis-je?**   Think of a place. Your partner will try to guess which place you're thinking of by asking questions with *y.* Then reverse roles.

**D   Il y en a combien?**   Your partner wants to know if there are a lot of the following at your school. Answer with *beaucoup, assez, quelques-un(e)s, très peu,* or *trop.* Then reverse roles.

> **bons professeurs**
> **élèves sportifs ou sportives**
> **élèves brillant(e)s**
> **clubs intéressants**
> **cours intéressants**
> **examens difficiles**

> Élève 1: **À ton avis il y a beaucoup d'élèves amusants à l'école?**
> Élève 2: **À mon avis il y en a quelques-uns.**

## LA SEMAINE DES JEUNES FRANÇAIS

Qu'est-ce qu'une semaine? Une période de sept jours? Oui, mais une «semaine» peut être aussi quelque chose d'autre. La semaine peut être de l'argent. La semaine est la somme d'argent qu'un jeune Français ou une jeune Française reçoit de ses parents. C'est de l'argent de poche. Les jeunes Français reçoivent combien d'argent pour leur semaine? On ne peut pas répondre d'une façon générale[1] à cette question. Ça dépend d'abord de la générosité des parents et ensuite de la situation économique de la famille. Nathalie Cassis, par exemple, reçoit 50 francs par semaine de ses parents. Qu'est-ce qu'elle fait avec les 50 francs qu'elle reçoit? Nathalie achète de temps en temps un tee-shirt ou une cassette. Elle achète pas mal de[2] cassettes parce qu'elle aime beaucoup la musique. Elle achète aussi des billets pour les concerts de ses chanteurs

favoris. De temps en temps elle va au café prendre un pot[3] avec des copains et bien sûr il faut payer.

Ses parents ont ouvert un compte d'épargne pour Nathalie. Elle aime faire des économies et mettre de l'argent de côté. Quand fait-elle des versements sur son compte? Si elle reçoit de l'argent pour son anniversaire, elle en dépense une partie, pas tout, et met le reste de côté. Quand elle reçoit une très bonne note, ses parents lui donnent aussi un peu d'argent. Souvent elle le dépense mais quelquefois elle le verse sur son compte d'épargne. Tu as une semaine? Tu reçois combien d'argent? Qu'est-ce que tu fais avec ta semaine? Tu fais les mêmes choses que Nathalie?

[1] d'une façon générale   *in a general way*
[2] pas mal de   *a lot of*
[3] prendre un pot   *to have a drink (soda, tea, etc.)*

## Étude de mots

**Des définitions.**   Trouvez le mot dans la lecture.

1. une période de sept jours
2. pas vieux
3. le père et la mère
4. une manière
5. beaucoup
6. une personne qui chante
7. ne pas dépenser trop d'argent

## Compréhension

**A** **Vrai ou faux?** Répondez par «oui» ou «non».

1. Tous les jeunes Français reçoivent de l'argent de leurs parents.
2. Tous les jeunes Français reçoivent la même somme d'argent.
3. Tous les jeunes Français ont un compte d'épargne.
4. Nathalie Cassis a un compte d'épargne.
5. Elle dépense tout son argent.

**B** **Vous avez compris?** Répondez d'après la lecture.

1. Combien d'argent de poche est-ce que les jeunes Français reçoivent de leurs parents? Ça dépend de quoi?
2. Qu'est-ce que Nathalie achète avec l'argent qu'elle reçoit?
3. Pourquoi achète-t-elle des cassettes?
4. Avec qui va-t-elle au café?
5. Qu'est-ce qu'elle y prend?
6. Qu'est-ce que les parents de Nathalie ont ouvert pour elle?
7. Quand Nathalie fait-elle des versements sur son compte?
8. Quelles sont les deux définitions du mot «semaine»?

# DÉCOUVERTE CULTURELLE

La monnaie change d'un pays à l'autre. C'est le dollar aux États-Unis, mais pas en France. Chaque pays a sa monnaie nationale. Les monnaies étrangères s'appellent des «devises». La monnaie française est le franc français. À propos des francs, il y en a plusieurs: le franc belge, le franc suisse, le franc C.F.A. en Afrique et le franc antillais à la Martinique et à la Guadeloupe. Les devises n'ont pas toujours la même valeur. Il y a des fluctuations. Quelquefois le dollar est à dix francs français et quelquefois il tombe à cinq francs. Quand le dollar est à cinq francs, tout est très cher pour les Américains en France. Et si le dollar est à dix francs, tout est bon marché pour eux. Pour toi, il vaut mieux aller en France quand le dollar est haut ou quand le dollar est bas? Quand est-ce que tu reçois le plus pour le dollar?

*Des francs tahitiens*

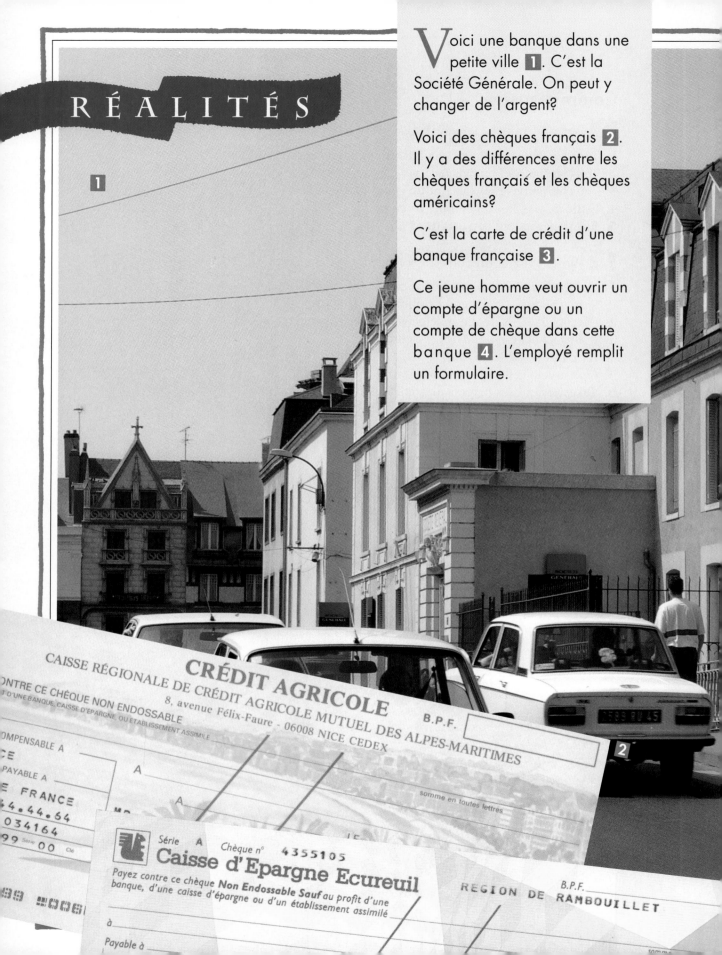

# RÉALITÉS

1

Voici une banque dans une petite ville **1**. C'est la Société Générale. On peut y changer de l'argent?

Voici des chèques français **2**. Il y a des différences entre les chèques français et les chèques américains?

C'est la carte de crédit d'une banque française **3**.

Ce jeune homme veut ouvrir un compte d'épargne ou un compte de chèque dans cette banque **4**. L'employé remplit un formulaire.

CRÉDIT AGRICOLE
CAISSE RÉGIONALE DE CRÉDIT AGRICOLE MUTUEL DES ALPES-MARITIMES
8, avenue Félix-Faure - 06008 NICE CEDEX

CONTRE CE CHÈQUE NON ENDOSSABLE
D'UNE BANQUE, CAISSE D'EPARGNE, OU ETABLISSEMENT ASSIMILE

B.P.F.

OMPENSABLE A

CE

PAYABLE A

A

E FRANCE

A

4•44•64

034164

somme en toutes lettres

99 Série 00 Clé

Série A    Chèque n°  4355105
**Caisse d'Epargne Ecureuil**
Payez contre ce chèque **Non Endossable Sauf** au profit d'une banque, d'une caisse d'épargne ou d'un établissement assimilé

à

Payable à

B.P.F.
REGION DE RAMBOUILLET

2

## Activités de communication orale

**A** **Qu'est-ce que tu as reçu?** Imagine you have received one of the items listed below. Help your partner guess which one you received by giving him or her a clue. Reverse roles.

un bulletin de notes        une facture
une carte d'anniversaire    une lettre d'amour
une carte postale

Élève 1: J'ai eu un «A» en français et un «B» en maths.
Élève 2: Tu as reçu ton bulletin de notes.

**B** **Rêves de voyage, voyages de rêve.** Work in small groups. Each person will write down several places he or she would like to visit, then exchange papers with the others. Tell whether you have already visited the places mentioned on the paper you've received. If you have not visited the places, tell whether or not you would like to, and why.

Montréal

Élève 1: Ah oui, je voudrais y aller. Je voudrais y aller en hiver parce que j'aime faire du ski. (J'y suis allé l'année dernière avec mes grands-parents.)

## Activités de communication écrite

**A** **Es-tu comme la cigale ou la fourmi?** Are you careless with your money like the grasshopper or careful with it like the ant? Take the test and see what it reveals about you.

**B** **Mon budget idéal.** List all your purchases for a month. In what areas, if any, do you feel you don't have enough money to spend? Tell how much more you need and why.

Je n'ai pas assez d'argent parce que les vêtements chic coûtent cher. Moi, j'ai besoin d'au moins $100 par mois pour acheter de jolis vêtements!

### TEST

1. **Pour avoir de l'argent de poche...**
   a. je ne fais rien. Mes parents me donnent de l'argent.
   b. je travaille dans un magasin, dans un restaurant, etc.

2. **Quand je vois quelque chose que j'aime beaucoup...**
   a. je l'achète impulsivement.
   b. je réfléchis avant de l'acheter.

3. **Quand je reçois de l'argent comme cadeau...**
   a. je le dépense tout de suite.
   b. j'en mets de côté.

4. **Quand je veux faire ou acheter quelque chose de spécial...**
   a. j'emprunte de l'argent à mes amis ou à mes parents.
   b. je mets de l'argent de côté à l'avance.

5. **Quand j'emprunte de l'argent à mes copains...**
   a. j'oublie souvent de les rembourser.
   b. je les rembourse tout de suite.

6. **Quand un ami a besoin d'argent...**
   a. je ne peux pas l'aider parce que j'ai déjà dépensé tout mon argent.
   b. je peux lui prêter de l'argent parce que j'en ai mis de côté.

**SCORE:**

**Une majorité de a:** Tu es une vraie cigale! Tu aimes beaucoup t'amuser dans la vie. Tu dois peut-être essayer de penser un peu plus au futur.

**Une majorité de b:** Tu es une petite fourmi, responsable et toujours bien organisé(e). Tu es sûr(e) de t'amuser assez dans la vie?

## Réintroduction et recombinaison

**A** **À l'hôtel.** Répondez d'après les indications.

1. Où est-ce que Gilbert est allé? (à l'hôtel)
2. À qui a-t-il parlé? (au réceptionniste)
3. Il a demandé quel type de chambre? (pour une personne)
4. Qu'est-ce qu'il a rempli? (une fiche d'enregistrement)
5. À quel étage est la chambre? (au premier)
6. La chambre donne sur la rue ou sur la cour? (sur la cour)
7. Comment Gilbert est-il monté? (par l'escalier)
8. Qu'est-ce qu'il a monté? (ses bagages)

**B** **Le séjour de Robert.** Complétez avec «y» ou «en».

1. Robert est allé à l'hôtel?
   Oui, il ___ est allé.
2. Il est entré dans le hall?
   Oui, il ___ est entré.
3. Il est dans le hall maintenant?
   Oui, il ___ est.
4. Il va à la réception?
   Oui, il ___ va.
5. Il a des bagages?
   Oui, il ___ a.
6. Il a combien de valises?
   Il ___ a deux.
7. Robert monte dans sa chambre?
   Oui, il ___ monte.
8. Il reste une semaine à l'hôtel?
   Oui, il ___ reste une semaine.

*L'Hôtel Carlton à Cannes*

## Vocabulaire

**NOMS**

l'argent de poche (m.)
l'argent liquide (m.)
le billet
la pièce
la monnaie
le chèque (bancaire)
le franc
la balle
le dollar
la banque
le compte d'épargne

le relevé de compte
   (d'épargne)
le bureau de change
le cours du change

la poche
le sac
le portefeuille
le porte-monnaie

**VERBES**

changer
emprunter
prêter
rembourser
signer
toucher
verser
devoir
recevoir
rendre

**AUTRES MOTS ET EXPRESSIONS**

avoir plein de fric
être fauché(e)
faire des économies
faire de la monnaie
mettre de l'argent de côté

assez
peu
plusieurs
quelques-un(e)s
trop

# RÉVISION

## CHAPITRES 17-18

### Conversation  *L'arrivée à l'hôtel*

M. BOUDREAU:  Bonjour, Monsieur. Je m'appelle Michel Boudreau. J'ai réservé une chambre pour ce soir et demain.

L'EMPLOYÉ:  Oui, Monsieur. Voilà. Une chambre avec salle de bains pour une personne. Vous êtes de quelle nationalité?

M. BOUDREAU:  Je suis français.

L'EMPLOYÉ:  Alors, si vous voulez bien remplir cette fiche, s'il vous plaît. *(Il lui donne la fiche.)* C'est votre premier voyage à Montréal?

M. BOUDREAU:  Oh non. Je suis déjà venu plusieurs fois.

L'EMPLOYÉ:  Si vous voulez changer de l'argent, il y a un bureau de change juste à côté.

M. BOUDREAU:  Je sais. J'y suis allé avant de venir ici. Par contre, si vous avez la monnaie de 50 dollars canadiens... Je dois prendre un taxi...

L'EMPLOYÉ:  Mais bien sûr, Monsieur.

**À l'hôtel.**  Répondez d'après la conversation.

1. Comment s'appelle le client?
2. Il est de quelle nationalité?
3. Qu'est-ce qu'il doit remplir?
4. M. Boudreau est déjà venu à Montréal?
5. Il est allé où avant d'arriver à l'hôtel? Qu'est-ce qu'il y a fait?
6. De quoi est-ce qu'il a besoin?
7. Pour quoi faire?
8. D'après vous, M. Boudreau habite au Canada?

### Structure

## Le passé composé avec *être*

1. Review the verbs that use *être* as a helping verb in the *passé composé*. Remember that they are mostly verbs of motion.

| | | | | |
|---|---|---|---|---|
| arriver | sortir | aller | devenir | tomber |
| partir | monter | venir | rentrer | naître |
| entrer | descendre | revenir | rester | mourir |

2. Remember that the past participle of verbs conjugated with *être* agrees in gender (masculine or feminine) and in number (singular or plural) with the subject of the verb.

**Elle est arrivé*e*.**        **Nous sommes venus.**

**A** Un groupe de jeunes en visite à Paris.
Répondez d'après le modèle.

> Alain (aller au Louvre)
> *Alain est allé au Louvre.*

1. Caroline et Stéphanie (aller au Musée d'Orsay)
2. Olivier (monter sur la Grande Arche)
3. Bernadette (aller à Versailles)
4. Christian et Marc (descendre à pied du haut de la tour Eiffel)
5. Alain (rester tout l'après-midi au Louvre)

*Le Château de Versailles*

## Le passé composé avec *être* ou *avoir*

In the *passé composé*, the verbs *monter, descendre, sortir,* and *rentrer* take either *être* or *avoir*. They take *avoir* when they have a direct object. Otherwise they take *être*.

> **Il a monté ses bagages dans sa chambre.**  **Il est monté dans sa chambre.**

**B** Le client et l'employée.  M. Delcour est un client de l'hôtel. Mlle Dubois travaille à l'hôtel. Dites qui a fait quoi. (Utilisez le passé composé.)

> **monter dans sa chambre**  **descendre pour changer de l'argent**
> **descendre les bagages**  **sortir en ville**
> **monter le petit déjeuner**  **sortir sa carte de crédit**

## Les pronoms d'objet indirect *lui* et *leur*

You use the indirect object pronoun *lui* to replace *à* + a person and the indirect object pronoun *leur* to replace *à* + more than one person. Remember that in negative constructions, the pronoun cannot be separated from the verb by a negative word.

> **Je parle *à mon père.*** **Je *lui* parle.**
> **J'écris *à mes parents.*** **Je *leur* écris.**
> **Tu parles souvent *à Marie?*** **Je ne *lui parle* jamais!**
> **Elle va téléphoner *à ses amis?*** **Non, elle ne va pas *leur téléphoner.***

**C** Personnellement.  Répondez en utilisant «lui» ou «leur».

1. Tu téléphones souvent à tes copains?
2. Tu vas téléphoner à un(e) ami(e) ce soir?
3. Tu aimes parler à tes amis?
4. Tes copains obéissent à leurs parents? Et toi?
5. Tu réponds à ton professeur quand il te pose une question?

# Le pronom y

1. The pronoun *y* replaces any expression of location introduced by *à* or another preposition *(sur, en, dans, chez, en haut de, en bas de, etc.)*.

| | |
|---|---|
| **Tu vas *à Versailles*?** | **Oui, j'y vais.** |
| **Tu es allé *en haut de la tour Eiffel*?** | **Oui, j'y suis allé.** |

2. Remember that *y* can also replace *à* + a thing, not referring to a place.

| | |
|---|---|
| **Je vais répondre *à sa lettre*.** | **Je vais y répondre.** |
| **Elle ne fait pas attention *aux autres voitures*.** | **Elle n'y fait pas attention.** |

3. In the *passé composé*, *y* comes before the helping verb.

| | |
|---|---|
| **Il est entré *dans l'hôtel*?** | **Oui, il y est entré.** |
| **Elle a vu son nom *sur la liste*?** | **Non, elle n'y a pas vu son nom.** |

**D** **La visite de Paris continue.** Répondez en utilisant «y».

1. Vous êtes allés à Paris?
2. Vous allez souvent en Europe?
3. Vous êtes montés en haut de la tour Eiffel?
4. Vous êtes entrés dans Notre-Dame?
5. Vous êtes descendus dans les Catacombes?
6. Vous rentrez bientôt aux États-Unis?

**E** **Y, *lui* ou *leur*?** Remplacez les mots en italique par «y», «lui», ou «leur».

1. Ils n'écrivent jamais *à leurs cousins*.
2. Marie-France répond *au téléphone*.
3. Le professeur pose des questions *aux élèves*.
4. Les élèves vont répondre *aux questions du professeur*.
5. Vous n'obéissez pas toujours *à votre mère*.
6. Gilles et Lisa disent «Joyeux anniversaire» *à Olivier*.
7. Michel a offert un cadeau *à Laurence*.
8. Tu n'as pas réussi *à l'examen*.
9. Carole et Luc n'ont pas changé 500 francs *au bureau de change*.
10. Nous sommes souvent tombés *sur la piste noire*.

# Le pronom *en*

Review the object pronoun *en*. It replaces *de (du, de l', de la, des)* + a thing.

| | |
|---|---|
| **Tu as *de l'argent*?** | **Oui, j'en ai.** |
| **Ils ont offert *des boissons*?** | **Non, ils n'en ont pas offert.** |

**F** **On fait un pique-nique.** Répondez d'après le modèle.

> **Je voudrais du pain. (apporter)**
> *Qui en apporte?*

1. Je voudrais du coca. (acheter)
2. Je voudrais des sandwiches. (préparer)
3. Je voudrais de la citronnade. (faire)

4. Je voudrais des chips. (apporter)
5. Je voudrais de la limonade. (acheter)
6. Je voudrais de l'orangeade. (faire)

## Les verbes *devoir* et *recevoir*

1. Review the forms of these two irregular verbs.

| | DEVOIR | RECEVOIR |
|---|---|---|
| PRÉSENT | je dois<br>tu dois<br>il / elle / on doit<br>nous devons<br>vous devez<br>ils / elles doivent | je reçois<br>tu reçois<br>il / elle / on reçoit<br>nous recevons<br>vous recevez<br>ils / elles reçoivent |
| PARTICIPE PASSÉ | dû | reçu |

2. Remember that *devoir* means "must" or "ought to" as well as "to owe."

**G** **Questions d'argent.** Complétez.

1. Si tu ___ (recevoir) un chèque demain, n'oublie pas de lui rendre l'argent que tu lui ___. (devoir)
2. Vous me ___ (devoir) encore 100 francs.
3. Nous ne voulons pas lui demander de l'argent; nous lui ___ (devoir) déjà 1.000 francs.
4. Vous ___ (recevoir) mon chèque la semaine dernière?
5. Ils ___ (recevoir) de l'argent de leurs parents toutes les semaines.
6. Je ___ (ne... jamais recevoir) votre chèque!

## Activité de communication

**Au syndicat d'initiative.** Working with a partner, prepare a conversation between a student looking for an inexpensive hotel in Paris and an agent in the *syndicat d'initiative*.

# LA FRANCE

La Mer d'Irlande

L'ANGLETERRE

La Mer du Nord

Amsterdam

LES PAYS-BAS

L'ALLEMAGNE

Londres

la Tamise

Bruxelles

Bonn

la Meuse

le Rhin

Calais

Lille

LA BELGIQUE

LE LUXEMBOURG

Luxembourg

La Manche

Cherbourg

Les Îles Anglo-Normandes

Le Havre

Rouen

Amiens

Reims

Metz

Strasbourg

le Rhin

la Meuse

la Moselle

le Main

Caen

la Seine

la Marne

Nancy

LES VOSGES

Brest

Paris

Troyes

Chaumont

Ballon de Guebwiller
1424 m

Mulhouse

le Rhin

Rennes

la Seine

Le Mans

Orléans

la Loire

Dijon

Besançon

L'AUT

Angers

Tours

la

Berne

LA SUISS

Nantes

LE JURA

le Lac Léman

ALPES

Poitiers

LA FRANCE

Crêt de la Neige
1723 m

Genève

L'Océan Atlantique

La Rochelle

Limoges

Vichy

la Loire

le Rhône

Chamonix

Mont Blanc
4807 m

Clermont-Ferrand

Lyon

LES

Bordeaux

Le puy de Sancy
1886 m

St-Étienne

Grenoble

L'ITAL

la Dordogne

LE MASSIF CENTRAL

le Rhône

le P

la Garonne

Rodez

Bayonne

Toulouse

Nîmes

Avignon

Aix-en-Provence

Nice

Cannes

MONACO

Montpellier

Marseille

LES PYRÉNÉES

Vignemale
3298 m

Toulon

L'ANDORRE

Perpignan

La Mer Méditerranée

Ajaccio

L'ESPAGNE

La Sard

488

Madrid

N

O — E

S

0          100          200

Kilomètres

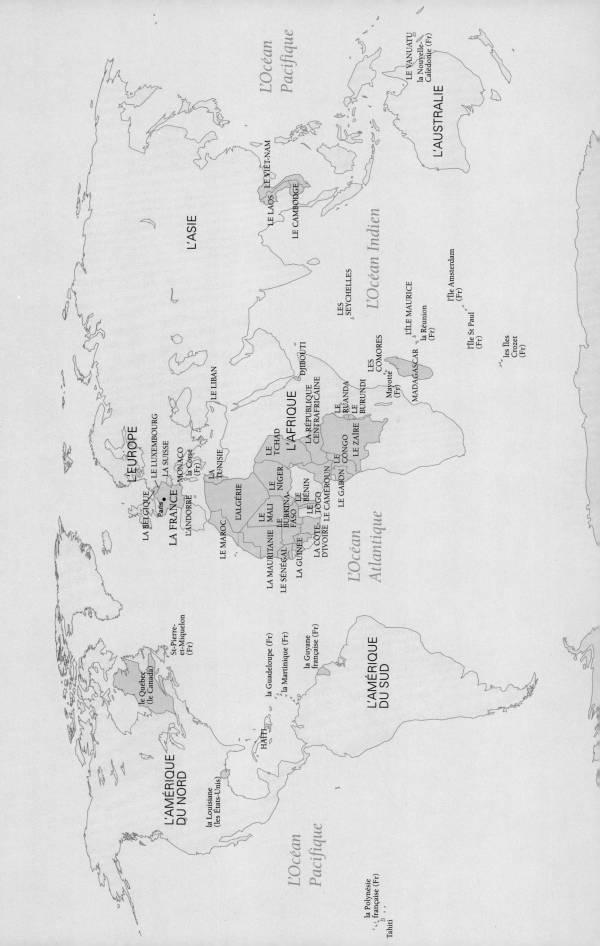

# LE MONDE FRANCOPHONE

L'Océan Pacifique

L'Océan Pacifique

L'AMÉRIQUE DU NORD

la Louisiane (les États-Unis)

St-Pierre-et-Miquelon (Fr)

le Québec (le Canada)

la Guadeloupe (Fr)

la Martinique (Fr)

HAÏTI

la Guyane française (Fr)

L'AMÉRIQUE DU SUD

L'Océan Atlantique

la Polynésie française (Fr)

Tahiti

L'EUROPE

LA BELGIQUE
LE LUXEMBOURG
LA SUISSE
MONACO
la Corse (Fr)
Paris
LA FRANCE
L'ANDORRE
LE MAROC

LA TUNISIE

L'ALGÉRIE

LA MAURITANIE

LE SÉNÉGAL

LA GUINÉE

LE MALI

LE NIGER

LE BURKINA-FASO

LA CÔTE D'IVOIRE

LE BÉNIN

LE TOGO

LE CAMEROUN

LE GABON

LE CONGO

LE TCHAD

L'AFRIQUE

LA RÉPUBLIQUE CENTRAFRICAINE

LE ZAÏRE

LE RUANDA
LE BURUNDI

LE LIBAN

L'ASIE

LE LAOS
LE VIÊT-NAM
LE CAMBODGE

DJIBOUTI

LES SEYCHELLES

L'Océan Indien

LES COMORES
Mayotte (Fr)
MADAGASCAR
L'ÎLE MAURICE
la Réunion (Fr)

l'île Amsterdam (Fr)

l'île St Paul (Fr)

les îles Crozet (Fr)

LE VANUATU
la Nouvelle-Calédonie (Fr)

L'AUSTRALIE

490

# PRONONCIATION ET ORTHOGRAPHE

## I. La transcription phonétique

The following are phonetic symbols used in this book.

| | | | |
|---|---|---|---|
| [a] | la, là, avec | [ã] | dans, encore, temps |
| [é] | télé, chez, dîner, les | [õ] | non, regardons |
| [è] | elle, êtes, frère | [ẽ] | fin, demain |
| [i] | qui, il, lycée, dîne | [œ̃] | un |
| [ü] | tu, une | | |
| [u] | vous, où, bonjour | [y] | fille, travailler |
| [ó] | au, beaucoup, allô | | |
| [ò] | homme, alors | [sh] | chez, Michel |
| [œ́] | deux, veut | [zh] | je, âge |
| [œ̀] | heure, sœur | [g] | garder, goûter, Guy |

## II. L'alphabet français

a b c d e f g h i j k l m n o p q r s t u v w x y z
Voyelles: a e i(y) o u
Consonnes: b c d f g h j k l m p q r s t v w x z

## III. Les accents

There are five written accent marks on French letters. These accents are part of the spelling of the word and cannot be omitted.

1. *L'accent aigu* (´) occurs over the letter *e*.

   le téléphone       élémentaire

2. *L'accent grave* (`) occurs over the letters *a, e,* and *u*.

   voilà       le frère       où

3. *L'accent circonflexe* (^) occurs over all vowels.

   le château       la fenêtre       le dîner       l'hôtel       août

4. *La cédille* (ç) appears only under the letter *c*. When the letter *c* is followed by an *a, o* or *u* it has a hard /k/ sound as in *c*ave, *c*oca, *c*ulmination. The cedilla changes the hard /k/ sound to a soft /s/ sound.

   ça       garçon       commençons       reçu

5. *Le tréma* (¨) indicates that two vowels next to each other are pronounced separately.

   Noël       égoïste

# VERBES

## A. Verbes réguliers

| INFINITIF | **parler**<br>*to speak* | **finir**<br>*to finish* | **répondre**<br>*to answer* |
|---|---|---|---|
| PRÉSENT | je parle<br>tu parles<br>il parle<br>nous parlons<br>vous parlez<br>ils parlent | je finis<br>tu finis<br>il finit<br>nous finissons<br>vous finissez<br>ils finissent | je réponds<br>tu réponds<br>il répond<br>nous répondons<br>vous répondez<br>ils répondent |
| IMPÉRATIF | parle<br>parlons<br>parlez | finis<br>finissons<br>finissez | réponds<br>répondons<br>répondez |
| PASSÉ COMPOSÉ | j'ai parlé<br>tu as parlé<br>il a parlé<br>nous avons parlé<br>vous avez parlé<br>ils ont parlé | j'ai fini<br>tu as fini<br>il a fini<br>nous avons fini<br>vous avez fini<br>ils ont fini | j'ai répondu<br>tu as répondu<br>il a répondu<br>nous avons répondu<br>vous avez répondu<br>ils ont répondu |

## B. Verbes avec changements d'orthographe
*(Verbs with spelling changes)*

| INFINITIF | **acheter**[1]<br>*to buy* | **appeler**<br>*to call* | **commencer**<br>*to begin* |
|---|---|---|---|
| PRÉSENT | j'achète<br>tu achètes<br>il achète<br>nous achetons<br>vous achetez<br>ils achètent | j'appelle<br>tu appelles<br>il appelle<br>nous appelons<br>vous appelez<br>ils appellent | je commence<br>tu commences<br>il commence<br>nous commençons<br>vous commencez<br>ils commencent |

| INFINITIF | **manger**[2]<br>*to eat* | **payer**[3]<br>*to pay* | **préférer**[4]<br>*to prefer* |
|---|---|---|---|
| PRÉSENT | je mange<br>tu manges<br>il mange<br>nous mangeons<br>vous mangez<br>ils mangent | je paie<br>tu paies<br>il paie<br>nous payons<br>vous payez<br>ils paient | je préfère<br>tu préfères<br>il préfère<br>nous préférons<br>vous préférez<br>ils préfèrent |

[1] Verbes similaires: *se lever, se promener*
[2] Verbes similaires: *nager, voyager*
[3] Verbes similaires: *essayer, renvoyer, employer, envoyer*
[4] Verbes similaires: *célébrer, espérer, suggérer*

## C. Verbes irréguliers

| INFINITIF | **aller**<br>*to go* | **avoir**<br>*to have* | **conduire**<br>*to drive* |
|---|---|---|---|
| PRÉSENT | je vais<br>tu vas<br>il va<br>nous allons<br>vous allez<br>ils vont | j'ai<br>tu as<br>il a<br>nous avons<br>vous avez<br>ils ont | je conduis<br>tu conduis<br>il conduit<br>nous conduisons<br>vous conduisez<br>ils conduisent |
| PASSÉ COMPOSÉ | je suis allé(e) | j'ai eu | j'ai conduit |
| INFINITIF | **connaître**<br>*to know* | **croire**<br>*to believe* | **devoir**<br>*to have to, to owe* |
| PRÉSENT | je connais<br>tu connais<br>il connaît<br>nous connaissons<br>vous connaissez<br>ils connaissent | je crois<br>tu crois<br>il croit<br>nous croyons<br>vous croyez<br>ils croient | je dois<br>tu dois<br>il doit<br>nous devons<br>vous devez<br>ils doivent |
| PASSÉ COMPOSÉ | j'ai connu | j'ai cru | j'ai dû |
| INFINITIF | **dire**<br>*to say* | **dormir**<br>*to sleep* | **écrire**<br>*to write* |
| PRÉSENT | je dis<br>tu dis<br>il dit<br>nous disons<br>vous dites<br>ils disent | je dors<br>tu dors<br>il dort<br>nous dormons<br>vous dormez<br>ils dorment | j'écris<br>tu écris<br>il écrit<br>nous écrivons<br>vous écrivez<br>ils écrivent |
| PASSÉ COMPOSÉ | j'ai dit | j'ai dormi | j'ai écrit |
| INFINITIF | **être**<br>*to be* | **faire**<br>*to do, to make* | **lire**<br>*to read* |
| PRÉSENT | je suis<br>tu es<br>il est<br>nous sommes<br>vous êtes<br>ils sont | je fais<br>tu fais<br>il fait<br>nous faisons<br>vous faites<br>ils font | je lis<br>tu lis<br>il lit<br>nous lisons<br>vous lisez<br>ils lisent |
| PASSÉ COMPOSÉ | j'ai été | j'ai fait | j'ai lu |

| INFINITIF | **mettre**<br>_to put_ | **ouvrir**[1]<br>_to open_ | **partir**<br>_to leave_ |
|---|---|---|---|
| PRÉSENT | je mets<br>tu mets<br>il met<br>nous mettons<br>vous mettez<br>ils mettent | j'ouvre<br>tu ouvres<br>il ouvre<br>nous ouvrons<br>vous ouvrez<br>ils ouvrent | je pars<br>tu pars<br>il part<br>nous partons<br>vous partez<br>ils partent |
| PASSÉ COMPOSÉ | j'ai mis | j'ai ouvert | je suis parti(e) |
| INFINITIF | **pouvoir**<br>_to be able to_ | **prendre**[2]<br>_to take_ | **recevoir**<br>_to receive_ |
| PRÉSENT | je peux<br>tu peux<br>il peut<br>nous pouvons<br>vous pouvez<br>ils peuvent | je prends<br>tu prends<br>il prend<br>nous prenons<br>vous prenez<br>ils prennent | je reçois<br>tu reçois<br>il reçoit<br>nous recevons<br>vous recevez<br>ils reçoivent |
| PASSÉ COMPOSÉ | j'ai pu | j'ai pris | j'ai reçu |
| INFINITIF | **savoir**<br>_to know_ | **servir**<br>_to serve_ | **sortir**<br>_to go out_ |
| PRÉSENT | je sais<br>tu sais<br>il sait<br>nous savons<br>vous savez<br>ils savent | je sers<br>tu sers<br>il sert<br>nous servons<br>vous servez<br>ils servent | je sors<br>tu sors<br>il sort<br>nous sortons<br>vous sortez<br>ils sortent |
| PASSÉ COMPOSÉ | j'ai su | j'ai servi | je suis sorti(e) |
| INFINITIF | **venir**[3]<br>_to come_ | **voir**<br>_to see_ | **vouloir**<br>_to want_ |
| PRÉSENT | je viens<br>tu viens<br>il vient<br>nous venons<br>vous venez<br>ils viennent | je vois<br>tu vois<br>il voit<br>nous voyons<br>vous voyez<br>ils voient | je veux<br>tu veux<br>il veut<br>nous voulons<br>vous voulez<br>ils veulent |
| PASSÉ COMPOSÉ | je suis venu(e) | j'ai vu | j'ai voulu |

[1] Verbes similaires: _couvrir, découvrir, offrir, souffrir_
[2] Verbes similaires: _apprendre, comprendre_
[3] Verbes similaires: _devenir, revenir_

## D. Verbes avec *être* au passé composé

| | |
|---|---|
| **aller** *(to go)* | je suis allé(e) |
| **arriver** *(to arrive)* | je suis arrivé(e) |
| **descendre** *(to go down, to get off)* | je suis descendu(e) |
| **entrer** *(to enter)* | je suis entré(e) |
| **monter** *(to go up)* | je suis monté(e) |
| **mourir** *(to die)* | je suis mort(e) |
| **naître** *(to be born)* | je suis né(e) |
| **partir** *(to leave)* | je suis parti(e) |
| **passer** *(to go by)* | je suis passé(e) |
| **rentrer** *(to go home)* | je suis rentré(e) |
| **rester** *(to stay)* | je suis resté(e) |
| **retourner** *(to return)* | je suis retourné(e) |
| **revenir** *(to come back)* | je suis revenu(e) |
| **sortir** *(to go out)* | je suis sorti(e) |
| **tomber** *(to fall)* | je suis tombé(e) |
| **venir** *(to come)* | je suis venu(e) |

# VOCABULAIRE FRANÇAIS-ANGLAIS

The *Vocabulaire français-anglais* contains all productive and receptive vocabulary from the text.

The numbers following each productive entry indicate the chapter and vocabulary section in which the word is introduced. For example, 2.2 means that the word first appeared in *Chapitre 2, Mots 2*. BV refers to the introductory *Bienvenue* lesson.

The following abbreviations are used in this glossary.

| | |
|---|---|
| adj. | adjective |
| adv. | adverb |
| conj. | conjunction |
| dem. adj. | demonstrative adjective |
| dem. pron. | demonstrative pronoun |
| dir. obj. | direct object |
| f. | feminine |
| fam. | familiar |
| ind. obj. | indirect object |
| inf. | infinitive |
| inform. | informal |
| inv. | invariable |
| m. | masculine |
| n. | noun |
| pl. | plural |
| poss. adj. | possessive adjective |
| prep. | preposition |
| pron. | pronoun |
| sing. | singular |
| subj. | subject |

## A

**à** at, in, to, **3.1**
  **à bord de** on board, **7.2**
  **à côté** next door
  **à côté de** next to, **5**
  **À demain.** See you tomorrow., **BV**
  **à demi-tarif** half-price
  **à destination de** to (plane, train, etc.), **7.1**
  **à domicile** to the home
  **à droite de** to, on the right of, **5**
  **à gauche de** to, on the left of, **5**
  **à l'avance** in advance
  **à l'étranger** abroad, in a foreign country
  **à l'heure** on time, **8.1**
  **à l'intérieur** inside
  **à la mode** in style, 'in'
  **à mi-temps** part-time, **3.2**
  **à mon avis** in my opinion, **10.2**
  **à partir de** from . . . on; based on
  **à peu près** about
  **à pied** on foot, **5.2**
  **à plein temps** full-time, **3.2**
  **à point** medium-rare (meat), **5.2**
  **à propos de** concerning, as regards
  **À quelle heure?** At what time?, **2**
  **À tout à l'heure.** See you later., **BV**
**absolument** absolutely
**absorber** to absorb
**accélérer** to speed up, go faster, **12.1**
**accepter** to accept
l' **accessoire (m.)** accessory
l' **accident (m.)** accident, **14.2**
**accompagné(e) (de)** accompanied (by)
**accueilli(e): bien accueilli(e)** well-received
l' **achat (m.)** purchase (n.)
  **faire des achats** to shop, **10.1**
**acheter** to buy, **6.1**
l' **acidité (f.)** acidity
l' **acte (m.)** act, **16.1**
l' **acteur (m.)** actor (m.), **16.1**
**actif, active** active, **10**
l' **action (f.)** action
l' **activité (f.)** activity
l' **actrice (f.)** actress, **16.1**

l' **addition (f.)** check, bill (restaurant), **5.2**
**admirer** to admire
l' **adolescent(e)** adolescent, teenager
**adopter** to adopt
**adorable** adorable
**adorer** to love, **3.2**
l' **adresse (f.)** address
l' **adulte (m. et f.)** adult
**adverse** opposing, **13.1**
**aérien(ne)** air, flight (adj.), **9**
  **les tarifs aériens** airfares
l' **aérogare (f.)** terminal with bus to airport, **7.2**
l' **aéroport (m.)** airport, **7.1**
**aérospatial(e)** aerospace (adj.)
les **affaires (f. pl.)** business
**affolé(e)** panic-stricken
**s'affronter** to collide
**africain(e)** African
l' **âge (m.)** age, **4.1**
  **Tu as quel âge?** How old are you? (fam.), **4.1**
**âgé(e)** old
l' **agenda (m.)** datebook, **2.2**
l' **agent (m.)** agent (m. and f.), **7.1**
  **l'agent (m.) de police** police officer (m. and f.)
l' **agglomération (f.)** populated area
**agité(e)** agitated
**agréable** pleasant
l' **agriculteur (m.)** farmer (m. and f.)
**aider** to help
**aimable** nice (person), **1.2**
**aimer** to like, love, **3.2**
l' **air (m.)** air
  **en plein air** outdoor(s)
**ajouter** to add
l' **algèbre (f.)** algebra, **2.2**
l' **aliment (m.)** food
l' **alimentation (f.)** nutrition, diet
l' **Allemagne (f.)** Germany, **16**
**allemand(e)** German (adj.)
  **l'allemand (m.)** German (language)
**aller** to go, **5.1**
  **aller à la pêche** to go fishing, **9.1**
  **aller pêcher** to go fishing
  **l'aller-retour (m.)** round-trip ticket, **8**
  **l'aller simple (m.)** one-way ticket, **8.1**
l' **allergie (f.)** allergy, **15.1**
**allergique** allergic, **15.1**
**alors** so, then, well then

les **Alpes (f. pl.)** the Alps
l' **alpinisme (m.)** mountain climbing
l' **altitude (f.)** altitude
l' **amateur (m.): l'amateur d'art** art lover
**aménager** to renovate, transform
**américain(e)** American (adj.), **1.1**
l' **Américain(e)** American (person)
l' **Amérique (f.) du Nord** North America, **16**
l' **Amérique (f.) du Sud** South America, **16**
l' **ami(e)** friend, **1.2**
l' **amitié (f.)** friendship
**amusant(e)** funny, **1.1**
**s'amuser** to have fun, **11.2**
l' **an: avoir . . . ans** to be . . . years old, **4.1**
l' **anatomie (f.)** anatomy
**ancien(ne)** old
l' **angine (f.)** throat infection, tonsillitis, **15.1**
l' **anglais (m.)** English (language), **2.2**
  **l'Anglais, l'Anglaise** Englishman, Englishwoman
l' **Angleterre (f.)** England, **16**
l' **animal (m.)** animal
**animé(e)** lively, animated
l' **année (f.)** year, **4.1**
  **l'année dernière** last year, **13**
l' **anniversaire (m.)** birthday, **4.1**
  **Bon (joyeux) anniversaire!** Happy birthday!
  **C'est quand, ton anniversaire?** When is your birthday? (fam.), **4.1**
l' **annonce (f.)** announcement, **8.1**
  **la petite annonce** classified ad
**annoncer** to announce, **8.1**
l' **anorak (m.)** ski jacket, **14.1**
**antérieur(e)** previous, former
l' **anthropologie (f.)** anthropology
l' **antibiotique (m.)** antibiotic, **15.1**
l' **anticyclone (m.)** high pressure area
**antillais(e)** West Indian (adj.)
**antipathique** unpleasant (person), **1.2**
l' **Antiquité (f.)** ancient times
**anxieux, anxieuse** anxious
**août (m.)** August, **4.1**

apparenté: le mot apparenté cognate

l' appartement (m.) apartment, 4.2

appeler to call

s' appeler to be called, be named, 11.1

applaudir to applaud

apporter to bring

apprendre (à) to learn (to), 9.1

apprendre à quelqu'un à faire quelque chose to teach someone to do something, 14.1

l' apprenti(e) apprentice

appuyer sur le bouton to push the button

après after, 3.2

l'après-midi (m.) afternoon, 2

l' arbitre (m.) referee, 13.1

l' arbre (m.) tree

l' archipel (m.) archipelago

l' architecte (m. et f.) architect

l' architecture (f.) architecture

l' argent (m.) money, 3.2

l'argent liquide cash, 18.1

l'argent de poche allowance

l' Argentine (f.) Argentina, 16

l' argot (m.) slang

l' aristocrate (m. et f.) aristocrat

l' arme (f.) weapon

l' armée (f.) army

s' arrêter to stop, 12.1

l' arrivée (f.) arrival, 7.2

arriver to arrive, 3.1; to happen

l' arrondissement (m.) district (in Paris)

l' art (m.) art, 2.2

les articles (m. pl.) de luxe luxury items

les articles (m. pl.) de sport sporting goods

l' artiste peintre (m. et f.) painter

artistique artistic

l' ascenseur (m.) elevator, 4.2

l' asepsie (f.): pratiquer l'asepsie to sterilize, disinfect

l' Asie (f.) Asia, 16

aspiré(e) pulled in

l' aspirine (f.) aspirin, 15.1

assez fairly, quite; enough

assez de (+ nom) enough (+ noun), 18

l' assiette (f.) plate, 5.2

ne pas être dans son assiette to be feeling out of sorts, 15.1

assis(e) seated, 8.2

l' assistant(e) assistant

l' association (f.) association

associer to associate

l' assurance (f.) insurance

l' astronome (m. et f.) astronomer

l' atmosphère (f.) atmosphere

attendre to wait (for), 8.1

l' attente: la salle d'attente waiting room, 8.1

l' attention: faire attention to pay attention, 6; be careful, 9.1

Attention! Careful! Watch out!

atterrir to land, 7.1

l' atterrissage (m.) landing (plane)

attirer to attract

attraper un coup de soleil to get a sunburn, 9.1

au at the, to the, in the, on the, 5

au bord de la mer by the ocean; seaside, 9.1

au contraire on the contrary

au-dessous: la taille au-dessous the next smaller size, 10.2

au-dessus: la taille au-dessus the next larger size, 10.2

au-dessus de above

au fond de at the bottom of

au moins at least

au revoir goodbye, BV

au sujet de about

l' auberge (f.) de jeunesse youth hostel

audacieux, audacieuse audacious, bold

augmenter to increase

aujourd'hui today, 2.2

ausculter to listen with a stethoscope, 15.2

aussi also, too, 1.1; as (comparisons), 10

l' Australie (f.) Australia, 16

l' auteur (m.) author (m. and f.)

l' auto-école (f.) driving school, 12.2

l' autocar (m.) bus, coach, 7.2

l' autoroute (f.) highway

l'autoroute à péage toll highway, 12.2

autour de around

autre other, BV

Autre chose? Anything else? (shopping), 6.2

aux at the, to the, in the, 5

l' avance: à l'avance in advance

en avance early, ahead of time, 8.1

avancé(e) advanced

avant before, 7.1

avant de (+ inf.) before (+ verb)

avant hier the day before yesterday, 13

avec with, 5.1

Avec ça? What else? (shopping), 6.2

l' aventure (f.) adventure

l' avion (m.) airplane, 7.1

en avion (by) plane, 7.1

l' avis (m.) opinion

à mon avis in my opinion, 10.2

avoir to have, 4.1

avoir . . . ans to be . . . years old, 4.1

avoir besoin de to need, 11.1

avoir de la chance to be lucky

avoir faim to be hungry, 5.1

avoir une faim de loup to be very hungry

avoir lieu to take place

avoir mal à to have a(n) . . . -ache, to hurt, 15.2

avoir l'occasion de (+ inf.) to have the opportunity (+ inf.)

avoir raison to be right

avoir soif to be thirsty, 5.1

avoir tendance à (+ inf.) to tend (+ inf.)

avril (m.) April, 4.1

## B

le baccalauréat French high school exam

le bacon bacon

bactérien(ne) bacterial, 15.1

les bagages (m. pl.) luggage, 7.1

les bagages à main carry-on luggage, 7.1

la baguette loaf of French bread, 6.1

le bain bath, 11.2

le bain de soleil: prendre un bain de soleil to sunbathe, 9.1

le balcon balcony, 4.2

la balle ball (tennis, etc.), 9.2; franc (slang), 18.2

le ballon ball (soccer, etc.), 13.1

la banane banana, 6.2

la bande dessinée comic strip

la banlieue suburbs

la banque bank, 18.1

le **banquier, la banquière** banker
**baptiser** to christen
**Barcelone** Barcelona, **16**
**bas(se)** low, **10**
   **à talons bas** low-heeled (shoes), **10**
le **base-ball** baseball, **13.2**
la **base: de base** basic
le **basket(-ball)** basketball, **13.2**
le **bateau** boat
le **bâtiment** building
le **bâton** ski pole, **14.1**
**bavarder** to chat, **4.2**
**beau (bel)** beautiful (m.), **4**
   **Il fait beau.** It's nice weather., **9.2**
**beaucoup** a lot, **3.1**
   **beaucoup de** a lot of, many, **10.1**
la **beauté** beauty
les **Beaux-arts (m. pl)** fine arts
**beige** beige, **10.2**
**belge** Belgian (adj.)
   **le/la Belge** Belgian (person)
la **Belgique** Belgium
**belle** beautiful (f.), **4**
le **béribéri** beriberi
le **besoin** need
   **avoir besoin de** to need, **11.1**
la **bêtise** stupid thing, nonsense
le **beurre** butter, **6.2**
le **bicentenaire** bicentennial
**bien** fine, well, **BV**
   **bien accueilli(e)** well-received
   **bien cuit(e)** well-done (meat), **5.2**
   **bien élevé(e)** well-mannered
   **bien sûr** of course
**bientôt** soon
**Bienvenue!** Welcome!
la **bière** beer
le **billet** bill (currency), **18.1**; ticket, **7.1**
   **le billet aller-retour** round-trip ticket, **8.1**
la **biologie** biology, **2.2**
le/la **biologiste** biologist
**bizarre** strange, odd
la **blague: Sans blague!** No kidding!
**blanc, blanche** white, **10.2**
**bleu(e)** blue, **10.2**
   **bleu marine (inv.)** navy blue, **10.2**
**blond(e)** blond, **1.1**
**bloquer** to block
le **blouson** jacket, **10.1**
le **bœuf** beef, **6.1**
la **boisson** beverage, **5.1**

la **boîte de conserve** can of food, **6.2**
**bon(ne)** correct; good, **9**
   **bon marché (inv.)** inexpensive
**bonjour** hello, **BV**
le **bonnet** ski cap, hat, **14.1**
   **le bonnet de bain** bathing cap
le **bord: à bord de** aboard (plane, etc.), **7.2**
   **au bord de la mer** by the ocean, seaside, **9.1**
**bordé(e)** bordered
le **bordereau** receipt
la **bosse** mogul (ski), **14.2**
la **botanique** botany
la **botte** boot
la **bouche** mouth, **15.1**
la **boucherie** butcher shop, **6.1**
le **bouchon** traffic jam
**bouger** to move
le **bouillon de poulet** chicken soup
la **boulangerie-pâtisserie** bakery, **6.1**
la **boule de neige** snowball, **14.2**
la **bouteille** bottle, **6.2**
la **boutique** shop, boutique
le **bouton** button; bud
la **brasse papillon** butterfly (swim stroke)
**Bravo!** Good! Well done!
le **break** station wagon, **12.1**
le **Brésil** Brazil, **16**
la **Bretagne** Brittany
**breton(ne)** Breton, from Brittany
la **brioche** sweet roll
**bronzé(e)** tan
**bronzer** to tan, **9.1**
le **bruit** noise
**brun(e)** brunette, **1.1**; brown, **10.2**
le **bulletin de notes** report card
le **bulletin météorologique** weather report
le **bureau** desk, **BV**; office, bureau
   **le bureau de change** foreign exchange office, **18.1** (for foreign currency)
le **bus: en bus** by bus, **5.**
le **but** goal, **13.1**
   **marquer un but** to score a goal, **13.1**

## C

**c'est** it is, it's, **BV**
   **C'est ça.** That's right.

**C'est combien?** How much is it?, **BV**
**C'est quand, ton anniversaire?** When is your birthday? (fam.), **4.1**
**C'est quel jour?** What day is it?, **2.2**
**C'est tout?** Is that all?, **6.2**
**ça** that (dem. adj.), **BV**
   **Ça coûte cher.** It's expensive.,
   **Ça fait combien?** How much is it?, **6.2**
   **Ça fait . . . francs.** That's . . . francs., **6.2**
   **Ça fait mal.** It hurts., **15.2**
   **Ça va.** Fine., OK., **BV**
   **Ça va?** How's it going?, How are you? (inform.), **BV**
la **cabine** cabin (airplane), **7.1**
le **cabinet** office (doctor's)
le **cadeau** gift, present, **10.2**
le **café** café; coffee, **5.1**
   **le café au lait** coffee with milk
le **cahier** notebook, **BV**
la **caisse** cash register, checkout counter, **6.2**
le **caissier, la caissière** cashier, **17.2**
le **calcium** calcium
le **calcul** calculation
la **calculatrice** calculator, **BV**
**calculer** to calculate
**calme** quiet, calm
**Calmez-vous.** Calm down.
la **calorie** calorie
le/la **camarade** companion, friend
le **camp** side (in a sport or game), **13.1**
   **le camp adverse** opponents, other side, **13.1**
la **campagne** country(side)
le **Canada** Canada, **16**
**canadien(ne)** Canadian (adj.), **9**
le **candidat, la candidate** candidate
le **canot** canoe
la **cantine** school restaurant
la **capitale** capital
le **car** bus (coach)
le **caractère: à caractère familial** family-style
la **caractéristique** characteristic
le **carnet** small book
la **carotte** carrot, **6.2**
le **carrefour** crossroads, **12.2**
la **carrière** career

la **carte** menu, **5.1**; map
    **la carte d'anniversaire**
      birthday card
    **la carte de crédit** credit
      card, **17.2**
    **la carte de débarquement**
      landing card, **7.2**
    **la carte d'embarquement**
      boarding pass, **7.1**
    **la carte postale** postcard
le **cas: en tout cas** in any case
le **casque** helmet
le **casse-cou** daredevil
la **cassette** cassette, **3.2**
la **catégorie** category
la **cathédrale** cathedral
la **cause** cause (n.)
    **causer** to cause
**ce (cet) (m.)** this, that (m.), **8**
    **ce que c'est** what it is
    **Ce n'est rien.** You're wel-
      come., **BV**
la **ceinture de sécurité** seat belt,
    **12.2**
**célèbre** famous, **1.2**
**célibataire** single, unmarried
la **cellule** cell
    **la cellule nerveuse** nerve
      cell
**cent** hundred, **5.2**
les **centaines (f. pl.)** hundreds
le **centre: le centre commercial**
    shopping center
    **au centre de** in the heart of
les **céréales (f. pl.)** cereal, grains
la **cérémonie** ceremony
**certain(e)** certain
    **pour certains** for some
      people
**certainement** certainly
**ces (pl.)** these, those, **8**
**cette (f.)** this, that, **8**
**chacun(e)** each (one)
la **chaîne** T.V. channel
    **la chaîne hôtelière** hotel
      chain
la **chaise** chair, **BV**
le **chalet** chalet
la **chambre** room (in a hotel),
    **17.1**
    **la chambre à un lit** single
      room, **17.1**
    **la chambre à deux lits**
      double room, **17.1**
    **la chambre à coucher** bed-
      room, **4.2**
le **champ** field
    **le champ de manœuvres**
      parade ground
le **champion, la championne**
    champion

le **championnat** championship
la **chance** luck
    **avoir de la chance** to be
      lucky
**changer (de)** to change, **8.2**; to
    exchange, **18.1**
**chanter** to sing, **3.2**
le **chanteur, la chanteuse** singer
**chaque** each, every, **16.1**
la **charcuterie** deli, **6.1**
**charger** to put in charge
le **chariot** shopping cart
**charmant(e)** charming
le **chat** cat, **4.1**
    **avoir un chat dans la gorge**
      to have a frog in one's
      throat, **15.2**
le **château** castle, mansion
**chaud(e)** warm, hot
    **Il fait chaud.** It's hot
      (weather)., **9.2**
**chauffer** to heat
les **chaussettes (f. pl.)** socks, **10.1**
les **chaussures (f. pl.)** shoes, **10.1**
    **les chaussures de ski** ski
      boots, **14.1**
    **les chaussures de tennis**
      sneakers, tennis shoes, **9.2**
la **chaux** quicklime
le **chef** head, boss
la **cheminée** chimney
la **chemise** shirt, **10.1**
le **chemisier** blouse, **10.1**
le **chèque (bancaire)** check, **18.1**
    **le chèque de voyage**
      traveler's check, **17.2**
**cher, chère** dear; expensive, **10**
    **Ça coûte cher.** It's expensive.
**chercher** to look for, seek, **5.1**
le **cheval (pl. les chevaux)** horse
les **cheveux (m. pl.)** hair, **11.1**
**chez** at the home (business) of,
    **5**
    **chez soi** home
**chic** chic, stylish
le **chien** dog, **4.1**
le **chiffre** number
le **Chili** Chile, **16**
la **chimie** chemistry, **2.2**
**chimique** chemical
le/la **chimiste** chemist
la **Chine** China, **16**
**chinois(e)** Chinese (adj.)
le **chirurgien** surgeon (m. and f.)
le **chocolat: au chocolat** choco-
    late (adj.), **5.1**
**choisir** to choose, **7.1**
le **choix** choice
le **choléra** cholera
le **cholestérol** cholesterol

la **chose** thing
    **pas grand-chose** not much
    **chouette** great (inform.), **2.2**
la **chute: faire une chute** to fall,
    **14.2**
    **ci-dessus** above (adv.)
    **ciao** goodbye (inform.), **BV**
le **ciel** sky, **14.2**
la **cigale** grasshopper
le **cinéma** movie theatre, movies,
    **16.1**
le/la **cinéphile** movie buff
    **cinq** five, **BV**
    **cinquante** fifty, **BV**
le **cintre** hanger, **17.2**
la **circulation** traffic, **12.2**;
    circulation
    **la circulation à double sens**
      two-way traffic
    **citer** to cite, mention
le **citron pressé** lemonade, **5.1**
le **civilisé, la civilisée** civilized
    person
la **classe** class (people), **2.1**; class
    (course)
    **la classe économique** coach
      class (in plane)
le **classement** classification,
    **classer** to classify
la **clé** key, **12.1**
le **client, la cliente** customer,
    **10.1**
le **climat** climate
les **clous (m. pl.)** pedestrian
    crossing, **12.2**
le **club d'art dramatique** drama
    club
le **club de forme** health club,
    **11.2**
le **coca** Coca-Cola, **5.1**
le **cœur** heart
le **coffre** trunk (of car)
le **coin: du coin** neighborhood
    (adj.)
le **collaborateur, la collaboratrice**
    co-worker, associate
le **collant** pantyhose, **10.1**
le **collège** junior high, middle
    school
la **colonie de vacances** summer
    camp
**combattre** to combat, fight
**combien (de)** how much, how
    many, **6.2**
    **C'est combien?** How much
      is it?, **BV**
    **Ça fait combien?** How
      much is that?, **6.2**
**comble** (adj.) packed
    (stadium), **13.1**

la **comédie**   comedy, **16.1**
> **la comédie musicale**
> musical comedy, **16.1**

**comique**   funny, **1.2**
**commander**   to order, **5.1**
**comme**   like, as
le **commencement**   beginning
**commencer**   to begin
**comment**   how; what
> **Comment vas-tu?**   How are
> you? (fam.), **BV**
> **Comment est . . . ?**   What
> is . . . like? (description),
> **1.1**
> **Comment t'appelles-tu?**
> What's your name? (fam.),
> **11.1**
> **Comment vous appelez-**
> **vous?**   What's your name?
> (form.), **11.1**

**commun(e)**   common
> **en commun**   in common

la **communauté**   community
le **compact disc**   compact disc,
**3.2**
la **compagnie aérienne**   airline,
**7.1**
le **compartiment**   compartment,
**7.2**
**complet, complète**   full,
complete
le **complet**   suit (man's), **10.1**
**compléter**   to complete
le **comportement**   behavior
**composer**   to compose
**composter**   to stamp, validate (a
ticket), **8.1**
**comprendre**   to understand, **9.1**
le **comprimé**   pill, **15.2**
**compris(e)**   included (in the
bill)
> **Le service est compris.**   The
> tip is included., **5.2**

le **compte d'épargne**   savings
account, **18.1**
le **comptoir**   counter, **7.1**
le/la **concierge**   concierge, caretaker
le **concours**   competition, contest
le **conducteur, la conductrice**
driver, **12.1**
**conduire**   to drive, **12.2**
la **conduite: des leçons de con-**
**duite**   driving lessons, **12.2**
**confiant(e)**   confident, **1.1**
le **confort**   comfort
**confortable**   comfortable
la **connaissance: faire la connais-**
**sance de**   to meet
**connaître**   to know, **16.2**
**connu(e)**   known
la **conquête**   conquest

**conservateur, conservatrice**
conservative
**conserver**   to conserve
la **consigne**   checkroom, **8.1**
> **la consigne automatique**
> locker, **8.1**

**consommer**   to consume
**construit(e)**   built
la **consultation**   consultation,
medical visit
le **contact: mettre le contact**   to
start (a car), **12.1**
**contaminer**   to contaminate
**contenir**   to contain
**content(e)**   happy, **1.1**
**continu(e)**   continual, ongoing
**continuer**   to continue
la **contractuelle**   meter maid, **12.2**
le **contraire**   opposite
> **au contraire**   on the contrary

la **contravention**   traffic ticket,
**12.2**
**contre**   against, **13.1**
> **par contre**   on the other
> hand, however

le **contrôle de sécurité**   security
(airport), **7.1**
> **passer par le contrôle de**
> **sécurité**   to go through
> security (airport)

le **contrôleur**   conductor, **8.2**
**convenable**   correct
la **conversation**   conversation
la **coopération**   cooperation
le **copain**   friend, pal (m.), **2.1**
la **copine**   friend, pal (f.), **2.1**
la **coqueluche**   whooping cough
le **corps**   body
**correspondre**   to correspond
**corriger**   to correct
le **costume**   costume, **16.1**
la **côte**   coast
> **la Côte d'Azur**   French
> Riviera
> **la Côte d'Ivoire**   Ivory Coast,
> **16**

le **côté**   side
> **côté couloir**   aisle (seat in
> airplane), **7.1**
> **côté fenêtre**   window (seat in
> airplane), **7.1**

se **coucher**   to go to bed, **11.1**
la **couchette**   bunk (on a train),
**8.2**
la **couleur**   color, **10.2**
> **De quelle couleur est . . . ?**
> What color is . . . ?, **10.2**

le **couloir**   aisle, corridor, **8.2**
la **coupe**   winner's cup, **13.2**
la **cour**   courtyard, **4.2**; court

**courageux, courageuse**   coura-
geous, brave
le **coureur**   runner, **13.2**
> **le coureur cycliste**   racing
> cyclist, **13.2**

**couronné(e)**   crowned
le **courrier**   mail service
le **cours**   course, class, **2.2**
> **le cours du change**
> exchange rate, **18.1**

la **course**   race, **13.2**
> **la course cycliste**   bicycle
> race

les **courses (f. pl.): faire les**
**courses**   to go grocery shopping, **6.1**
**court(e)**   short, **10.2**
le **court de tennis**   tennis court,
**9.2**
le **cousin, la cousine**   cousin, **4.1**
le **couteau**   knife, **5.2**
**coûter**   to cost
> **Ça coûte cher.**   It's expensive.

la **coutume**   custom
le **couturier**   designer (of clothes),
**10.1**
**couvert: Le ciel est couvert.**
The sky is overcast., **14.2**
le **couvert**   table setting, **5.2**
> **mettre le couvert**   to set the
> table, **8**

la **couverture**   blanket, **17.2**
**couvrir**   to cover, **15**
le **crabe**   crab, **6.1**
la **craie: le morceau de craie**
piece of chalk, **BV**
la **cravate**   tie, **10.1**
le **crayon**   pencil, **BV**
la **crèche**   day-care center
**créer**   to create
la **crème**   cream, **6.1**
> **la crème solaire**   suntan
> lotion, **9.1**

le **crème**   coffee with cream (in a
café), **5.1**
la **crémerie**   dairy store, **6.1**
la **crêpe**   crepe, pancake, **5.1**
la **crêperie**   crepe restaurant
**crevé(e)**   exhausted
la **crevette**   shrimp, **6.1**
**crier**   to shout
la **crise**   crisis
le/la **critique**   critic
**critiquer**   to criticize
**croire**   to believe, think, **10.2**
le **croisement**   intersection, **12.2**
la **croissance**   growth
le **croissant**   croissant, crescent
roll, **6.1**
le **croque-monsieur**   grilled ham
and cheese sandwich, **5.1**

**croustillant(e)** crusty
la **croyance** belief
le **cubisme** Cubism
la **cuillère** spoon, **5.2**
la **cuisine** kitchen, **4.2**
   **faire la cuisine** to cook, **6**
**cuit(e): bien cuit(e)** well-done
   (meat), **5.2**
la **culture** culture
**culturel(le)** cultural
la **cure** cure
le **cycle** cycle
   **le cycle de l'eau** water cycle
le **cyclisme** cycling, bicycle rid-
   ing, **13.2**
le/la **cycliste** cyclist

## D

**d'abord** first (adv.), **11.1**
**d'accord** O.K., **3**
   **être d'accord** to agree, **2.1**
**d'après** according to
la **dame** lady
le **danger: en danger** in danger
**dangereux, dangereuse** dan-
   gerous
**dans** in, **BV**
la **danse** dance
**danser** to dance, **3.2**
la **danseuse** dancer
la **date: Quelle est la date**
   **aujourd'hui?** What is today's
   date?, **4.1**
**de** from, **1.1**; of, belonging to,
   **5**
   **de bonne heure** early
   **de côté** aside, **17.2**
   **de loin** by far
   **de nos jours** today,
     nowadays
   **de plus en plus** more and
     more
   **De quelle couleur est . . . ?**
     What color is . . . ?, **10.2**
   **de rêve** dream (adj.)
   **De rien.** You're welcome
     (informal)., **BV**
   **de temps en temps** from
     time to time, occasionally
le **débarquement** landing,
   deplaning
**débarquer** to get off (an airplane), **7.2**
**déborder** to overflow
**debout** standing, **8.2**
le **début** beginning (n.)
le **débutant, la débutante** beginner, **14.1**

le **décalage horaire** time
   difference
la **décapotable** convertible (car),
   **12.1**
**décembre (m.)** December, **4.1**
le **déchet** waste
**décider (de)** to decide (to)
**déclarer** to declare, call
**décoller** to take off (airplane),
   **7.1**
le **décor** set (for a play), **16.1**
le **décorateur (de porcelaine)**
   painter (of china)
la **découverte** discovery
**découvrir** to discover, **15**
**décrire** to describe
**dédié(e)** dedicated
**défense de doubler** no passing
   (traffic sign)
**définir** to define
la **définition** definition
le **degré** degree, **14.2**
   **Il fait . . . degrés (Celsius).**
     It's . . . degrees (Celsius).,
     **14.2**
**dehors** outside
   **en dehors de** outside (of)
**déjà** already, **14**
**déjeuner** to eat lunch, **5.2**
   **le déjeuner** lunch
**délicieux, délicieuse** delicious,
   **10**
le **delta** delta
**demain** tomorrow, **2.2**
   **À demain.** See you tomor-
     row., **BV**
**demander** to ask (for)
   **se demander** to wonder
**demi(e)** half
   **à demi-tarif** half-price
   **et demie** half past (time)
   **le demi-cercle** semi-circle;
     top of the key (on a
     basketball court), **13.2**
   **le demi-kilo** half a kilo
la **dent** tooth, **11.1**
   **avoir mal aux dents** to have
     a toothache, **15**
le **dentifrice** toothpaste, **11.1**
le **déodorant** deodorant, **11.1**
le **départ** departure, **7.1**
le **département d'outre-mer**
   French overseas department
**dépendre (de)** to depend (on)
**dépenser** to spend (money),
   **10.1**
la **dépression** low-pressure area
   (weather)
**depuis** since, for, **8.2**
**dériver** to derive

**dernier, dernière** last, **10**
**derrière** behind, **BV**
**des** some, any, **3**; **6**; of the,
   from the, **5**
**désagréable** unpleasant, **1.2**
**descendre** to get off, **8.2**; to
   take down, **8**; to go down,
   **14.1**
le **désert** desert
se **déshabiller** to get undressed
**désirer** to want
   **Vous désirez?** May I help
     you? (store); What would
     you like? (restaurant)
le **dessert** dessert
**desservir** to serve, fly to, etc.
   (transportation)
le **dessin** illustration
   **le dessin animé** cartoon,
     **16.1**
la **dessinatrice** illustrator
**dessous: au-dessous** smaller
   (size), **10.2**
**dessus: au-dessus** larger (size),
   **10.2**
la **destruction** destruction
le **détergent** detergent
**détester** to hate, **3.2**
**deux** two, **BV**
   **les deux roues (f. pl.)** two-
     wheeled vehicles
   **tous (toutes) les deux** both
**deuxième** second, **4.2**
   **la Deuxième Guerre mondi-**
     **ale** World War II
**deuxièmement** second of all,
   secondly
**devant** in front of, **BV**
le **développement** development
**devenir** to become, **16**
la **devise** currency
le **devoir** homework (assignment), **BV**
   **faire les devoirs** to do
     homework, **6**
le **diagnostic: faire un diagnostic**
   to diagnose, **15.2**
**dicter** to dictate
la **différence** difference
**différent(e)** different
**difficile** difficult, **2.1**
la **difficulté: être en difficulté** to
   be in trouble
**dimanche (m.)** Sunday, **2.2**
**dîner** to eat dinner, **4.2**
   **le dîner** dinner, **4.2**
la **diphtérie** diphtheria
**diplômé(e): être diplômé(e)** to
   graduate
**dire** to say, tell, **12.2**

la **direction** direction
**diriger** to direct
**discuter** to discuss
**disparaître** to disappear
le **disque** record, **3.2**
la **distance** distance
**distingué(e)** distinguished
le **distributeur automatique de billets** automated teller machine (ATM)
**divisé(e)** divided
le **divorce** divorce
**dix** ten, **BV**
**dix-huit** eighteen, **BV**
**dix-neuf** nineteen, **BV**
**dix-sept** seventeen, **BV**
le **docteur** doctor (title)
le **documentaire** documentary, **16.1**
le **dollar** dollar, **3.2**
le **domaine** domain, field
le **domicile: à domicile** to the home
**donner** to give, **3.2**
**donner à manger à** to feed
**donner un coup de pied** to kick, **13.1**
**donner une fête** to throw a party, **3.2**
**donner sur** to face, overlook, **17.1**
**dormir** to sleep, **7.2**
le **dortoir** dormitory
le **dos** back (body)
la **douane** customs, **7.2**
**passer à la douane** to go through customs, **7.2**
**doublé(e)** dubbed (movies), **16.1**
la **douche** shower
**prendre une douche** to take a shower, **11.1**
**douloureux, douloureuse** painful
**douter** to doubt
la **douzaine** dozen, **6.2**
**douze** twelve, **BV**
le **drame** drama, **16.1**
le **drap** sheet, **17.2**
le **drapeau** flag
**dribbler** to dribble (basketball), **13.2**
**droite: à droite de** to, on the right of, **5**
**du** of the, from the, **5**; some, any, **6**
**du coin** neighborhood (adj.)
**du tout: pas du tout** not at all
la **durée** length (of time)
**durer** to last

# E

l' **eau (f.)** water
**l'eau minérale** mineral water, **6.2**
l' **échange (m.)** exchange
**s'échapper** to escape
l' **écharpe (f.)** scarf, **14.1**
l' **école (f.)** school, **1.2**
**l'école primaire** elementary school
**l'école secondaire** junior high, high school,
l' **écolier, l'écolière** pupil, schoolchild
l' **écologiste (m. et f.)** ecologist
les **économies (f. pl.): faire des économies** to save money, **18.2**
**économique** economical
**la classe économique** coach class (plane)
**écouter** to listen (to), **3.1**
l' **écran (m.)** screen, **7.1**
**écrire** to write, **12.2**
l' **écrivain (m.)** writer (m. and f.)
**éducatif, éducative** educational
l' **éducation (f.) civique** social studies, **2.2**
l' **éducation (f.) physique** physical education
**efficace** efficient
**égaliser** to tie (score)
l' **électricité (f.)** electricity
**électrique** electric
l' **élément (m.)** element
l' **élève (m. et f.)** student, **1.2**
**élevé(e)** high, **15.**
**bien élevé(e)** well brought-up
**éliminer** to eliminate
**elle** she, it, **1**; her (stress pron.), **9**
**elles** they (f.), **2**; them (stress pron.), **9**
l' **embarquement (m.)** boarding, leaving
**embarquer** to board (a plane, etc.), **7.2**
l' **embouteillage (m.)** traffic jam
**émigrer** to emigrate
l' **emploi (m.) du temps** schedule
l' **employé(e)** employee
**emprunter** to borrow, **18.2**
**en** of it, of them, etc., **18.2**; in; as
**en avance** early, ahead of time, **8.1**
**en avion** plane (adj.), by plane, **7.1**

**en baisse** coming down (in value)
**en bas** to, at the bottom
**en ce moment** right now
**en classe** in class
**en commun** in common
**en dehors (de)** outside (of)
**en dehors de** besides
**en effet** in fact
**en exclusivité** first run (movie)
**en face de** across from, opposite
**en fait** in fact
**en fonction de** in terms of, in accordance with
**en général** in general
**en hausse** going up (in value)
**en haut de** on top of
**en plein(e) (+ nom)** right in, on, etc. (+ noun)
**en plein air** outdoor(s)
**en plus de** besides, in addition
**en première** in first class, **8.1**
**en provenance de** arriving from (flight, train), **7.1**
**en retard** late, **8.2**
**en seconde** in second class, **8.1**
**en solde** on sale, **10.2**
**en tout cas** in any case
**en version originale** original language version, **16.1**
**en ville** in town, in the city
**encore** still (adv.); another; again
**encourager** to encourage
**s'endormir** to fall asleep, **11.1**
l' **endroit (m.)** place
l' **énergie (f.)** energy
**énergique** energetic, **1.2**
l' **enfant (m.)** child (m. and f.), **4.1**
**enfin** finally
l' **engrais (m.)** fertilizer
**énormément** enormously
l' **enquête (f.)** survey, opinion poll
**enragé(e)** rabid, enraged
**enrhumé(e)** to have a cold, **15.1**
l' **enseignement (m.)** teaching (n.)
**ensemble** together, **5.1**
**ensuite** then (adv.), **11.1**
**entendre** to hear, **8.1**
l' **enthousiasme (m.)** enthusiasm

entier, entière   entire, whole, 10
l' entracte (m.)   intermission, 16.1
entraîner   to carry along
entre   between, among, 9.2
l' entrée (f.)   entrance, 4.2; admission
entrer   to enter, 3.1
l' environnement (m.)   environment
envoyer   to send, 13.1
l' épicerie (f.)   grocery store, 6.1
l' époque (f.)   period, times
l' équilibre (m.)   balance
équilibré(e)   balanced
l' équipe (f.)   team, 13.1
l' équipement (m.)   equipment
l' escalier (m.)   staircase, 17.1
l' espace (m.)   space
l' Espagne (f.)   Spain, 16
espagnol(e)   Spanish (adj.)
l'espagnol (m.)   Spanish (language), 2.2
les espèces (f. pl.): payer en espèces (f. pl.)   to pay cash, 17.2
l' espionnage (m.)   spying (n.)
l' essence (f.)   gas(oline), 12.1
l'essence ordinaire   regular gas
l'essence super   super gas
l'essence sans plomb   unleaded gas
essentiel(le)   essential
essentiellement   essentially
l' est (m.)   east
estimer   to consider
l' estomac (m.)   stomach
et   and, 1
et toi?   and you? (fam.), BV
établir   to establish
l' étage (m.)   floor (of a building), 4.2
l' étal (m.)   (market) stall
l' état (m.)   state
les États-Unis (m. pl.)   United States, 13.2
l' été (m.)   summer, 9.1
en été   in summer, 9.1
éternuer   to sneeze, 15.1
étranger, étrangère   foreign, 16.1
à l'étranger   abroad, in a foreign country
être   to be, 2.1
être à l'heure   to be on time, 8.1
être d'accord   to agree, 2.1
ne pas être dans son assiette   to be feeling out of sorts, 15.2
être en avance   to be early, 8.1

être en bonne (mauvaise) santé   to be in good (poor) health, 15.1
être en retard   to be late, 8.2
être enrhumé(e)   to have a cold, 15.1
être vite sur pied   to be back on one's feet in no time, 15.2
l' être (m.) humain   human being
étroit(e)   tight (shoes), narrow, 10.2
l' étudiant(e)   (university) student
étudier   to study, 3.1
européen(ne)   European (adj.), 9
eux   them (m. pl. stress pron.), 9
s' évaporer   to evaporate
éventuellement   possibly
évoquer   to evoke
l' examen (m.)   test, exam, 3.1
passer un examen   to take a test, 3.1
réussir à un examen   to pass a test, 7
examiner   to examine, 15.2
excellent(e)   excellent
exceptionnel(le)   exceptional
l' exemple (m.)   example
par exemple   for example
s' exercer   to practice
l' expansion (f.)   expansion
l' expédition (f.)   expedition
expliquer   to explain
l' explorateur (m.)   explorer
exposer   to exhibit
l' exposition (f.)   exhibit, show, 16.2
l' express (m.)   espresso, black coffee, 5.1
exquis(e)   exquisite
l' extérieur (m.)   exterior, outside
extra   terrific (informal), 2.2
extraordinaire   extraordinary
extrêmement   extremely

## F

fabriqué(e)   made
fabriquer   to make
fabuleux, fabuleuse   fabulous
fâché(e)   angry, 12.2
facile   easy, 2.1
la façon   way, manner
d'une façon générale   in a general way
le facteur   factor
la facture   bill (hotel, etc.), 17.2

facultatif, facultative   elective
faire   to do, make, 6.1
faire des achats   to shop, make purchases, 10.1
faire de l'aérobic   to do aerobics, 11.2
faire l'annonce   to announce
faire attention   to pay attention, 6; to be careful, 9.1
faire une chute   to fall, take a fall, 14.2
faire la connaissance de   to meet
faire les courses   to do the grocery shopping, 6.1
faire la cuisine   to cook, 6
faire les devoirs   to do homework
faire un diagnostic   to diagnose, 15.2
faire du (+ nombre)   to take size . . . , 10.2
faire des économies   to save money, 18.2
faire enregistrer   to check (luggage), 7.1
faire des études   to study, 6
faire de l'exercice   to exercise, 11.2
faire du français (etc.)   to study French (etc.), 6
faire de la gymnastique   to do gymnastics, 11.2
faire du jogging   to jog, 11.2
faire le levé topographique   to survey (land)
faire de la monnaie   to make change, 18.1
faire de la natation   to swim, go swimming,
faire la navette   to go back and forth
faire une ordonnance   to write a prescription, 15.2
faire partie de   to be a part of
faire du patin   to skate, 14.2
faire du patin à glace   to iceskate, 14.2
faire du patin à roulettes   to rollerskate
faire peur à   to frighten
faire un pique-nique   to have a picnic, 6
faire de la planche à voile   to go windsurfing, 9.1
faire le plein   to fill up (a gas tank), 12.1
faire de la plongée sous-marine   to go deep-sea diving, 9.1

**faire une promenade** to take a walk, **9.1**
**faire la queue** to wait in line, **8.1**
**faire un régime** to go on a diet
**faire du ski** to ski, **14.1**
**faire du ski nautique** to waterski, **9.1**
**faire du sport** to play sports
**faire du surf** to go surfing, **9.1**
**faire du surf des neiges** to go snowboarding
**faire les valises** to pack (suitcases), **7.1**
**faire un voyage** to take a trip, **7.1**
le **fait** fact
la **famille** family, **4.1**
    **la famille à parent unique** single-parent family
le/la **fana** fan
    **fantaisiste** whimsical
    **fantastique** fantastic, **1.2**
    **fatigué(e)** tired
    **fauché(e)** broke (slang), **18.2**
    **faut: il faut (+ nom)** (noun) is (are) necessary
    **il faut + inf.** one must, it is necessary to, **9.1**
    **faux, fausse** false
    **favori(te)** favorite, **10**
la **femme** woman, **2.1**; wife, **4.1**
la **fenêtre** window
    **côté fenêtre (adj.)** window (seat on plane, etc.), **7.1**
    **fermé(e)** closed, **16.2**
la **fertilité** fertility
la **fête** party, **3.2**
    **la Fête des Mères (Pères)** Mother's (Father's) Day
le **feu** traffic light, **12.2**
    **le feu orange** yellow traffic light, **12.2**
    **le feu rouge** red light, **12.2**
    **le feu vert** green light, **12.2**
la **feuille** leaf
    **la feuille de papier** sheet of paper, **BV**
    **février (m.)** February, **4.1**
la **fiche d'enregistrement** registration card (hotel), **17.1**
la **fièvre** fever, **15.1**
    **la fièvre jaune** yellow fever
    **avoir une fièvre de cheval** to have a high fever, **15.2**
la **figure** face, **11.1**
le **filet** net shopping bag, **6.1**; net (tennis, etc.), **9.2**; rack (train)

la **fille** girl, **BV**; daughter, **4.1**
le **film** film, movie, **16.1**
    **le film d'amour** love story, **16.1**
    **le film d'aventures** adventure movie, **16.1**
    **le film étranger** foreign film, **16.1**
    **le film d'horreur** horror film, **16.1**
    **le film policier** detective movie, **16.1**
    **le film de science-fiction** science-fiction movie, **16.1**
le **fils** son, **4.1**
    **fin(e)** fine
    **finalement** finally
    **fines herbes: aux fines herbes** with herbs, **5.1**
    **finir** to finish, **7**
    **fixe: à prix fixe** at a fixed price
    **flambé(e)** flaming
    **flâner** to stroll
le **fleuve** river
    **flotter** to float
la **fluctuation** fluctuation
le **foie** liver
    **avoir mal au foie** to have indigestion, **15**
la **fois** time (in a series)
le **fonctionnement** functioning (n.)
    **fonctionner** to function, work
    **fond: au fond de** at the bottom of
le **fondateur, la fondatrice** founder
    **fonder** to found
le **foot(ball)** soccer, **13.1**
    **le football américain** football
la **force** force, power
le **forcing: faire le forcing** to put pressure on
la **forêt** forest
le **forfait-journée** lift ticket (skiing)
la **forme** form, shape
    **la forme (physique)** physical fitness
    **le club de forme** health club, **11.2**
    **être en forme** to be in shape, **11.2**
    **rester en forme** to stay in shape, **11.2**
    **se mettre en forme** to get in shape, **11.2**
    **former** to form; to train
le **formulaire** form, data sheet
la **formule** formula

**fort (adv.)** hard, **9.2**
    **fort(e)** strong; good
le **fort** fort
    **fou, folle** crazy
le **foulard** scarf
la **foule: venir en foule** to crowd (into)
la **fourchette** fork, **5.2**
la **fourmi** ant
les **frais (m. pl.)** expenses, charges, **17.2**
le **franc** franc, **18.1**
    **français(e)** French (adj.), **1.1**
    **le français** French (language), **2.2**
    **le Français, la Française** Frenchman, Frenchwoman
la **France** France, **16**
    **franchement** frankly
    **francophone** French-speaking
    **frapper** to hit, **9.2**
    **freiner** to brake, put on the brakes, **12.1**
    **fréquemment** frequently
    **fréquent(e)** frequent
    **fréquenter** to frequent, patronize
le **frère** brother, **1.2**
le **fric** money, dough (slang), **18.2**
    **avoir plein de fric** to have lots of money (slang), **18.2**
les **frissons (m. pl.)** chills, **15.1**
les **frites (f. pl.)** French fries, **5.1**
    **froid(e)** cold, **14.2**
    **avoir froid** to be cold
    **Il fait froid.** It's cold (weather)., **9.2**
le **fromage** cheese, **5.1**
le **front** front (weather)
la **frontière** border
le **fruit** fruit, **6.2**
    **les fruits (m. pl.) de mer** seafood
    **fumer** to smoke
    **fumeurs** smoking (section), **7.1**
    **non fumeurs** no smoking (section), **7.1**
    **furieux, furieuse** furious
la **fusée** rocket
le **futur** future

## G

la **galaxie** galaxy
le **gagnant, la gagnante** winner, **13.2**
    **gagner** to earn, **3.2**; to win, **9.2**
le **galet** pebble
le **Gange** Ganges River
le **gant** glove, **14.1**

**le gant de toilette** washcloth, 17.2

**le garage** garage, 4.2

**le garçon** boy, BV

**garder** to guard

**le gardien de but** goalie, 13.1

**la gare** train station, 8.1

**garer la voiture** to park the car, 12.2

**gastronomique** gastronomic, gourmet

**le gâteau** cake, 6.1

**gauche: à gauche de** to, on the left of, 5

**le gaz** gas

**geler** to freeze

**Il gèle.** It's freezing (weather)., 14.2

**le gendarme** police officer

**général(e)** general (adj.)

**en général** in general

**le général** general (n.), 7

**généralement** generally

**généraliser** to generalize

**généreux, généreuse** generous, 10

**la générosité** generosity

**le genre** type, kind, 16.1

**les gens (m. pl.)** people

**gentil(le)** nice (person), 9

**la géographie** geography, 2.2

**la géométrie** geometry, 2.2

**géométrique** geometric

**la glace** ice cream, 5.1; mirror, 11.1; ice, 14.2

**glisser** to slip, slide

**le globe** globe

**la glucide** carbohydrate

**le golfe** gulf

**la gorge** throat, 15.1

**avoir la gorge qui gratte** to have a scratchy throat, 15.1

**avoir un chat dans la gorge** to have a frog in one's throat, 15.2

**avoir mal à la gorge** to have a sore throat, 15.1

**le gouvernement** government

**grâce à** thanks to

**le gradin** bleacher (stadium), 13.1

**la graisse** fat

**la graisse animale** animal fat

**le gramme** gram, 6.2

**grand(e)** tall, big, 1.1

**le grand couturier** clothing designer, 10.1

**le grand magasin** department store, 10.1

**de grand standing (adj.)** luxury

**les Grands Lacs (m. pl.)** the Great Lakes

**la Grande-Bretagne** Great Britain, 16

**grandir** to grow (up) (children)

**la grand-mère** grandmother, 4.1

**le grand-père** grandfather, 4.1

**les grands-parents (m. pl.)** grandparents, 4.1

**grave** serious

**la Grèce** Greece

**la griffe** label

**le grill-express** snack bar (train)

**la grippe** flu, 15.1

**gris(e)** gray, 10.2

**grossir** to gain weight, 11.2

**la Guadeloupe** Guadeloupe

**la guerre: la Deuxième Guerre mondiale** World War II

**le guichet** ticket window, 8.1; box office, 16.1

**le guide** guidebook, 12.2

**le gymnase** gym(nasium), 11.2

**la gymnastique** gymnastics, 2.2

**faire de la gymnastique** to do gymnastics, 11.2

## H

**le H.L.M.** low-income housing

**habillé(e)** dressy, 10.1

**s' habiller** to get dressed, 11.1

**l' habitant(e)** resident

**habiter** to live (in a city, house, etc.), 3.1

**les haricots (m. pl.) verts** green beans, 6.2

**haut(e)** high, 10.2

**avoir . . . mètres de haut** to be . . . meters high

**du haut de** from the top of

**à talons hauts** high-heeled (shoes)

**le haut-parleur** loudspeaker, 8.1

**la haute couture** high fashion

**le héros** hero

**l' heure (f.)** time (of day), 2

**à quelle heure?** at what time?, 2

**À tout à l'heure.** See you later., BV

**de bonne heure** early

**être à l'heure** to be on time, 8.1

**Il est quelle heure?** What time is it?, 2

**heureux, heureuse** happy, 10.2

**l' hexagone (m.)** hexagon

**hier** yesterday, 13.1

**avant hier** the day before yesterday, 13

**hier matin** yesterday morning, 13

**hier soir** last night, 13

**l' histoire (f.)** history, 2.2

**l' hiver (m.)** winter, 14.1

**en hiver** in winter, 14.2

**le hockey** hockey

**le hockey sur glace** ice hockey

**la Hollande** Holland, The Netherlands, 16

**l' homme (m.)** man, 2.1

**les honoraires (m. pl.)** fees (doctor)

**l' hôpital (m.)** hospital

**l' horaire (m.)** schedule, timetable, 8.1

**hors des limites** out of bounds, 9.2

**l' hôtel (m.)** hotel, 17.1

**l' hôtesse (f.) de l'air** flight attendant (f.), 7.2

**huit** eight, BV

**humain(e)** human

**humide** wet, humid,

**humoristique** humorous

**l' hydrate (m.) de carbone** carbohydrate

**hystérique** hysterical

## I

**idéal(e)** ideal

**l' idée (f.)** idea

**identifier** to identify

**il** he, it, 1

**Il est quelle heure?** What time is it?, 2

**Il est . . . heure(s).** It's . . . o'clock., 2

**il faut (+ nom)** (noun) is (are) needed

**il faut + inf.** it is necessary, one must, 9.1

**Il n'y a pas de quoi.** You're welcome., BV

**il vaut mieux** it is better

**il y a** there is, there are, 4.2

**l' île (f.)** island

**illustré(e)** illustrated

**ils** they (m.), 2

**l' immeuble (m.)** apartment building, 4.2

**l' immigration (f.)** immigration, 7.2

**passer à l'immigration** to go through immigration (airport), **7.2**

**impatient(e)** impatient, **1.1**

**important(e)** important

les **Impressionnistes (m. pl.)** Impressionists (painters)

**inauguré(e)** inaugurated

**inclure** to include

**inconnu(e)** unknown

**incroyable** incredible

l' **Inde (f.)** India

l' **indication (f.)** cue

**indiquer** to indicate

l' **industrie (f.)** industry

**infectieux, infectieuse** infectious

l' **infection (f.)** infection, **15.1**

**infiltrer** to seep (into)

**influencer** to influence

l' **informatique (f.)** computer science, **2.2**

l' **inondation (f.)** flood

l' **institut (m.)** institute

l' **institution (f.)** institution

les **instructions (f. pl.)** instructions, **9.1**

l' **instrument (m.)** instrument

**intelligent(e)** intelligent, **1.1**

**interdit(e)** forbidden, prohibited

**Il est interdit de stationner.** Parking is prohibited., **12.2**

**intéressant(e)** interesting, **1.1**

**intéresser** to interest

**s'intéresser à** to be interested in

l' **intérieur (m.)** interior, inside

**intérieur(e)** domestic (flight) (adj.), **7.1**

**international(e)** international, **7.1**

**inviter** to invite, **3.2**

**isoler** to isolate

l' **Italie (f.)** Italy, **16**

**italien(ne)** Italian (adj.), **9**

## J

**jamais** ever

**ne . . . jamais** never

le **jambon** ham, **5.1**

**janvier (m.)** January, **4.1**

le **Japon** Japan, **16**

**japonais(e)** Japanese (adj.)

le **jardin** garden, **4.2**

**jaune** yellow, **10.2**

**je** I, **1.2**

**Je t'en prie.** You're welcome (fam.)., **BV**

**je voudrais** I would like, **5.1**

**Je vous en prie.** You're welcome (form.)., **BV**; please, I beg of you

le **jean** jeans, **10.1**

**jeter** to throw

le **jeu: les jeux de la lumière** play of light

**jeudi (m.)** Thursday, **2.2**

**jeune** young, **4.1**

**les jeunes (m. pl.)** young people

**la jeune fille** girl

le **jogging: faire du jogging** to jog, **11.2**

**joli(e)** pretty, **4.2**

**jouer** to play, to perform, **16.1**

**jouer à (un sport)** to play (a sport), **9.2**

le **joueur** player, **9.2**

le **jour** day, **2.2**

**C'est quel jour?** What day is it?, **2.2**

**de nos jours** today, nowadays

**par jour** a (per) day, **3**

**tous les jours** every day

le **journal** newspaper, **8.1**

**le journal intime** diary

**le journal télévisé** newscast

la **journée** day

**juillet (m.)** July, **4.1**

**juin (m.)** June, **4.1**

la **jupe** skirt, **10.1**

la **jupette** tennis skirt, **9.2**

le **Jura** Jura Mountains

le **jury** selection committee

**jusqu'à** (up) to, until, **13.2**

**jusqu'en bas de la piste** to the bottom of the trail

## K

le **kilo(gramme)** kilogram, **6.2**

le **kilomètre** kilometer

le **kiosque** newsstand, **8.1**

le **kleenex** tissue, Kleenex, **15.1**

## L

**la** the (f.), **1**; her, it (dir. obj.), **16**

**là** there

**là-bas** over there, **BV**

le **laboratoire** laboratory

le **lac** lake

les **Grands Lacs (m. pl.)** the Great Lakes

**laisser** to leave (something behind)

**laisser un pourboire** to leave a tip, **5.2**

le **lait** milk, **6.1**

la **laitue** lettuce, **6.2**

**lancer** to throw, **13.2**

la **langue** language, **2.2**

**large** loose, wide, **10.2**

le **latin** Latin, **2.2**

la **latitude** latitude

**laver** to wash, **11.1**

**se laver** to wash oneself, **11.1**

**se laver les cheveux (la figure, etc.)** to wash one's hair (face, etc.), **11**

**le** the (m.), **1**; him, it (dir. obj.), **16.1**

la **leçon** lesson, **9.1**

**la leçon de conduite** driving lesson, **12.2**

la **lecture** reading

**légendaire** legendary

la **légende** legend

le **légume** vegetable, **6.2**

**lent(e)** slow

**lentement** slowly

**les** the (pl.), **2**; them (dir. obj.), **16**

**leur** their (sing. poss. adj.), **5**

**leur** (to) them (ind. obj.), **17**

**leurs** their (pl. poss. adj.), **5**

**levant** rising

le **levé: faire le levé topographique** to survey

**se lever** to get up, **11.1**

le **lexique** vocabulary

**libre** free, **2.2**

le **lieu** place

**avoir lieu** to take place

la **ligne** line

**les lignes de banlieue** commuter trains

**les grandes lignes** main lines (trains)

la **limitation de vitesse** speed limit

les **limites (f. pl.)** boundaries (on tennis court), **9.2**

**hors des limites** out of bounds, **9.2**

la **limonade** lemon-lime drink

la **lipide** fat (n.)

**lire** to read, **12.2**

**Lisbonne** Lisbon

le **lit** bed, **8.2**

le **litre** liter, **6.2**

littéraire  literary

la littérature  literature, **2.2**

la livre  pound, 6.2

le livre  book, **BV**

la location  rental

loin de  far from, **4.2**

les loisirs (m. pl.)  leisure activities, **16**

Londres  London

le long de  along

long(ue)  long, **10.2**

la longueur  length

la longitude  longitude

longtemps  (for) a long time

lorsque  while

louer  to rent

lourd(e)  heavy

lui  him (m. sing. stress pron.), **9**; (to) him, (to) her (ind. obj.), **17.1**

la lumière  light (n.)

lundi (m.)  Monday, **2.2**

les lunettes (f. pl.)  goggles, **14.1**
  les lunettes de soleil  sunglasses, **9.1**

lutter  to fight

le luxe  luxury

luxueux, luxueuse  luxurious

le lycée  high school, **1.2**

le lycéen, la lycéenne  high school student

## M

ma  my (f. sing. poss. adj.), **4**

Madame (Mme)  Mrs., Ms., **BV**

Mademoiselle (Mlle)  Miss, Ms., **BV**

le magasin  store, **3.2**

le magazine  magazine, **3.2**

magnifique  magnificent

mai (m.)  May, **4.1**

maigrir  to lose weight, **11.2**

le maillot de bain  bathing suit, **9.1**

la main  hand, **11.1**

maintenant  now, **2**

mais  but, **1**
  Mais oui (non)!  Of course (not)!

la maison  house, **3.1**

le maître  master
  le maître d'hôtel  maitre d', **5.2**

mal  badly
  avoir mal à  to have a(n) . . . -ache, to hurt, **15.1**
  Où avez-vous mal?  Where does it hurt?, **15.2**

le/la malade  sick person, **15.1**

malade  sick, **15.1**

la maladie  illness

malheureusement  unfortunately

la Manche  English Channel

la manche  sleeve, **10.1**
  à manches longues (courtes)  long- (short-) sleeved, **10.1**

manger  to eat

la manière  manner, way
  avoir de bonnes manières  to have good manners

manquer: il en manque deux  two are missing

se maquiller  to put on make-up, **11.1**

le marathon  marathon

le marchand, la marchande (de fruits et légumes)  (produce) seller, **6.2**

la marchandise  merchandise

le marché  market, **6.2**

le Marché Commun  Common Market

mardi (m.)  Tuesday, **2.2**

la marée  tide

le mari  husband, **4.1**

le mariage  marriage

marié(e)  married

le marin  sailor

le Maroc  Morocco, **16**

la marque  make (of car), **12.1**
  marquer un but  to score a goal, **13.1**

marron (inv.)  brown, **10.2**

mars (m.)  March, **4.1**

la Martinique  Martinique

martiniquais(e)  from Martinique

la masse  mass

le match  game, **9.2**

les mathémathiques (f. pl.)  mathematics

les maths (f. pl.)  math, **2.2**

la matière  subject (school), **2.2**; matter

le matin  morning, in the morning, **2**
  du matin  A.M. (time), **2**

mauvais(e)  bad; wrong
  Il fait mauvais.  It's bad weather., **9.2**

le mazout  fuel oil

me  (to) me (dir. and ind. obj.), **15.2**

le médecin  doctor (m. and f.), **15.2**
  chez le médecin  at, to the doctor's, **15.2**

la médecine  medicine (medical profession), **15**

médical(e)  medical

le médicament  medicine (remedy), **15.2**

meilleur(e)  better (adj.), **10**

le membre  member

même  same (adj.), **2.1**; even (adv.)

le/la mennonite  Mennonite

mental(e)  mental

le menu: le menu touristique  budget (fixed price) meal

la mer  sea, **9.1**
  la mer des Caraïbes  Caribbean Sea
  la mer Méditerranée  Mediterranean Sea

merci  thank you, **BV**

mercredi (m.)  Wednesday, **2.2**

la mère  mother, **4.1**

le méridien  meridian

merveilleux, merveilleuse  marvelous, **10.2**

mes  my (pl. poss. adj.), **4**

la mesure  measurement

mesurer  to measure

le métabolisme  metabolism

la météo  weather forecast

la météorologie  meteorology, the study of weather

météorologique  meteorological

le métier  profession

le mètre  meter

métrique  metric

le métro  subway, **4.2**
  en métro  by subway, **5.2**
  la station de métro  subway station, **4.2**

mettre  to put (on), to place, **8.1**; to put on (clothes), **10**; to turn on (appliance), **10**
  mettre au point  to come out with, develop
  mettre de l'argent de côté  to put money aside, save, **18.2**
  se mettre en forme  to get in shape, **11.1**
  mettre le contact  to start the car **12.1**
  mettre le couvert  to set the table, **8**

le Mexique  Mexico, **16**

la mi-temps  half (sporting event)

le microbe  microbe

la microbiologie  microbiology

le microscope  microscope

midi (m.)  noon, **2.2**

militaire  military

le **militaire** soldier
**mille** (one) thousand, **6.2**
les **milliers (m. pl.)** thousands
le **minéral** mineral
le **ministère** ministry
**minuit (m.)** midnight, **2.2**
la **mission** mission
**moche** terrible, ugly, **2.2**
le **modèle** model
**moderne** modern
**moderniser** to modernize
**modeste** modest, reasonably
priced
**moi** me (stress pron.), **9**
**moins** less
**moins . . . que** less . . . than
**Il est une heure moins dix.**
It's ten to one (time)., **2**
**au moins** at least
le **mois** month, **4.1**
le **moment: en ce moment** right
now
**mon** my (m. sing. poss. adj.),
**4**
le **monde** world
**beaucoup de monde** a lot of
people, **13.1**
**tout le monde** everyone,
everybody, **BV**
le **moniteur, la monitrice** instructor, **9.1**; camp counselor
la **monnaie** change; currency,
**18.1**
**faire de la monnaie** to make
change, **18.1**
**Monsieur (M.)** Mr., sir, **BV**
la **montagne** mountain, **14.1**
**à la montagne** in the
mountains
**monter** to go up, get on, in,
**8.2**; to take upstairs, **17.1**
**monter une pièce** to put on
a play, **16.1**
**montrer** to show, **17.1**
**moral(e)** moral
le **morceau de craie** piece of
chalk, **BV**
**mordu(e)** bitten
**mort(e)** dead
la **mort** death
**mortel(le)** fatal
**Moscou** Moscow
le **mot** word
**le mot apparenté** cognate
le **motard** motorcycle cop, **12.2**
le **moteur** engine (car, etc.), **12.1**
la **moto** motorcycle, **12.1**
le **mouchoir** handkerchief, **15.1**
**mourir** to die, **17**
la **moutarde** mustard, **6.2**
le **mouvement** movement

**mouvementé(e)** eventful
**moyen(ne)** average, inter-
mediate
le **moyen de transport** mode of
transportation
**municipal(e)** municipal
**musclé(e)** muscular
le **musée** museum, **16.2**
la **musique** music, **2.2**
la **mythologie** mythology

# N

**n'est-ce pas?** isn't it, doesn't it
(he, she, etc.)?, **1.2**
**nager** to swim, **9.1**
**nager la brasse papillon** to
do the butterfly (swim
stroke)
le **nageur, la nageuse** swimmer
**naître** to be born, **17**
la **nappe** tablecloth, **5.2**
la **natation** swimming, **9.1**
la **nation** nation
**national(e)** national
la **nature** nature
**nature** plain (adj.), **5.1**
**ne . . . jamais** never, **12**
**ne . . . pas** not, **1.2**
**ne . . . personne** no one,
nobody, **12.2**
**ne . . . rien** nothing, **12.2**
**né: il est né** he was born
**nécessaire** necessary
**négatif, négative** negative
la **neige** snow, **14.2**
**Il neige.** It's snowing., **14.2**
**nerveux, nerveuse** nervous
**les cellules nerveuses** nerve
cells
**neuf** nine, **BV**
**neutraliser** to neutralize
le **neveu** nephew, **4.1**
le **nez** nose, **15.1**
**avoir le nez qui coule** to
have a runny nose, **15.1**
**ni . . . ni** neither . . . nor
la **nièce** niece, **4.1**
le **niveau** level
**vérifier les niveaux** to check
under the hood, **12.1**
**noir(e)** black, **10.2**
**le tableau noir** blackboard,
**3.1**
le **nom** name, **16.2**; noun
le **nombre** number, **5.2**
**nombreux, nombreuse**
numerous
**nommer** to name, mention
**non** no

**non fumeurs** no smoking
(section), **7.1**
**non seulement** not only
le **nord** north
**normal(e)** normal
**normalement** normally, usually
**nos** our (pl. poss. adj.), **5**
la **nostalgie** nostalgia
la **note** bill (currency), **17.2**;
grade
**notre** our (sing. poss. adj.), **5**
**nourrir** to feed
la **nourriture** food, nutrition
**nous** we, **2**; us (stress pron.),
**9**; (to) us ( dir. and ind. obj.),
**15**
**nouveau (nouvel)** new (m.), **4**
**nouvelle** new (f.), **4**
les **nouvelles (f. pl.)** news
**novembre (m.)** November, **4.1**
le **nuage** cloud, **9.2**
la **nuit** night
le **numéro** number
**Quel est le numéro de télé-
phone de . . . ?** What is
the phone number of . . . ?,
**5.2**

# O

**obéir(à)** to obey, **7**
l' **objet (m.)** object
**obligatoire** mandatory
**obliger** to oblige
**obtenir** to obtain
**occupé(e)** busy, **2.2**
**occuper** to occupy
l' **océan (m.)** ocean
**octobre (m.)** October, **4.1**
l' **odeur (f.)** scent, smell
l' **œil (m., pl. yeux)** eye
l' **œuf (m.)** egg, **6.2**
**l'œuf sur le plat** fried egg
l' **œuvre (f.)** work (of art), **16**
**officiel(le)** official
**offrir** to offer, give, **15**
l' **oignon (m.)** onion, **6.2**
l' **omelette (f.)** omelette, **5.1**
**l'omelette aux fines herbes**
omelette with herbs, **5.1**
**l'omelette nature** plain
omelette, **5.1**
**on** we, they, people, **3**
**On y va (?)** Let's go; Shall
we go?, **5.**
l' **oncle (m.)** uncle, **4.1**
**onze** eleven, **BV**
l' **opéra (m.)** opera, **16.1**
**opérer** to operate
**opposer** to oppose, **13.1**

l' **or (m.)** gold

**orange (inv.)** orange (color), 10

l' **orange (f.)** orange (n.), **6.2**

l' **Orangina (m.)** orange soda, **5.1**

**ordinaire** regular (gasoline), **12.1**

l' **ordinateur (m.)** computer, **BV**

l' **ordonnance (f.)** prescription, **15.2**

    **faire une ordonnance** to write a prescription, **15.2**

l' **oreille (f.)** ear, **15.1**

    **avoir mal aux oreilles** to have an earache, **15.**

l' **oreiller (m.)** pillow, **17.2**

les **oreillons (m. pl.)** mumps

**organisé(e)** organized

l' **organisme (m.)** organism

l' **origine (f.): à l'origine** originally

**original(e)** original

**orner** to decorate

l' **os (m.)** bone

**ôter** to take off (clothing)

**ou** or, **1.1**

**où** where, **BV**

**oublier** to forget

l' **ouest (m.)** west

**oui** yes, **1**

**ouvert(e)** open, **16**

l' **ouverture (f.)** opening

l' **ouvrier (m.)** worker

**ouvrir** to open, **15**

**ovale** oval

l' **oxygène (m.)** oxygen

## P

le **pain** bread, **6.1**

la **paire** pair, **10**

le **palais** palace

le **panier** basket, **13.2**

le **panneau** backboard (basketball), **13.2**; road sign

**panoramique** panoramic

le **pantalon** pants, **10.1**

la **papeterie** stationery store

le **papier** paper, **6**

    **le papier hygiénique** toilet paper, **17.2**

    **la feuille de papier** sheet of paper, **BV**

le **paquet** package, **6.2**

**par dessus** over (prep.), **13**

**par exemple** for example

**par jour** a (per) day, **3**

**par semaine** a (per) week, **3.2**

le **paragraphe** paragraph

le **parallèle** parallel

le **parc** park (n.), **11.2**

**parce que** because, **9.1**

**parcourir** to travel, go through

**pardon** excuse me, pardon me

le **parebrise** windshield, **12**

les **parents (m. pl.)** parents, **4.1**

**parfait(e)** perfect

**parisien(ne)** Parisian, **9**

le **parking** parking lot

le **parlement** parliament

**parler** to speak, talk, **3.1**

    **parler au téléphone** to talk on the phone, **3.2**

**parmi** among

**participer (à)** to participate (in)

**particulièrement** particularly

la **partie** game, match, **9.2**; part

    **la partie en simple (en double)** singles (doubles) match (tennis), **9.2**

    **faire partie de** to be a part of

**partir** to leave, **7.1**

**partout** everywhere

**pas** not

    **pas de** no (+ noun)

    **Pas de quoi.** You're welcome (inform.)., **BV**

    **pas du tout** not at all

    **pas mal** not bad, **BV**

    **pas mal de** quite a few

le **passager, la passagère** passenger, **7.1**

le **passé** past (n.)

le **passeport** passport, **7.1**

**passer** to spend (time), **3**; to pass, go through, **7.2**; to show (a movie), **16.1**

    **passer à la douane** to go through customs, **7.2**

    **passer à l'immigration** to go through immigration

    **passer par le contrôle de sécurité** to go through security (airport), **7**

    **passer un examen** to take an exam, **3.1**

    **passer un film** to show a movie, **16.1**

**passionné(e)** de excited by

**passionner** to excite

le **pâté** pâté, **5.1**

**patient(e)** patient (adj.), **1.1**

le **patin à glace** ice skate (n.), **14.2**

    **faire du patin** to skate, **14.2**

    **faire du patin à glace** to iceskate, **14.2**

    **faire du patin à roulettes** to rollerskate

le **patinage** skating, **14.2**

le **patineur, la patineuse** skater, **14.2**

la **patinoire** skating rink, **14.2**

le/la **pauvre** poor thing, **15.1**

**pauvre** poor, **15.1**

le **pavillon** small house, bungalow

**payer** to pay, **6.1**

    **payer en espèces** to pay cash, **17.**

le **pays** country, **7.1**

les **Pays-Bas (m. pl.)** the Netherlands, **16**

le **paysage** landscape

le **peigne** comb

    **se peigner** to comb (one's hair), **11.1**

**peindre** to paint

le/la **peintre** painter, artist, **16.2**

la **peinture** painting (n.), **16.2**

**péjoratif, péjorative** pejorative, disparaging

le **penalty** penalty (soccer)

**pendant** during, for (time), **3.2**

    **pendant que** while

la **pénicilline** penicillin, **15.2**

**penser** to think, **10.1**

la **pension** small hotel

**perdre** to lose, **8.2**

    **perdre patience** to lose patience, **8.2**

    **perdre des kilos** to lose weight

le **père** father, **4.1**

la **périphérie** outskirts

la **perle** pearl

**permettre** to permit, allow, **14**

le **permis** permit

    **le permis de conduire** driver's license, **12.2**

le **personnage** character

la **personne** person

    **ne . . . personne** no one, nobody

**personnel(le)** personal

le **personnel de bord** flight attendants, **7.2**

**personnellement** personally, **16.2**

la **perte** loss

**peser** to weigh

**petit(e)** short, small, **1.1**

    **la petite annonce** classified ad

    **le petit déjeuner** breakfast, **9**

    **prendre le petit déjeuner** to eat breakfast, **9**

le **petit-fils** grandson, **4.1**
la **petite-fille** granddaughter, **4.1**
le **pétrolier** oil tanker
**peu (de)** few, little, **18**
   **un peu (de)** a little
la **pharmacie** pharmacy, **15.2**
le **pharmacien, la pharmacienne**
   pharmacist, **15.2**
la **photo** photograph
la **phrase** sentence
la **physique** physics, **2.2**
   **physique** physical
      **la forme physique** physical
      fitness, **13**
la **pièce** room, **4.2**; play, **16.1**;
   coin, **18.1**
le **pied** foot, **13.1**
      **à pied** on foot, **5.2**
la **pierre** stone
le **piéton, la piétonne** pedestrian,
   **12.2**
le/la **pilote** pilot
le/la **pilote de ligne** airline pilot
   **piloter** to pilot
la **piscine** pool, **9.2**
      **la piscine couverte** indoor
      pool
la **piste** track, **13.2**; ski trail, **14.1**
   **pittoresque** picturesque
le **placard** closet, **17.2**
la **place** seat (plane, etc.), **7.1**;
   parking space, **12.2**; place
la **plage** beach, **9.1**
la **plaine** plain (n.)
le **plan** map
la **planche à voile: faire de la**
   **planche à voile** to windsurf,
   **9.1**
la **plante** plant
      **les plantes aquatiques**
      aquatic vegetation
le **plastique: en plastique** plastic
   (adj.)
le **plateau** plateau
   **plein(e)** full, **13.1**
      **avoir plein de fric** to have
      lots of money (slang), **18.2**
      **en pleine zone tempérée**
      right in the temperate zone
      **faire le plein** to fill up (a gas
      tank), **12.1**
   **pleut (inf. pleuvoir): Il pleut.**
   It's raining., **9**
la **plongée sous-marine: faire de**
   **la plongée sous-marine** to
   go deep-sea diving, **9.1**
   **plonger** to dive, **9.1**
la **pluie** rain
      **les pluies (f. pl.) acides**
      acid rain
la **plupart (des)** most (of), **8.2**

le **pluriel** plural
   **plus** more (comparative), **10**
      **plus tard** later
      **en plus de** in addition to
   **plusieurs** several, **18**
le **pneu** tire, **12.1**
      **le pneu à plat** flat tire **12.1**
la **poche** pocket, **18.1**
la **poésie** poetry
le **poème** poem
le/la **poète** poet
le **poids** weight
le **point** point; period
la **pointure** size (shoes), **10.2**
      **Vous faites quelle pointure?**
      What (shoe) size do you
      take?, **10.2**
le **poisson** fish, **6.1**
la **poissonnerie** fish store, **6.1**
le **pôle** pole
la **poliomyélite** polio
   **polluer** to pollute
la **pollution** pollution
la **pomme** apple, **6.2**
la **pomme de terre** potato, **6.2**
le/la **pompiste** gas station attendant,
   **12.1**
   **populaire** popular, **1.2**
la **porcelaine** porcelaine, china
le **port: le port de pêche** fishing
   port
la **porte** gate (airport), **7.1**; door,
   **17.1**
le **porte-monnaie** change purse,
   **18.1**
le **portefeuille** wallet, **18.1**
   **porter** to wear, **10.1**
le **porteur** porter, **8.1**
le **portrait** portrait
le **Portugal** Portugal, **16**
   **poser une question** to ask a
   question, **3.1**
la **possibilité** possibility
le **pot** jar, **6.2**
le **pouce** inch, thumb
le **poulet** chicken, **6.1**
   **pour** for; in order to, **2**
le **pourboire** tip (restaurant), **5.2**
      **laisser un pourboire** to
      leave a tip, **5.2**
le **pourcentage** percentage
   **pourquoi** why, **9.1**
   **pourtant** yet, still, nevertheless
   **pouvoir** to be able to, **6**
   **pratiquer un sport** to play a
   sport, **11.2**
   **précieux, précieuse** precious
   **précis(e)** precise, exact
      **à l'heure précise** right on
      time
   **préféré(e)** favorite

   **préférer** to prefer, **5**
le **préfixe** prefix
   **premier, première** first, **4.1**
      **en première** in first class,
      **8.1**
   **premièrement** first of all
les **tout premiers** very first
   **prendre** to take, **9.1**
      **prendre des kilos** to gain
      weight
      **prendre le petit déjeuner** to
      eat breakfast, **9**
      **prendre le train (etc.)** to
      take the train (etc.), **9**
      **prendre part à** to take part
      in
      **prendre possession de** to
      take possession of
      **prendre rendez-vous** to
      make an appointment
      **prendre un bain (une**
      **douche)** to take a bath
      (shower), **11.1**
      **prendre un bain de soleil** to
      sunbathe, **9.1**
      **prendre un billet** to buy a
      ticket, **9**
      **prendre un pot** to have a
      drink
   **préparer** to prepare, **4.2**
   **près de** near, **4.2**
   **prescrire** to prescribe **15.2**
   **présenter** to present, introduce
la **préservation** preservation
   **presque** almost
   **pressé(e)** in a hurry
la **pression artérielle** blood
   pressure
   **prêt(e)** ready
      **prêt-à-porter** ready-to-wear
      (adj.), **10**
      **le rayon prêt-à-porter**
      ready-to-wear department,
      **10.1**
   **prêter** to lend, **18.2**
la **preuve** proof
   **prévoir** to predict
   **primaire: l'école (f.) primaire**
   elementary school,
   **principal(e)** main, principal
le **printemps** spring, **13.2**
   **pris(e)** taken, **5.1**
   **privé(e)** private
le **prix** price, cost, **10.1**
      **à prix fixe** at a fixed price
   **probablement** probably
le **problème** problem, **11.2**
   **prochain(e)** next, **8.2**
le **produit** product
le/la **prof** teacher (inform.), **2.1**

le **professeur (m.)** teacher (m. and f.), **2.1**
**professionnel(le)** professional
**profiter de** to take advantage of, profit from
**profond(e)** deep
le **programme** TV program
le **progrès** progress
**progressif, progressive** progressive
le **projet** project, plan
la **promenade: faire une promenade** to take a walk, **9.1**
se **promener** to walk, **11.2**
**proposer** to suggest
**propre** clean; own (adj.)
**protéger** to protect
la **protéine** protein
**provenance: en provenance de** arriving from (train, plane, etc.), **7.1**
**provençal(e)** from Provence, the south of France
les **provisions (f. pl.)** groceries
**prudemment** carefully, **12.2**
le **public** public (n.)
la **publicité** advertisement
les **Puces: le Marché aux Puces** flea market
**puissant(e)** powerful
le **pull** sweater, **10.1**
**punir** to punish, **7**
**pur(e)** pure
la **pureté** purity
la **pyramide** pyramid

## Q

**Qu'est-ce que c'est?** What is it?, **BV**
**Qu'est-ce qu'il a?** What's wrong with him?, **15.1**
le **quai** platform (railroad), **8.1**
la **qualité** quality
**quand** when, **3.1**
**quarante** forty, **BV**
le **quart: et quart** a quarter past (time), **2**
**moins le quart** a quarter to (time), **2**
le **quartier** neighborhood, district, **4.2**
**quatorze** fourteen, **BV**
**quatre** four, **BV**
**quatre-vingt-dix** ninety, **5.2**
**quatre-vingts** eighty, **5.2**
**quel(le)** which, what, **7**
**Quel est le numéro de téléphone de . . . ?** What is the phone number of . . . ?, **5.2**

**Quelle est la date aujourd'hui?** What is today's date?, **4.1**
**Quel temps fait-il?** What's the weather like?, **9.2**
**quelque** some
**quelque chose à manger** something to eat, **5.1**
**quelquefois** sometimes, **5**
**quelques** some, **8.2**
la **question: poser une question** to ask a question, **3.1**
la **queue: faire la queue** to wait in line, **8.1**
**qui** who, **BV**; whom, **11.**; which, that
**Qui ça?** Who (do you mean)?, **BV**
**Qui est-ce?** Who is it?, **BV**
**quinze** fifteen, **BV**
**quitter** to leave (a room, etc.), **3.1**
**quoi** what (after prep.), **14**

## R

**raconter** to tell (about)
le **racquet(-ball)** racquetball
la **radio** radio, **3.2**
**radioactif, radioactive** radioactive
la **rage** rabies
**raide** steep, **14.2**
la **raison** reason
**ralentir** to slow down
le **randonneur, la randonneuse** hiker
**rapide** quick, fast
le **rapport** relationship; report
**rapporter** to report
la **raquette** racket, **9.2**
**rare** rare
se **raser** to shave, **11.1**
le **rasoir** razor, shaver
**rassembler** to collect, gather together
le **rayon** department (in a store), **10.1**
la **réaction** reaction
**réaliser** to realize (an ambition), achieve
la **réalité** reality
la **réception** front desk (hotel), **17.1**
le/la **réceptionniste** desk clerk, **17.1**
**recevoir** to receive, **18.1**
la **recherche: faire de la recherche** to do research
**recommandé(e)** recommended
**reconnu(e)** recognized

la **récréation** recess
**récrire** to rewrite
**récupérer** to claim (luggage), **7.2**
**refléter** to reflect
**regarder** to look at, **3.1**
se **regarder** to look at oneself, look at one another
la **région** region
la **règle** rule
le **règlement** rule
**régler** to direct (traffic)
**regretter** to be sorry
**régulier, régulière** regular
**régulièrement** regularly
**relativement** relatively
le **relevé de compte** statement (bank), **18**
**remarquer** to notice
**rembourser** to pay back, reimburse, **18.2**
**remplir** to fill out, **7.2**
la **rencontre** meeting
**rencontrer** to meet
le **rendez-vous: prendre rendez-vous** to make an appointment
**rendre** to give back, **18.2**
les **renseignements (m. pl.)** information
**rentrer** to go home, **3.1**
**renvoyer** to return (tennis ball), **9.2**
la **répartition** distribution
le **repas** meal
**répéter** to repeat
**répondre** to answer, **8**
la **réponse** answer
se **reposer** to rest
**repoussé(e)** pushed back
**représenter** to represent
la **reprise** reshowing
**reproduire** to reproduce
la **république** republic, democracy
la **réserve** reserve, supply
**réservé(e)** reserved
**réserver** to reserve
le **réservoir** gas tank, **12.1**
**résidentiel(le)** residential
la **résistance** resistance
**respecter** to respect
la **respiration** breathing
**respirer (à fond)** to breathe (deeply), **15.2**
**ressembler à** to resemble
**ressentir** to feel
le **restaurant** restaurant, **5.2**
la **restauration** food service
**rester** to stay, remain, **17**

**rester en forme** to stay in shape, **11.1**
le **retard** delay
  **en retard** late, **8.2**
**retomber** to fall back down
le **retour** return
  **à votre retour** when you return
la **retransmission** rebroadcast
**réunir** to bring together
**réussir(à)** to succeed, to pass (exam), **7**
le **rêve** dream (n.)
se **réveiller** to wake up, **11.1**
la **révélation** revelation
**revenir** to come back, **16**
**rêver** to dream
la **révolution** revolution
**révolutionner** to revolutionize
le **rez-de-chaussée** ground floor, **4.2**
le **rhume** cold (illness), **15.1**
  **avoir un rhume** to have a cold, **15.1**
**riche** rich
la **richesse** wealth
le **rideau** curtain, **16.1**
  **le lever du rideau** at curtain time (theatre)
  **Rien d'autre.** Nothing else., **6.2**
**rigoler** to joke around, **3.2**
  **Tu veux rigoler!** Are you kidding?!
le **rite** rite, ritual
la **rivière** river
la **robe** dress, **10.1**
le **roi** king
le **rôle** role
le **roman** novel
  **le roman policier** detective novel, mystery
**rond(e)** round
**rose** pink, **10.2**
le **rosier** rosebush
la **roue** wheel, **12.1**
  **la roue de secours** spare tire, **12.1**
  **les deux roues** two-wheeled vehicles
**rouge** red, **10.2**
la **rougeole** measles
le **rouleau de papier hygiénique** roll of toilet paper, **17.2**
**rouler (vite)** to go, drive (fast) **12.1**
la **route** road, **12.1**
  **En route!** Let's go!
la **rubéole** German measles
la **rue** street, **3.1**
le **rugby** rugby

**rural(e)** rural
le/la **Russe** Russian (person)

## S

**s'il te plaît** please (fam.), **BV**
**s'il vous plaît** please (form.), **BV**
**sa** his, her (f. sing. poss. adj.), **4**
le **sable** sand
le **sac** bag, **6.1**; pocketbook, purse, **18.1**
le **sac à dos** backpack, **BV**
**saignant(e)** rare (meat), **5.2**
la **saison** season
  **la belle saison** summer
la **salade** salad, **5.1**
le **salaire** salary
la **salle à manger** dining room, **4.2**
la **salle d'attente** waiting room, **8.1**
la **salle de bains** bathroom, **4.2**
la **salle de cinéma** movie theatre, **16.1**
la **salle de classe** classroom, **2.1**
la **salle de séjour** living room, **4.2**
le **Salon** official art show
**salut** hi, **BV**
**samedi (m.)** Saturday, **2.2**
le **sandwich** sandwich, **5.1**
**sans** without, **12.1**
  **sans aucun doute** without a doubt
  **Sans blague!** No kidding!
  **sans plomb** unleaded, **12.1**
la **santé** health, **15.1**
  **être en bonne (mauvaise) santé** to be in good (poor) health, **15.1**
la **saucisse de Francfort** hot dog, **5.1**
le **saucisson** sausage, **6.1**
**sauf** except, **16.2**
**sauver** to save
le **savant** scientist
**savoir** to know (information), **16.2**
le **savon** soap, **11.1**
**scandalisé(e)** scandalized, shocked
la **scène** stage; scene, **16.1**
les **sciences (f. pl.)** science, **2.2**
  **les sciences humaines** social sciences
  **les sciences naturelles** natural sciences
le **scorbut** scurvy

le **score** score, **9.2**
le **sculpteur** sculptor (m. and f.), **16.2**
la **sculpture** sculpture, **16.2**
la **séance** show (movie) **16.1**
**sec, sèche** dry
se **sécher** to dry (off), **17.2**
la **sécheresse** dryness, drought
  **secondaire: l'école (f.) secondaire** junior high, high school
la **seconde** second (time)
  **en seconde** in second class, **8.1**
**seize** sixteen, **BV**
le **séjour** stay (n.)
**selon** according to
la **semaine** week, **2.2**; allowance
  **par semaine** a (per) week, **3.2**
**sembler** to seem
le **Sénégal** Senegal, **16**
le **sens** direction; meaning
  **sens interdit (m.)** wrong way (traffic sign)
  **sens unique (m.)** one way (traffic sign)
se **sentir** to feel (well, etc.), **15.1**
**séparer** to separate
**sept** seven, **BV**
**septembre (m.)** September, **4.1**
la **série** series
**sérieux, sérieuse** serious, **10**
**serré(e)** tight, **10.2**
le **serveur, la serveuse** waiter, waitress, **5.1**
le **service** tip; service, **5.2**
  **Le service est compris.** The tip is included., **5.2**
la **serviette** napkin, **5.2**; towel, **17.2**
**servir** to serve (food), **7.2**; to serve (a ball in tennis, etc.), **9.2**
**ses** his, her (pl. poss. adj.), **5**
**seul(e)** alone; single; only (adj.)
  **tout(e) seul(e)** all alone, by himself/herself
**seulement** only (adv.)
**sévère** strict
le **sexe** sex
le **shampooing** shampoo
le **short** shorts, **9.2**
  **si** if; yes (after neg. question)
le **SIDA (Syndrome Immuno-Déficitaire Acquis)** AIDS
le **siècle** century
le **siège** seat, **7.1**
  **siffler** to (blow a) whistle, **13.1**
le **signal** sign

**signer** to sign, **18.1**
**signifier** to mean
**simplement** simply
**sincère** sincere, **1.2**
**situé(e)** located
**six** six, **BV**
le **ski** ski (n.), skiing (n.), **14.1**
   le **ski alpin** downhill skiing, **14.1**
   le **ski de fond** cross-country skiing, **14.1**
   **faire du ski** to ski, **14.1**
   **faire du ski nautique** to water-ski, **9.1**
le **skieur, la skieuse** skier, **14.1**
**social(e)** social
la **société** society
la **sociologie** sociology
la **sœur** sister, **1.2**
**soi: chez soi** home
la **soie: en soie** silk (adj.)
le **soir** evening, in the evening, **2**
   **du soir** P.M. (time), **2**
la **soirée** evening
**soit** is, exists (subjunctive)
**soixante** sixty, **BV**
**soixante-dix** seventy, **5.2**
le **sol** ground, **13.2**
les **soldes (f. pl.)** sale (in a store), **10.2**
le **soleil** sun
   le **soleil levant** rising sun
   **Il fait du soleil.** It's sunny., **9.2**
**soluble dans l'eau** water-soluble
**soluble dans la graisse** fat-soluble
**sombre** dark
la **somme** sum
le **sommeil** sleep
le **sommet** summit, mountaintop, **14.1**
**son** his, her (m. sing. poss. adj.), **4**
la **sorte** sort, kind
la **sortie** exit, **7.1**
**sortir** to go out, take out, **7**
**souffrir** to suffer, **15.2**
la **soupe à l'oignon** onion soup, **5.1**
la **source** source
**sous** under
les **sous-titres (m. pl.)** subtitles, **16.1**
**souvent** often, **5**
se **spécialiser** to specialize
le **spectacle** show
le **spectateur** spectator, **13.1**
la **splendeur** splendor
**splendide** splendid

le **sport: faire du sport** to play sports
   **pratiquer un sport** to play a sport
   le **sport collectif** team sport
   le **sport d'équipe** team sport
   les **sports d'hiver** winter sports, skiing, **14.1**
**sport** casual (clothes) (adj.), **10.1**
**sportif, sportive** athletic
le **stade** stadium, **13.1**
la **station balnéaire** seaside resort, **9.1**
la **station de métro** subway station, **4.2**
la **station de sports d'hiver** ski resort, **14.1**
la **station-service** gas station, **12.1**
le **stationnement** parking
**stationnement interdit** no parking (traffic sign)
**stationner** to park, **12.2**
   **Il est interdit de stationner.** No parking (traffic sign), **12.2**
la **statue** statue
**steak frites** steak and French fries, **5.2**
le **steward** flight attendant (m.), **7.2**
**stop** stop (traffic sign)
**strict(e)** strict
le **stylo** (ballpoint) pen, **BV**
se **succéder** to follow one another
le **succès** success
le **sud** south
le **sud-est** southeast
**suffir** to suffice, be enough
**suisse** Swiss (adj.)
la **Suisse** Switzerland
**suivant(e)** following (adj.)
**suivre** to follow
le **sujet** subject
**super** terrific, super, **2.2**; super (gasoline), **12.1**
**superbe** superb
la **superficie** area (geography)
le **supermarché** supermarket, **6.1**
**supersonique** supersonic
le **supplément** surcharge (train fare)
   **payer un supplément** to pay a surcharge (train)
**sur** on, **BV**
**sûr(e)** sure
la **surface** surface
**surgelé(e)** frozen, **6.2**
**surtout** especially, above all
**surveiller** to watch, **12.2**

le **survêtement** warmup suit, **11.2**
le **sweat-shirt** sweatshirt, **10.1**
**sympathique** nice (person), **1.2**
le **symptôme** symptom
le **syndicat d'initiative** tourist office
le **synonyme** synonym
le **système** system

# T

**ta** your (f. sing. poss. adj.), **4**
la **table** table, **BV**
le **tableau** blackboard, **BV**; painting, **16.2**
   le **tableau des départs et arrivées** arrival and departure board
la **taille** size (clothes), **10.2**
   la **taille au-dessous** next smaller size, **10.2**
   la **taille au-dessus** next larger size, **10.2**
   **Vous faites quelle taille?** What size do you take?, **10.2**
le **tailleur** suit (woman's), **10.1**
le **talon** heel, **10.2**
   **à talons hauts (bas)** high- (low-) heeled (shoes)
la **tante** aunt, **4.1**
**tard** late
   **plus tard** later
le **tarif** fare
   les **tarifs aériens** airfares
la **tarte** pie, tart, **6.1**
   la **tarte aux fruits** fruit tart, pie
la **tasse** cup, **5.2**
le **taux** level, rate
le **taxi** taxi, **7.2**
**te** (to) you (fam.) (dir. and ind. obj.), **15.2**
**technique** technical
**technologiquement** technologically
le **tee-shirt** T-shirt, **9.2**
la **télé** TV, **3.2**
   **à la télé** on TV
le **téléphone** telephone
le **télésiège** chairlift, **14.1**
la **température** temperature, **14.1**
le **temps** weather, **9.2**
   **de temps en temps** from time to time
   **Quel temps fait-il?** What's the weather like?, **9.2**
la **tendance: avoir tendance à** to tend (+ inf.)
le **tennis** tennis, **9.2**

les **tennis** (f. pl.) sneakers
le **terminal** terminal
le **terrain de football** soccer field, **13.1**
la **terrasse** terrace, **4.2**
    **la terrasse d'un café** sidewalk café, **5.1**
la **terre** earth, land
    **la Terre** the Earth
la **Terre-Neuve** Newfoundland
    **terrible** terrible; terrific (inform.), **2.2**
le **territoire** territory
le **tétanos** tetanus
la **tête** head, **13.1**
    **avoir mal à la tête** to have a headache, **15.1**
le **thé citron** tea with lemon, **5.1**
le **théâtre** theater, **16.1**
la **théorie** theory
    **Tiens!** Hey! Well! Look! **10.1**
le **tilleul** linden tree
    **timide** timid, shy, **1.2**
    **toi** you (sing., stress pron.), **9**
la **toilette: faire sa toilette** to wash and groom oneself, **11.1**
les **toilettes** (f. pl.) bathroom, **4.2**
la **tomate** tomato, **6.2**
    **tomber** to fall, **17**
    **ton** your (m. sing. poss. adj.), **4**
la **tonne** ton
le **topographe** topographer (m. and f.)
    **tôt** early
    **total(e)** total
    **toucher** to cash (a check), **18.1**; to touch
    **toujours** always, **5**
la **tour Eiffel** Eiffel Tower
le **tour: À votre tour.** (It's) your turn.
le/la **touriste** tourist
    **tous, toutes** all, every, **7**
    **tous (toutes) les deux** both
    **tout(e)** the whole, the entire, **7**
    **C'est tout?** Is that all?, **6.2**
    **tout autour de** all around (prep.)
    **tout de suite** right away
    **tout le monde** everyone, everybody, **BV**
    **tout(e) seul(e)** all alone, **5.2**
    **les tout premiers** (m.) the very first
    **toxique** toxic
la **tragédie** tragedy, **16.1**
le **train** train, **8.1**
    **le train à grande vitesse (TGV)** high-speed train

le **trajet** distance
    **transporter** to transport
le **travail** work
    **travailler** to work, **3.1**
    **travailleur, travailleuse** hard-working
    **traverser** to cross, **12.2**
    **treize** thirteen, **BV**
    **trente** thirty, **BV**
    **très** very, **1.2**
le **tricolore** French flag
la **trigonométrie** trigonometry, **2.2**
    **trois** three, **BV**
    **troisième** third, **4.2**
    **trop** too (excessive), **10.2**
    **trop de** too many, too much
le **trophée** trophy
    **tropical(e)** tropical, **9**
le **trottoir** sidewalk, **12.2**
le **trouble digestif** digestive trouble
    **trouver** to find, **5.1**; to think (opinion), **10.2**
se **trouver** to be located, found
    **tu** you (fam., subj. pron.), **1**
la **tuberculose** tuberculosis
    **tuer** to kill
la **Tunisie** Tunisia, **16**
le **type** guy (informal)
le **typhoïde** typhoide
    **typique** typical

## U

    **un, une** a, one, **BV**
    **unir** to unite
    **unisexe** unisex
l' **unité** (f.) unit
    **universitaire** university (adj.)
l' **université** (f.) university
l' **ustensile** (m.) utensil
    **utiliser** to use
    **en utilisant** using

## V

les **vacances** (f. pl.) vacation
    **en vacances** on vacation
le **vaccin** vaccination (shot)
la **vaccination** vaccination
    **vacciner** to vaccinate
    **vachement** really (informal)
la **vague** wave, **9.1**
la **valeur** value
la **valise** suitcase **7.1**
    **faire les valises** to pack, **7.1**
la **vallée** valley, **14.1**
la **vanille: à la vanille** vanilla (adj.), **5.1**

la **vapeur d'eau** water vapor
la **variation** variation
    **varié(e)** varied
    **varier** to vary
la **variété** variety
    **vaste** vast, enormous
    **vaut: il vaut mieux** it's better
la **vedette** star (actor or actress), **16.1**
le **végétal** vegetable, plant
    **végétarien(ne)** vegetarian
le **vélo** bicycle, **13.2**
    **à vélo** by bicycle
    **le vélo tout terrain (VTT)** mountain bike
le **vélodrome** bicycle racing track
le **vélomoteur** moped, **12.1**
le **vendeur, la vendeuse** salesperson, **10.1**
    **vendre** to sell, **8.1**
    **vendredi** (m.) Friday, **2.2**
    **venir** to come, **16**
    **venir de** to have just
    **venir en tête** to rate above
le **vent** wind, **14.2**
    **Il fait du vent.** It's windy., **9.2**
la **vente** sale
le **ventre** abdomen, stomach, **15.1**
    **avoir mal au ventre** to have a stomach-ache, **15.1**
    **au ventre de** in the depths of
le **ver à soie** silkworm
le **verbe** verb
    **vérifier** to check, verify, **7.1**
    **vérifier les niveaux** to check under the hood, **12.1**
    **véritable** real
le **verre** glass, **5.2**
    **vers** around (time); towards
le **versement** deposit
la **version originale** original language version (of a movie), **16.1**
    **vert(e)** green, **10.2**
    **vertical(e)** vertical
la **veste** (sports) jacket, **10.1**
    **vestimentaire: normes vestimentaires** dress code
le **veston** (suit) jacket
les **vêtements** (m. pl.) clothes, **10.1**
la **viande** meat, **6.1**
la **victoire** victory
le **vide** vacuum, space
    **vide** empty
la **vidéo(cassette)** videocassette, **3.2**

la **vie** life
  **vieille** old (f.), **4.1**
  **vieux (vieil)** old (m.), **4.1**
  **vif, vive** bright (color)
  **vigilant(e)** vigilant, watchful
la **villa** house
le **village** village, small town
la **ville** city, town
le **vin (rouge, blanc)** (red, white) wine
  **vingt** twenty, **BV**
  **violent(e)** violent
  **viral(e)** viral, **15.1**
la **virgule** comma
le **virus** virus
la **visite** visit
  **visiter** to visit (a place), **16.2**
la **vitamine** vitamin
  **vite** fast (adv.), **12.2**
la **vitrine** (store) window
  **Vive . . . !** Long live . . . !, Hooray for . . . !
  **vivre** to live (exist)
  **voici** here is, here are, **1.1**
la **voie** track (railroad), **8.1**; lane (of a road), **12.1**
  **voilà** there is, there are (emphatic)
  **voir** to see, **10.1**
le **voisin, la voisine** neighbor, **4.2**

la **voiture** car, **4.2**
  **la voiture-lit** sleeping car, **8.2**
  **la voiture-restaurant** dining car
  **la voiture de sport** sports car, **12.1**
  **en voiture** by car, 5.2; "All aboard!," **8**
  **monter en voiture** to board the train, **8**
le **vol** flight, **7.1**
le **volley-ball** volleyball, **13.2**
le **volume** volume
  **vos** your (pl. poss. adj.), **5**
  **votre** your (sing. poss. adj.), **5**
  **voudrais: je voudrais** I would like, **5.1**
  **vouloir** to want, **6.1**
  **vous** you (sing. form., pl.), **2**; you (stress pron.), **9**; (to) you (dir. and ind. obj.), **15**
le **voyage** trip
  **faire un voyage** to take a trip, **7.1**
  **voyager** to travel, **8.1**
le **voyageur, la voyageuse** traveler, passenger, **8.1**
  **vrai(e)** true, real
  **vraiment** really, **2.1**

la **vue** view
la **vulgarité** vulgarity

## W

le **walkman** walkman, **3.2**
le **week-end** weekend, **2.2**

## Y

  **y** there, **5.2; 18.2**
le **yaourt** yogurt, **6.1**
les **yeux (m. pl; sing. œil)** eyes, **15.1**
  **avoir les yeux qui piquent** to have stinging eyes, **15.1**

## Z

  **zéro** zero, **BV**
la **zone** area, zone, section, **7.1**
  **la zone tempérée** temperate zone
  **en pleine zone tempérée** right in the temperate zone
la **zoologie** zoology
  **zut!** darn!, **12.2**

# VOCABULAIRE ANGLAIS-FRANÇAIS

The *Vocabulaire anglais-français* contains all productive and receptive vocabulary from the text.

The numbers following each productive entry indicate the chapter and vocabulary section in which the word is introduced. For example, 2.2 means that the word first appeared in *Chapitre 2, Mots 2. BV* refers to the introductory *Bienvenue* lesson.

The following abbreviations are used in this glossary.

| | |
|---|---|
| adj. | adjective |
| adv. | adverb |
| conj. | conjunction |
| dem. adj. | demonstrative adjective |
| dem. pron. | demonstrative pronoun |
| dir. obj. | direct object |
| f. | feminine |
| fam. | familiar |
| ind. obj. | indirect object |
| inf. | infinitive |
| inform. | informal |
| inv. | invariable |
| m. | masculine |
| n. | noun |
| pl. | plural |
| poss. adj. | possessive adjective |
| prep. | preposition |
| pron. | pronoun |
| sing. | singular |
| subj. | subject |

## A

a   un, une, **1**
  **a day (week)**   par jour (semaine), **3.2**
  **a lot**   beaucoup, **3.1**
**abdomen**   le ventre, **15.1**
**accident**   l'accident (m.), **14.2**
**act**   l'acte (m.), **16.1**
**active**   actif, active, **10**
**actor**   l'acteur (m.), **16.1**
**actress**   l'actrice (f.), **16.1**
**aerobics: to do aerobics**   faire de l'aérobic, **11.2**
**after**   après, **3.2**
**afternoon**   l'après-midi (m.), **2**
**against**   contre, **13.1**
**age**   l'âge (m.), **4.1**
**agent (m. and f.)**   l'agent (m.), **7.1**
to **agree**   être d'accord, **2.1**
**air**   aérien(ne) (adj.), **9**
  **air terminal**   l'aérogare (f.), **7.1**
**airline**   la compagnie aérienne, **7.1**
**airplane**   l'avion (m.), **7.1**
**airport**   l'aéroport (m.), **7.1**
**aisle**   le couloir (n.), **8.2**
  **aisle seat**   (une place) côté couloir, **7.1**
**algebra**   l'algèbre (f.), **2.2**
**all**   tous, toutes, **7**
  **all alone**   tout(e) seul(e), **5.2**
  **all right**   d'accord (agreement), **3**
  **Is that all?**   C'est tout?, **6.2**
**allergic**   allergique, **15.1**
**allergy**   l'allergie (f.), **15.1**
**already**   déjà, **14**
**also**   aussi, **1.1**
**always**   toujours, **5**
**American**   américain(e) (adj.), **1.1**
**among**   entre, **9.2**
**and**   et, **1**
  **and you?**   et toi? (fam.), **BV**
**angry**   fâché(e), **12.2**
**announcement**   l'annonce, (f.), **8.1**
to **answer**   répondre, **8**
**antibiotic**   l'antibiotique (m.), **15.1**
**Anything else?**   Autre chose?, **6.2**
**apartment**   l'appartement (m.), **4.2**
**apartment building**   l'immeuble (m.), **4.2**
**apple**   la pomme, **6.2**
**April**   avril (m.), **4.1**

**arrival**   l'arrivée (f.), **7.2**
to **arrive**   arriver, **3.1**
**arriving from (flight)**   en provenance de, **7.1**
**art**   l'art (m.), **2.2**
to **ask (for)**   demander, **5**
  **to ask a question**   poser une question, **3.1**
**aspirin**   l'aspirine (f.), **15.1**
**at**   à, **3.1**
  **at the**   au, aux, **5**
  **at the home (business) of**   chez, **5**
  **at what time?**   à quelle heure?, **2**
**athletic**   sportif, sportive, **10**
**August**   août (m.), **4.1**
**aunt**   la tante, **4.1**
**autumn**   l'automne (m.), **13.2**

## B

**backboard (basketball)**   le panneau, **13.2**
**backpack**   le sac à dos, **BV**
**bacterial**   bactérien(ne), **15.1**
**bag**   le sac, **6.1**
**bakery**   la boulangerie-pâtisserie, **6.1**
**balcony**   le balcon, **4.2**
**ball**   la balle (tennis, etc.), **9.2**; le ballon (soccer, etc.), **13.1**
**banana**   la banane, **6.2**
**bank**   la banque, **18.1**
**baseball**   le base-ball, **13.2**
**basket**   le panier, **13.2**
**basketball**   le basket(-ball), **13.2**
**bathing suit**   le maillot (de bain), **9.1**
**bathroom**   la salle de bains, (f.), les toilettes (f. pl.), **4.2**
to **be**   être, **2.1**
  **to be able to**   pouvoir, **6**
  **to be better soon**   être vite sur pied, **15.2**
  **to be born**   naître, **17**
  **to be called**   s'appeler, **11.1**
  **to be careful**   faire attention, **9.1**
  **to be early**   être en avance, **8.1**
  **to be hungry**   avoir faim, **5.1**
  **to be in shape**   être en forme, **11.2**
  **to be late**   être en retard, **8.2**
  **to be on time**   être à l'heure, **8.1**
  **to be out of sorts**   ne pas être dans son assiette, **15.2**
  **to be thirsty**   avoir soif, **5.2**

  **to be . . . years old**   avoir . . . ans, **4.1**
**beach**   la plage, **9.1**
**beautiful**   beau (bel), belle, **4**
**because**   parce que, **9.1**
to **become**   devenir, **16**
**bed**   le lit, **8.2**
to **go to bed**   se coucher, **11.1**
**bedroom**   la chambre à coucher, **4.2**
**beef**   le bœuf, **6.1**
**before**   avant, **7.1**
**beginner**   le débutant, la débutante, **14.1**
**behind**   derrière, **BV**
**beige**   beige, **10.2**
to **believe**   croire, **10.2**
**better**   meilleur(e) (adj.), **10**
**between**   entre, **9.2**
**beverage**   la boisson, **5.2**
**bicycle**   le vélo, **13.2**
  **bicycle racer**   le coureur cycliste, **13.2**
  **by bicycle**   à vélo, **5.2**
**big**   grand(e), **1.1**
**bill**   le billet (currency), **18.1**; la facture, **17.2**
**biology**   la biologie, **2.2**
**birthday**   l'anniversaire (m.), **4.1**
  **When is your birthday?**   C'est quand, ton anniversaire? (fam.), **4.1**
**black**   noir(e), **10.2**
**blackboard**   le tableau, **BV**
**blanket**   la couverture, **17.2**
**bleacher**   le gradin, **13.1**
**blond**   blond(e), **1.1**
**blouse**   le chemisier, **10.1**
to **blow a whistle**   siffler, **13.1**
**blue**   bleu(e), **10.2**
  **navy blue**   bleu marine (inv.), **10.2**
to **board**   embarquer (plane), **7.2**; monter (train), **8.2**
  **boarding pass**   la carte d'embarquement, **7.1**
**book**   le livre, **BV**
**born: to be born**   naître, **17**
to **borrow**   emprunter, **18.2**
**bottle**   la bouteille, **6.2**
**boundaries (on a tennis court)**   les limites (f. pl.), **9.2**
**box office**   le guichet, **16.1**
**boy**   le garçon, **BV**
to **brake**   freiner, **12.2**
**bread**   le pain, **6.1**
  **loaf of French bread**   la baguette, **6.1**
to **breathe (deeply)**   respirer (à fond), **15.2**

**broke (slang)** fauché(e), **18.2**
**brother** le frère, **1.2**
**brown** brun(e), marron (inv.), **10.2**
**brunette** brun(e), **1.1**
to **brush (one's teeth, hair, etc.)** se brosser (les dents, les cheveux, etc.), **11.1**
**bunk (on a train)** la couchette, **8.2**
**bus** l'autocar (m.), **7.2**, le bus, **5.2**
  **by bus** en bus, **5.2**
**busy** occupé(e), **2.2**
**but** mais, **1**
**butcher shop** la boucherie, **6.1**
**butter** le beurre, **6.2**
to **buy** acheter, **6.1**
  **to buy a ticket** prendre un billet, **7**

## C

**cabin (plane)** la cabine, **7.1**
**café** le café, **5.1**
**cake** le gâteau, **6.1**
**calculator** la calculatrice, **BV**
**can of food** la boîte de conserve, **6.2**
**Canadian** canadien(ne), **7**
**cap (ski)** le bonnet, **14.1**
**car** la voiture, **4.2**
  **sports car** la voiture de sport, **12.2**
**carefully** prudemment, **12.2**
**carrot** la carotte, **6.2**
**carry-on luggage** les bagages (m. pl.) à main, **7.1**
**cartoon** le dessin animé, **16.1**
**cash** l'argent liquide (m.), **18.1**
  **to cash (a check)** toucher (un chèque), **18.1**
**cash register** la caisse, **6.2**
**cashier** le caissier, la caissière, **17.2**
**cassette** la cassette, **3.2**
**casual (clothes)** sport (adj. inv.), **10.1**
**cat** le chat, **4.1**
**chair** la chaise, **BV**
**chairlift** le télésiège, **14.1**
**chalk: piece of chalk** le morceau de craie, **BV**
**change** la monnaie, **18.1**
  **to make change** faire de la monnaie, **18.1**
to **change** changer (de), **8.2**
**change purse** le porte-monnaie, **18.1**
to **chat** bavarder, **4.2**

to **check** vérifier, **7.1**; faire enregistrer (luggage), **7.1**
  **to check under the hood** vérifier les niveaux, **12.2**
  **to check out (of a hotel)** libérer une chambre, **17.2**
**check (n.)** l'addition (f.) (in a restaurant), **5.2**; le chèque (bancaire), **18.1**
  **traveler's check** le chèque de voyage, **17.2**
**checkout counter** la caisse, **6.2**
**checkroom** la consigne, **8.1**
**cheese** le fromage, **5.1**
**chemistry** la chimie, **2.2**
**chicken** le poulet, **6.1**
**child** l'enfant (m. et f.), **4.1**
**chills (n.)** les frissons (m. pl.), **15.1**
**chocolate (adj.)** au chocolat, **5.1**
to **choose** choisir, **7.1**
to **claim (luggage)** récupérer, **7.2**
**class** la classe (people), **2.1**; le cours (course), **2.2**
**classroom** la salle de classe, **2.1**
**closed** fermé(e), **16.2**
**closet** le placard, **17.2**
**clothes** les vêtements (m. pl.), **10.1**
**clothing designer** le grand couturier, **10.1**
**cloud** le nuage, **9.2**
**Coca-Cola** le coca, **5.1**
**coffee** le café, **5.1**
  **black coffee** l'express (m.), **5.1**
  **coffee with cream (in a café)** le crème, **5.1**
**coin** la pièce, **18.1**
**cold** froid(e) (adj.), **14.2**; le rhume (illness), **15.1**
  **to have a cold** être enrhumé(e), **15.1**
  **It's cold (weather).** Il fait froid., **9.2**
**color** la couleur, **10.2**
  **What color is . . . ?** De quelle couleur est . . . ?, **10.2**
to **comb (one's hair)** se peigner, **11.1**
to **come** venir, **16**
to **come back** revenir, **16**
**comedy** la comédie, **16.1**
  **musical comedy** la comédie musicale, **16.1**
**comic strip** la bande dessinée, **16**

**compact disc** le compact disc, **3.2**
**compartment** le compartiment, **7.2**
**computer** l'ordinateur (m.), **BV**
  **computer science** l'informatique (f.), **2.2**
**conductor (train)** le contrôleur, **8.2**
**confident** confiant(e), **1.1**
**convertible (car)** la décapotable, **12.2**
to **cook** faire la cuisine, **6**
**corridor** le couloir, **8.2**
**costume** le costume, **16.1**
to **cough** tousser, **15.1**
**counter** le comptoir, **7.1**
**country** le pays, **7.1**
**course** le cours, **2.2**
**courtyard** la cour, **4.2**
**cousin** le cousin, la cousine, **4.1**
to **cover** couvrir, **15**
**crab** le crabe, **6.1**
**cream** la crème, **6.1**
**credit card** la carte de crédit, **17.2**
**crepe** la crêpe, **5.1**
**croissant** le croissant, **6.1**
to **cross** traverser, **12.2**
**crossroads** le carrefour, **12.2**
**cup** la tasse, **5.2**
  **winner's cup** la coupe, **13.2**
**currency** la monnaie, **18.1**
**curtain** le rideau, **16.1**
**customer** le client, la cliente, **10.1**
**customs** la douane, **7.2**
  **to go through customs** passer à la douane, **7.2**
**cycling** le cyclisme, **13.2**
**cyclist** le coureur cycliste (in a race), **13.2**

## D

**dairy store** la crémerie, **6.1**
to **dance** danser, **3.2**
**darn!** zut!, **12.2**
**date: What is the date today?** Quelle est la date aujourd'hui?, **4.1**
**datebook** l'agenda (m.), **2.2**
**daughter** la fille, **4.1**
**day** le jour, **2.2**
  **a (per) day** par jour, **3**
  **What day is it?** C'est quel jour?, **2.2**
**December** décembre (m.), **4.1**

degree: It's . . . degrees Celsius. Il fait . . . degrés Celsius., 14.2

delicatessen la charcuterie, 6.1

delicious délicieux, délicieuse, 10

deodorant le déodorant, 11.1

department store le grand magasin, 10.1

departure le départ, 7.1

to deposit verser, 18.1

to descend descendre, 14.1

desk le bureau, BV

desk clerk le/la réceptionniste, 17.1

diagnosis: to make a diagnosis faire un diagnostic, 15.2

to die mourir, 17

difficult difficile, 2.1

dining car la voiture-restaurant, 8.2

dining room la salle à manger, 4.2

dinner le dîner, 4.2

to eat dinner dîner, 4.2

to discover découvrir, 15

district le quartier, 4.2; l'arrondissement (m.) (in Paris)

to dive plonger, 9.1

diving: to go deep-sea diving faire de la plongée sous-marine, 9.1

to do faire, 6.1

to do the shopping faire les courses, 6.1

doctor le médecin (m. et f.), 15.2

documentary le documentaire, 16.1

dog le chien, 4.1

dollar le dollar, 18.1

domestic (flight) intérieur(e), 7.1

door la porte, 17.1

dozen la douzaine, 6.2

drama le drame, 16.1

dress la robe, 10.1

dressed: to get dressed s'habiller, 11.1

dressy habillé(e), 10.1

to dribble (a basketball) dribbler, 13.2

to drive conduire, 12.2

driver le conducteur, la conductrice, 12.2

driver's license le permis de conduire, 12.2

driving lesson la leçon de conduite, 12.2

driving school l'auto-école (f.), 12.2

to dry (off) se sécher, 17.2

dubbed (movie) doublé(e), 16.1

during pendant, 3.2

## E

each (adj.) chaque, 16.1

ear l'oreille (f.), 15.1

earache: to have an earache avoir mal aux oreilles, 15.1

early: to be early être en avance, 8.1

to earn gagner, 3.2

easy facile, 2.1

to eat manger, 5

to eat breakfast prendre le petit déjeuner, 7

to eat dinner dîner, 4.2

to eat lunch déjeuner, 5.2

egg l'œuf (m.), 6.2

eight huit, BV

eighteen dix-huit, BV

eighty quatre-vingts, 5.2

elevator l'ascenseur (m.), 4.2

eleven onze, BV

energetic énergique, 1.2

English (language) l'anglais (m.), 2.2

to enter entrer, 3.1

entire entier, entière, 10

entrance l'entrée (f.), 4.2

espresso l'express (m.), 5.1

European (adj.) européen(ne), 7

evening le soir, 2

in the evening (P.M.) du soir, 2

every tous, toutes, 7; chaque, 16.1

everybody, everyone tout le monde, BV

everywhere partout

exam l'examen (m.), 3.1

to take an exam passer un examen, 3.1

to pass an exam réussir à un examen, 7

to examine examiner, 15.2

except sauf, 16.2

to exchange (money) changer, 18.1

exchange office (for foreign currency) le bureau de change, 18.1

exchange rate le cours du change, 18.1

to exercise faire de l'exercice, 11.2

exhibit l'exposition (f.), 16.2

exit la sortie, 7.1

expenses les frais (m. pl.), 17.2

expensive cher, chère, 10.1

eye l'œil (m., pl. yeux), 15.1

to have stinging eyes avoir les yeux qui piquent, 15.1

## F

face la figure, 11.1

to face donner sur, 17.1

to fall faire une chute, 14.2; tomber, 17

to fall asleep s'endormir, 11.1

fall l'automne (m.) (season), 13.2

family la famille, 4.1

famous célèbre, 1.2

fantastic fantastique, 1.2

far from loin de, 4.2

fast vite, 12.2

father le père, 4.1

favorite favori(te), 10

February février (m.), 4.1

to feel se sentir (feel well, etc.), 15.1

to feel out of sorts ne pas être dans son assiette, 15.2

fever la fièvre, 15.1

to have a high fever avoir une fièvre de cheval, 15.2

few peu (de), 18

fifteen quinze, BV

fifty cinquante, BV

to fill out remplir, 7.2

to fill up faire le plein (gas tank), 12.2

film le film, 16.1

love story (movie) le film d'amour, 16.1

adventure film/movie le film d'aventures, 16.1

foreign film le film étranger, 16.1

horror film/movie le film d'horreur, 16.1

detective film/movie le film policier, 16.1

science fiction film/movie le film de science-fiction, 16.1

finally enfin, 11.1

to find trouver, 5.1

fine ça va, bien, BV

to finish finir, 7

first premier, première (adj.), 4.2; d'abord (adv.), 11.1

in first class en première, 8.1

fish le poisson, 6.1

fish store la poissonnerie, 6.1

fishing: to go fishing aller à la pêche, 9.1

**fitness (physical)** la forme physique, **11**
**five** cinq, **BV**
**flight** le vol, **7.1**
  **flight attendant** l'hôtesse (f.) de l'air, le steward, **7.2**
**floor (of a building)** l'étage (m.), **4.2**
**flu** la grippe, **15.1**
**foot** le pied, **13.1**
  **on foot** à pied, **5.2**
**for (time)** depuis, **8.2**
**forbidden** interdit(e), **12.2**
**foreign** étranger, étrangère, **16.1**
**fork** la fourchette, **5.2**
**forty** quarante, **BV**
**four** quatre, **BV**
**fourteen** quatorze, **BV**
**franc** le franc, **18.1**
**France** la France, **16**
**free** libre, **2.2**
**freezing: It's freezing (weather).** Il gèle., **14.2**
**French** français(e) (adj.), **1.1**; le français (language), **2.2**
**French fries** les frites (f. pl.), **5.2**
**Friday** vendredi (m.), **2.2**
**friend** l'ami(e), **1.2**; le copain, la copine (pal), **2.1**
**from** de, **1.1**
  **from the** du, de la, de l', des, **5**
**frozen** surgelé(e), **6.2**
**fruit** le fruit, **6.2**
**full** plein(e), **13.1**
  **full-time** à plein temps, **3.2**
**fun: to have fun** s'amuser, **11.2**
**funny** amusant(e), **1.1**; comique, **1.2**

## G

to **gain weight** grossir, **11.2**
**game** le match, **9.2**
**garage** le garage, **4.2**
**garden** le jardin, **4.2**
**gas(oline)** l'essence (f.), **12.1**
  **regular (gas)** (de l'essence) ordinaire, **12.1**
  **super (gas)** (de l'essence) super, **12.1**
  **unleaded (gas)** (de l'essence) **sans plomb**, **12.1**
**gas station** la station-service, **12.2**
  **gas station attendant** le/la pompiste, **12.2**
**gas tank** le réservoir, **12.2**
**gate (airport)** la porte, **7.1**

**geography** la géographie, **2.2**
**geometry** la géométrie, **2.2**
to **get a sunburn** attraper un coup de soleil, **9.1**
to **get in shape** se mettre en forme, **11.1**
to **get off** descendre, **8.2**
to **get on** monter, **8.2**
to **get up** se lever, **11.1**
**gift** le cadeau, **10.2**
**girl** la fille, **BV**
to **give** donner, **3.2**
  **to give back** rendre, **18.2**
**glass** le verre, **5.2**
**glove** le gant, **14.1**
to **go** aller, **5.1**
  **to go (in a car, etc.)** rouler, **12.2**
  **to go deep-sea diving** faire de la plongée sous-marine, **9.1**
  **to go down** descendre, **14.1**
  **to go fast** rouler vite, **12.2**
  **to go fishing** aller à la pêche, **9.1**
  **to go home** rentrer, **3.1**
  **to go out** sortir, **7**
  **to go to bed** se coucher, **11.1**
  **to go through customs,** passer à la douane, **7.2**
  **to go up** monter, **17.1**
  **to go windsurfing** faire de la planche à voile, **9.1**
  **Shall we go?** On y va?, **5**
**goal** le but, **13.1**
**goalie** le gardien de but, **13.1**
**goggles (ski)** les lunettes (f. pl.), **14.1**
**good** bon(ne), **7**
**goodbye** au revoir, ciao (inform.), **BV**
**gram** le gramme, **6.2**
**granddaughter** la petite-fille, **4.1**
**grandfather** le grand-père, **4.1**
**grandmother** la grand-mère, **4.1**
**grandparents** les grands-parents (m. pl.), **4.1**
**grandson** le petit-fils, **4.1**
**gray** gris(e), **10.2**
**great** chouette (inform.), **2.2**
**green** vert(e), **10.2**
**green beans** les haricots (m. pl.) verts, **6.2**
**grilled ham and cheese sandwich** le croque-monsieur, **5.1**
**grocery store** l'épicerie (f.), **6.1**
**ground** le sol, **13.2**

**ground floor** le rez-de-chaussée, **4.2**
**guide(book)** le guide, **12.2**
**gym(nasium)** le gymnase, **11.2**
**gymnastics** la gymnastique, **2.2**
  **to do gymnastics** faire de la gymnastique, **11.2**

## H

**hair** les cheveux (m.pl.), **11.1**
**half** demi(e)
  **half past (time)** et demie, **2**
**ham** le jambon, **5.1**
**hand** la main, **11.1**
**handkerchief** le mouchoir, **15.1**
**hanger** le cintre, **17.2**
**happy** content(e), **1.1**; heureux, heureuse, **10.2**
**hard (adv.)** fort, **9.2**
**hat** le bonnet, **14.1**
to **hate** détester, **3.2**
to **have** avoir, **4.1**
  **to have a(n) . . . -ache** avoir mal à (aux) . . . , **15.2**
  **to have a cold** être enrhumé(e), **15.1**
  **to have a picnic** faire un pique-nique, **6**
  **to have to** devoir, **18.2**
**he** il, **1**
**head** la tête, **13.1**
**headache: to have a headache** avoir mal à la tête, **15.1**
**health** la santé, **15.1**
  **to be in good (poor) health** être en bonne (mauvaise) santé, **15.1**
  **health club** le club de forme, **11.2**
to **hear** entendre, **8.1**
**heel** le talon, **10.2**
  **high (low)-heeled (shoes)** à talons hauts (bas), **10.2**
**hello** bonjour, **BV**
**her** elle (stress pron.), **9**; la (dir. obj.), **16**; lui (ind. obj.), **17.1**; sa, son (poss. adj.), **4**; ses (poss. adj.), **5**
**here is, here are** voici, **1.1**
**hi** salut, **BV**
**high** élevé(e), **15**; haut(e), **10.2**
  **high school** le lycée, **1.2**
**highway** l'autoroute (f.), **12**
**him** le (dir. obj.), **16.1**; lui (stress pron.), **9**; lui (ind. obj.), **17.1**
**his** sa, son, **4**; ses, **5**
**history** l'histoire (f.), **2.2**

to **hit** frapper, **9.2**
  **homework (assignment)** le devoir, **BV**
    **to do homework** faire les devoirs, **6**
  **hot: It's hot (weather).** Il fait chaud., **9.2**
  **hot dog** la saucisse de Francfort, **5.1**
  **hotel** l'hôtel (m.), **17.1**
  **house** la maison, **3.1**
  **how: How are you?** Ça va? (inform.); Comment vas-tu? (fam.); Comment allez-vous? (form.), **BV**
  **How beautiful they are!** Qu'elles (ils) sont belles (beaux)!
  **how much** combien, **6.2**
  **How much is it?** C'est combien?, **6.2**
  **How much is that?** Ça fait combien?, **5.2**
  **How's it going?** Ça va?, **BV**
  **hundred** cent, **5.2**
to **hurt** avoir mal à, **15.1**
  **It hurts.** Ça fait mal., **15.2**
  **Where does it hurt (you)?** Où avez-vous mal?, **15.2**
  **husband** le mari, **4.1**

## I

**I** je, **1**
**ice** la glace, **14.2**
**ice cream** la glace, **5.1**
**ice skate (n.)** le patin à glace, **14.2**
  **(ice) skating (n.)** le patinage, **14.2**
  **to (ice) skate** faire du patin (à glace), **14.2**
**immigration** l'immigration (f.), **7.2**
**impatient** impatient(e), **1.1**
**in** dans, **BV**; à, **3.1**
  **in back of** derrière, **BV**
  **in front of** devant, **BV**
  **in first (second) class** en première (seconde), **8.1**
**inexpensive** bon marché (inv.), **10.1**
**infection** l'infection (f.), **15.1**
**instructor** le moniteur, la monitrice, **9.1**
**intelligent** intelligent(e), **1.1**
**interesting** intéressant(e), **1.1**
**intermission** l'entracte (m.), **16.1**

**international** international(e), **7.1**
**intersection** le croisement, **12.2**
to **invite** inviter, **3.2**
  **it (dir. obj.)** le, la, **16.1**
  **it is, it's** c'est, **BV**
  **It's expensive.** Ça coûte cher., **7.2**
  **it is necessary (+ inf.)** il faut (+ inf.), **9.1**
**Italian** italien(ne), **7**
**Italy** l'Italie (f.), **16**

## J

**jacket** le blouson, **10.1**
  **(suit) jacket** la veste, **10.1**
  **ski jacket** l'anorak (m.), **14.1**
**January** janvier (m.), **4.1**
**jar** le pot, **6.2**
**jeans** le jean, **10.1**
to **jog** faire du jogging, **11.2**
to **joke around** rigoler, **3.2**
**July** juillet (m.), **4.1**
**June** juin (m.), **4.1**

## K

**key** la clé, **12.2**; (basketball) le demi-cercle, **13.2**
to **kick** donner un coup de pied, **13.1**
**kilogram** le kilo, **6.2**
**kind (n.)** le genre, **16.1**
**kitchen** la cuisine, **4.2**
**kleenex** le kleenex, **15.1**
**knife** le couteau, **5.2**
to **know** connaître (be acquainted with), savoir (information), **16.2**

## L

to **land** atterrir, **7.1**
  **landing card** la carte de débarquement, **7.2**
  **lane (of a road)** la voie, **12.2**
**language** la langue, **2.2**
**last** dernier, dernière, **10**
  **last night** hier soir, **13**
  **last year** l'année (f.) dernière, **13**
**late: to be late** être en retard, **8.2**
**Latin** le latin, **2.2**
to **learn (to)** apprendre (à), **9.1**
to **leave** partir, **7**
  **to leave (a room, etc.)** quitter, **3.1**

**to leave (something behind)** laisser, **5.2**
  **to leave a tip** laisser un pourboire, **5.2**
**left: to the left of** à gauche de, **5**
**lemonade** le citron pressé, **5.1**
to **lend** prêter, **18.2**
**lesson** la leçon, **9.1**
**lettuce** la laitue, **6.2**
**level** le niveau, **12.2**
to **like** aimer, **3.2**
  **I would like** je voudrais, **5.1**
  **line: to wait in line** faire la queue, **8.1**
to **listen (to)** écouter, **3.2**
  **to listen with a stethoscope** ausculter, **15.1**
**liter** le litre, **6.2**
**literature** la littérature, **2.2**
to **live (in a city, house, etc.)** habiter, **3.1**
  **living room** la salle de séjour, **4.2**
**lobby** le hall, **17.1**
**locker** la consigne automatique, **8.1**
**long** long(ue), **10.2**
to **look at** regarder, **3.1**
to **look for** chercher, **5.1**
to **lose** perdre, **8.2**
  **to lose patience** perdre patience, **8.2**
  **to lose weight** maigrir, **11.2**
**lot: a lot of** beaucoup de, **10.1**
  **a lot of people** beaucoup de monde, **13.1**
**loudspeaker** le haut-parleur, **8.1**
to **love** aimer, **3.2**
**low** bas(se), **10**
**luggage** les bagages (m. pl.), **7.1**
  **carry-on luggage** les bagages à main, **7.1**

## M

**ma'am** madame, **BV**
**magazine** le magazine, **3.2**
**maitre d'** le maître d'hôtel, **5.2**
to **make** faire, **6.1**
  **make (of car)** la marque, **12.2**
**man** l'homme (m.), **10.1**
**March** mars (m.), **4.1**
**market** le marché, **6.2**
**marvelous** merveilleux, merveilleuse, **10.2**
**match (singles, doubles) (tennis)** la partie (en simple, en double), **9.2**

**math** les maths (f. pl.), **2.2**
**May** mai (m.), **4.1**
**me** me (dir. and ind. obj.), **15.2**; moi (stress pron.), **1.2**
**meat** la viande, **6.1**
**medicine** la médecine (medical profession), **15**; le médicament (remedy), **15.2**
**medium-rare (meat)** à point, **5.2**
**menu** la carte, **5.1**
**merchant** le marchand, la marchande, **6.2**
   **produce merchant** le marchand, la marchande de fruits et légumes, **6.2**
**meter maid** la contractuelle, **12.2**
**midnight** minuit (m.), **2.2**
**milk** le lait, **6.1**
**mineral water** l'eau (f.) minérale, **6.2**
**mirror** la glace, **11.1**
**Miss (Ms.)** Mademoiselle (Mlle), **BV**
**mogul** la bosse, **14.1**
**Monday** lundi (m.), **2.2**
**money** l'argent (m.), **3.2**
   **to have lots of money** avoir plein de fric (slang), **18.2**
**month** le mois, **4.1**
**moped** le vélomoteur, **12.2**
**morning** le matin, **2**
   **in the morning (A.M.)** du matin, **2**
**Morocco** le Maroc, **16**
**most (of)** la plupart (des), **8.2**
**mother** la mère, **4.1**
**motorcycle** la moto, **12.2**
   **motorcycle cop** le motard, **12.2**
**mountain** la montagne, **14.1**
**mouth** la bouche, **15.1**
**movie** le film, **16.1**
   **movie theater** le cinéma, la salle de cinéma, **16.1**
**Mr.** Monsieur (M.), **BV**
**Mrs., Ms.** Madame (Mme), **BV**
**museum** le musée, **16.2**
**music** la musique, **2.2**
**must** devoir, **18.2**
**mustard** la moutarde, **6.2**
**my** ma, mon, **4**; mes, **5**

### N

**name** le nom, **16.2**
   **What is your name?** Tu t'appelles comment? (fam.), **11.1**

**napkin** la serviette, **5.2**
**narrow** étroit(e), **10.2**
**near** près de, **4.2**
**necessary: it is necessary (+ inf.)** il faut (+ inf.), **9.1**
to **need** avoir besoin de, **11.1**
**neighbor** le voisin, la voisine, **4.2**
**neighborhood (n.)** le quartier, **4.2**
**nephew** le neveu, **4.1**
**net** le filet, **9.2**
   **net bag** le filet, **6.1**
**never** ne . . . jamais, **12**
**new** nouveau (nouvel), nouvelle, **4**
**newspaper** le journal, **8.1**
**newsstand** le kiosque, **8.1**
**next** prochain(e), **8.2**
   **next to** à côté de, **5**
**nice (person)** aimable, sympathique, **1.2**; gentil(le), **9**
**niece** la nièce, **4.1**
**nine** neuf, **BV**
**nineteen** dix-neuf, **BV**
**ninety** quatre-vingt-dix, **5.2**
**no one, nobody** ne . . . personne, **12.2**
**No parking permitted.** Il est interdit de stationner., **12.2**
**no smoking (section)** (la zone) non fumeurs, **7.1**
**noon** midi (m.), **2.2**
**nose** le nez, **15.1**
   **to have a runny nose** avoir le nez qui coule, **15.1**
**not** ne . . . pas, **1**
   **not bad** pas mal, **BV**
**notebook** le cahier, **BV**
**nothing** ne . . . rien, **12.2**
   **nothing else** rien d'autre, **6.2**
**novel** le roman, **16**
**November** novembre (m.), **4.1**
**now** maintenant, **2**
**number** le numéro, **5.2**
   **What is the phone number of . . . ?** Quel est le numéro de téléphone de . . . ? **5.2**

### O

to **obey** obéir (à), **7**
**o'clock: it's . . . o'clock** il est . . . heure(s), **2.2**
**October** octobre (m.), **4.1**
**of** de, **5**
   **of the** du, de la, de l', des, **5**
to **offer** offrir, **15**

**often** souvent, **5**
**OK** ça va (health); d'accord (agreement), **BV**
**old** vieux (vieil), vieille, **4.1**
   **How old are you?** Tu as quel âge? (fam.), **4.1**
**omelette (with herbs/plain)** l'omelette (f.) (aux fines herbes/nature), **5.1**
**on** sur, **BV**
   **on board** à bord de, **7.2**
   **on foot** à pied, **5.2**
   **on time** à l'heure, **8.1**
**one** un, une, **1**
   **one-way ticket** l'aller simple (m.), **8.1**
**onion** l'oignon (m.), **6.2**
   **onion soup** la soupe à l'oignon, **5.1**
**open** ouvert(e), **16.2**
   **to open** ouvrir, **15.2**
**opera** l'opéra (m.), **16.1**
**opinion: in my opinion** à mon avis, **10.2**
to **oppose** opposer, **13.1**
**opposing** adverse, **13.1**
**or** ou, **1.1**
**orange** l'orange (fruit) (f.), **6.2**; orange (color) (inv.), **10.2**
   **orange soda** l'Orangina (m.), **5.1**
to **order** commander, **5.1**
**original language version (of a film)** la version originale, **16.1**
**other** autre, **BV**
**our** notre, nos, **5**
**out of bounds** hors des limites, **9.2**
**over (prep.)** par dessus, **13.2**
   **over there** là-bas, **BV**
**overcast (cloudy)** couvert(e), **14.2**
to **overlook** donner sur, **17.1**
to **owe** devoir, **18.2**

### P

to **pack (suitcases)** faire les valises, **7.1**
**package** le paquet, **6.2**
**packed (stadium)** comble, **13.1**
**painter** le/la peintre, **16.2**
**painting** la peinture; le tableau, **16.2**
**pair** la paire, **10.1**
**pal** le copain, la copine, **2.1**
**pancake** la crêpe, **5.1**
**pants** le pantalon, **10.1**
**pantyhose** le collant, **10.1**

**paper: sheet of paper**  la feuille de papier, **BV**
**parents**  les parents (m. pl.), **4.1**
**Parisian**  parisien(ne), **7**
**park**  le parc, **11.2**
  **to park the car**  garer la voiture, **12.2**
  **parking: no parking**  Il est interdit de stationner., **12.2**
**part-time**  à mi-temps, **3.2**
**party**  la fête, **3.2**
to **pass**  passer, **7.2**
**passenger**  le passager, la passagère, **7.1**; le voyageur, la voyageuse (train), **8**
**passport**  le passeport, **7.1**
**pâté**  le pâté, **5.1**
**patient**  patient(e), **1.1**
to **pay**  payer, **6.1**
  **to pay attention**  faire attention, **6**
  **to pay back**  rembourser, **18.2**
  **to pay cash**  payer en espèces, **17.2**
**pedestrian**  le piéton, la piétonne, **12.2**
  **pedestrian crossing**  les clous (m. pl.), **12.2**
**pen**  le stylo, **BV**
**pencil**  le crayon, **BV**
**penicillin**  la pénicilline, **15.1**
to **permit**  permettre, **14**
**person**  la personne, **17.1**
**personally**  personnellement, **16.2**
**pharmacist**  le pharmacien, la pharmacienne, **15.2**
**pharmacy**  la pharmacie, **15.2**
**physical education**  l'éducation (f.) physique, **2.2**
**physics**  la physique, **2.2**
**picture**  le tableau, **16.1**
**pie**  la tarte, **6.1**
**pill**  le comprimé, **15.2**
**pillow**  l'oreiller (m.), **17.2**
**pink**  rose, **10.2**
to **place**  mettre, **8.1**
**plain (adj.)**  nature, **5.1**
**plate**  l'assiette (f.), **5.2**
**platform (railroad)**  le quai, **8.1**
to **play, perform**  jouer, **16**
  **to play (a sport)**  jouer à, **9.2**; pratiquer un sport, **11.2**
**play**  la pièce, **16.1**
  **to put on a play**  monter une pièce, **16.1**
**player**  le joueur, **9.2**
**please**  s'il vous plaît (form.), s'il te plaît (fam.), **BV**

**pocket**  la poche, **18.1**
**pocketbook, purse**  le sac, **18.1**
**pool**  la piscine, **9.2**
**poor**  pauvre, **15.1**
  **poor thing**  le/la pauvre, **15.1**
**popular**  populaire, **1.2**
**porter**  le porteur, **8.1**
**potato**  la pomme de terre, **6.2**
**pound**  la livre, **6.2**
to **prepare**  préparer, **4.2**
to **prescribe**  prescrire, **15.2**
**prescription**  l'ordonnance (f.), **15.2**
  **to write a prescription**  faire une ordonnance, **15.2**
**pretty**  joli(e), **4.2**
**price**  le prix, **10.1**
**problem**  le problème, **11.2**
to **punish**  punir, **7**
to **put (on)**  mettre, **8.1**
  **to put money aside**  mettre de l'argent de côté, **18.2**
  **to put on makeup**  se maquiller, **11.1**

## Q

**quarter: quarter after (time)**  et quart, **2**
  **quarter to (time)**  moins le quart, **2**
**question: to ask a question**  poser une question, **3.1**
**quite**  assez, **1**

## R

**race**  la course, **13.2**
**racket**  la raquette, **9.2**
**radio**  la radio, **3.2**
**raining: It's raining.**  Il pleut., **9.2**
**rare (meat)**  saignant(e), **5.2**
to **read**  lire, **12.2**
**ready-to-wear department**  le rayon prêt-à-porter, **10.1**
**really**  vraiment, **2.1**
to **receive**  recevoir, **18.1**
**reception desk**  la réception, **17.1**
**record**  le disque, **3.2**
**red**  rouge, **10.2**
**referee**  l'arbitre (m.), **13.1**
**registration card (at a hotel desk)**  la fiche d'enregistrement, **17.1**
**regular**  ordinaire (gasoline), **12.2**
to **reserve**  réserver, **17**
**restaurant**  le restaurant, **5.2**

to **return (tennis ball, etc.)**  renvoyer, **9.2**
**right: to the right of**  à droite de, **5**
**right away**  tout de suite, **11.1**
**road**  la route, **12.2**
**role**  le rôle, **16**
**room**  la pièce, **4.1**; la chambre (in a hotel), **17.1**
  **single room**  la chambre à un lit, **17.1**
  **double room**  la chambre à deux lits, **17.1**
**round-trip ticket**  le billet aller-retour, **8.1**
**runner**  le coureur, **13.2**

## S

**salad**  la salade, **5.1**
**sales**  les soldes (f. pl.), **10.2**
**salesperson**  le vendeur, la vendeuse, **10.1**
**same**  même, **2.1**
**sand**  le sable, **9.1**
**sandwich**  le sandwich, **5.1**
  **grilled ham and cheese sandwich**  le croque-monsieur, **5.1**
**Saturday**  samedi (m.), **2.2**
**sausage**  le saucisson, **6.1**
to **save money**  faire des économies, **18.2**
**savings account**  le compte d'épargne, **18.1**
to **say**  dire, **12.2**
**scarf**  l'écharpe (f.), **14.1**
**scene**  la scène, **16.1**
**schedule**  l'horaire (m.), **8.1**
**school**  l'école (f.), **1.2**
  **high school**  le lycée, **1.2**
**science**  les sciences (f. pl.), **2.2**
**score**  le score, **9.2**
  **to score a goal**  marquer un but, **13.1**
**screen**  l'écran (m.), **7.1**
**sculptor**  le sculpteur (m. et f.), **16.2**
**sculpture**  la sculpture, **16.2**
**sea**  la mer, **9.1**
  **by the sea**  au bord de la mer, **9.1**
**seashore**  le bord de la mer, **9.1**
**seaside resort**  la station balnéaire, **9.1**
**seat**  le siège, **7.1**
  **seat (on an airplane, at movies, etc.)**  la place, **7.1**
**seat belt**  la ceinture de sécurité, **12.2**

seated   assis(e), **8.2**

second (adj.)   deuxième, **4.2**

section   la zone, **7.1**

   **smoking (no smoking) section**   la zone (non) fumeurs

**security (airport)**   le contrôle de sécurité, **7.1**

to **see**   voir, **10.1**

   **See you later.**   À tout à l'heure., **BV**

   **See you tomorrow.**   À demain., **BV**

to **sell**   vendre, **8.1**

to **send (hit)**   envoyer, **13.1**

**September**   septembre (m.), **4.1**

to **serve**   servir, **7.2**

   **service**   le service, **5.2**

   **service station**   la station-service, **12.2**

   **service station attendant**   le/la pompiste, **12.2**

**set (for a play)**   le décor, **16.1**

   **to set the table**   mettre le couvert, **8**

**seven**   sept, **BV**

**seventeen**   dix-sept, **BV**

**seventy**   soixante-dix, **5.2**

**several**   plusieurs, **18.2**

**Shall we go?**   On y va?, **5**

to **shave**   se raser, **11.1**

   **she**   elle, **1**

**sheet**   le drap, **17.2**

   **sheet of paper**   la feuille de papier, **BV**

**shirt**   la chemise, **10.1**

**shoes**   les chaussures (f. pl.), **10.1**

**shop**   la boutique, **10.1**

   **to shop**   faire des achats, **10.1**

**short**   petit(e), **1.1**; court(e), **10.2**

**shorts**   le short, **9.2**

**show**   la séance (movies), **16.1**

to **show**   montrer, **17.1**

   **to show a movie**   passer un film, **16.1**

**shrimp**   la crevette, **6.1**

**shy**   timide, **1.2**

**sick**   malade, **15.1**

**sick person**   le/la malade, **15.2**

**side**   le camp (in a sporting event), **13.1**

**sidewalk**   le trottoir, **12.2**

   **sidewalk café**   la terrasse (d'un café), **5.1**

to **sign**   signer, **18.1**

**since**   depuis, **8.2**

**sincere**   sincère, **1.2**

to **sing**   chanter, **3.2**

**sir**   monsieur, **BV**

**sister**   la sœur, **1.2**

**six**   six, **BV**

**sixteen**   seize, **BV**

**sixty**   soixante, **BV**

**size**   la taille (clothes); la pointure (shoes), **10.2**

   **the next larger size**   la taille au-dessus, **10.2**

   **the next smaller size**   la taille au-dessous, **10.2**

   **to take size . . .**   faire du (nombre), **10.2**

   **What size do you take?**   Vous faites quelle pointure (taille)?, **10.2**

**skate (ice)**   le patin à glace, **14.2**

   **to (ice) skate**   faire du patin (à glace), **14.2**

**skater**   le patineur, la patineuse, **14.2**

**skating (n.)**   la patinage, **14.2**

**skating rink**   la patinoire, **14.2**

**ski (n.)**   le ski, **14.1**

   **to ski**   faire du ski, **14.1**

**ski boot**   la chaussure de ski, **14.1**

**ski jacket**   l'anorak (m.), **14.1**

**ski pole**   le bâton, **14.1**

**ski resort**   la station de sports d'hiver, **14.1**

**skiing (n.)**   le ski, **14.1**

   **downhill skiing**   le ski alpin, **14.1**

   **cross-country skiing**   le ski de fond, **14.1**

**skier**   le skieur, la skieuse, **14.1**

**skirt**   la jupe, **10.1**

**sky**   le ciel, **14.2**

to **sleep**   dormir, **7.2**

**sleeping car**   la voiture-lit, **8.2**

**sleeve**   la manche, **10.2**

   **long- (short-) sleeved**   à manches longues (courtes), **10.2**

**small**   petit(e), **1.1**

**smoking (section)**   (la zone) fumeurs, **7.1**

**snack bar (train)**   le grill-express, **8**

**sneakers**   les chaussures (f. pl.) de tennis, **9.2**

to **sneeze**   éternuer, **15.1**

**snowball**   la boule de neige, **14.2**

**snowing: It's snowing.**   Il neige., **14.2**

**soap**   le savon, **11.1**

**soccer**   le foot(ball), **13.1**

**soccer field**   le terrain de football, **13.1**

**socks**   les chaussettes (f. pl.), **10.1**

**some**   quelques (pl.), **8.2**

**somebody, someone**   quelqu'un, **12.2**

**something to eat**   quelque chose à manger, **5.1**

**sometimes**   quelquefois, **5**

**son**   le fils, **4.1**

**sore throat**   avoir mal à la gorge **15.1**

**space (parking)**   la place, **12.2**

**Spanish (language)**   l'espagnol (m.), **2.2**

to **speak**   parler, **3.1**

   **to speak on the telephone**   parler au téléphone, **3.2**

**spectator**   le spectateur, **13.1**

**speed limit**   la limitation de vitesse, **12.2**

to **speed up**   accélérer, **12.2**

to **spend**   dépenser (money), **10.1**

**spoon**   la cuillère, **5.2**

**sporty (clothes)**   sport (adj. inv.), **10.1**

**spring (season)**   le printemps, **13.2**

**stadium**   le stade, **13.1**

**stage**   la scène, **16.1**

**staircase**   l'escalier (m.), **17.1**

to **stamp (a ticket)**   composter, **8.1**

**standing**   debout, **8.2**

**star (actor or actress)**   la vedette, **16.1**

to **start the car**   mettre le contact, **12.2**

**station wagon**   le break, **12.2**

**statue**   la statue, **16.2**

to **stay in shape**   rester en forme, **11.1**

   **steak and French fries**   le steak frites, **5.2**

**steep**   raide, **14.1**

**stomach**   le ventre, **15.1**

   **stomachache**   avoir mal au ventre, **15.1**

to **stop**   s'arrêter, **12.2**

**store**   le magasin, **3.2**

**street**   la rue, **3.1**

**student**   l'élève (m. et f.), **1.2**

to **study**   étudier, **3.1**; faire des études, **6**

   **to study French (math, etc.)**   faire du français (des maths, etc.), **6**

**subject**   la matière (school), **2.2**

**subtitles**   les sous-titres (m. pl.), **16.1**

**subway**   le métro, **4.2**

**by subway** en métro, **5.2**
**subway station** la station de métro, **4.2**
to **succeed** réussir (à), **7**
to **suffer** souffrir, **15.2**
**suit** le complet (men's), le tailleur (women's), **10.1**
**(suit) jacket** la veste, **10.1**
**suitcase** la valise, **7.1**
**summer** l'été (m.), **9.1**
**summit** le sommet, **14.1**
to **sunbathe** prendre un bain de soleil, **9.1**
**Sunday** dimanche (m.), **2.2**
**sunglasses** les lunettes (f. pl.) de soleil, **9.1**
**sunny: It's sunny.** Il fait du soleil., **9.2**
**suntan lotion** la crème solaire, **9.1**
**super** extra, super (inform.), **2.2**
**super (gasoline)** (de l'essence) super, **12.2**
**supermarket** le supermarché, **6.1**
to **surf** faire du surf, **9.1**
**sweater** le pull, **10.1**
**sweatshirt** le sweat-shirt, **10.1**
**sweatsuit** le survêtement, **11.2**
to **swim** nager, **9.1**
**swimming (n.)** la natation, **9.1**

## T

**T-shirt** le tee-shirt, **9.2**
**table** la table, **BV**
**table setting** le couvert, **5.2**
**to set the table** mettre le couvert, **5.2**
**tablecloth** la nappe, **5.2**
to **take** prendre, **9.1**
**to take a bath (a shower)** prendre un bain (une douche), **11.1**
**to take an exam** passer un examen, **3.1**
**to take off (airplane)** décoller, **7.1**
**to take size (number)** faire du (+ nombre), **10.2**
**to take something upstairs** monter, **17.1**
**to take the train (plane, etc.)** prendre le train (l'avion, etc.), **7**
**to take a trip** faire un voyage, **7.1**
**to take a walk** faire une promenade, **9.1**
**taken** pris(e), **5.1**

to **talk** parler, **3.1**
**to talk on the phone** parler au téléphone, **3.1**
to **tan** bronzer, **9.1**
**tart** la tarte, **6.1**
**taxi** le taxi, **7.2**
**tea with lemon** le thé citron, **5.1**
to **teach someone to do something** apprendre à quelqu'un à faire quelque chose, **14.1**
**teacher** le professeur; le/la prof (inform.), **2.1**
**team** l'équipe (f.), **13.1**
**television** la télé, **3.2**
to **tell** dire, **12.2**
**temperature** la température, **15.1**
**ten** dix, **BV**
**tennis** le tennis, **9.2**
**tennis court** le court de tennis, **9.2**
**tennis shoes** les chaussures (f. pl.) de tennis, **9.2**
**tennis skirt** la jupette, **9.2**
**terrible** terrible, **2.2**
**terminal (bus to airport)** l'aérogare (f.), **7.2**
**terrace** la terrasse, **4.2**
**test** l'examen (m.), **3.1**
**to take a test** passer un examen, **3.1**
**to pass a test** réussir à un examen, **7**
**thank you** merci, **BV**
**that (dem. adj.)** ce (cet), cette, **8**
**That's expensive.** Ça coûte cher., **18**
**that is to say** c'est-à-dire, **16.1**
**the** la, le, **1**; les, **2**
**theater** le théâtre, **16.1**
**their** leur, leurs, **5**
**them** elles, eux, (stress pron.), **9**; les (dir. obj.), **16**; leur (ind. obj.), **17**
**then (adv.)** ensuite, **11.1**
**there** y, **5**
**there is, there are** il y a, **4.2**; voilà (emphatic), **BV**
**these** ces (m. and f. pl.), **8**
**they** elles, ils, **2**
to **think** penser, **10.2**
**third** troisième, **4.2**
**thirteen** treize, **BV**
**thirty** trente, **BV**
**this (dem. adj.)** ce (cet), cette, **8**
**those (dem. adj.)** ces (m. and f. pl.), **8**
**thousand** mille, **6.2**

**three** trois, **BV**
**throat** la gorge, **15.1**
**to have a frog in one's throat** avoir un chat dans la gorge, **15.2**
**to have a scratchy throat** avoir la gorge qui gratte, **15.1**
**to have a throat infection** avoir une angine, **15.1**
to **throw** lancer, **13.2**
**Thursday** jeudi (m.), **2.2**
**ticket** le billet, **7.1**
**one-way ticket** l'aller simple (m.), **8.1**
**round-trip ticket** le billet aller-retour, **8.1**
**ticket window** le guichet, **8.1**
**traffic ticket** la contravention, **12.2**
**tie** la cravate, **10.1**
**tight** serré(e); étroit(e) (shoes), **10.2**
**time** l'heure (f.) (of day), **2**
**At what time?** À quelle heure?, **2**
**to be on time** être à l'heure, **8.1**
**What time is it?** Il est quelle heure?, **2**
**timid** timide, **1.2**
**tip (restaurant)** le pourboire, **5.2**
**to leave a tip** laisser un pourboire, **5.2**
**The tip is included.** Le service est compris., **5.2**
**tire** le pneu, **12.2**
**flat tire** le pneu à plat, **12.2**
**spare tire** la roue de secours, **12.2**
to **à**, **3.1**; à destination de (flight, etc.), **7.1**
**to the** au, aux, **5**
**to the left of**, à gauche de, **5**
**to the right of** à droite de, **5**
**today** aujourd'hui, **2.2**
**together** ensemble, **5.1**
**toilet (bathroom)** les toilettes (f. pl.), **4.2**
**toilet paper: roll of toilet paper** le rouleau de papier hygiénique, **17.2**
**toll highway** l'autoroute (f.) à péage, **12.2**
**tomato** la tomate, **6.2**
**tomorrow** demain, **2.2**
**See you tomorrow.** À demain., **BV**
**too** aussi (also), **1.1**; trop (excessively), **10.2**

**tooth** la dent, **11.1**
**toothpaste** le dentifrice, **11.1**
**towel** la serviette, **17.2**
**track** la piste (race), **13.2**; la voie (train), **8.1**
**traffic** la circulation, **12.2**
   **traffic light** le feu, **12.2**
   **green (traffic) light** le feu vert, **12.2**
   **red (traffic) light** le feu rouge, **12.2**
   **yellow (traffic) light** le feu orange, **12.2**
**tragedy** la tragédie, **16.1**
**trail** la piste, **14.1**
   **slalom trail** la piste de slalom, **14.1**
**train** le train, **8.1**
   **train station** la gare, **8.1**
**traveler** le voyageur, la voyageuse, **8.1**
**trigonometry** la trigonométrie, **2.2**
**Tuesday** mardi (m.), **2.2**
**TV** la télé, **3.2**
**twelve** douze, **BV**
**twenty** vingt, **BV**
**two** deux, **BV**
**type (n.)** le genre, **16.1**

### U

**uncle** l'oncle (m.), **4.1**
**under** sous, **BV**
to **understand** comprendre, **9.1**
**United States** les États-Unis (m. pl.), **9.1**
**unleaded** sans plomb, **12.2**
**unpleasant** désagréable, antipathique (person), **1.2**
**up to** jusqu'à, **13.2**
**us** nous, **7**

### V

**valley** la vallée, **14.1**
**vanilla (adj.)** à la vanille, **5.1**
**vegetable** le légume, **6.2**
**very** très, **1.1**
**videocassette** la vidéo(cassette), **3.2**
**viral** viral(e), **15.1**
**volleyball** le volley-ball, **13.2**

### W

to **wait (for)** attendre, **8.1**
   **to wait in line** faire la queue, **8.1**

**waiter** le serveur, **5.1**
**waiting room** la salle d'attente, **8.1**
**waitress** la serveuse, **5.1**
to **wake up** se réveiller, **11.1**
to **walk** se promener, **11.2**
**Walkman** le walkman, **3.2**
**wallet** le portefeuille, **18.1**
to **want** vouloir, **6.1**
**warmup suit** le survêtement, **11.2**
to **wash (one's face, hair, etc.)** se laver (la figure, les cheveux, etc.), **11.1**
   **to wash and groom oneself** faire sa toilette, **11.1**
**washcloth** le gant de toilette, **17.2**
to **watch** surveiller, **12.2**
**water** l'eau (f.), **6.2**
to **water-ski** faire du ski nautique, **9.1**
**wave** la vague, **9.1**
**we** nous, **2**
to **wear** porter, **10.1**
**weather** le temps, **9.2**
   **It's bad weather.** Il fait mauvais., **9.2**
   **It's nice weather.** Il fait beau., **9.2**
   **What's the weather like?** Quel temps fait-il?, **9.2**
**Wednesday** mercredi (m.), **2.2**
**week** la semaine, **2.2**
   **a (per) week** par semaine, **3.2**
**weekend** le week-end, **2.2**
**weight: to gain weight** grossir, **11.2**
   **to lose weight** maigrir, **11.2**
**well** bien, **BV**
**well-done (meat)** bien cuit(e), **5.2**
**what** quel(le), **7**; qu'est-ce que, **13**; quoi, **14**
   **What else? (shopping)** Avec ça?, **6.2**
   **What is it?** Qu'est-ce que c'est?, **BV**
   **What is . . . like?** Comment est . . . ? (description), **1.1**
**wheel** la roue, **12.2**
**when** quand, **3.1**
   **When is your birthday?** C'est quand, ton anniversaire? (fam.), **4.1**
**where** où, **BV**
**which** quel(le) (interrrogative adj.), **7**

to **whistle (blow a whistle)** siffler, **13.1**
**white** blanc, blanche, **10.2**
**who** qui, **BV**
   **Who (do you mean)?** Qui ça?, **BV**
   **Who is it?** Qui est-ce?, **BV**
**whom** qui, **14**
**why** pourquoi, **9.1**
**wide** large, **10.2**
**wife** la femme, **4.1**
to **win** gagner, **9.2**
**wind** le vent, **14.2**
**window (seat in airplane)** côté fenêtre, **7.1**
to **windsurf** faire de la planche à voile, **9.1**
**windy: It's windy.** Il fait du vent., **9.2**
**winner** le gagnant, la gagnante, **13.2**
**winter** l'hiver (m.), **14.1**
**with** avec, **5.1**
**without** sans, **12.2**
to **work** travailler, **3.2**
   **work** l'œuvre (f.) (of art), **16.2**
to **write** écrire, **12.2**
**wrong: What's wrong with him?** Qu'est-ce qu'il a?, **15.1**

### Y

**year** l'année (f.), **4.1**
**yellow** jaune, **10.2**
**yes** oui, **BV**
**yesterday** hier, **13.1**
   **the day before yesterday** avant hier, **13**
   **yesterday morning** hier matin, **13**
**yogurt** le yaourt, **6.1**
**you** te (dir. and ind. obj.), **15**; toi (stress pron.), **9**; tu, (subj. pron.) (fam.), **1**; vous (sing. form. and pl.), **2**
   **You're welcome.** De rien., Je t'en prie., Pas de quoi (fam.).; Ce n'est rien, Il n'y a pas de quoi., Je vous en prie (form.)., **BV**
**young** jeune, **4.1**
**your** ta, ton, tes (fam.), **4**; votre, vos (form.), **5**

### Z

**zero** zéro, **BV**

# INDEX GRAMMATICAL